LA CITÉ ANTIQUE
ÉTUDE SUR LE CULTE, LE DROIT, LES INSTITUTIONS DE LA GRÈCE ET DE ROME

Fustel de Coulanges

Copyright pour le texte et la couverture © 2023 Culturea
Edition : Culturea (culurea.fr), 34 Hérault
Contact : infos@culturea.fr
Impression : BOD, Norderstedt (Allemagne)
ISBN :9791041835577
Date de publication : juillet 2023
Mise en page et maquettage : https://reedsy.com/
Cet ouvrage a été composé avec la police Bauer Bodoni
Tous droits réservés pour tous pays.

INTRODUCTION

DE LA NÉCESSITÉ D'ÉTUDIER LES PLUS VIEILLES CROYANCES DES ANCIENS POUR CONNAÎTRE LEURS INSTITUTIONS.

On se propose de montrer ici d'après quels principes et par quelles règles la société grecque et la société romaine se sont gouvernées. On réunit dans la même étude les Romains et les Grecs, parce que ces deux peuples, qui étaient deux branches d'une même race, et qui parlaient deux idiomes issus d'une même langue, ont eu aussi les mêmes institutions et les mêmes principes de gouvernement et ont traversé une série de révolutions semblables.

On s'attachera surtout à faire ressortir les différences radicales et essentielles qui distinguent à tout jamais ces peuples anciens des sociétés modernes. Notre système d'éducation, qui nous fait vivre dès l'enfance au milieu des Grecs et des Romains, nous habitue à les comparer sans cesse à nous, à juger leur histoire d'après la nôtre et à expliquer nos révolutions par les leurs. Ce que nous tenons d'eux et ce qu'ils nous ont légué nous fait croire qu'ils nous ressemblaient; nous avons quelque peine à les considérer comme des peuples étrangers; c'est presque toujours nous que nous voyons en eux. De là sont venues beaucoup d'erreurs. Nous ne manquons guère de nous tromper sur ces peuples anciens quand nous les regardons à travers les opinions et les faits de notre temps.

Or les erreurs en cette matière ne sont pas sans danger. L'idée que l'on s'est faite de la Grèce et de Rome a souvent troublé nos générations. Pour avoir mal observé les institutions de la cité ancienne, on a imaginé de les faire revivre chez nous. On s'est fait illusion sur la liberté chez les anciens, et pour cela seul la liberté chez les modernes a été mise en péril. Nos quatre-vingts dernières années ont montré clairement que l'une des grandes difficultés qui s'opposent à la marche de la société moderne, est l'habitude qu'elle a prise d'avoir toujours l'antiquité grecque et romaine devant les yeux.

Pour connaître la vérité sur ces peuples anciens, il est sage de les étudier sans songer à nous, comme s'ils nous étaient tout à fait étrangers, avec le même désintéressement et l'esprit aussi libre que nous étudierions l'Inde ancienne ou l'Arabie.

Ainsi observées, la Grèce et Rome se présentent à nous avec un caractère absolument inimitable. Rien dans les temps modernes ne leur ressemble. Rien dans l'avenir ne pourra leur ressembler. Nous essayerons de montrer par quelles règles ces sociétés étaient régies, et l'on constatera aisément que les mêmes règles ne peuvent plus régir l'humanité.

D'où vient cela? Pourquoi les conditions du gouvernement des hommes ne sont-elles plus les mêmes qu'autrefois? Les grands changements qui paraissent de temps en temps dans la constitution des sociétés, ne peuvent être l'effet ni du hasard, ni de la force seule. La cause qui les produit doit être puissante, et cette cause doit résider dans l'homme. Si les lois de l'association humaine ne sont plus les mêmes que dans l'antiquité, c'est qu'il y a dans l'homme quelque chose de changé. Nous avons en effet une partie de notre être qui se modifie de siècle en siècle; c'est notre intelligence. Elle est toujours en mouvement, et presque toujours en progrès, et à cause d'elle, nos institutions et nos lois sont sujettes au changement. L'homme ne pense plus aujourd'hui ce qu'il pensait il y a vingt-cinq siècles, et c'est pour cela qu'il ne se gouverne plus comme il se gouvernait.

L'histoire de la Grèce et de Rome est un témoignage et un exemple de l'étroite relation qu'il y a toujours entre les idées de l'intelligence humaine et l'état social d'un peuple. Regardez les institutions des anciens sans penser à leurs croyances, vous les trouvez obscures, bizarres, inexplicables. Pourquoi des patriciens et des plébéiens, des patrons et des clients, des eupatrides et des thètes, et d'où viennent les différences natives et ineffaçables que nous trouvons entre ces classes? Que signifient ces institutions lacédémoniennes qui nous paraissent si contraires à la nature? Comment expliquer ces bizarreries iniques de l'ancien droit privé: à Corinthe, à Thèbes, défense de vendre sa terre; à Athènes, à Rome, inégalité dans la succession entre le frère et la soeur? Qu'est-ce que les jurisconsultes entendaient par l'*agnation*, par la *gens*? Pourquoi ces révolutions dans le droit, et ces révolutions dans la politique? Qu'était-ce que ce patriotisme singulier qui effaçait quelquefois tous les sentiments naturels? Qu'entendait-on par cette liberté dont on parlait sans cesse? Comment se fait-il que des institutions qui s'éloignent si fort de tout ce dont nous avons l'idée aujourd'hui, aient pu s'établir et régner longtemps? Quel est le principe supérieur qui leur a donné l'autorité sur l'esprit des hommes?

Mais en regard de ces institutions et de ces lois, placez les croyances; les faits deviendront aussitôt plus clairs, et leur explication se présentera d'elle-même. Si, en remontant aux premiers âges de cette race, c'est-à-dire au temps où elle fonda ses institutions, on observe l'idée qu'elle se faisait de l'être humain, de la vie, de la mort, de la seconde existence, du principe divin, on aperçoit un rapport intime entre ces opinions et les règles antiques du droit privé, entre les rites qui dérivèrent de ces croyances et les institutions politiques.

La comparaison des croyances et des lois montre qu'une religion primitive a constitué la famille grecque et romaine, a établi le mariage et l'autorité paternelle, a fixé les rangs de la parenté, a consacré le droit de propriété et le droit d'héritage. Cette même religion, après avoir élargi et étendu la famille, a formé une association plus grande, la cité, et a régné en elle comme dans la famille. D'elle sont venues toutes les institutions comme tout le droit privé des anciens. C'est d'elle que la cité a tenu ses principes, ses règles, ses usages, ses magistratures. Mais avec le temps ces vieilles croyances se sont modifiées ou effacées; le droit privé et les institutions politiques se sont modifiées avec elles. Alors s'est déroulée la série des révolutions, et les transformations sociales ont suivi régulièrement les transformations de l'intelligence.

Il faut donc étudier avant tout les croyances de ces peuples. Les plus vieilles sont celles qu'il nous importe le plus de connaître. Car les institutions et les croyances que nous trouvons aux belles époques de la Grèce et de Rome, ne sont que le développement de croyances et d'institutions antérieures; il en faut chercher les racines bien loin dans le passé. Les populations grecques et italiennes sont infiniment plus vieilles que Romulus et Homère. C'est dans une époque plus ancienne, dans une antiquité sans date, que les croyances se sont formées et que les institutions se sont ou établies ou préparées.

Mais quel espoir y a-t-il d'arriver à la connaissance de ce passé lointain? Qui nous dira ce que pensaient les hommes, dix ou quinze siècles avant notre ère? Peut-on retrouver ce qui est si insaisissable et si fugitif, des croyances et des opinions? Nous savons ce que pensaient les Aryas de l'Orient, il y a trente-cinq siècles; nous le savons par les hymnes des Védas, qui sont assurément fort antiques, et par les lois de Manou, où l'on peut distinguer des passages qui sont d'une époque extrêmement reculée. Mais, où sont les hymnes des anciens Hellènes? Ils avaient, comme les Italiens, des chants antiques, de vieux livres sacrés; mais de tout cela, il n'est rien parvenu jusqu'à nous. Quel souvenir peut- il nous rester de ces générations qui ne nous ont pas laissé un seul texte écrit?

Heureusement, le passé ne meurt jamais complètement pour l'homme. L'homme peut bien l'oublier, mais il le garde toujours en lui. Car, tel qu'il est à chaque époque, il est le produit et le résumé de toutes les époques antérieures. S'il descend en son âme, il peut retrouver et distinguer ces différentes époques d'après ce que chacune d'elles a laissé en lui.

Observons les Grecs du temps de Périclès, les Romains du temps de Cicéron; ils portent en eux les marques authentiques et les vestiges certains des siècles les plus reculés. Le contemporain de Cicéron (je parle surtout de l'homme du peuple) a l'imagination pleine de légendes; ces légendes lui viennent d'un temps très-antique et elles portent témoignage de la manière de penser de ce temps-là. Le contemporain de Cicéron se sert d'une langue dont les radicaux sont infiniment anciens; cette langue, en exprimant les pensées des vieux âges, s'est modelée sur elles, et elle en a gardé l'empreinte qu'elle transmet de siècle en siècle. Le sens intime d'un radical peut quelquefois révéler une ancienne opinion ou un ancien usage; les idées se sont transformées et les souvenirs se sont évanouis; mais les mots sont restés, immuables témoins de croyances qui ont disparu. Le contemporain de Cicéron pratique des rites dans les sacrifices, dans les funérailles, dans la cérémonie du mariage; ces rites sont plus vieux que lui, et ce qui le prouve, c'est qu'ils ne répondent plus aux croyances qu'il a. Mais qu'on regarde de près les rites qu'il observe ou les formules qu'il récite, et on y trouvera la marque de ce que les hommes croyaient quinze ou vingt siècles avant lui.

LIVRE PREMIER

ANTIQUES CROYANCES.

CHAPITRE PREMIER

CROYANCES SUR L'ÂME ET SUR LA MORT.

Jusqu'aux derniers temps de l'histoire de la Grèce et de Rome, on voit persister chez le vulgaire un ensemble de pensées et d'usages qui dataient assurément d'une époque très-éloignée et par lesquels nous pouvons apprendre quelles opinions l'homme se fit d'abord sur sa propre nature, sur son âme, sur le mystère de la mort.

Si haut qu'on remonte dans l'histoire de la race indo-européenne, dont les populations grecques et italiennes sont des branches, on ne voit pas que cette race ait jamais pensé qu'après cette courte vie tout fût fini pour l'homme. Les plus anciennes générations, bien avant qu'il y eût des philosophes, ont cru à une seconde existence après celle-ci. Elles ont envisagé la mort, non comme une dissolution de l'être, mais comme un simple changement de vie.

Mais en quel lieu et de quelle manière se passait cette seconde existence? Croyait-on que l'esprit immortel, une fois échappé d'un corps, allait en animer un autre? Non; la croyance à la métempsycose n'a jamais pu s'enraciner dans les esprits des populations gréco-italiennes; elle n'est pas non plus la plus ancienne opinion des Aryas de l'Orient, puisque les hymnes des Védas sont en opposition avec elle. Croyait-on que l'esprit montait vers le ciel, vers la région de la lumière? Pas davantage; la pensée que les âmes entraient dans une demeure céleste, est d'une époque relativement assez récente en Occident, puisqu'on la voit exprimée pour la première fois par le poëte Phocylide; le séjour céleste ne fut jamais regardé que comme la récompense de quelques grands hommes et des bienfaiteurs de l'humanité. D'après les plus vieilles croyances des Italiens et des Grecs, ce n'était pas dans un monde étranger à celui-ci que l'âme allait passer sa seconde existence; elle restait tout près des hommes et continuait à vivre sous la terre.

On a même cru pendant fort longtemps que dans cette seconde existence l'âme restait associée au corps. Née avec lui, la mort ne l'en séparait pas; elle s'enfermait avec lui dans le tombeau.

Si vieilles que soient ces croyances, il nous en est resté des témoins authentiques. Ces témoins sont les rites de la sépulture, qui ont survécu de beaucoup à ces croyances primitives, mais qui certainement sont nés avec elles et peuvent nous les faire comprendre.

Les rites de la sépulture montrent clairement que lorsqu'on mettait un corps au sépulcre, on croyait en même temps y mettre quelque chose de vivant. Virgile, qui décrit toujours avec tant de précision et de scrupule les cérémonies religieuses, termine le récit des funérailles de Polydore par ces mots: « Nous enfermons l'âme dans le tombeau. » La même expression se trouve dans Ovide et dans Pline le Jeune; ce n'est pas qu'elle répondît aux idées que ces écrivains se faisaient de l'âme, mais c'est que depuis un temps immémorial elle s'était perpétuée dans le langage, attestant d'antiques et vulgaires croyances.

C'était une coutume, à la fin de la cérémonie funèbre, d'appeler trois fois l'âme du mort par le nom qu'il avait porté. On lui souhaitait de vivre heureuse sous la terre. Trois fois on lui disait: Porte-toi bien. On ajoutait: Que la terre te soit légère. Tant on croyait que l'être allait continuer à vivre sous cette terre et qu'il y conserverait le sentiment du bien-être et de la souffrance! On écrivait sur le tombeau que l'homme reposait là; expression qui a survécu à ces croyances et qui de siècle en siècle est arrivée jusqu'à nous. Nous l'employons encore, bien qu'assurément personne aujourd'hui ne pense qu'un être immortel repose dans un tombeau. Mais dans l'antiquité on croyait si fermement qu'un homme vivait là, qu'on ne manquait jamais d'enterrer avec lui les objets dont on supposait qu'il avait besoin, des vêtements, des vases, des armes. On répandait du vin sur sa tombe pour étancher sa soif; on y plaçait des aliments pour apaiser sa faim. On égorgeait des chevaux et des esclaves, dans la pensée que ces êtres enfermés avec le mort le serviraient dans le tombeau, comme ils avaient fait pendant sa vie. Après la prise de Troie, les Grecs vont retourner dans leur pays; chacun d'eux emmène sa belle captive; mais Achille, qui est sous la terre, réclame sa captive aussi, et on lui donne Polyxène.

Un vers de Pindare nous a conservé un curieux vestige de ces pensées des anciennes générations. Phryxos avait été contraint de quitter la Grèce et avait fui jusqu'en Colchide. Il était mort dans ce pays; mais tout mort qu'il était, il voulait revenir en Grèce. Il apparut donc à Pélias et lui prescrivit d'aller en Colchide pour en rapporter son âme. Sans doute cette âme avait le regret du sol de la patrie, du tombeau de la famille; mais attachée aux restes corporels, elle ne pouvait pas quitter sans eux la Colchide.

De cette croyance primitive dériva la nécessité de la sépulture. Pour que l'âme fût fixée dans cette demeure souterraine qui lui convenait pour sa seconde vie, il fallait que le corps, auquel elle restait attachée, fût recouvert de terre. L'âme qui n'avait pas son tombeau n'avait pas de demeure. Elle était errante. En vain aspirait-elle au repos, qu'elle devait aimer après les agitations et le travail de cette vie; il lui fallait errer toujours, sous forme de larve ou de fantôme, sans jamais s'arrêter, sans jamais recevoir les offrandes et les aliments dont elle avait besoin. Malheureuse, elle devenait bientôt malfaisante. Elle tourmentait les vivants, leur envoyait des maladies, ravageait leurs moissons, les effrayait par des apparitions lugubres, pour les avertir de donner la sépulture à son corps et à elle-même. De là est venue la croyance aux revenants. Toute l'antiquité a été persuadée que sans la sépulture l'âme était misérable, et que par la sépulture elle devenait à jamais heureuse. Ce n'était pas pour l'étalage de la douleur qu'on accomplissait la cérémonie funèbre, c'était pour le repos et le bonheur du mort.

Remarquons bien qu'il ne suffisait pas que le corps fût mis en terre. Il fallait encore observer des rites traditionnels et prononcer des formules déterminées. On trouve dans Plaute l'histoire d'un revenant; c'est une âme qui est forcément errante, parce que son corps a été mis en terre sans que les rites aient été observés. Suétone raconte que le corps de Caligula ayant été mis en terre sans que la cérémonie funèbre fût accomplie, il en résulta que son âme fut errante et qu'elle apparut aux vivants, jusqu'au jour où l'on se décida à déterrer le corps et à lui donner une sépulture suivant les règles. Ces deux exemples montrent clairement quel effet on attribuait aux rites et aux formules de la cérémonie funèbre. Puisque sans eux les âmes étaient errantes et se montraient aux vivants, c'est donc que par eux elles étaient fixées et enfermées dans leurs tombeaux. Et de même qu'il y avait des formules qui avaient cette vertu, les anciens en possédaient d'autres qui avaient la vertu contraire, celle d'évoquer les âmes et de les faire sortir momentanément du sépulcre.

On peut voir dans les écrivains anciens combien l'homme était tourmenté par la crainte qu'après sa mort les rites ne fussent pas observés à son égard. C'était une source de poignantes inquiétudes. On craignait moins la mort que la privation de sépulture. C'est qu'il y allait du repos et du bonheur éternel. Nous ne devons pas être trop surpris de voir les Athéniens faire périr des généraux qui, après une victoire sur mer, avaient négligé d'enterrer les morts. Ces généraux, élèves des philosophes, distinguaient nettement l'âme du corps, et comme ils ne croyaient pas que le sort de l'une fût attaché au sort de l'autre, il leur semblait qu'il importait assez peu à un cadavre de se décomposer dans la terre ou dans l'eau. Ils n'avaient donc pas bravé la tempête pour la vaine formalité de recueillir et d'ensevelir leurs morts. Mais la foule qui, même à Athènes, restait attachée aux vieilles croyances, accusa ses généraux d'impiété et les fit mourir. Par leur victoire ils avaient sauvé Athènes; mais par leur négligence ils avaient perdu des milliers d'âmes. Les parents des morts, pensant au long supplice que ces âmes allaient souffrir, étaient venus au tribunal en vêtements de deuil et avaient réclamé vengeance.

Dans les cités anciennes la loi frappait les grands coupables d'un châtiment réputé terrible, la privation de sépulture. On punissait ainsi l'âme elle-même, et on lui infligeait un supplice presque éternel.

Il faut observer qu'il s'est établi chez les anciens une autre opinion sur le séjour des morts. Ils se sont figuré une région, souterraine aussi, mais infiniment plus vaste que le tombeau, où toutes les âmes, loin de leur corps, vivaient rassemblées, et où des peines et des récompenses étaient distribuées suivant la conduite que l'homme avait menée pendant la vie. Mais les rites de la sépulture, tels que nous venons de les décrire, sont manifestement en désaccord avec ces croyances-là: preuve certaine qu'à l'époque où ces rites s'établirent, on ne croyait pas encore au Tartare et aux champs Élysées. L'opinion première de ces antiques générations fut que l'être humain vivait dans le tombeau, que l'âme ne se séparait pas du corps et qu'elle restait fixée à cette partie du sol où les ossements étaient enterrés. L'homme n'avait d'ailleurs aucun compte à rendre de sa vie antérieure. Une fois mis au tombeau, il n'avait à attendre ni récompenses ni supplices. Opinion grossière assurément, mais qui est l'enfance de la notion de la vie future.

L'être qui vivait sous la terre n'était pas assez dégagé de l'humanité pour n'avoir pas besoin de nourriture. Aussi à certains jours de l'année portait-on un repas à chaque tombeau. Ovide et Virgile nous ont donné la description de cette cérémonie dont l'usage s'était conservé intact jusqu'à leur époque, quoique les croyances se fussent déjà transformées. Ils nous montrent qu'on entourait le tombeau de vastes guirlandes d'herbes et de fleurs, qu'on y plaçait des gâteaux, des fruits, du sel, et qu'on y versait du lait, du vin, quelquefois le sang d'une victime.

On se tromperait beaucoup si l'on croyait que ce repas funèbre n'était qu'une sorte de commémoration. La nourriture que la famille apportait, était réellement pour le mort, exclusivement pour lui. Ce qui le prouve, c'est que le lait et le vin étaient répandus sur la terre du tombeau; qu'un trou était creusé pour faire parvenir les aliments solides jusqu'au mort; que, si l'on immolait une victime, toutes les chairs en étaient brûlées pour qu'aucun vivant n'en eût sa part; que l'on prononçait certaines formules consacrées pour convier le mort à manger et à boire; que, si la famille entière assistait à ce repas, encore ne touchait-elle pas aux mets; qu'enfin, en se retirant, on avait grand soin de laisser un peu de lait, et quelques gâteaux dans des vases, et qu'il y avait grande impiété à ce qu'un vivant touchât à cette petite provision destinée aux besoins du mort.

Ces usages sont attestés de la manière la plus formelle. « Je verse sur la terre du tombeau, dit Iphigénie dans Euripide, le lait, le miel, le vin; car c'est avec cela qu'on réjouit les morts. » Chez les Grecs, en avant de chaque tombeau il y avait un emplacement qui était destiné à l'immolation de la victime et à la cuisson de sa chair. Le tombeau romain avait de même sa *culina*, espèce de cuisine d'un genre particulier et uniquement à l'usage du mort. Plutarque raconte qu'après la bataille de Platée les guerriers morts ayant été enterrés sur le lieu du combat, les Platéens s'étaient engagés à leur offrir chaque année le repas funèbre. En conséquence, au jour anniversaire, ils se rendaient en grande procession, conduits par leurs premiers magistrats, vers le tertre sous lequel reposaient les morts. Ils leur offraient du lait, du vin, de l'huile, des parfums, et ils immolaient une victime. Quand les aliments avaient été placés sur le tombeau, les Platéens prononçaient une formule par laquelle ils appelaient les morts à venir prendre ce repas. Cette cérémonie s'accomplissait encore au temps de Plutarque, qui put en voir le six-centième anniversaire.

Un peu plus tard, Lucien, en se moquant de ces opinions et de ces usages, faisait voir combien ils étaient fortement enracinés chez le vulgaire. « Les morts, dit-il, se nourrissent des mets que nous plaçons sur leur tombeau et boivent le vin que nous y versons; en sorte qu'un mort à qui l'on n'offre rien, est condamné à une faim perpétuelle. »

Voilà des croyances bien vieilles et qui nous paraissent bien fausses et ridicules. Elles ont pourtant exercé l'empire sur l'homme pendant un grand nombre de générations. Elles ont gouverné les âmes; nous verrons même bientôt qu'elles ont régi les sociétés, et que la plupart des institutions domestiques et sociales des anciens sont venues de cette source.

CHAPITRE II

LE CULTE DES MORTS

Ces croyances donnèrent lieu de très-bonne heure à des règles de conduite. Puisque le mort avait besoin de nourriture et de breuvage, on conçut que c'était un devoir pour les vivants de satisfaire à ce besoin. Le soin de porter aux morts les aliments ne fut pas abandonné au caprice ou aux sentiments variables des hommes; il fut obligatoire. Ainsi s'établit toute une religion de la mort, dont les dogmes ont pu s'effacer de bonne heure, mais dont les rites ont duré jusqu'au triomphe du christianisme.

Les morts passaient pour des êtres sacrés. Les anciens leur donnaient les épithètes les plus respectueuses qu'ils pussent trouver; ils les appelaient bons, saints, bienheureux. Ils avaient pour eux toute la vénération que l'homme peut avoir pour la divinité qu'il aime ou qu'il redoute. Dans leur pensée chaque mort était un dieu.

Cette sorte d'apothéose n'était pas le privilège des grands hommes; on ne faisait pas de distinction entre les morts. Cicéron dit: « Nos ancêtres ont voulu que les hommes qui avaient quitté cette vie, fussent comptés au nombre des dieux. » Il n'était même pas nécessaire d'avoir été un homme vertueux; le méchant devenait un dieu tout autant que l'homme de bien; seulement il gardait dans cette seconde existence tous les mauvais penchants qu'il avait eus dans la première.

Les Grecs donnaient volontiers aux morts le nom de dieux souterrains. Dans Eschyle, un fils invoque ainsi son père mort: « O toi qui es un dieu sous la terre. » Euripide dit en parlant d'Alceste: « Près de son tombeau le passant s'arrêtera et dira: Celle-ci est maintenant une divinité bienheureuse. » Les Romains donnaient aux morts le nom de dieux Mânes. « Rendez aux dieux Mânes ce qui leur est dû, dit Cicéron; ce sont des hommes qui ont quitté la vie; tenez-les pour des êtres divins. »

Les tombeaux étaient les temples de ces divinités. Aussi portaient-ils l'inscription sacramentelle *Dis Manibus*, et en grec *theois chthoniois*. C'était là que le dieu vivait enseveli, *manesque sepulti*, dit Virgile.

Devant le tombeau il y avait un autel pour les sacrifices, comme devant les temples des dieux.

On trouve ce culte des morts chez les Hellènes, chez les Latins, chez les Sabins, chez les Étrusques; on le trouve aussi chez les Aryas de l'Inde. Les hymnes du Rig-Véda en font mention. Le livre des lois de Manou parle de ce culte comme du plus ancien que les hommes aient eu. Déjà l'on voit dans ce livre que l'idée de la métempsycose a passé par-dessus cette vieille croyance; déjà même auparavant, la religion de Brahma s'était établie. Et pourtant, sous le culte de Brahma, sous la doctrine de la métempsycose, la religion des âmes des ancêtres subsiste encore, vivante et indestructible, et elle force le rédacteur des Lois de Manou à tenir compte d'elle et à admettre encore ses prescriptions dans le livre sacré. Ce n'est pas la moindre singularité de ce livre si bizarre, que d'avoir conservé les règles relatives à ces antiques croyances, tandis qu'il est évidemment rédigé à une époque où des croyances tout opposées avaient pris le dessus. Cela prouve que s'il faut beaucoup de temps pour que les croyances humaines se transforment, il en faut encore bien davantage pour que les pratiques extérieures et les lois se modifient. Aujourd'hui même, après tant de siècles et de révolutions, les Hindous continuent à faire aux ancêtres leurs offrandes. Cette croyance et ces rites sont ce qu'il y a de plus vieux dans la race indo-européenne, et sont aussi ce qu'il y a eu de plus persistant.

Ce culte était le même dans l'Inde qu'en Grèce et en Italie. Le Hindou devait procurer aux mânes le repas qu'on appelait *sraddha*. « Que le maître de maison fasse le sraddha avec du riz, du lait, des racines, des fruits, afin d'attirer sur lui la bienveillance des mânes. » Le Hindou croyait qu'au moment où il offrait ce repas funèbre, les mânes des ancêtres venaient s'asseoir près de lui et prenaient la nourriture qui leur était offerte. Il croyait encore que ce repas procurait aux morts une grande jouissance: « Lorsque le sraddha est fait suivant les rites, les ancêtres de celui qui offre le repas éprouvent une satisfaction inaltérable. »

Ainsi les Aryas de l'Orient, à l'origine, ont pensé comme ceux de l'Occident relativement au mystère de la destinée après la mort. Avant de croire à la métempsycose, ce qui supposait une distinction absolue de l'âme et du corps, ils ont cru à l'existence vague et indécise de l'être humain, invisible mais non immatériel, et réclamant des mortels une nourriture et des offrandes.

Le Hindou comme le Grec regardait les morts comme des êtres divins qui jouissaient d'une existence bienheureuse. Mais il y avait une condition à leur bonheur; il fallait que les offrandes leur fussent régulièrement portées par les vivants. Si l'on cessait d'accomplir le sraddha pour un mort, l'âme de ce mort sortait de sa demeure paisible et devenait une âme errante qui tourmentait les vivants; en sorte que si les mânes étaient vraiment des dieux, ce n'était qu'autant que les vivants les honoraient d'un culte.

Les Grecs et les Romains avaient exactement les mêmes croyances. Si l'on cessait d'offrir aux morts le repas funèbre, aussitôt les morts sortaient de leurs tombeaux; ombres errantes, on les entendait gémir dans la nuit silencieuse. Ils reprochaient aux vivants leur négligence impie; ils cherchaient à les punir, ils leur envoyaient des maladies ou frappaient le sol de stérilité. Ils ne laissaient enfin aux vivants aucun repos jusqu'au jour où les repas funèbres étaient rétablis. Le sacrifice, l'offrande de la nourriture et la libation les faisaient rentrer dans le tombeau et leur rendaient le repos et les attributs divins. L'homme était alors en paix avec eux.

Si le mort qu'on négligeait était un être malfaisant, celui qu'on honorait était un dieu tutélaire. Il aimait ceux qui lui apportaient la nourriture. Pour les protéger, il continuait à prendre part aux affaires humaines; il y jouait fréquemment son rôle. Tout mort qu'il était, il savait être fort et actif. On le priait; on lui demandait son appui et ses faveurs. Lorsqu'on rencontrait un tombeau, on s'arrêtait, et l'on disait: « Dieu souterrain, sois-moi propice. »

On peut juger de la puissance que les anciens attribuaient aux morts par cette prière qu'Électre adresse aux mânes de son père: « Prends pitié de moi et de mon frère Oreste; fais-le revenir en cette contrée; entends ma prière, ô mon père; exauce mes voeux en recevant mes libations. » Ces dieux puissants ne donnent pas seulement les biens matériels; car Électre ajoute: « Donne-moi un coeur plus chaste que celui de ma mère et des mains plus pures. »   Ainsi le Hindou demande aux mânes « que dans sa famille le nombre des hommes de bien s'accroisse, et qu'il ait beaucoup à donner ».

Ces âmes humaines divinisées par la mort étaient ce que les Grecs appelaient des *démons* ou des *héros*. Les Latins leur donnaient le nom de *Lares, Mânes, Génies*. « Nos ancêtres ont cru, dit Apulée, que les Mânes, lorsqu'ils étaient malfaisants, devaient être appelés larves, et ils les appelaient Lares lorsqu'ils étaient bienveillants et propices. » On lit ailleurs: « Génie et Lare, c'est le même être; ainsi l'ont cru nos ancêtres. » Et dans Cicéron: « Ceux que les Grecs nomment démons, nous les appelons Lares. »

Cette religion des morts paraît être la plus ancienne qu'il y ait eu dans cette race d'hommes. Avant de concevoir et d'adorer Indra ou Zeus, l'homme adora les morts; il eut peur d'eux, il leur adressa des prières. Il semble que le sentiment religieux ait commencé par là. C'est peut-être à la vue de la mort que l'homme a eu pour la première fois l'idée du surnaturel et qu'il a voulu espérer au delà de ce qu'il voyait. La mort fut le premier mystère; elle mit l'homme sur la voie des autres mystères. Elle éleva sa pensée du visible à l'invisible, du passager à l'éternel, de l'humain au divin.

CHAPITRE III

LE FEU SACRÉ.

La maison d'un Grec ou d'un Romain renfermait un autel; sur cet autel il devait y avoir toujours un peu de cendre et des charbons allumés. C'était une obligation sacrée pour le maître de chaque maison d'entretenir le feu jour et nuit. Malheur à la maison où il venait à s'éteindre! Chaque soir on couvrait les charbons de cendre pour les empêcher de se consumer entièrement; au réveil le premier soin était de raviver ce feu et de l'alimenter avec quelques branchages. Le feu ne cessait de briller sur l'autel que lorsque la famille avait péri tout entière; foyer éteint, famille éteinte, étaient des expressions synonymes chez les anciens.

Il est manifeste que cet usage d'entretenir toujours du feu sur un autel se rapportait à une antique croyance. Les règles et les rites que l'on observait à cet égard, montrent que ce n'était pas là une coutume insignifiante. Il n'était pas permis d'alimenter ce feu avec toute sorte de bois; la religion distinguait, parmi les arbres, les espèces qui pouvaient être employées à cet usage et celles dont il y avait impiété à se servir. La religion disait encore que ce feu devait rester toujours pur; ce qui signifiait, au sens littéral, qu'aucun objet sale ne devait être jeté dans ce feu, et au sens figuré, qu'aucune action coupable ne devait être commise en sa présence. Il y avait un jour de l'année, qui était chez les Romains le 1er mars, où chaque famille devait éteindre son feu sacré et en rallumer un autre aussitôt. Mais pour se procurer le feu nouveau, il y avait des rites qu'il fallait scrupuleusement observer. On devait surtout se garder de se servir d'un caillou et de le frapper avec le fer. Les seuls procédés qui fussent permis, étaient de concentrer sur un point la chaleur des rayons solaires ou de frotter rapidement deux morceaux de bois d'une espèce déterminée et d'en faire sortir l'étincelle. Ces différentes règles prouvent assez que, dans l'opinion des anciens, il ne s'agissait pas seulement de produire ou de conserver un élément utile et agréable; ces hommes voyaient autre chose dans le feu qui brûlait sur leurs autels.

Ce feu était quelque chose de divin; on l'adorait, on lui rendait un véritable culte. On lui donnait en offrande tout ce qu'on croyait pouvoir être agréable à un dieu, des fleurs, des fruits, de l'encens, du vin, des victimes. On réclamait sa protection; on le croyait puissant. On lui adressait de ferventes prières pour obtenir de lui ces éternels objets des désirs humains, santé, richesse, bonheur. Une de ces prières qui nous a été conservée dans le recueil des hymnes orphiques, est conçue ainsi: « Rends-nous toujours florissants, toujours heureux, ô foyer; ô toi qui es éternel, beau, toujours jeune, toi qui nourris, toi qui es riche, reçois de bon coeur nos offrandes, et donne-nous en retour le bonheur et la santé qui est si douce. » Ainsi on voyait dans le foyer un dieu bienfaisant qui entretenait la vie de l'homme, un dieu riche qui le nourrissait de ses dons, un dieu fort qui protégeait la maison et la famille. En présence d'un danger on cherchait un refuge auprès de lui. Quand le palais de Priam est envahi, Hécube entraîne le vieux roi près du foyer: « Tes armes ne sauraient te défendre, lui dit-elle; mais cet autel nous protégera tous.»

Voyez Alceste qui va mourir, donnant sa vie pour sauver son époux. Elle s'approche de son foyer et l'invoque en ces termes: « O divinité, maîtresse de cette maison, c'est la dernière fois que je m'incline devant toi, et que je t'adresse mes prières; car je vais descendre où sont les morts. Veille sur mes enfants qui n'auront plus de mère; donne à mon fils une tendre épouse, à ma fille un noble époux. Fais qu'ils ne meurent pas comme moi avant l'âge, mais qu'au sein du bonheur ils remplissent une longue existence. » Dans l'infortune l'homme s'en prenait à son foyer et lui adressait des reproches; dans le bonheur il lui rendait grâces. Le soldat qui revenait de la guerre le remerciait de l'avoir fait échapper aux périls. Eschyle nous représente Agamemnon revenant de Troie, heureux, couvert de gloire; ce n'est pas Jupiter qu'il va porter sa joie et sa reconnaissance; il offre le sacrifice d'actions de grâces au foyer qui est dans sa maison. L'homme ne sortait de sa demeure sans adresser une prière au foyer; à son retour, avant de revoir sa femme et d'embrasser ses enfants, il devait s'incliner devant le foyer et l'invoquer.

Le feu du foyer était donc la Providence de la famille. Son culte était fort simple. La première règle était qu'il y eût toujours sur l'autel quelques charbons ardents; car si le feu s'éteignait, c'était un dieu qui cessait d'être. A certains moments de la journée, on posait sur le foyer des herbes sèches et du bois; alors le dieu se manifestait en flamme éclatante. On lui offrait des sacrifices; or, l'essence de tout sacrifice était d'entretenir et de ranimer ce feu sacré, de nourrir et de développer le corps du dieu. C'est pour cela qu'on lui donnait avant toutes choses le bois; c'est pour cela qu'ensuite on versait sur l'autel le vin brûlant de la Grèce, l'huile, l'encens, la graisse des victimes. Le dieu recevait ces offrandes, les dévorait; satisfait et radieux, il se dressait sur l'autel et il illuminait son adorateur de ses rayons. C'était le moment de l'invoquer; l'hymne de la prière sortait du coeur de l'homme.

Le repas était l'acte religieux par excellence. Le dieu y présidait. C'était lui qui avait cuit le pain et préparé les aliments; aussi lui devait-on une prière au commencement et à la fin du repas. Avant de manger, on déposait sur l'autel les prémices de la nourriture; avant de boire, on répandait la libation de vin. C'était la part du dieu. Nul ne doutait qu'il ne fût présent, qu'il ne mangeât et ne bût; et, de fait, ne voyait-on pas la flamme grandir comme si elle se fût nourrie des mets offerts? Ainsi le repas était partagé entre l'homme et le dieu: c'était une cérémonie sainte, par laquelle ils entraient en communion ensemble. Vieilles croyances, qui à la longue disparurent des esprits, mais qui laissèrent longtemps après elles des usages, des rites, des formes de langage, dont l'incrédule même ne pouvait pas s'affranchir. Horace, Ovide, Pétrone soupaient encore devant leur foyer et faisaient la libation et la prière.

Ce culte du feu sacré n'appartenait pas exclusivement aux populations de la Grèce et de l'Italie. On le retrouve en Orient. Les lois de Manou, dans la rédaction qui nous en est parvenue, nous montrent la religion de Brahma complètement établie et penchant même vers son déclin; mais elles ont gardé des vestiges et des restes d'une religion plus ancienne, celle du foyer, que le culte de Brahma avait reléguée au second rang, mais n'avait pas pu détruire. Le brahmane a son foyer qu'il doit entretenir jour et nuit; chaque matin et chaque soir il lui donne pour aliment le bois; mais, comme chez les Grecs, ce ne peut être que le bois de certains arbres indiqués par la religion. Comme les Grecs et les Italiens lui offrent le vin, le Hindou lui verse la liqueur fermentée qu'il appelle *soma*. Le repas est aussi un acte religieux, et les rites en sont décrits scrupuleusement dans les lois de Manou. On adresse des prières au foyer, comme en Grèce; on lui offre les prémices du repas, le riz, le beurre, le miel. Il est dit: « Le brahmane ne doit pas manger du riz de la nouvelle récolte avant d'en avoir offert les prémices au foyer. Car le feu sacré est avide de grain, et quand il n'est pas honoré, il dévore l'existence du brahmane négligent. » Les Hindous, comme les Grecs et les Romains, se figuraient les dieux avides non-seulement d'honneurs et de respect, mais même de breuvage et d'aliment. L'homme se croyait forcé d'assouvir leur faim et leur soif, s'il voulait éviter leur colère.

Chez les Hindous cette divinité du feu est souvent appelée *Agni*. Le Rig-Véda contient un grand nombre d'hymnes qui lui sont adressées. Il est dit dans l'un d'eux: « O Agni, tu es la vie, tu es le protecteur de l'homme…. Pour prix de nos louanges, donne au père de famille qui t'implore, la gloire et la richesse…. Agni, tu es un défenseur prudent et un père; à toi nous devons la vie, nous sommes ta famille. » Ainsi le dieu du foyer est, comme en Grèce, une puissance tutélaire. L'homme lui demande l'abondance: « Fais que la terre soit toujours libérale pour nous. » Il lui demande la santé: « Que je jouisse longtemps de la lumière, et que j'arrive à la vieillesse comme le soleil à son couchant. » Il lui demande même la sagesse: « O Agni, tu places dans la bonne voie l'homme qui s'égarait dans la mauvaise…. Si nous avons commis une faute, si nous avons marché loin de toi, pardonne-nous. » Ce feu du foyer était, comme en Grèce, essentiellement pur; il était sévèrement interdit au brahmane d'y jeter rien de sale, et même de s'y chauffer les pieds. Comme en Grèce, l'homme coupable ne pouvait plus approcher de son foyer, avant de s'être purifié de sa souillure.

C'est une grande preuve de l'antiquité de ces croyances et de ces pratiques que de les trouver à la fois chez les hommes des bords de ma Méditerranée et chez ceux de la presqu'île indienne. Assurément les Grecs n'ont pas emprunté cette religion aux Hindous, ni les Hindous aux Grecs. Mais les Grecs, les Italiens, les Hindous appartenaient à une même race; leurs ancêtres, à une époque fort reculée, avaient vécu ensemble dans l'Asie centrale. C'est là qu'ils avaient conçu d'abord ces croyances et établi ces rites. La religion du feu sacré date donc de l'époque lointaine et mystérieuse où il n'y avait encore ni Grecs, ni Italiens, ni Hindous, et où il n'y avait que les Aryas. Quand les tribus s'étaient séparées les unes des autres, elles avaient transporté ce culte avec elles, les unes sur les rives du

Gange, les autres sur les bords de la Méditerranée. Plus tard, parmi ces tribus séparées et qui n'avaient plus de relations entre elles, les unes ont adoré Brahma, les autres Zeus, les autres Janus; chaque groupe s'est fait ses dieux. Mais tous ont conservé comme un legs antique la religion première qu'ils avaient conçue et pratiquée au berceau commun de leur race.

Si l'existence de ce culte chez tous les peuples indo-européens n'en démontrait pas suffisamment la haute antiquité, on en trouverait d'autres preuves dans les rites religieux des Grecs et des Romains. Dans tous les sacrifices, même dans ceux qu'on faisait en l'honneur de Zeus ou d'Athéné, c'était toujours au foyer qu'on adressait la première invocation. Toute prière à un dieu, quel qu'il fût, devait commencer et finir par une prière au foyer. A Olympie, le premier sacrifice qu'offrait la Grèce assemblée était pour le foyer, le second pour Zeus. De même à Rome la première adoration était toujours pour Vesta, qui n'était autre que le foyer; Ovide dit de cette divinité qu'elle occupe la première place dans les pratiques religieuses des hommes. C'est ainsi que nous lisons dans les hymnes du Rig-Véda: « Avant tous les autres dieux il faut invoquer Agni. Nous prononcerons son nom vénérable avant celui de tous les autres immortels. O Agni, quel que soit le dieu que nous honorions par notre sacrifice, toujours à toi s'adresse l'holocauste. » Il est donc certain qu'à Rome au temps d'Ovide, dans l'Inde au temps des brahmanes, le feu du foyer passait encore avant tous les autres dieux; non que Jupiter et Brahma n'eussent acquis une bien plus grande importance dans la religion des hommes; mais on se souvenait que le feu du foyer était de beaucoup antérieur à ces dieux-là. Il avait pris, depuis nombre de siècles, la première place dans le culte, et les dieux plus nouveaux et plus grands n'avaient pas pu l'en déposséder.

Les symboles de cette religion se modifièrent suivant les âges. Quand les populations de la Grèce et de l'Italie prirent l'habitude de se représenter leurs dieux comme des personnes et de donner à chacun d'eux un nom propre et une forme humaine, le vieux culte du foyer subit la loi commune que l'intelligence humaine, dans cette période, imposait à toute religion. L'autel du feu sacré fut personnifié; on l'appela [Grec: hestia], Vesta; le nom fut le même en latin et en grec, et ne fut pas d'ailleurs autre chose que le mot qui dans la langue commune et primitive désignait un autel. Par un procédé assez ordinaire, du nom commun on avait fait un nom propre. Une légende se forma peu à peu. On se figura cette divinité sous les traits d'une femme, parce que le mot qui désignait l'autel était du genre féminin. On alla même jusqu'à représenter cette déesse par des statues. Mais on ne put jamais effacer la trace de la croyance primitive d'après laquelle cette divinité était simplement le feu de l'autel; et Ovide lui-même était forcé de convenir que Vesta n'était pas autre chose qu'une « flamme vivante ».

Si nous rapprochons ce culte du feu sacré du culte des morts, dont nous parlions tout à l'heure, une relation étroite nous apparaît entre eux.

Remarquons d'abord que ce feu qui était entretenu sur le foyer n'est pas, dans la pensée des hommes, le feu de la nature matérielle. Ce qu'on voit en lui, ce n'est pas l'élément purement physique qui échauffe ou qui brûle, qui transforme les corps, fond les métaux et se fait le puissant instrument de l'industrie humaine. Le feu du foyer est d'une tout autre nature. C'est un feu pur, qui ne peut être produit qu'à l'aide de certains rites et n'est entretenu qu'avec certaines espèces de bois. C'est un feu chaste; l'union des sexes doit être écartée loin de sa présence. On ne lui demande pas seulement la richesse et la santé; on le prie aussi pour en obtenir la pureté du coeur, la tempérance, la sagesse. « Rends- nous riches et florissants, dit un hymne orphique; rends-nous aussi sages et chastes. » Le feu du foyer est donc une sorte d'être moral. Il est vrai qu'il brille, qu'il réchauffe, qu'il cuit l'aliment sacré; mais en même temps il a une pensée, une conscience; il conçoit des devoirs et veille à ce qu'ils soient accomplis. On le dirait homme, car il a de l'homme la double nature: physiquement, il resplendit, il se meut, il vit, il procure l'abondance, il prépare le repas, il nourrit le corps; moralement, il a des sentiments et des affections, il donne à l'homme la pureté, il commande le beau et le bien, il nourrit l'âme. On peut dire qu'il entretient la vie humaine dans la double série de ses manifestations. Il est à la fois la source de la richesse, de la santé, de la vertu. C'est vraiment le Dieu de la nature humaine. — Plus tard, lorsque ce culte a été relégué au second plan par Brahma ou par Zeus, le feu du foyer est resté ce qu'il y avait dans le divin de plus accessible à l'homme; il a été son intermédiaire auprès des dieux de la nature physique; il s'est chargé de porter au ciel la prière et l'offrande de l'homme et d'apporter à l'homme les faveurs divines. Plus tard encore, quand on fit de ce mythe du feu sacré la grande Vesta, Vesta fut la déesse vierge; elle ne représenta dans le monde ni la fécondité ni la puissance; elle fut l'ordre; mais non pas l'ordre rigoureux, abstrait, mathématique, la loi impérieuse et fatale, [Grec: ananchae], que l'on aperçut de bonne heure entre les phénomènes de la nature physique. Elle fut l'ordre moral. On se la figura comme une sorte d'âme universelle qui réglait les mouvements divers des mondes, comme l'âme humaine mettait la règle parmi nos organes.

Ainsi la pensée des générations primitives se laisse entrevoir. Le principe de ce culte est en dehors de la nature physique et se trouve dans ce petit monde mystérieux qui est l'homme.

Ceci nous ramène au culte des morts. Tous les deux sont de la même antiquité. Ils étaient associés si étroitement que la croyance des anciens n'en faisait qu'une religion. Foyer, Démons, Héros, dieux Lares, tout cela était confondu. On voit par deux passages de Plaute et de Columèle que dans le langage ordinaire on disait indifféremment foyer ou Lare domestique, et l'on voit encore par Cicéron que l'on ne distinguait pas le foyer des Pénates, ni les Pénates des dieux Lares. Nous lisons dans Servius: « Par foyers les anciens entendaient les dieux Lares; aussi Virgile a-t-il pu mettre indifféremment, tantôt foyer pour Pénates, tantôt Pénates pour foyer. » Dans un passage fameux de l'Énéide, Hector dit à Énée qu'il va lui remettre les Pénates troyens, et c'est le feu du foyer qu'il lui remet. Dans un autre passage, Énée invoquant ces mêmes dieux les appelle à la fois Pénates, Lares et Vesta.

Nous avons vu d'ailleurs que ceux que les anciens appelaient Lares ou Héros, n'étaient autres que les âmes des morts auxquelles l'homme attribuait une puissance surhumaine et divine. Le souvenir d'un de ces morts sacrés était toujours attaché au foyer. En adorant l'un, on ne pouvait pas oublier l'autre. Ils étaient associés dans le respect des hommes et dans leurs prières. Les descendants, quand ils parlaient du foyer, rappelaient volontiers le nom de l'ancêtre: « Quitte cette place, dit Oreste à sa soeur, et avance vers l'antique foyer de Pélops pour entendre mes paroles. » De même, Énée, parlant du foyer qu'il transporte à travers les mers, le désigne par le nom de Lare d'Assaracus, comme s'il voyait dans ce foyer l'âme de son ancêtre.

Le grammairien Servius, qui était fort instruit des antiquités grecques et romaines (on les étudiait de son temps beaucoup plus qu'au temps de Cicéron), dit que c'était un usage très-ancien d'ensevelir les morts dans les maisons, et il ajoute: « Par suite de cet usage, c'est aussi dans les maisons qu'on honore les Lares et les Pénates. » Cette phrase établit nettement une antique relation entre le culte des morts et le foyer. On peut donc penser que le foyer domestique n'a été à l'origine que le symbole du culte des morts, que sous cette pierre du foyer un ancêtre reposait, que le feu y était allumé pour l'honorer, et que ce feu semblait entretenir la vie en lui ou représentait son âme toujours vigilante.

Ce n'est là qu'une conjecture, et les preuves nous manquent. Mais ce qui est certain, c'est que les plus anciennes générations, dans la race d'où sont sortis les Grecs et les Romains, ont eu le culte des morts et du foyer, antique religion qui ne prenait pas ses dieux dans la nature physique, mais dans l'homme lui-même et qui avait pour objet d'adoration l'être invisible qui est en nous, la force morale et pensante qui anime et qui gouverne notre corps.

Cette religion ne fut pas toujours également puissante, sur l'âme; elle s'affaiblit peu à peu, mais elle ne disparut pas. Contemporaine des premiers âges de la race aryenne, elle s'enfonça si profondément dans les entrailles de cette race, que la brillante religion de l'Olympe grec ne suffit pas à la déraciner et qu'il fallut le christianisme.

Nous verrons bientôt quelle action puissante cette religion a exercée sur les institutions domestiques et sociales des anciens. Elle a été conçue et établie dans cette époque lointaine où cette race cherchait ses institutions, et elle a déterminé la voie dans laquelle les peuples ont marché depuis.

CHAPITRE IV

LA RELIGION DOMESTIQUE.

Il ne faut pas se représenter cette antique religion comme celles qui ont été fondées plus tard dans l'humanité plus avancée. Depuis un assez grand nombre de siècles, le genre humain n'admet plus une doctrine religieuse qu'à deux conditions: l'une est qu'elle lui annonce un dieu unique; l'autre est qu'elle s'adresse à tous les hommes et soit accessible à tous, sans repousser systématiquement aucune classe ni aucune race. Mais cette religion des premiers temps ne remplissait aucune de ces deux conditions. Non seulement elle n'offrait pas à l'adoration des hommes un dieu unique; mais encore ses dieux n'acceptaient pas l'adoration de tous les hommes. Ils ne se présentaient pas comme étant les dieux du genre humain. Ils ne ressemblaient même, pas à Brahma qui était au moins le dieu de toute une grande caste, ni à Zeus Panhellénien qui était celui de toute une nation. Dans cette religion primitive chaque dieu ne pouvait être adoré que par une famille. La religion était purement domestique.

Il faut éclaircir ce point important; car on ne comprendrait pas sans cela la relation très-étroite qu'il y a entre ces vieilles croyances et la constitution de la famille grecque et romaine.

Le culte des morts ne ressemblait en aucune manière à celui que les chrétiens ont pour les saints. Une des premières règles de ce culte était qu'il ne pouvait être rendu par chaque famille qu'aux morts qui lui appartenaient par le sang. Les funérailles ne pouvaient être religieusement accomplies que par le parent le plus proche. Quant au repas funèbre qui se renouvelait ensuite à des époques déterminées, la famille seule avait le droit d'y assister, et tout étranger en était sévèrement exclu. On croyait que le mort n'acceptait l'offrande que de la main des siens; il ne voulait de culte que de ses descendants. La présence d'un homme qui n'était pas de la famille troublait le repos des mânes. Aussi la loi interdisait-elle à l'étranger d'approcher d'un tombeau. Toucher du pied, même par mégarde, une sépulture, était un acte impie, pour lequel il fallait apaiser le mort et se purifier soi-même. Le mot par lequel les anciens désignaient le culte des morts est significatif; les Grecs disaient *patriazein*, les Latins disaient *parentare*. C'est que la prière et l'offrande n'étaient adressées par chacun qu'à ses pères. Le culte des morts était uniquement le culte des ancêtres. Lucien, tout en se moquant des opinions du vulgaire, nous les explique nettement quand il dit: « Le mort qui n'a pas laissé de fils ne reçoit pas d'offrandes, et il est exposé à une faim perpétuelle. »

Dans l'Inde comme en Grèce, l'offrande ne pouvait être faite à un mort que par ceux qui descendaient de lui. La loi des Hindous, comme la loi athénienne, défendait d'admettre un étranger, fût-ce un ami, au repas funèbre. Il était si nécessaire que ces repas fussent offerts par les descendants du mort, et non par d'autres, que l'on supposait que les mânes, dans leur séjour, prononçaient souvent ce voeu: « Puisse-t-il naître successivement de notre lignée des fils qui nous offrent dans toute la suite des temps le riz bouilli dans du lait, le miel, et le beurre clarifié. »

Il suivait de là qu'en Grèce et à Rome, comme dans l'Inde, le fils avait le devoir de faire les libations et les sacrifices aux mânes de son père et de tous ses aïeux. Manquer à ce devoir était l'impiété la plus grave qu'on pût commettre, puisque l'interruption de ce culte faisait déchoir les morts et anéantissait leur bonheur. Cette négligence n'était pas moins qu'un véritable parricide multiplié autant de fois qu'il y avait d'ancêtres dans la famille.

Si, au contraire, les sacrifices étaient toujours accomplis suivant les rites, si les aliments étaient portés sur le tombeau aux jours fixés, alors l'ancêtre devenait un dieu protecteur. Hostile à tous ceux qui ne descendaient pas de lui, les repoussant de son tombeau, les frappant de maladie s'ils approchaient, pour les siens il était bon et secourable.

Il y avait un échange perpétuel de bons offices entre les vivants et les morts de chaque famille. L'ancêtre recevait de ses descendants la série des repas funèbres, c'est-à-dire les seules jouissances qu'il pût avoir dans sa seconde vie. Le descendant recevait de l'ancêtre l'aide et la force dont il avait besoin dans celle-ci. Le vivant ne pouvait se passer du mort, ni le mort du vivant. Par là un lien puissant s'établissait entre toutes les générations d'une même famille et en faisait un corps éternellement inséparable.

Chaque famille avait son tombeau, où ses morts venaient reposer l'un après l'autre, toujours ensemble. Ce tombeau était ordinairement voisin de la maison, non loin de la porte, « afin, dit un ancien, que les fils, en entrant ou en sortant de leur demeure, rencontrassent chaque fois leurs pères, et chaque fois leur adressassent une invocation ». Ainsi l'ancêtre restait au milieu des siens; invisible, mais toujours présent, il continuait à faire partie de la famille et à en être le père. Lui immortel, lui heureux, lui divin, il s'intéressait à ce qu'il avait laissé de mortel sur la terre; il en savait les besoins, il en soutenait la faiblesse. Et celui qui vivait encore, qui travaillait, qui, selon l'expression antique, ne s'était pas encore acquitté de l'existence, celui-là avait près de lui ses guides et ses appuis; c'étaient ses pères. Au milieu des difficultés, il invoquait leur antique sagesse; dans le chagrin il leur demandait une consolation, dans le danger un soutien, après une faute son pardon.

Assurément nous avons beaucoup de peine aujourd'hui à comprendre que l'homme pût adorer son père ou son ancêtre. Faire de l'homme un dieu nous semble le contre-pied de la religion. Il nous est presque aussi difficile de comprendre les vieilles croyances de ces hommes qu'il l'eût été à eux d'imaginer les nôtres. Mais songeons que les anciens n'avaient pas l'idée de la création; dès lors le mystère de la génération était pour eux ce que le mystère de la création peut être pour nous. Le générateur leur paraissait un être divin, et ils adoraient leur ancêtre. Il faut que ce sentiment ait été bien naturel et bien puissant, car il apparaît, comme principe d'une religion à l'origine de presque toutes les sociétés humaines; on le trouve chez les Chinois comme chez les anciens Gètes et les Scythes, chez les peuplades de l'Afrique comme chez celles du Nouveau-Monde.

Le feu sacré, qui était associé si étroitement au culte des morts, avait aussi pour caractère essentiel d'appartenir en propre à chaque famille. Il représentait les ancêtres; il était la providence d'une famille, et n'avait rien de commun avec le feu de la famille voisine qui était une autre providence. Chaque foyer protégeait les siens et repoussait l'étranger.

Toute cette religion était renfermée dans l'enceinte de chaque maison. Le culte n'en était pas public. Toutes les cérémonies, au contraire, en étaient tenues fort secrètes. Accomplies au milieu de la famille seule, elles étaient cachées à l'étranger. Le foyer n'était jamais placé ni hors de la maison ni même près de la porte extérieure, où on l'aurait trop bien vu. Les Grecs le plaçaient toujours dans une enceinte qui le protégeait contre le contact et même le regard des profanes. Les Romains le cachaient au milieu de leur maison. Tous ces dieux, foyer, Lares, Mânes, on les appelait les dieux cachés ou les dieux de l'intérieur. Pour tous les actes de cette religion il fallait le secret; qu'une cérémonie fût aperçue par un étranger, elle était troublée, souillée, funestée par ce seul regard.

Pour cette religion domestique, il n'y avait ni règles uniformes, ni rituel commun. Chaque famille avait l'indépendance la plus complète. Nulle puissance extérieure n'avait le droit de régler son culte ou sa croyance. Il n'y avait pas d'autre prêtre que le père; comme prêtre, il ne connaissait aucune hiérarchie. Le pontife de Rome ou l'archonte d'Athènes pouvait bien s'assurer que le père de famille accomplissait tous ses rites religieux, mais il n'avait pas le droit de lui commander la moindre modification. *Suo quisque ritu sacrificia faciat*, telle était la règle absolue. Chaque famille avait ses cérémonies qui lui étaient propres, ses fêtes particulières, ses formules de prière et ses hymnes. Le père, seul interprète et seul pontife de sa religion, avait seul le pouvoir de l'enseigner, et ne pouvait l'enseigner qu'à son fils. Les rites, les termes de la prière, les chants, qui faisaient partie essentielle de cette religion domestique, étaient un patrimoine, une propriété sacrée, que la famille ne partageait avec personne et qu'il était même interdit de révéler aux étrangers. Il en était ainsi dans l'Inde: « Je suis fort contre mes ennemis, dit le brahmane, des chants que je tiens de ma famille et que mon père m'a transmis. »

Ainsi la religion ne résidait pas dans les temples, mais dans la maison, chacun avait ses dieux; chaque dieu ne protégeait qu'une famille et n'était dieu que dans une maison. On ne peut pas raisonnablement supposer qu'une religion de ce caractère ait été révélée aux hommes par l'imagination puissante de l'un d'entre eux ou qu'elle leur ait été enseignée par une caste de prêtres. Elle est née spontanément dans l'esprit humain; son berceau a été la famille; chaque famille s'est fait ses dieux.

Cette religion ne pouvait se propager que par la génération. Le père, en donnant la vie à son fils, lui donnait en même temps sa croyance, son culte, le droit d'entretenir le foyer, d'offrir le repas funèbre, de prononcer les formules de prière. La génération établissait un lien mystérieux entre l'enfant qui naissait à la vie et tous les dieux de la famille. Ces dieux étaient sa famille même, [Grec: theoi engeneis]; c'était son sang, [Grec: theoi suvaimoi]. L'enfant apportait donc en naissant le droit de les adorer et de leur offrir les sacrifices; comme aussi, plus tard, quand la mort l'aurait divinisé lui-même, il devait être compté à son tour parmi ces dieux de la famille.

Mais il faut remarquer cette particularité que la religion domestique ne se propageait que de mâle en mâle. Cela tenait sans nul doute à l'idée que les hommes se faisaient de la génération . La croyance des âges primitifs, telle qu'on la trouve dans les Védas et qu'on en voit des vestiges dans tout le droit grec et romain, fut que le pouvoir reproducteur résidait exclusivement dans le père. Le père seul possédait le principe mystérieux de l'être et transmettait l'étincelle de vie. Il est résulté de cette vieille opinion qu'il fut de règle que le culte domestique passât toujours de mâle en mâle, que la femme n'y participât que par l'intermédiaire de son père ou de son mari, et enfin qu'après la mort la femme n'eût pas la même part que l'homme au culte et aux cérémonies du repas funèbre. Il en est résulté encore d'autres conséquences très-graves dans le droit privé et dans la constitution de la famille; nous les verrons plus loin.

LIVRE II

LA FAMILLE.

CHAPITRE PREMIER

LA RELIGION A ÉTÉ LE PRINCIPE CONSTITUTIF DE LA FAMILLE ANCIENNE.

Si nous nous transportons par la pensée au milieu de ces anciennes générations d'hommes, nous trouvons dans chaque maison un autel et autour de cet autel la famille assemblée. Elle se réunit chaque matin pour adresser au foyer ses premières prières, chaque soir pour l'invoquer une dernière fois. Dans le courant du jour, elle se réunit encore auprès de lui pour le repas qu'elle se partage pieusement après la prière et la libation. Dans tous ses actes religieux, elle chante en commun des hymnes que ses pères lui ont légués.

Hors de la maison, tout près, dans le champ voisin, il y a un tombeau. C'est la seconde demeure de cette famille. Là reposent en commun plusieurs générations d'ancêtres; la mort ne les a pas séparés. Ils restent groupés dans cette seconde existence, et continuent à former une famille indissoluble. Entre la partie vivante et la partie morte de la famille, il n'y a que cette distance de quelques pas qui sépare la maison du tombeau. A certains jours, qui sont déterminés pour chacun par sa religion domestique, les vivants se réunissent auprès des ancêtres. Ils leur portent le repas funèbre, leur versent le lait et le vin, déposent les gâteaux et les fruits, ou brûlent pour eux les chairs d'une victime. En échange de ces offrandes, ils réclament leur protection; ils les appellent leurs dieux, et leur demandent de rendre le champ fertile, la maison prospère, les coeurs vertueux.

Le principe de la famille antique n'est pas uniquement la génération. Ce qui le prouve, c'est que la soeur n'est pas dans la famille ce qu'y est le frère, c'est que le fils émancipé ou la fille mariée cesse complètement d'en faire partie, ce sont enfin plusieurs dispositions importantes des lois grecques et romaines que nous aurons l'occasion d'examiner plus loin.

Le principe de la famille n'est pas non plus l'affection naturelle. Car le droit grec et le droit romain ne tiennent aucun compte de ce sentiment. Il peut exister au fond des coeurs, il n'est rien dans le droit. Le père peut chérir sa fille, mais non pas lui léguer son bien. Les lois de succession, c'est-à-dire parmi les lois celles qui témoignent le plus fidèlement des idées que les hommes se faisaient de la famille, sont en contradiction flagrante, soit avec l'ordre de la naissance, soit avec l'affection naturelle.

Les historiens du droit romain ayant fort justement remarqué que ni la naissance ni l'affection n'étaient le fondement de la famille romaine, ont cru que ce fondement devait se trouver dans la puissance paternelle ou maritale. Ils font de cette puissance une sorte d'institution primordiale. Mais ils n'expliquent pas comment elle s'est formée, à moins que ce ne soit par la supériorité de force du mari sur la femme, du père sur les enfants. Or c'est se tromper gravement que de placer ainsi la force à l'origine du droit. Nous verrons d'ailleurs plus loin que l'autorité paternelle ou maritale, loin d'avoir été une cause première, a été elle- même un effet; elle est dérivée de la religion et a été établie par elle. Elle n'est donc pas le principe qui a constitué la famille.

Ce qui unit les membres de la famille antique, c'est quelque chose de plus puissant que la naissance, que le sentiment, que la force physique; c'est la religion du foyer et des ancêtres. Elle fait que la famille forme un corps dans cette vie et dans l'autre. La famille antique est une association religieuse plus encore qu'une association de nature. Aussi verrons-nous plus loin que la femme n'y sera vraiment comptée qu'autant que la cérémonie sacrée du mariage l'aura initiée au culte; que le fils n'y comptera plus, s'il a renoncé au culte ou s'il a été émancipé; que l'adopté y sera, au contraire, un véritable fils, parce que, s'il n'a pas le lien du sang, il aura quelque chose de mieux, la communauté du culte; que le légataire qui refusera d'adopter le culte de cette famille, n'aura pas la succession; qu'enfin la parenté et le droit à l'héritage seront réglés, non d'après la naissance, mais d'après les droits de participation au culte tels que la religion les a établis. Ce n'est sans doute pas la religion qui a créé la famille, mais c'est elle assurément qui lui a donné ses règles, et de là est venu que la famille antique a eu une constitution si différente de celle qu'elle aurait eue si les sentiments naturels avaient été seuls à la fonder.

L'ancienne langue grecque avait un mot bien significatif pour désigner une famille; on disait *epistion*, mot qui signifie littéralement *ce qui est auprès d'un foyer*. Une famille était un groupe de personnes auxquelles la religion permettait d'invoquer le même foyer et d'offrir le repas funèbre aux mêmes ancêtres.

CHAPITRE II

LE MARIAGE.

La première institution que la religion domestique ait établie, fut vraisemblablement le mariage.

Il faut remarquer que cette religion du foyer et des ancêtres, qui se transmettait de mâle en mâle, n'appartenait pourtant pas exclusivement à l'homme; la femme avait part au culte. Fille, elle assistait aux actes religieux de son père; mariée, à ceux de son mari.

On pressent par cela seul le caractère essentiel de l'union conjugale chez les anciens. Deux familles vivent à côté l'une de l'autre; mais elles ont des dieux différents. Dans l'une d'elles, une jeune fille prend part, depuis son enfance, à la religion de son père; elle invoque son foyer; elle lui offre chaque jour des libations, l'entoure de fleurs et de guirlandes aux jours de fête, lui demande sa protection, le remercie de ses bienfaits. Ce foyer paternel est son dieu. Qu'un jeune homme de la famille voisine la demande en mariage, il s'agit pour elle de bien autre chose que de passer d'une maison dans une autre. Il s'agit d'abandonner le foyer paternel pour aller invoquer désormais le foyer de l'époux. Il s'agit de changer de religion, de pratiquer d'autres rites et de prononcer d'autres prières. Il s'agit de quitter le dieu de son enfance pour se mettre sous l'empire d'un dieu qu'elle ne connaît pas. Qu'elle n'espère pas rester fidèle à l'un en honorant l'autre; car dans cette religion c'est un principe immuable qu'une même personne ne peut pas invoquer deux foyers ni deux séries d'ancêtres. « A partir du mariage, dit un ancien, la femme n'a plus rien de commun avec la religion domestique de ses pères; elle sacrifie au foyer du mari. »

Le mariage est donc un acte grave pour la jeune fille, non moins grave pour l'époux. Car cette religion veut que l'on soit né près du foyer pour qu'on ait le droit d'y sacrifier. Et cependant il va introduire près de son foyer une étrangère; avec elle il fera les cérémonies mystérieuses de son culte; il lui révélera les rites et les formules qui sont le patrimoine de sa famille. Il n'a rien de plus précieux que cet héritage; ces dieux, ces rites, ces hymnes, qu'il tient de ses pères, c'est ce qui le protège dans la vie, c'est ce qui lui promet la richesse, le bonheur, la vertu. Cependant au lieu de garder pour soi cette puissance tutélaire, comme le sauvage garde son idole ou son amulette, il va admettre une femme à la partager avec lui.

Ainsi quand on pénètre dans les pensées de ces anciens hommes, on voit de quelle importance était pour eux l'union conjugale, et combien l'intervention de la religion y était nécessaire. Ne fallait-il pas que par quelque cérémonie sacrée la jeune fille fût initiée au culte qu'elle allait suivre désormais? Pour devenir prêtresse de ce foyer, auquel la naissance ne l'attachait pas, ne lui fallait-il pas une sorte d'ordination ou d'adoption?

Le mariage était la cérémonie sainte qui devait produire ces grands effets. Il est habituel aux écrivains latins ou grecs de désigner le mariage par des mots qui indiquent un acte religieux. Pollux, qui vivait au temps des Antonins, mais qui était fort instruit des vieux usages et de la vieille langue, dit que dans les anciens temps, au lieu de désigner le mariage par son nom particulier [Grec: gamos], on le désignait simplement par le mot [Grec: telos], qui signifie cérémonie sacrée; comme si le mariage avait été, dans ces temps anciens, la cérémonie sacrée par excellence.

Or la religion qui faisait le mariage n'était pas celle de Jupiter, de Junon ou des autres dieux de l'Olympe. La cérémonie n'avait pas lieu dans un temple; elle était accomplie dans la maison, et c'était le dieu domestique qui y présidait. A la vérité, quand la religion des dieux du ciel devint prépondérante, on ne put s'empêcher de les invoquer aussi dans les prières du mariage; on prit même l'habitude de se rendre préalablement dans des temples et d'offrir à ces dieux des sacrifices, que l'on appelait les préludes du mariage. Mais la partie principale et essentielle de la cérémonie devait toujours s'accomplir devant le foyer domestique.

Chez les Grecs, la cérémonie du mariage se composait, pour ainsi dire, de trois actes. Le premier se passait devant le foyer du père, [Grec: egguaesis]; le troisième au foyer du mari, [Grec: telos]; le second était le passage de l'un à l'autre, [Grec: pompae].

1° Dans la maison paternelle, en présence du prétendant, le père entouré ordinairement de sa famille offre un sacrifice. Le sacrifice terminé, il déclare, en prononçant une formule sacramentelle, qu'il donne sa fille au jeune homme. Cette déclaration est tout à fait indispensable au mariage. Car la jeune fille ne pourrait pas aller, tout à l'heure, adorer le foyer de l'époux, si son père ne l'avait pas préalablement détachée du foyer paternel. Pour qu'elle entre dans sa nouvelle religion, elle doit être dégagée de tout lien et de toute attache avec sa religion première.

2° La jeune fille est transportée à la maison du mari. Quelquefois c'est le mari lui-même qui la conduit. Dans certaines villes la charge d'amener la jeune fille appartient à un de ces hommes qui étaient revêtus chez les Grecs d'un caractère sacerdotal et qu'ils appelaient hérauts. La jeune fille est ordinairement placée sur un char; elle a le visage couvert d'un voile et sur la tête une couronne. La couronne, comme nous aurons souvent l'occasion de le voir, était en usage dans toutes les cérémonies du culte. Sa robe est blanche. Le blanc était la couleur des vêtements dans tous les actes religieux. On la précède en portant un flambeau; c'est le flambeau nuptial. Dans tout le parcours, on chante autour d'elle un hymne religieux, qui a pour refrain [Grec: o ymaen, o ymenaie]. On appelait cet hymne l'*hyménée*, et l'importance de ce chant sacré était si grande que l'on donnait son nom à la cérémonie tout entière.

La jeune fille n'entre pas d'elle-même dans sa nouvelle demeure. Il faut que son mari l'enlève, qu'il simule un rapt, qu'elle jette quelques cris et que les femmes qui l'accompagnent feignent de la défendre. Pourquoi ce rite? Est-ce un symbole de la pudeur de la jeune fille? Cela est peu probable; le moment de la pudeur n'est pas encore venu; car ce qui va s'accomplir dans cette maison, c'est une cérémonie religieuse. Ne veut-on pas plutôt marquer fortement que la femme qui va sacrifier à ce foyer, n'y a par elle-même aucun droit, qu'elle n'en approche pas par l'effet de sa volonté, et qu'il faut que le maître du lieu et du dieu l'y introduise par un acte de sa puissance? Quoi qu'il en soit, après une lutte simulée, l'époux la soulève dans ses bras et lui fait franchir la porte, mais en ayant bien soin que ses pieds ne touchent pas le seuil.

Ce qui précède n'est que l'apprêt et le prélude de la cérémonie. L'acte sacré va commencer dans la maison.

3° On approche du foyer, l'épouse est mise en présence de la divinité domestique. Elle est arrosée d'eau lustrale; elle touche le feu sacré. Des prières sont dites. Puis les deux époux se partagent un gâteau ou un pain.

Cette sorte de léger repas qui commence et finit par une libation et une prière, ce partage de la nourriture vis-à-vis du foyer, met les deux époux en communion religieuse ensemble, et en communion avec les dieux domestiques.

Le mariage romain ressemblait beaucoup au mariage grec, et comprenait comme lui trois actes, *traditio, deductio in domum, confarreatio.*

1° La jeune fille quitte le foyer paternel. Comme elle n'est pas attachée à ce foyer par son propre droit, mais seulement par l'intermédiaire du père de famille, il n'y a que l'autorité du père qui puisse l'en détacher. La *tradition* est donc une formalité indispensable.

2° La jeune fille est conduite à la maison de l'époux. Comme en Grèce, elle est voilée, elle porte une couronne, et un flambeau nuptial précède le cortège. On chante autour d'elle un ancien hymne religieux. Les paroles de cet hymne changèrent sans doute avec le temps, s'accommodant aux variations des croyances ou à celles du langage; mais le refrain sacramentel subsista toujours sans pouvoir être altéré: c'était le mot *Talassie*, mot dont les Romains du temps d'Horace ne comprenaient pas mieux le sens que les Grecs ne comprenaient le mot [Grec: ymenaie], et qui était probablement le reste sacré et inviolable d'une antique formule.

Le cortège s'arrête devant la maison du mari. Là, on présente à la jeune fille le feu et l'eau. Le feu, c'est l'emblème de la divinité domestique; l'eau, c'est l'eau lustrale, qui sert à la famille pour tous les actes religieux. Pour que la jeune fille entre dans la maison, il faut, comme en Grèce, simuler l'enlèvement. L'époux doit la soulever dans ses bras, et la porter par-dessus le seuil sans que ses pieds le touchent.

3° L'épouse est conduite alors devant le foyer, là où sont les Pénates, où tous les dieux domestiques et les images des ancêtres sont groupés, autour du feu sacré. Les deux époux, comme en Grèce, font un sacrifice, versent la libation, prononcent quelques prières, et mangent ensemble un gâteau de fleur de farine (*panis farreus*).

Ce gâteau mangé au milieu de la récitation des prières, en présence et sous les yeux des divinités domestiques, est ce qui fait l'union sainte de l'époux et de l'épouse. Dès lors ils sont associés dans le même culte. La femme a les mêmes dieux, les mêmes rites, les mêmes prières, les mêmes fêtes que son mari. De là cette vieille définition du mariage que les jurisconsultes nous ont conservée: *Nuptiae sunt divini juris et humani communicatio.* Et cette autre: *Uxor socia humanae rei atque divinae.* C'est que la femme est entrée en partage de la religion du mari, cette femme que, suivant l'expression de Platon, les dieux eux-mêmes ont introduite dans la maison.

La femme ainsi mariée a encore le culte des morts; mais ce n'est plus à ses propres ancêtres qu'elle porte le repas funèbre; elle n'a plus ce droit. Le mariage l'a détachée complètement de la famille de son père, et a brisé tous les rapports religieux qu'elle avait avec elle. C'est aux ancêtres de son mari qu'elle porte l'offrande; elle est de leur famille; ils sont devenus ses ancêtres. Le mariage lui a fait une seconde naissance. Elle est dorénavant la fille de son mari, *filiae loco*, disent les jurisconsultes. On ne peut appartenir ni à deux familles ni à deux religions domestiques; la femme est tout entière dans la famille et la religion de son mari. On verra les conséquences de cette règle dans le droit de succession.

L'institution du mariage sacré doit être aussi vieille dans la race indo- européenne que la religion domestique; car l'une ne va pas sans l'autre. Cette religion a appris à l'homme que l'union conjugale est autre chose qu'un rapport de sexes et une affection passagère, et elle a uni deux époux par le lien puissant du même culte et des mêmes croyances. La cérémonie des noces était d'ailleurs si solennelle et produisait de si graves effets qu'on ne doit pas être surpris que ces hommes ne l'aient crue permise et possible que pour une seule femme dans chaque maison. Une telle religion ne pouvait pas admettre la polygamie.

On conçoit même qu'une telle union fût indissoluble, et que le divorce fût presque impossible. Le droit romain permettait bien de dissoudre le mariage par *coemptio* ou par *usus*. Mais la dissolution du mariage religieux était fort difficile. Pour cela, une nouvelle cérémonie sacrée était nécessaire; car la religion seule pouvait délier ce que la religion avait uni. L'effet de la *confarreatio* ne pouvait être détruit que par la *diffarreatio*. Les deux époux qui voulaient se séparer, paraissaient pour la dernière fois devant le foyer commun; un prêtre et des témoins étaient présents. On présentait aux époux, comme au jour du mariage, un gâteau de fleur de farine. Mais, sans doute, au lieu de se le partager, ils le repoussaient. Puis, au lieu de prières, ils prononçaient des formules d'un caractère étrange, sévère, haineux, effrayant, une sorte de malédiction par laquelle la femme renonçait au culte et aux dieux du mari. Dès lors, le lien religieux était rompu. La communauté du culte cessant, toute autre communauté cessait de plein droit, et le mariage était dissous.

CHAPITRE III

DE LA CONTINUITÉ DE LA FAMILLE; CÉLIBAT INTERDIT; DIVORCE EN CAS DE STÉRILITÉ. INÉGALITÉ ENTRE LE FILS ET LA FILLE.

Les croyances relatives aux morts et au culte qui leur était dû, ont constitué la famille ancienne et lui ont donné la plupart de ses règles.

On a vu plus haut que l'homme, après la mort, était réputé un être heureux et divin, mais à la condition que les vivants lui offrissent toujours le repas funèbre. Si ces offrandes venaient à cesser, il y avait déchéance pour le mort, qui tombait au rang de démon malheureux et malfaisant. Car lorsque ces anciennes générations avaient commencé à se représenter la vie future, elles n'avaient pas songé à des récompenses et à des châtiments; elles avaient cru que le bonheur du mort ne dépendait pas de la conduite qu'il avait menée pendant sa vie, mais de celle que ses descendants avaient à son égard. Aussi chaque père attendait-il de sa postérité la série des repas funèbres qui devaient assurer à ses mânes le repos et le bonheur.

Cette opinion a été le principe fondamental du droit domestique chez les anciens. Il en a découlé d'abord cette règle que chaque famille dût se perpétuer à jamais. Les morts avaient besoin que leur descendance ne s'éteignît pas. Dans le tombeau où ils vivaient, ils n'avaient pas d'autre sujet d'inquiétude que celui-là. Leur unique pensée, comme leur unique intérêt, était qu'il y eût toujours un homme de leur sang pour apporter les offrandes au tombeau. Aussi l'Hindou croyait-il que ces morts répétaient sans cesse: « Puisse-t-il naître toujours dans notre lignée des fils qui nous apportent le riz, le lait et le miel. » L'Hindou disait encore: « L'extinction d'une famille cause la ruine de la religion de cette famille; les ancêtres privés de l'offrande des gâteaux tombent au séjour des malheureux. »

Les hommes de l'Italie et de la Grèce ont longtemps pensé de même. S'ils ne nous ont pas laissé dans leurs écrits une expression de leurs croyances aussi nette que celle que nous trouvons dans les vieux livres de l'Orient, du moins leurs lois sont encore là pour attester leurs antiques opinions. A Athènes la loi chargeait le premier magistrat de la cité de veiller à ce qu'aucune famille ne vînt à s'éteindre. De même la loi romaine était attentive à ne laisser tomber aucun culte domestique. On lit dans un discours d'un orateur athénien: « Il n'est pas un homme qui, sachant qu'il doit mourir, ait assez peu de souci de soi-même pour vouloir laisser sa famille sans descendants; car il n'y aurait alors personne pour lui rendre le culte qui est dû aux morts. » Chacun avait donc un intérêt puissant à laisser un fils après soi, convaincu qu'il y allait de son immortalité heureuse. C'était même un devoir envers les ancêtres dont le bonheur ne devait durer qu'autant que durait la famille. Aussi les lois de Manou appellent-elles le fils aîné « celui qui est engendré pour l'accomplissement du devoir ».

Nous touchons ici à l'un des caractères les plus remarquables de la famille antique. La religion qui l'a formée, exige impérieusement qu'elle ne périsse pas. Une famille qui s'éteint, c'est un culte qui meurt. Il faut se représenter ces familles à l'époque où les croyances ne se sont pas encore altérées. Chacune d'elles possède une religion et des dieux, précieux dépôt sur lequel elle doit veiller. Le plus grand malheur que sa piété ait à craindre, est que sa lignée ne s'arrête. Car alors sa religion disparaîtrait de la terre, son foyer serait éteint, toute la série de ses morts tomberait dans l'oubli et dans l'éternelle misère. Le grand intérêt de la vie humaine est de continuer la descendance pour continuer le culte.

En vertu de ces opinions, le célibat devait être à la fois une impiété grave et un malheur; une impiété, parce que le célibataire mettait en péril le bonheur des mânes de sa famille; un malheur, parce qu'il ne devait recevoir lui-même aucun culte après sa mort et ne devait pas connaître « ce qui réjouit les mânes ». C'était à la fois pour lui et pour ses ancêtres une sorte de damnation.

On peut bien penser qu'à défaut de lois ces croyances religieuses durent longtemps suffire pour empêcher le célibat. Mais il paraît de plus que, dès qu'il y eut des lois, elles prononcèrent que le célibat était une chose mauvaise et punissable. Denys d'Halicarnasse, qui avait compulsé les vieilles annales de Rome, dit avoir vu une ancienne loi qui obligeait les jeunes gens à se marier. Le traité des lois de Cicéron, traité qui reproduit presque toujours, sous une forme philosophique, les anciennes lois de Rome, en contient une qui interdit le célibat. A Sparte, la législation de Lycurgue privait de tous les droits de citoyen l'homme qui ne se mariait pas. On sait par plusieurs anecdotes que lorsque le célibat cessa d'être défendu par les lois, il le fut encore par les moeurs. Il paraît enfin par un passage de Pollux que, dans beaucoup de villes grecques, la loi punissait le célibat comme un délit. Cela était conforme aux croyances; l'homme ne s'appartenait pas, il appartenait à la famille. Il était un membre dans une série, et il ne fallait pas que la série s'arrêtât à lui. Il n'était pas né par hasard; on l'avait introduit dans la vie pour qu'il continuât un culte; il ne devait pas quitter la vie sans être sûr que ce culte serait continué après lui.

Mais il ne suffisait pas d'engendrer un fils. Le fils qui devait perpétuer la religion domestique devait être le fruit d'un mariage religieux. Le bâtard, l'enfant naturel, celui que les Grecs appelaient [Grec: nothos] et les Latins *spurius*, ne pouvait pas remplir le rôle que la religion assignait au fils. En effet, le lien du sang ne constituait pas à lui seul la famille, et il fallait encore le lien du culte. Or, le fils né d'une femme qui n'avait pas été associée au culte de l'époux par la cérémonie du mariage, ne pouvait pas lui-même avoir part au culte. Il n'avait pas le droit d'offrir le repas funèbre et la famille ne se perpétuait pas pour lui. Nous verrons plus loin que, pour la même raison, il n'avait pas droit à l'héritage.

Le mariage était donc obligatoire. Il n'avait pas pour but le plaisir, son objet principal n'était pas l'union de deux êtres qui se convenaient et qui voulaient s'associer pour le bonheur et pour les peines de la vie. L'effet du mariage, aux yeux de la religion et des lois, était, en unissant deux êtres dans le même culte domestique, d'en faire naître un troisième qui fût apte à continuer ce culte. On le voit bien par la formule sacramentelle qui était prononcée dans l'acte du mariage: *Ducere uxorem liberûm quaerendorum causa*, disaient les Romains; *paidonep' aroto gnaesion*, disaient les Grecs.

Le mariage n'ayant été contracté que pour perpétuer la famille, il semblait juste qu'il pût être rompu si la femme était stérile. Le divorce dans ce cas a toujours été un droit chez les anciens; il est même possible qu'il ait été une obligation. Dans l'Inde, la religion prescrivait que « la femme stérile fût remplacée au bout de huit ans

». Que le devoir fût le même en Grèce et à Rome, aucun texte formel ne le prouve. Pourtant Hérodote cite deux rois de Sparte qui furent contraints de répudier leurs femmes parce qu'elles étaient stériles. Pour ce qui est de Rome, on connaît assez l'histoire de Carvilius Ruga, dont le divorce est le premier que les annales romaines aient mentionné. « Carvilius Ruga, dit Aulu-Gelle, homme de grande famille, se sépara de sa femme par le divorce, parce qu'il ne pouvait pas avoir d'elle des enfants. Il l'aimait avec tendresse et n'avait qu'à se louer de sa conduite. Mais il sacrifia son amour à la religion du serment, parce qu'il avait juré (dans la formule du mariage) qu'il la prenait pour épouse afin d'avoir des enfants. »

La religion disait que la famille ne devait pas s'éteindre; toute affection et tout droit naturel devaient céder devant cette règle absolue. Si un mariage était stérile par le fait du mari, il n'en fallait pas moins que la famille fût continuée. Alors un frère ou un parent du mari devait se substituer à lui, et la femme était tenue de se livrer à cet homme. L'enfant qui naissait de là était considéré comme fils du mari, et continuait son culte. Telles étaient les règles chez les anciens Hindous; nous les retrouvons dans les lois d'Athènes et dans celles de Sparte. Tant cette religion avait d'empire! tant le devoir religieux passait avant tous les autres!

A plus forte raison, les législations anciennes prescrivaient le mariage de la veuve, quand elle n'avait pas eu d'enfants, avec le plus proche parent de son mari. Le fils qui naissait était réputé fils du défunt.

La naissance de la fille ne remplissait pas l'objet du mariage. En effet la fille ne pouvait pas continuer le culte, par la raison que le jour où elle se mariait, elle renonçait à la famille et au culte de son père, et appartenait à la famille et à la religion de son mari. La famille ne se continuait, comme le culte, que par les mâles: fait capital, dont on verra plus loin les conséquences.

C'était donc le fils qui était attendu, qui était nécessaire; c'était lui que la famille, les ancêtres, le foyer réclamaient. « Par lui, disent les vieilles lois des Hindous, un père acquitte sa dette envers les mânes de ses ancêtres et s'assure à lui-même l'immortalité. » Ce fils n'était pas moins précieux aux yeux des Grecs; car il devait plus tard faire les sacrifices, offrir le repas funèbre, et conserver par son culte la religion domestique. Aussi dans le vieil Eschyle, le fils est-il appelé le sauveur du foyer paternel.

L'entrée de ce fils dans la famille était signalée par un acte religieux. Il fallait d'abord qu'il fût agréé par le père. Celui-ci, à titre de maître et de gardien viager du foyer, de représentant des ancêtres, devait prononcer si le nouveau venu était ou n'était pas de la famille. La naissance ne formait que le lien physique; la déclaration du père constituait le lien moral et religieux. Cette formalité était également obligatoire à Rome, en Grèce et dans l'Inde.

Il fallait de plus pour le fils, comme nous l'avons vu pour la femme, une sorte d'initiation. Elle avait lieu peu de temps après la naissance, le neuvième jour à Rome, le dixième en Grèce, dans l'Inde le dixième ou le douzième. Ce jour-là, le père réunissait la famille, appelait des témoins, et faisait un sacrifice à son foyer. L'enfant était présenté au dieu domestique; une femme le portait dans ses bras et en courant lui faisait faire plusieurs fois le tour du feu sacré. Cette cérémonie avait pour double objet, d'abord de purifier l'enfant, c'est-à-dire de lui ôter la souillure que les anciens supposaient qu'il avait contractée par le seul fait de la gestation, ensuite de l'initier au culte domestique. A partir de ce moment l'enfant était admis dans cette sorte de société sainte et de petite église qu'on appelait la famille. Il en avait la religion, il en pratiquait les rites, il était apte à en dire les prières; il en honorait les ancêtres, et plus tard il devait y être lui-même un ancêtre honoré.

CHAPITRE IV

DE L'ADOPTION ET DE L'ÉMANCIPATION.

Le devoir de perpétuer le culte domestique a été le principe du droit d'adoption chez les anciens. La même religion qui obligeait l'homme à se marier, qui prononçait le divorce en cas de stérilité, qui, en cas d'impuissance ou de mort prématurée, substituait au mari un parent, offrait encore à la famille une dernière ressource pour échapper au malheur si redouté de l'extinction; cette ressource était le droit d'adopter.

« Celui à qui la nature n'a pas donné de fils, peut en adopter un, pour que les cérémonies funèbres ne cessent pas. » Ainsi parle le vieux législateur des Hindous. Nous avons un curieux plaidoyer d'un orateur athénien dans un procès où l'on contestait à un fils adoptif la légitimité de son adoption. Le défendeur nous montre d'abord pour quel motif on adoptait un fils: « Méněclès, dit-il, ne voulait pas mourir sans enfants; il tenait à laisser après lui quelqu'un pour l'ensevelir et pour lui faire dans la suite les cérémonies du culte funèbre. » Il montre ensuite ce qui arrivera si le tribunal annule son adoption, ce qui arrivera non pas à lui-même, mais à celui qui l'a adopté; Méněclès est mort, mais c'est encore l'intérêt de Méněclès qui est en jeu. « Si vous annulez mon adoption, vous ferez que Méněclès sera mort sans laisser de fils après lui, qu'en conséquence personne ne fera les sacrifices en son honneur, que nul ne lui offrira les repas funèbres, et qu'enfin il sera sans culte. »

Adopter un fils, c'était donc veiller à la perpétuité de la religion domestique, au salut du foyer, à la continuation des offrandes funèbres, au repos des mânes des ancêtres. L'adoption n'ayant sa raison d'être que dans la nécessité de prévenir l'extinction d'un culte, il suivait de là qu'elle n'était permise qu'à celui qui n'avait pas de fils. La loi des Hindous est formelle à cet égard. Celle d'Athènes ne l'est pas moins; tout le plaidoyer de Démosthènes contre Léocharès en est la preuve. Aucun texte précis ne prouve qu'il en fût de même dans l'ancien droit romain, et nous savons qu'au temps de Gaïus un même homme pouvait avoir des fils par la nature et des fils par l'adoption. Il paraît pourtant que ce point n'était pas admis en droit au temps de Cicéron; car dans un de ses plaidoyers l'orateur s'exprime ainsi: « Quel est le droit qui régit l'adoption? Ne faut-il que pas l'adoptant soit d'âge à ne plus avoir d'enfants, et qu'avant d'adopter il ait cherché à en avoir? Adopter, c'est demander à la religion et à la loi ce qu'on n'a pas pu obtenir de la nature. » Cicéron attaque l'adoption de Clodius en se fondant sur ce que l'homme qui l'a adopté a déjà un fils, et il s'écrie que cette adoption est contraire au droit religieux.

Quand on adoptait un fils, il fallait avant tout l'initier à son culte, « l'introduire dans sa religion domestique, l'approcher de ses pénates ». Aussi l'adoption s'opérait-elle par une cérémonie sacrée qui paraît avoir été fort semblable à celle qui marquait la naissance du fils. Par là le nouveau venu était admis au foyer et associé à la religion. Dieux, objets sacrés, rites, prières, tout lui devenait commun avec son père adoptif. On disait de lui *in sacra transiit*, il est passé au culte de sa nouvelle famille.

Par cela même il renonçait au culte de l'ancienne. Nous avons vu, en effet, que d'après ces vieilles croyances le même homme ne pouvait pas sacrifier à deux foyers ni honorer deux séries d'ancêtres. Admis dans une nouvelle maison, la maison paternelle lui devenait étrangère. Il n'avait plus rien de commun avec le foyer qui l'avait vu naître et ne pouvait plus offrir le repas funèbre à ses propres ancêtres. Le lien de la naissance était brisé; le lien nouveau du culte l'emportait. L'homme devenait si complètement étranger à son ancienne famille que, s'il venait à mourir, son père naturel n'avait pas le droit de se charger de ses funérailles et de conduire son convoi. Le fils adopté ne pouvait plus rentrer dans son ancienne famille; tout au plus la loi le lui permettait-elle si, ayant un fils, il le laissait à sa place dans la famille adoptante. On considérait que, la perpétuité de cette famille étant ainsi assurée, il pouvait en sortir. Mais alors il rompait tout lien avec son propre fils.

A l'adoption correspondait comme corrélatif l'émancipation. Pour qu'un fils pût entrer dans une nouvelle famille, il fallait nécessairement qu'il eût pu sortir de l'ancienne, c'est-à-dire qu'il eût été affranchi de sa religion. Le principal effet de l'émancipation était le renoncement au culte de la famille où l'on était né. Les Romains désignaient cet acte par le nom bien significatif de *sacrorum detestatio*.

CHAPITRE V

DE LA PARENTÉ. DE CE QUE LES ROMAINS APPELAIENT AGNATION.

Platon dit que la parenté est la communauté des mêmes dieux domestiques. Quand Démosthènes veut prouver que deux hommes sont parents, il montre qu'ils pratiquent le même culte et offrent le repas funèbre au même tombeau. C'était, en effet, la religion domestique qui constituait la parenté. Deux hommes pouvaient se dire parents, lorsqu'ils avaient les mêmes dieux, le même foyer, le même repas funèbre.

Or nous avons observé précédemment que le droit de faire les sacrifices au foyer ne se transmettait que de mâle en mâle et que le culte des morts ne s'adressait aussi qu'aux ascendants en ligne masculine. Il résultait de cette règle religieuse que l'on ne pouvait pas être parent par les femmes. Dans l'opinion de ces générations anciennes, la femme ne transmettait ni l'être ni le culte. Le fils tenait tout du père. On ne pouvait pas d'ailleurs appartenir à deux familles, invoquer deux foyers; le fils n'avait donc d'autre religion ni d'autre famille que celle du père. Comment aurait-il eu une famille maternelle? Sa mère elle-même, le jour où les rites sacrés du mariage avaient été accomplis, avait renoncé d'une manière absolue à sa propre famille; depuis ce temps, elle avait offert le repas funèbre aux ancêtres de l'époux, comme si elle était devenue leur fille, et elle ne l'avait plus offert à ses propres ancêtres, parce qu'elle n'était plus censée descendre d'eux. Elle n'avait conservé ni lien religieux ni lien de droit avec la famille où elle était née. A plus forte raison, son fils n'avait rien de commun avec cette famille.

Le principe de la parenté n'était pas la naissance; c'était le culte. Cela se voit clairement dans l'Inde. Là, le chef de famille, deux fois par mois, offre le repas funèbre; il présente un gâteau aux mânes de son père, un autre à son grand-père paternel, un troisième à son arrière-grand-père paternel, jamais à ceux dont il descend par les femmes, ni à sa mère, ni au père de sa mère. Puis, en remontant plus haut, mais toujours dans la même ligne, il fait une offrande au quatrième, au cinquième, au sixième ascendant. Seulement, pour ceux-ci l'offrande est plus légère; c'est une simple libation d'eau et quelques grains de riz. Tel est le repas funèbre; et c'est d'après l'accomplissement de ces rites que l'on compte la parenté. Lorsque deux hommes qui accomplissent séparément leurs repas funèbres, peuvent, en remontant chacun la série de leurs six ancêtres, en trouver un qui leur soit commun à tous deux, ces deux hommes sont parents. Ils se disent *samanodacas* si l'ancêtre commun est de ceux à qui l'on n'offre que la libation d'eau, *sapindas* s'il est de ceux à qui le gâteau est présenté. A compter d'après nos usages, la parenté des *sapindas* irait jusqu'au septième degré, et celle des *samanodacas* jusqu'au quatorzième. Dans l'un et l'autre cas la parenté se reconnaît à ce qu'on fait l'offrande à un même ancêtre; et l'on voit que dans ce système la parenté par les femmes ne peut pas être admise.

Il en était de même en Occident. On a beaucoup discuté sur ce que les jurisconsultes romains entendaient par l'agnation. Mais le problème devient facile à résoudre, dès que l'on rapproche l'agnation de la religion domestique. De même que la religion ne se transmettait que de mâle en mâle, de même il est attesté par tous les jurisconsultes anciens que deux hommes ne pouvaient être agnats entre eux que si, en remontant toujours de mâle en mâle, ils se trouvaient avoir des ancêtres communs. La règle pour l'agnation était donc la même que pour le culte. Il y avait entre ces deux choses un rapport manifeste. L'agnation n'était autre chose que la parenté telle que la religion l'avait établie à l'origine.

Pour rendre cette vérité plus claire., traçons le tableau d'une famille romaine.

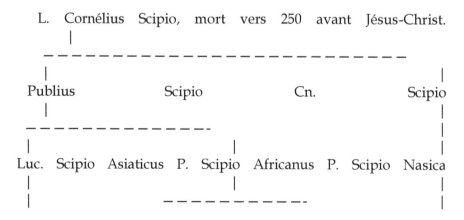

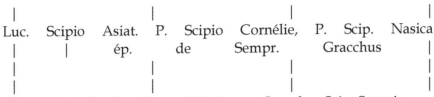

Luc. Scipio Asiat.   P. Scipio Cornélie,   P. Scip. Nasica
  | | ép.   de   Sempr.   Gracchus

Scip. Asiat. Scip. Aemilianus Tib. Sempr. Gracchus Scip. Serapio.

Dans ce tableau, la cinquième génération, qui vivait vers l'an 140 avant Jésus-Christ, est représentée par quatre personnages. Étaient-ils tous parents entre eux? Ils le seraient d'après nos idées, modernes; ils ne l'étaient pas tous dans l'opinion des Romains. Examinons, en effet, s'ils avaient le même culte domestique, c'est-à-dire s'ils faisaient les offrandes aux mêmes ancêtres. Supposons le troisième Scipio Asiaticus, qui reste seul de sa branche, offrant au jour marqué le repas funèbre; en remontant de mâle en mâle, il trouve pour troisième ancêtre Publius Scipio. De même Scipion Émilien, faisant son sacrifice, rencontrera dans la série de ses ascendants ce même Publius Scipio. Donc Scipio Asiaticus et Scipion Émilien sont parents entre eux; chez les Hindous on les appellerait *sapindas*.

D'autre part, Scipion Sérapion a pour quatrième ancêtre L. Cornélius Scipio qui est aussi le quatrième ancêtre de Scipion Émilien. Ils sont donc parents entre eux; chez les Hindous on les appellerait *samanodacas*. Dans la langue juridique et religieuse de Rome, ces trois Scipions sont agnats; les deux premiers le sont entre eux au sixième degré, le troisième l'est avec eux au huitième.

Il n'en est pas de même de Tibérius Gracchus. Cet homme qui, d'après nos coutumes modernes, serait le plus proche parent de Scipion Émilien, n'était pas même son parent au degré le plus éloigné. Peu importe, en effet, pour Tibérius qu'il soit fils de Cornélie, la fille des Scipions; ni lui ni Cornélie elle-même n'appartiennent à cette famille par la religion. Il n'a pas d'autres ancêtres que les Sempronius; c'est, à eux qu'il offre le repas funèbre; en remontant la série de ses ascendants, il ne rencontrera jamais un Scipion. Scipion Émilien et Tibérius Gracchus ne sont donc pas agnats. Le lien du sang ne suffit pas pour établir cette parenté, il faut le lien du culte.

On comprend d'après cela pourquoi, aux yeux de la loi romaine, deux frères consanguins étaient agnats et deux frères utérins ne l'étaient pas. Qu'on ne dise même pas que la descendance par les mâles était le principe immuable sur lequel était fondée la parenté. Ce n'était pas à la naissance, c'était au culte seul que l'on reconnaissait les agnats. Le fils que l'émancipation avait détaché du culte, n'était plus agnat de son père. L'étranger qui avait été adopté, c'est-à-dire admis au culte, devenait l'agnat de l'adoptant et même de toute sa famille. Tant il est vrai que c'était la religion qui fixait la parenté.

Sans doute il est venu un temps, pour l'Inde et la Grèce comme pour Rome, où la parenté par le culte n'a plus été la seule qui fût admise. A mesure que cette vieille religion s'affaiblit, la voix du sang parla plus haut, et la parenté par la naissance fut reconnue en droit. Les Romains appelèrent *cognatio* cette sorte de parenté qui était absolument indépendante des règles de la religion domestique. Quand on lit les jurisconsultes depuis Cicéron jusqu'à Justinien, on voit les deux systèmes de parenté rivaliser entre eux et se disputer le domaine du droit. Mais au temps des Douze Tables, la seule parenté d'agnation était connue, et seule elle conférait des droits à l'héritage. On verra plus loin qu'il en a été de même chez les Grecs.

CHAPITRE VI

LE DROIT DE PROPRIÉTÉ.

Voici une institution des anciens dont il ne faut pas nous faire une idée d'après ce que nous voyons autour de nous. Les anciens ont fondé le droit de propriété sur des principes qui ne sont plus ceux des générations présentes; il en est résulté que les lois par lesquelles ils l'ont garanti, sont sensiblement différentes des nôtres.

On sait qu'il y a des races qui ne sont jamais arrivées à établir chez elles la propriété privée; d'autres n'y sont parvenues qu'à la longue et péniblement. Ce n'est pas, en effet, un facile problème, à l'origine des sociétés, de savoir si l'individu peut s'approprier le sol et établir un tel lien entre son être et une part de terre qu'il puisse dire: Cette terre est mienne, cette terre est comme une partie de moi. Les Tartares conçoivent le droit de propriété quand il s'agit des troupeaux, et ne le comprennent plus quand il s'agit du sol. Chez les anciens Germains la terre n'appartenait à personne; chaque année la tribu assignait à chacun de ses membres un lot à cultiver, et on changeait de lot l'année suivante. Le Germain était propriétaire de la moisson; il ne l'était pas de la terre. Il en est encore de même dans une partie de la race sémitique et chez, quelques peuples slaves.

Au contraire, les populations de la Grèce et de l'Italie, dès l'antiquité la plus haute, ont toujours connu et pratiqué la propriété privée. On ne trouve pas une époque où la terre ait été commune; et l'on ne voit non plus rien qui ressemble à ce partage annuel des champs qui était usité chez les Germains. Il y a même un fait bien remarquable. Tandis que les races qui n'accordent pas à l'individu la propriété du sol, lui accordent au moins celle des fruits de son travail, c'est-à-dire de sa récolte, c'était le contraire chez les Grecs. Dans beaucoup de villes les citoyens étaient astreints à mettre en commun leurs moissons, ou du moins la plus grande partie, et devaient les consommer en commun; l'individu n'était donc pas maître du blé qu'il avait récolté; mais en même temps, par une contradiction bien singulière, il avait la propriété absolue du sol. La terre était à lui plus que la moisson. Il semble que chez les Grecs la conception du droit de propriété ait suivi une marche tout à fait opposée à celle qui paraît naturelle. Elle ne s'est pas appliquée à la moisson d'abord, et au sol ensuite. C'est l'ordre inverse qu'on a suivi.

Il y a trois choses que, dès l'âge le plus ancien, on trouve fondées et solidement établies dans ces sociétés grecques et italiennes: la religion domestique, la famille, le droit de propriété; trois choses qui ont eu entre elles, à l'origine, un rapport manifeste, et qui paraissent avoir été inséparables.

L'idée de propriété privée était dans la religion même. Chaque famille avait son foyer et ses ancêtres. Ces dieux ne pouvaient être adorés que par elle, ne protégeaient qu'elle; ils étaient sa propriété.

Or entre ces dieux et le sol les hommes des anciens âges voyaient un rapport mystérieux. Prenons d'abord le foyer. Cet autel est le symbole de la vie sédentaire; son nom seul l'indique. Il doit être posé sur le sol; une fois posé, on ne peut plus le changer de place. Le dieu de la famille veut avoir une demeure fixe; matériellement, il est difficile de transporter la pierre sur laquelle il brille; religieusement, cela est plus difficile encore et n'est permis à l'homme que si la dure nécessité le presse, si un ennemi le chasse ou si la terre ne peut pas le nourrir. Quand on pose le foyer, c'est avec la pensée et l'espérance qu'il restera toujours à cette même place. Le dieu s'installe là, non pas pour un jour, non pas même pour une vie d'homme, mais pour tout le temps que cette famille durera et qu'il restera quelqu'un pour entretenir sa flamme par le sacrifice. Ainsi le foyer prend possession du sol; cette part de terre, il la fait sienne; elle est sa propriété.

Et la famille, qui par devoir et par religion reste toujours groupée autour de son autel, se fixe au sol comme l'autel lui-même. L'idée de domicile vient naturellement. La famille est attachée au foyer, le foyer l'est au sol; une relation étroite s'établit donc entre le sol et la famille. Là doit être sa demeure permanente, qu'elle ne songera pas à quitter, à moins qu'une nécessité imprévue ne l'y contraigne. Comme le foyer, elle occupera toujours cette place. Cette place lui appartient; elle est sa propriété, propriété non d'un homme seulement, mais d'une famille dont les différents membres doivent venir l'un après l'autre naître et mourir là.

Suivons les idées des anciens. Deux foyers représentent des divinités distinctes, qui ne s'unissent et qui ne se confondent jamais; cela est si vrai que le mariage même entre deux familles n'établit pas d'alliance entre leurs dieux. Le foyer doit être isolé, c'est-à-dire séparé nettement de tout ce qui n'est pas lui; il ne faut pas que l'étranger en approche au moment où les cérémonies du culte s'accomplissent, ni même qu'il ait vue sur lui. C'est pour cela qu'on appelle ces dieux les dieux cachés, [Grec: muchioi], ou les dieux intérieurs, *Penates*. Pour que cette règle religieuse soit bien remplie, il faut qu'autour du foyer, à une certaine distance, il y ait une enceinte. Peu importe qu'elle soit formée par une haie, par une cloison de bois, ou par un mur de pierre. Quelle qu'elle soit, elle marque la limite qui sépare le domaine d'un foyer du domaine d'un autre foyer. Cette enceinte est réputée sacrée. Il y a impiété à la franchir. Le dieu veille sur elle et la tient sous sa garde; aussi donne-t-on à ce dieu l'épithète de [Grec: hercheios]. Cette enceinte tracée par la religion et protégée par elle est l'emblème le plus certain, la marque la plus irrécusable du droit de propriété.

Reportons-nous aux âges primitifs de la race aryenne. L'enceinte sacrée que les Grecs appellent *herchos* et les Latins *herctum*, c'est l'enclos assez étendu dans lequel la famille a sa maison, ses troupeaux, le petit champ qu'elle cultive. Au milieu s'élève le foyer protecteur. Descendons aux âges suivants: la population est arrivée jusqu'en Grèce et en Italie, et elle a bâti des villes. Les demeures se sont rapprochées; elles ne sont pourtant pas contiguës. L'enceinte sacrée existe encore, mais dans de moindres proportions; elle est le plus souvent réduite à un petit mur, à un fossé, à un sillon, ou à un simple espace libre de quelques pieds de largeur. Dans tous les cas, deux maisons ne doivent pas se toucher; la mitoyenneté est une chose réputée impossible. Le même mur ne peut pas être commun à deux maisons; car alors l'enceinte sacrée des dieux domestiques aurait disparu. A Rome, la loi fixe à deux pieds et demi la largeur de l'espace libre qui doit toujours séparer deux maisons, et cet espace est consacré au « dieu de l'enceinte ».

Il est résulté de ces vieilles règles religieuses que la vie en communauté n'a jamais pu s'établir chez les anciens. Le phalanstère n'y a jamais été connu. Pythagore même n'a pas réussi à établir des institutions auxquelles la religion intime des hommes résistait. On ne trouve non plus, à aucune époque de la vie des anciens, rien qui ressemble à cette promiscuité du village qui était générale en France au douzième siècle. Chaque famille, ayant ses dieux et son culte, a dû avoir aussi sa place particulière sur le sol, son domicile isolé, sa propriété.

Les Grecs disaient que le foyer avait enseigné à l'homme à bâtir des maisons. En effet, l'homme qui était fixé par sa religion à une place qu'il ne croyait pas devoir jamais quitter, a dû songer bien vite à élever en cet endroit une construction solide. La tente convient à l'Arabe, le chariot au Tartare; mais à une famille qui a un foyer domestique, il faut une demeure qui dure. A la cabane de terre ou de bois a bientôt succédé la maison de pierre. On n'a pas bâti seulement pour une vie d'homme, mais pour la famille dont les générations devaient se succéder dans la même demeure.

La maison était toujours placée dans l'enceinte sacrée. Chez les Grecs on partageait en deux le carré que formait cette enceinte; la première partie était la cour; la maison occupait la seconde partie. Le foyer, placé vers le milieu de l'enceinte totale, se trouvait ainsi au fond de la cour et près de l'entrée de la maison. A Rome la disposition était différente, mais le principe était le même. Le foyer restait placé au milieu de l'enceinte, mais les bâtiments s'élevaient autour de lui des quatre côtés, de manière à l'enfermer au milieu d'une petite cour.

On voit bien la pensée qui a inspiré ce système de construction: les murs se sont élevés autour du foyer pour l'isoler et le défendre, et l'on peut dire, comme disaient les Grecs, que la religion a enseigné à bâtir une maison.

Dans cette maison la famille est maîtresse et propriétaire; c'est sa divinité domestique qui lui assure son droit. La maison est consacrée par la présence perpétuelle des dieux; elle est le temple qui les garde. « Qu'y a-t-il de plus sacré, dit Cicéron, que la demeure de chaque homme? Là est l'autel; là brille le feu sacré; là sont les choses saintes et la religion. » A pénétrer dans cette maison avec des intentions malveillantes il y avait sacrilège. Le domicile était inviolable. Suivant une tradition romaine, le dieu domestique repoussait le voleur et écartait l'ennemi.

Passons à un autre objet du culte, le tombeau, et nous verrons que les mêmes idées s'y attachaient. Le tombeau avait une grande importance dans la religion des anciens. Car d'une part on devait un culte aux ancêtres, et d'autre part la principale cérémonie de ce culte, c'est-à-dire le repas funèbre, devait être accomplie sur le lieu même où les ancêtres reposaient. La famille avait donc un tombeau commun où ses membres devaient venir s'endormir l'un après l'autre. Pour ce tombeau la règle était la même que pour le foyer. Il n'était pas plus permis d'unir deux familles dans une même sépulture qu'il ne l'était d'unir deux foyers domestiques en une seule maison. C'était une égale impiété d'enterrer un mort hors du tombeau de sa famille ou de placer dans ce tombeau le corps d'un étranger. La religion domestique, soit dans la vie, soit dans la mort, séparait chaque famille de toutes les autres, et écartait sévèrement toute apparence de communauté, De même que les maisons ne devaient pas être contiguës, les tombeaux ne devaient pas se toucher; chacun d'eux avait, comme la maison, une sorte d'enceinte isolante.

Combien le caractère de propriété privée est manifeste en tout cela! Les morts sont des dieux qui appartiennent en propre à une famille et qu'elle a seule le droit d'invoquer. Ces morts ont pris possession du sol; ils vivent sous ce petit tertre, et nul, s'il n'est de la famille, ne peut penser à se mêler à eux. Personne d'ailleurs n'a le droit de les déposséder du sol qu'ils occupent; un tombeau, chez les anciens, ne peut jamais être détruit ni déplacé, les lois les plus sévères le défendent. Voilà donc une part de sol qui, au nom de la religion, devient un objet de propriété perpétuelle pour chaque famille. La famille s'est approprié cette terre en y plaçant ses morts; elle s'est implantée là pour toujours. Le rejeton vivant de cette famille peut dire légitimement: Cette terre est à moi. Elle est tellement à lui qu'elle est inséparable de lui et qu'il n'a pas le droit de s'en dessaisir. Le sol où reposent les morts est inaliénable et imprescriptible. La loi romaine exige que, si une famille vend le champ où est son tombeau, elle reste au moins propriétaire de ce tombeau et conserve éternellement le droit de traverser le champ pour aller accomplir les cérémonies de son culte.

L'ancien usage était d'enterrer les morts, non pas dans des cimetières ou sur les bords d'une route, mais dans le champ de chaque famille. Cette habitude des temps antiques est attestée par une loi de Solon et par plusieurs passages de Plutarque. On voit dans un plaidoyer de Démosthènes que, de son temps encore, chaque famille enterrait ses morts dans son champ, et que lorsqu'on achetait un domaine dans l'Attique, on y trouvait la sépulture des anciens propriétaires. Pour l'Italie, cette même coutume nous est attestée par une loi des Douze Tables, par les textes de deux jurisconsultes, et par cette phrase de Siculus Flaccus: « Il y avait anciennement deux manières de placer le tombeau, les uns le mettant à la limite du champ, les autres vers le milieu. »

D'après cet usage on conçoit que l'idée de propriété se soit facilement étendue du petit tertre où reposaient les morts au champ qui entourait ce tertre. On peut lire dans le livre du vieux Caton une formule par laquelle le laboureur italien priait les mânes de veiller sur son champ, de faire bonne garde contre le voleur, et de faire produire bonne récolte. Ainsi ces âmes des morts étendaient leur action tutélaire et avec elle leur droit de propriété jusqu'aux limites du domaine. Par elles la famille était maîtresse unique dans ce champ. La sépulture avait établi l'union indissoluble de la famille avec la terre, c'est-à-dire la propriété.

Dans la plupart des sociétés primitives, c'est par la religion que le droit de propriété a été établi. Dans la Bible, le Seigneur dit à Abraham: « Je suis l'Éternel qui t'ai fait sortir de Ur des Chaldéens, afin de te donner ce pays », et à Moïse: « Je vous ferai entrer dans le pays que j'ai juré de donner à Abraham, et je vous le donnerai en héritage. » Ainsi Dieu, propriétaire primitif par droit de création, délègue à l'homme sa propriété sur une partie du sol. Il y a eu quelque chose d'analogue chez les anciennes populations gréco-italiennes. Il est vrai que ce n'est pas la religion de Jupiter qui a fondé ce droit, peut-être parce qu'elle n'existait pas encore. Les dieux qui conférèrent à chaque famille son droit sur la terre, ce furent les dieux domestiques, le foyer et les mânes. La première religion qui eut l'empire sur leurs âmes fut aussi celle qui constitua chez eux la propriété.

Il est assez évident que la propriété privée était une institution dont la religion domestique ne pouvait pas se passer. Cette religion prescrivait d'isoler le domicile et d'isoler aussi la sépulture; la vie en commun a donc été impossible. La même religion commandait que le foyer fût fixé au sol, que le tombeau ne fût ni détruit ni déplacé.

Supprimez la propriété, le foyer sera errant, les familles se mêleront, les morts seront abandonnés et sans culte. Par le foyer inébranlable et la sépulture permanente, la famille a pris possession du sol; la terre a été, en quelque sorte, imbue et pénétrée par la religion du foyer et des ancêtres. Ainsi l'homme des anciens âges fut dispensé de résoudre de trop difficiles problèmes. Sans discussion, sans travail, sans l'ombre d'une hésitation, il arriva d'un seul coup et par la vertu de ses seules croyances à la conception du droit de propriété, de ce droit d'où sort toute civilisation, puisque par lui l'homme améliore la terre et devient lui- même meilleur.

Ce ne furent pas les lois qui garantirent d'abord le droit de propriété, ce fut la religion. Chaque domaine était sous les yeux des divinités domestiques qui veillaient sur lui. Chaque champ devait être entouré, comme nous l'avons vu pour la maison, d'une enceinte qui le séparât nettement des domaines des autres familles. Cette enceinte n'était pas un mur de pierre; c'était une bande de terre de quelques pieds de large, qui devait rester inculte et que la charrue ne devait jamais toucher. Cet espace était sacré: la loi romaine le déclarait imprescriptible; il appartenait à la religion. A certains jours marqués du mois et de l'année, le père de famille faisait le tour de son champ, en suivant cette ligne; il poussait devant lui des victimes, chantait des hymnes, et offrait des sacrifices. Par cette cérémonie il croyait avoir éveillé la bienveillance de ses dieux à l'égard de son champ et de sa maison; il avait surtout marqué son droit de propriété en promenant autour de son champ son culte domestique. Le chemin qu'avaient suivi les victimes et les prières, était la limite inviolable du domaine.

Sur cette ligne, de distance en distance, l'homme plaçait quelques grosses pierres ou quelques troncs d'arbres, que l'on appelait des *termes*. On peut juger ce que c'était que ces bornes et quelles idées s'y attachaient par la manière dont la piété des hommes les posait en terre. « Voici, dit Siculus Flaccus, ce que nos ancêtres pratiquaient: ils commençaient par creuser une petite fosse, et dressant le Terme sur le bord, ils le couronnaient de guirlandes d'herbes et de fleurs. Puis ils offraient un sacrifice; la victime immolée, ils en faisaient couler le sang dans la fosse; ils y jetaient des charbons allumés (allumés probablement au feu sacré du foyer), des grains, des gâteaux, des fruits, un peu de vin et de miel. Quand tout cela s'était consumé dans la fosse, sur les cendres encore chaudes, on enfonçait la pierre ou le morceau de bois. » On voit clairement que cette cérémonie avait pour objet de faire du Terme une sorte de représentant sacré du culte domestique. Pour lui continuer ce caractère, chaque année on renouvelait sur lui l'acte sacré, en versant des libations et en récitant des prières. Le Terme posé en terre, c'était donc, en quelque sorte, la religion domestique implantée dans le sol, pour marquer que ce sol était à jamais la propriété de la famille. Plus tard, la poésie aidant, le Terme fut considéré comme un dieu distinct.

L'usage des Termes ou bornes sacrées des champs paraît avoir été universel dans la race indo-européenne. Il existait chez les Hindous dans une haute antiquité, et les cérémonies sacrées du bornage avaient chez eux une grande analogie avec celles que Siculus Flaccus a décrites pour l'Italie. Avant Rome, nous trouvons le Terme chez les Sabins; nous le trouvons encore chez les Étrusques. Les Hellènes avaient aussi des bornes sacrées qu'ils appelaient [Grec: oroi, theoi, orioi].

Le Terme une fois posé suivant les rites, il n'était aucune puissance au monde qui pût le déplacer. Il devait rester au même endroit de toute éternité. Ce principe religieux était exprimé à Rome par une légende: Jupiter, ayant voulu se faire une place sur le mont Capitolin pour y avoir un temple, n'avait pas pu déposséder le dieu Terme. Cette vieille tradition montre combien la propriété était sacrée; car le Terme immobile ne signifie pas autre chose que la propriété inviolable.

Le Terme gardait, en effet, la limite du champ et veillait sur elle. Le voisin n'osait pas en approcher de trop près; « car alors, comme dit Ovide, le dieu qui se sentait heurté par le soc ou le hoyau, criait: Arrête, ceci est mon champ, voilà le tien. » Pour empiéter sur le champ d'une famille, il fallait renverser ou déplacer une borne: or, cette borne était un dieu. Le sacrilège était horrible et le châtiment sévère; la vieille loi romaine disait: « Que l'homme et les boeufs qui auront touché le Terme, soient dévoués »; cela signifiait que l'homme et les boeufs seraient immolés en expiation. La loi étrusque, parlant au nom de la religion, s'exprimait ainsi: « Celui qui aura touché ou déplacé la borne, sera condamné par les dieux; sa maison disparaîtra, sa race s'éteindra; sa terre ne produira plus de fruits; la grêle, la rouille, les feux de la canicule détruiront ses moissons; les membres du coupable se couvriront d'ulcères et tomberont de consomption .»

Nous ne possédons pas le texte de la loi athénienne sur le même sujet; il ne nous en est resté que trois mots qui signifient: « Ne dépasse pas la borne. » Mais Platon paraît compléter la pensée du législateur quand il dit: « Notre première loi doit être celle-ci: Que personne ne touche à la borne qui sépare son champ de celui du voisin, car elle doit rester immobile.... Que nul ne s'avise d'ébranler la petite pierre qui sépare l'amitié de l'inimitié et qu'on s'est engagé par serment à laisser à sa place. »

De toutes ces croyances, de tous ces usages, de toutes ces lois, il résulte clairement que c'est la religion domestique qui a appris à l'homme à s'approprier la terre, et qui lui a assuré son droit sur elle.

On comprend sans peine que le droit de propriété, ayant été ainsi conçu et établi, ait été beaucoup plus complet et plus absolu dans ses effets qu'il ne peut l'être dans nos sociétés modernes, où il est fondé sur d'autres principes. La propriété était tellement inhérente à la religion domestique qu'une famille ne pouvait pas plus renoncer à l'une qu'à l'autre. La maison et le champ étaient comme incorporés à elle, et elle ne pouvait ni les perdre ni s'en dessaisir. Platon, dans son Traité des lois, ne prétendait pas avancer une nouveauté quand il défendait au propriétaire de vendre son champ: il ne faisait que rappeler une vieille loi. Tout porte à croire que dans les anciens temps la propriété était inaliénable. Il est assez connu qu'à Sparte il était formellement défendu de vendre son lot de terre. La même interdiction était écrite dans les lois de Locres et de Leucade. Phidon de Corinthe, législateur du neuvième siècle, prescrivait que le nombre des familles et des propriétés restât immuable. Or, cette prescription ne pouvait être observée que s'il était interdit de vendre les terres et même de les partager. La loi de Selon, postérieure de sept ou huit générations à celle de Phidon de Corinthe, ne défendait plus à l'homme de vendre sa propriété, mais elle frappait le vendeur d'une peine sévère, la perte de tous les droits de citoyen. Enfin Aristote nous apprend d'une manière générale que dans beaucoup de villes les anciennes législations interdisaient la vente des terres.

De telles lois ne doivent pas nous surprendre. Fondez la propriété sur le droit du travail, l'homme pourra s'en dessaisir. Fondez-la sur la religion, il ne le pourra plus: un lien plus fort que la volonté de l'homme unit la terre à lui. D'ailleurs ce champ où est le tombeau, où vivent les ancêtres divins, où la famille doit à jamais accomplir un culte, n'est pas la propriété d'un homme seulement, mais d'une famille. Ce n'est pas l'individu actuellement vivant qui a établi son droit sur cette terre; c'est le dieu domestique. L'individu ne l'a qu'en dépôt; elle appartient à ceux qui sont morts et à ceux qui sont à naître. Elle fait corps avec cette famille et ne peut plus s'en séparer. Détacher l'une de l'autre, c'est altérer un culte et offenser une religion. Chez les Hindous, la propriété, fondée aussi sur le culte, était aussi inaliénable.

Nous ne connaissons le droit romain qu'à partir de la loi des Douze Tables; il est clair qu'à cette époque la vente de la propriété était permise. Mais il y a des raisons de penser que, dans les premiers temps de Rome, et dans l'Italie avant l'existence de Rome, la terre était inaliénable comme en Grèce. S'il ne reste aucun témoignage de cette vieille loi, on distingue du moins les adoucissements qui y ont été apportés peu à peu. La loi des Douze Tables, en laissant au tombeau le caractère d'inaliénabilité, en a affranchi le champ. On a permis ensuite de diviser la propriété, s'il y avait plusieurs frères, mais à la condition qu'une nouvelle cérémonie religieuse serait accomplie et que le nouveau partage serait fait par un prêtre: la religion seule pouvait partager ce que la religion avait autrefois proclamé indivisible. On a permis enfin de vendre le domaine; mais il a fallu encore pour cela des formalités d'un caractère religieux. Cette vente ne pouvait avoir lieu qu'en présence d'un prêtre qu'on appelait *libripens* et avec la formalité sainte qu'on appelait *mancipation*. Quelque chose d'analogue se voit en Grèce: la vente d'une maison ou d'un fonds de terre était toujours accompagnée d'un sacrifice aux dieux. Toute mutation de propriété avait besoin d'être autorisée par la religion.

Si l'homme ne pouvait pas ou ne pouvait que difficilement se dessaisir de sa terre, à plus forte raison ne devait-on pas l'en dépouiller malgré lui. L'expropriation pour cause d'utilité publique était inconnue chez les anciens. La confiscation n'était pratiquée que comme conséquence de l'arrêt d'exil, c'est-à-dire lorsque l'homme dépouillé de son titre de citoyen ne pouvait plus exercer aucun droit sur le sol de la cité. L'expropriation pour dettes ne se rencontre jamais non plus dans le droit ancien des cités. La loi des Douze Tables ne ménage assurément pas le débiteur; elle ne permet pourtant pas que sa propriété soit confisquée au profit du créancier. Le corps de l'homme répond de la dette, non sa terre, car la terre est inséparable de la famille. Il est plus facile de mettre l'homme en servitude que de lui enlever son droit de propriété; le débiteur est mis dans les mains de son créancier; sa terre le suit en quelque sorte dans son esclavage. Le maître qui use à son profit des forces physiques de l'homme, jouit de même des fruits de la terre; mais il ne devient pas propriétaire de celle-ci. Tant le droit de propriété est au-dessus de tout et inviolable.

CHAPITRE VII

LE DROIT DE SUCCESSION.

1° Nature et principe du droit de succession chez les anciens.

Le droit de propriété ayant été établi pour l'accomplissement d'un culte héréditaire, il n'était pas possible que ce droit fût éteint après la courte existence d'un individu. L'homme meurt, le culte reste; le foyer ne doit pas s'éteindre ni le tombeau être abandonné. La religion domestique se continuant, le droit de propriété doit se continuer avec elle.

Deux choses sont liées étroitement dans les croyances comme dans les lois des anciens, le culte d'une famille et la propriété de cette famille. Aussi était-ce une règle sans exception dans le droit grec comme dans le droit romain, qu'on ne pût pas acquérir la propriété sans le culte ni le culte sans la propriété. « La religion prescrit, dit Cicéron, que les biens et le culte de chaque famille soient inséparables, et que le soin des sacrifices soit toujours dévolu à celui à qui revient l'héritage. » A Athènes, voici en quels termes un plaideur réclame une succession: « Réfléchissez bien, juges, et dites lequel de mon adversaire ou de moi, doit hériter des biens de Philoctémon et faire les sacrifices sur son tombeau. » Peut-on dire plus clairement que le soin du culte est inséparable de la succession? Il en est de même dans l'Inde: « La personne qui hérite, quelle qu'elle soit, est chargée de faire les offrandes sur le tombeau. »

De ce principe sont venues toutes les règles du droit de succession chez les anciens. La première est que, la religion domestique étant, comme nous l'avons vu, héréditaire de mâle en mâle, la propriété l'est aussi. Comme le fils est le continuateur naturel et obligé du culte, il hérite aussi des biens. Par là, la règle d'hérédité est trouvée; elle n'est pas le résultat d'une simple convention faite entre les hommes; elle dérive de leurs croyances, de leur religion, de ce qu'il y a de plus puissant sur leurs âmes. Ce qui fait que le fils hérite, ce n'est pas la volonté personnelle du père. Le père n'a pas besoin de faire un testament; le fils hérite de son plein droit, *ipso jure heres exsistit*, dit le jurisconsulte. Il est même héritier nécessaire, *heres necessarius*. Il n'a ni à accepter ni à refuser l'héritage. La continuation de la propriété, comme celle du culte, est pour lui une obligation autant qu'un droit. Qu'il le veuille ou ne le veuille pas, la succession lui incombe, quelle qu'elle puisse être, même avec ses charges et ses dettes. Le bénéfice d'inventaire et le bénéfice d'abstention ne sont pas admis pour le fils dans le droit grec et ne se sont introduits que fort tard dans le droit romain.

La langue juridique de Rome appelle le fils *heres suus*, comme si l'on disait *heres sui ipsius*. Il n'hérite, en effet, que de lui-même. Entre le père et lui il n'y a ni donation, ni legs, ni mutation de propriété. Il y a simplement continuation, *morte parentis continuatur dominium*. Déjà du vivant du père le fils était copropriétaire du champ et de la maison, *vivo quoque patre dominus existimatur*.

Pour se faire une idée vraie de l'hérédité chez les anciens, il ne faut pas se figurer une fortune qui passe d'une main dans une autre main. La fortune est immobile, comme le foyer et le tombeau auxquels elle est attachée. C'est l'homme qui passe. C'est l'homme qui, à mesure que la famille déroule ses générations, arrive à son heure marquée pour continuer le culte et prendre soin du domaine.

2° Le fils hérite, non la fille.

C'est ici que les lois anciennes, à première vue, semblent bizarres et injustes. On éprouve quelque surprise lorsqu'on voit dans le droit romain que la fille n'hérite pas du père, si elle est mariée, et dans le droit grec qu'elle n'hérite en aucun cas. Ce qui concerne les collatéraux paraît, au premier abord, encore plus éloigné de la nature et de la justice. C'est que toutes ces lois découlent, suivant une logique très- rigoureuse, des croyances et de la religion que nous avons observées plus haut.

La règle pour le culte est qu'il se transmet de mâle en mâle; la règle pour l'héritage est qu'il suit le culte. La fille n'est pas apte à continuer la religion paternelle, puisqu'elle se marie et qu'en se mariant elle renonce au culte du père pour adopter celui de l'époux. Elle n'a donc aucun titre à l'héritage; s'il arrivait qu'un père laissât ses biens à sa fille, la propriété serait séparée du culte, ce qui n'est pas admissible. La fille ne pourrait même pas remplir le premier devoir de l'héritier, qui est de continuer la série des repas funèbres, puisque c'est aux ancêtres de son mari qu'elle offre les sacrifices. La religion lui défend donc d'hériter de son père.

Tel est l'antique principe; il s'impose également aux législateurs des Hindous, à ceux de la Grèce et à ceux de Rome. Les trois peuples ont les mêmes lois, non qu'ils se soient fait des emprunts, mais parce qu'ils ont tiré leurs lois des mêmes croyances.

« Après la mort du père, dit le code de Manou, que les frères se partagent entre eux le patrimoine »; et le législateur ajoute qu'il recommande aux frères de doter leurs soeurs, ce qui achève de montrer que celles-ci n'ont par elles-mêmes aucun droit à la succession paternelle.

Il en est de même à Athènes. Démosthènes, dans ses plaidoyers, a souvent l'occasion de montrer que les filles n'héritent pas. Il est lui-même un exemple de l'application de cette règle; car il avait une soeur, et nous savons par ses propres écrits qu'il a été l'unique héritier du patrimoine; son père en avait réservé seulement la septième partie pour doter sa fille.

Pour ce qui est de Rome, les dispositions du droit primitif qui excluaient les filles de la succession, ne nous sont pas connues par des textes formels et précis; mais elles ont laissé des traces profondes dans le droit des époques postérieures. Les Institutes de Justinien excluent encore la fille du nombre des héritiers naturels, si elle n'est plus sous la puissance du père; or elle n'y est plus dès qu'elle est mariée suivant les rites religieux. Il résulte déjà de ce texte que, si la fille, avant d'être mariée, pouvait partager l'héritage avec son frère, elle ne le pouvait certainement pas dès que le mariage l'avait attachée à une autre religion et à une autre famille. Et s'il en était encore ainsi au temps de Justinien, on peut supposer que dans le droit primitif le principe était appliqué dans toute sa rigueur et que la fille non mariée encore, mais qui devait un jour se marier, ne pouvait pas hériter du patrimoine. Les Institutes mentionnent encore le vieux principe, alors tombé en désuétude, mais non oublié, qui prescrivait que l'héritage passât toujours aux mâles. C'est sans doute en souvenir de cette règle que la femme, en droit civil, ne peut jamais être instituée héritière. Plus nous remontons de l'époque de

Justinien vers les époques anciennes, plus nous nous rapprochons de la règle qui interdit aux femmes d'hériter. Au temps de Cicéron, si un père laisse un fils et une fille, il ne peut léguer à sa fille qu'un tiers de sa fortune; s'il n'y a qu'une fille unique, elle ne peut encore avoir que la moitié. Encore faut-il noter que pour que cette fille ait le tiers ou la moitié du patrimoine, il faut que le père ait fait un testament en sa faveur; la fille n'a rien de son plein droit. Enfin un siècle et demi avant Cicéron, Caton, voulant faire revivre les anciennes moeurs, fait porter la loi Voconia qui défend: 1° d'instituer héritière une femme, fût-ce une fille unique, mariée ou non mariée; 2° de léguer à des femmes plus du quart du patrimoine. La loi Voconia ne fait que renouveler des lois plus anciennes; car on ne peut pas supposer qu'elle eût été acceptée par les contemporains des Scipions si elle ne s'était appuyée sur de vieux principes qu'on respectait encore. Elle rétablit ce que le temps avait altéré. Ajoutons qu'elle ne stipule rien à l'égard de l'hérédité *ab intestat*, probablement parce que, sous ce rapport, l'ancien droit était encore en vigueur et qu'il n'y avait rien à réparer sur ce point. A Rome comme en Grèce le droit primitif excluait la fille de l'héritage, et ce n'était là que la conséquence naturelle et inévitable des principes que la religion avait posés.

Il est vrai que les hommes trouvèrent de bonne heure un détour pour concilier la prescription religieuse qui défendait à la fille d'hériter, avec le sentiment naturel qui voulait qu'elle pût jouir de la fortune du père. La loi décida que la fille épouserait l'héritier.

La législation athénienne poussait ce principe jusqu'à ses dernières conséquences. Si le défunt laissait un fils et une fille, le fils héritait seul et devait doter sa soeur; si sa soeur était d'une autre mère que lui, il devait à son choix l'épouser ou la doter. Si le défunt ne laissait qu'une fille, il avait pour héritier son plus proche parent; mais ce parent, qui était bien proche aussi par rapport à la fille, devait pourtant la prendre pour femme. Il y a plus: si cette fille se trouvait déjà mariée, elle devait quitter son mari pour épouser l'héritier de son père. L'héritier pouvait être déjà marié lui-même; il devait divorcer pour épouser sa parente. Nous voyons ici combien le droit antique, pour s'être conformé à la religion, a méconnu la nature.

La nécessité de satisfaire à la religion, combinée avec le désir de sauver les intérêts d'une fille unique, fit trouver un autre détour. Sur ce point-ci le droit hindou et le droit athénien se rencontraient merveilleusement. On lit dans les Lois de Manou: « Celui qui n'a pas d'enfant mâle, peut charger sa fille de lui donner un fils, qui devienne le sien et qui accomplisse en son honneur la cérémonie funèbre. » Pour cela, le père doit prévenir l'époux auquel il donne sa fille, en prononçant cette formule: « Je te donne, parée de bijoux, cette fille qui n'a pas de frère; le fils qui en naîtra sera mon fils et célébrera mes obsèques. » L'usage était le même à Athènes; le père pouvait faire continuer sa descendance par sa fille, en la donnant à un mari avec cette condition spéciale. Le fils qui naissait d'un tel mariage était réputé fils du père de la femme; il suivait son culte, assistait à ses actes religieux, et plus tard il entretenait son tombeau. Dans le droit hindou cet enfant héritait de son grand-père comme s'il eût été son fils; il en était exactement de même à Athènes. Lorsqu'un père avait marié sa fille unique de la façon que nous venons de dire, son héritier n'était ni sa fille ni son gendre, c'était le *fils de la fille*. Dès que celui-ci avait atteint sa majorité, il prenait possession du patrimoine de son grand-père maternel, quoique son père et sa mère fussent encore vivants.

Ces singulières tolérances de la religion et de la loi confirment la règle que nous indiquions plus haut. La fille n'était pas apte à hériter. Mais par un adoucissement fort naturel de la rigueur de ce principe, la fille unique était considérée comme un intermédiaire par lequel la famille pouvait se continuer. Elle n'héritait pas; mais le culte et l'héritage se transmettaient par elle.

3° *De la succession collatérale.*

Un homme mourait sans enfants; pour savoir quel était l'héritier de ses biens, on n'avait qu'à chercher quel devait être le continuateur de son culte. Or, la religion domestique se transmettait par le sang, de mâle en mâle. La descendance en ligne masculine établissait seule entre deux hommes le rapport religieux qui permettait à l'un de continuer le culte de l'autre. Ce qu'on appelait la parenté n'était pas autre chose, comme nous l'avons vu plus haut, que l'expression de ce rapport. On était parent parce qu'on avait un même culte, un même foyer originaire, les mêmes ancêtres. Mais on n'était pas parent pour être sorti du même sein maternel; la religion n'admettait pas de parenté par les femmes. Les enfants de deux soeurs ou d'une soeur et d'un frère n'avaient entre eux aucun lien et n'appartenaient ni à la même religion domestique ni à la même famille.

Ces principes réglaient l'ordre de la succession. Si un homme ayant perdu son fils et sa fille ne laissait que des petits-fils après lui, le fils de son fils héritait, mais non pas le fils de sa fille. A défaut de descendants, il avait pour héritier son frère, non pas sa soeur, le fils de son frère, non pas le fils de sa soeur. A défaut de frères et de neveux, il fallait remonter dans la série des ascendants du défunt, toujours dans la ligne masculine, jusqu'à ce qu'on trouvât une branche qui se fût détachée de la famille par un mâle; puis on redescendait dans cette branche de mâle en mâle, jusqu'à ce qu'on trouvât un homme vivant; c'était l'héritier.

Ces règles ont été également en vigueur chez les Hindous, chez les Grecs, chez les Romains. Dans l'Inde « l'héritage appartient au plus proche sapinda; à défaut de sapinda, au samanodaca ». Or, nous avons vu que la parenté qu'exprimaient ces deux mots était la parenté religieuse ou parenté par les mâles, et correspondait à l'agnation romaine.

Voici maintenant la loi d'Athènes: « Si un homme est mort sans enfant, l'héritier est le frère du défunt, pourvu qu'il soit frère consanguin; à défaut de lui, le fils du frère;*car la succession passe toujours aux mâles et aux descendants des mâles.* » On citait encore cette vieille loi au temps de Démosthènes, bien qu'elle eût été déjà modifiée et qu'on eût commencé d'admettre à cette époque la parenté par les femmes.

Les Douze Tables décidaient de même que si un homme mourait sans *héritier sien*, la succession appartenait au plus proche agnat. Or, nous avons vu qu'on n'était jamais agnat par les femmes. L'ancien droit romain spécifiait encore que le neveu héritait du *patruus*, c'est-à-dire du frère de son père, et n'héritait pas de l'*avunculus*, frère de sa mère. Si l'on se rapporte au tableau que nous avons tracé de la famille des Scipions, on remarquera que Scipion Émilien étant mort sans enfants, son héritage ne devait passer ni à Cornélie sa tante ni à C. Gracchus qui, d'après nos idées modernes, serait son cousin germain, mais à Scipion Asiaticus qui était réellement son parent le plus proche.

Au temps de Justinien, le législateur ne comprenait plus ces vieilles lois; elles lui paraissaient iniques, et il accusait de rigueur excessive le droit des Douze Tables « qui accordait toujours la préférence à la postérité masculine et excluait de l'héritage ceux qui n'étaient liés au défunt que par les femmes ». Droit inique, si l'on veut, car il ne tenait pas compte de la nature; mais droit singulièrement logique, car partant du principe que l'héritage était lié au culte, il écartait de l'héritage ceux que la religion n'autorisait pas à continuer le culte.

4° Effets de l'émancipation et de l'adoption.

Nous avons vu précédemment que l'émancipation et l'adoption produisaient pour l'homme un changement de culte. La première le détachait du culte paternel, la seconde l'initiait à la religion d'une autre famille. Ici encore le droit ancien se conformait aux règles religieuses. Le fils qui avait été exclu du culte paternel par l'émancipation, était écarté aussi de l'héritage. Au contraire, l'étranger qui avait été associé au culte d'une famille par l'adoption, y devenait un fils, y continuait le culte et héritait des biens. Dans l'un et l'autre cas, l'ancien droit tenait plus de compte du lien religieux que du lien de naissance.

Comme il était contraire à la religion qu'un même homme eût deux cultes domestiques, il ne pouvait pas non plus hériter de deux familles. Aussi le fils adoptif, qui héritait de la famille adoptante, n'héritait-il pas de sa famille naturelle. Le droit athénien était très-explicite sur cet objet. Les plaidoyers des orateurs attiques nous montrent souvent des hommes qui ont été adoptés dans une famille et qui veulent hériter de celle où ils sont nés. Mais la loi s'y oppose. L'homme adopté ne peut hériter de sa propre famille qu'en y rentrant; il n'y peut rentrer qu'en renonçant à la famille d'adoption; et il ne peut sortir de celle-ci qu'à deux conditions: l'une est qu'il abandonne le patrimoine de cette famille; l'autre est que le culte domestique, pour la continuation duquel il a été adopté, ne cesse pas par son abandon; et pour cela il doit laisser dans cette famille un fils qui le remplace. Ce fils prend le soin du culte et la possession des biens; le père alors peut retourner à sa famille de naissance et hériter d'elle. Mais ce père et ce fils ne peuvent plus hériter l'un de l'autre; ils ne sont pas de la même famille, ils ne sont pas parents.

On voit bien quelle était la pensée du vieux législateur quand il établissait ces règles si minutieuses. Il ne jugeait pas possible que deux héritages fussent réunis sur une même tête, parce que deux cultes domestiques ne pouvaient pas être servis par la même main.

5° *Le testament n'était pas connu à l'origine.*

Le droit de tester, c'est-à-dire de disposer de ses biens après sa mort pour les faire passer à d'autres qu'à l'héritier naturel, était en opposition avec les croyances religieuses qui étaient le fondement du droit de propriété et du droit de succession. La propriété étant inhérente au culte, et le culte étant héréditaire, pouvait-on songer au testament? D'ailleurs la propriété n'appartenait pas à l'individu, mais à la famille; car l'homme ne l'avait pas acquise par le droit du travail, mais par le culte domestique. Attachée à la famille, elle se transmettait du mort au vivant, non d'après la volonté et le choix du mort, mais en vertu de règles supérieures que la religion avait établies.

L'ancien droit hindou ne connaissait pas le testament. Le droit athénien, jusqu'à Solon, l'interdisait d'une manière absolue, et Solon lui-même ne l'a permis qu'à ceux qui ne laissaient pas d'enfants. Le testament a été longtemps interdit ou ignoré à Sparte, et n'a été autorisé que postérieurement à la guerre du Péloponèse. On a conservé le souvenir d'un temps où il en était de même à Corinthe et à Thèbes. Il est certain que la faculté de léguer arbitrairement ses biens ne fut pas reconnue d'abord comme un droit naturel; le principe constant des époques anciennes fut que toute propriété devait rester dans la famille à laquelle la religion l'avait attachée.

Platon, dans son Traité des lois, qui n'est en grande partie qu'un commentaire sur les lois athéniennes, explique très-clairement la pensée des anciens législateurs. Il suppose qu'un homme, à son lit de mort, réclame la faculté de faire un testament et qu'il s'écrie: « O dieux, n'est-il pas bien dur que je ne puisse disposer de mon bien comme je l'entends et en faveur de qui il me plaît, laissant plus à celui-ci, moins à celui-la, suivant l'attachement qu'ils m'ont fait voir? » Mais le législateur répond à cet homme: « Toi qui ne peux te promettre plus d'un jour, toi qui ne fais que passer ici-bas, est-ce bien à toi de décidé de telles affaires? Tu n'es le maître ni de tes biens ni de toi-même; toi et tes biens, tout cela appartient à ta famille, c'est-à-dire à tes ancêtres et à ta postérité. »

L'ancien droit de Rome est pour nous très-obscur; il l'était déjà pour Cicéron. Ce que nous en connaissons ne remonte guère plus haut que les Douze Tables, qui ne sont assurément pas le droit primitif de Rome, et dont il ne nous reste d'ailleurs que quelques débris. Ce code autorise le testament; encore le fragment qui est relatif à cet objet, est-il trop court et trop évidemment incomplet pour que nous puissions nous flatter de connaître les vraies dispositions du législateur en cette matière; en accordant la faculté de tester, nous ne savons pas quelles réserves et quelles conditions il pouvait y mettre.

Avant les Douze Tables nous n'avons aucun texte de loi qui interdise ou qui permette le testament. Mais la langue conservait le souvenir d'un temps où il n'était pas connu; car elle appelait le fils *héritier sien et nécessaire*. Cette formule que Gaius et Justinien employaient encore, mais qui n'était plus d'accord avec la législation de leur temps, venait sans nul doute d'une époque lointaine où le fils ne pouvait ni être déshérité ni refuser l'héritage. Le père n'avait donc pas la libre disposition de sa fortune. A défaut de fils et si le défunt n'avait que des collatéraux, le testament n'était pas absolument inconnu, mais il était fort difficile. Il y fallait de grandes formalités. D'abord le secret n'était pas accordé au testateur de son vivant; l'homme qui déshéritait sa famille et violait la loi que la religion avait établie, devait le faire publiquement, au grand jour, et assumer sur lui de son vivant tout l'odieux qui s'attachait à un tel acte. Ce n'est pas tout; il fallait encore que la volonté du testateur reçût l'approbation de l'autorité souveraine, c'est-à-dire du peuple assemblé par curies sous la présidence du pontife. Ne croyons pas que ce ne fût là qu'une vaine formalité, surtout dans les premiers siècles. Ces comices par curies étaient la réunion la plus solennelle de la cité romaine; et il serait puéril de dire que l'on convoquait un peuple, sous la présidence de son chef religieux, pour assister comme simple témoin à la lecture d'un testament. On peut croire que le peuple votait, et cela était même, si l'on y réfléchit, tout à fait nécessaire; il y avait, en effet, une loi générale qui réglait l'ordre de la succession d'une manière rigoureuse; pour que cet ordre fût modifié dans un cas particulier, il fallait une autre loi. Cette loi d'exception était le testament. La faculté de tester n'était donc pas pleinement reconnue à l'homme, et ne pouvait pas l'être tant que cette société restait sous l'empire de la vieille religion. Dans les croyances de ces âges anciens, l'homme vivant n'était que le représentant pour quelques années d'un être constant et immortel, qui était la famille. Il n'avait qu'en dépôt le culte et la propriété; son droit sur eux cessait avec sa vie.

6° Le droit d'aînesse.

Il faut nous reporter au delà des temps dont l'histoire a conservé le souvenir, vers ces siècles éloignés pendant lesquels les institutions domestiques se sont établies et les institutions sociales se sont préparées. De cette époque il ne reste et ne peut rester aucun monument écrit. Mais les lois qui régissaient alors les hommes ont laissé quelques traces dans le droit des époques suivantes.

Dans ces temps lointains on distingue une institution qui a dû régner longtemps, qui a eu une influence considérable sur la constitution future des sociétés, et sans laquelle cette constitution ne pourrait pas s'expliquer. C'est le droit d'aînesse.

La vieille religion établissait une différence entre le fils aîné et le cadet: « L'aîné, disaient les anciens Aryas, a été engendré pour l'accomplissement du devoir envers les ancêtres, les autres sont nés de l'amour. » En vertu de cette supériorité originelle, l'aîné avait le privilège, après la mort du père, de présider à toutes les cérémonies du culte domestique; c'était lui qui offrait les repas funèbres et qui prononçait les formules de prière; « car le droit de prononcer les prières appartient à celui des fils qui est venu au monde le premier ». L'aîné était donc l'héritier des hymnes, le continuateur du culte, le chef religieux de la famille. De cette croyance découlait une règle de droit: l'aîné seul héritait des biens. Ainsi le disait un vieux texte que le dernier rédacteur des Lois de Manou insérait encore dans son code: « L'aîné prend possession du patrimoine entier, et les autres frères vivent sous son autorité comme s'ils vivaient sous celle de leur père. Le fils aîné acquitte la dette envers les ancêtres, il doit donc tout avoir. »

Le droit grec est issu des mêmes croyances religieuses que le droit hindou; il n'est donc pas étonnant d'y trouver aussi, à l'origine, le droit d'aînesse. Sparte le conserva plus longtemps que les autres villes grecques, parce qu'elle fut plus longtemps fidèle aux vieilles institutions; chez elle le patrimoine était indivisible et le cadet n'avait aucune part. Il en était de même dans beaucoup d'anciennes législations qu'Aristote avait étudiées; il nous apprend, en effet, que celle de Thèbes prescrivait d'une manière absolue que le nombre des lots de terre restât immuable, ce qui excluait certainement le partage entre frères. Une ancienne loi de Corinthe voulait aussi que le nombre des familles fût invariable, ce qui ne pouvait être qu'autant que le droit d'aînesse empêchait les familles de se démembrer à chaque génération.

Chez les Athéniens, il ne faut pas s'attendre à trouver cette vieille institution encore en vigueur au temps de Démosthènes; mais il subsistait encore à cette époque ce qu'on appelait le privilège de l'aîné. Il consistait à garder, en dehors du partage, la maison paternelle; avantage matériellement considérable, et plus considérable encore au point de vue religieux; car la maison paternelle contenait l'ancien foyer de la famille. Tandis que le cadet, au temps de Démosthènes, allait allumer un foyer nouveau, l'aîné, seul véritablement héritier, restait en possession du foyer paternel et du tombeau des ancêtres; seul aussi il gardait le nom de la famille. C'étaient les vestiges d'un temps où il avait eu seul le patrimoine.

On peut remarquer que l'iniquité du droit d'aînesse, outre qu'elle ne frappait pas les esprits sur lesquels la religion était toute-puissante, était corrigée par plusieurs coutumes des anciens. Tantôt le cadet était adopté dans une famille et il en héritait; tantôt il épousait une fille unique; quelquefois enfin il recevait le lot de terre d'une famille éteinte. Toutes ces ressources faisant défaut, les cadets étaient envoyés en colonie.

Pour ce qui est de Rome, nous n'y trouvons aucune loi qui se rapporte au droit d'aînesse. Mais il ne faut pas conclure de là qu'il ait été inconnu dans l'antique Italie. Il a pu disparaître et le souvenir même s'en effacer. Ce qui permet de croire qu'au delà des temps à nous connus il avait été en vigueur, c'est que l'existence de la *gens* romaine et sabine ne s'expliquerait pas sans lui. Comment une famille aurait-elle pu arriver à contenir plusieurs milliers de personnes libres, comme la famille Claudia, ou plusieurs centaines de combattants, tous patriciens, comme la famille Fabia, si le droit d'aînesse n'en eût maintenu l'unité pendant une longue suite de générations et ne l'eût accrue de siècle en siècle en l'empêchant de se démembrer? Ce vieux droit d'aînesse se prouve par ses conséquences et, pour ainsi dire, par ses oeuvres.

CHAPITRE VIII

L'AUTORITÉ DANS LA FAMILLE.

1° Principe et nature de la puissance paternelle chez les anciens.

La famille n'a pas reçu ses lois de la cité. Si c'était la cité qui eût établi le droit privé, il est probable qu'elle l'eût fait tout différent de ce que nous l'avons vu. Elle eût réglé d'après d'autres principes le droit de propriété et le droit de succession; car il n'était pas de son intérêt que la terre fût inaliénable et le patrimoine indivisible. La loi qui permet au père de vendre et même de tuer son fils, loi que nous trouvons en Grèce comme à Rome, n'a pas été imaginée par la cité. La cité aurait plutôt dit au père: « La vie de ta femme et de ton enfant ne t'appartient pas plus que leur liberté; je les protégerai, même contre toi; ce n'est pas toi qui les jugeras, qui les tueras s'ils ont failli; je serai leur seul juge. » Si la cité ne parle pas ainsi, c'est apparemment qu'elle ne le peut pas. Le droit privé existait avant elle. Lorsqu'elle a commencé à écrire ses lois, elle a trouvé ce droit déjà établi, vivant, enraciné dans les moeurs, fort de l'adhésion universelle. Elle l'a accepté, ne pouvant pas faire autrement, et elle n'a osé le modifier qu'à la longue. L'ancien droit n'est pas l'oeuvre d'un législateur; il s'est, au contraire, imposé au législateur. C'est dans la famille qu'il a pris naissance. Il est sorti spontanément et tout formé des antiques principes qui la constituaient. Il a découlé des croyances religieuses qui étaient universellement admises dans l'âge primitif de ces peuples et qui exerçaient l'empire sur les intelligences et sur les volontés.

Une famille se compose d'un père, d'une mère, d'enfants, d'esclaves. Ce groupe, si petit qu'il soit, doit avoir sa discipline. A qui donc appartiendra l'autorité première? Au père? Non. Il y a dans chaque maison quelque chose qui est au-dessus du père lui-même; c'est la religion domestique, c'est ce dieu que les Grecs appellent le foyer-maître, [Grec: *estia despoina*], que les Latins nomment *Lar familiaris*. Cette divinité intérieure, ou, ce qui revient au même, la croyance qui est dans l'âme humaine, voilà l'autorité la moins discutable. C'est elle qui va fixer les rangs dans la famille.

Le père est le premier près du foyer; il l'allume et l'entretient; il en est le pontife. Dans tous les actes religieux il remplit la plus haute fonction; il égorge la victime; sa bouche prononce la formule de prière qui doit attirer sur lui et les siens la protection des dieux. La famille et le culte se perpétuent par lui; il représente à lui seul toute la série des ancêtres et de lui doit sortir toute la série des descendants. Sur lui repose le culte domestique; il peut presque dire comme le Hindou: C'est moi qui suis le dieu. Quand la mort viendra, il sera un être divin que les descendants invoqueront.

La religion ne place pas la femme à un rang aussi élevé. — La femme, à la vérité, prend part aux actes religieux, mais elle n'est pas la maîtresse du foyer. Elle ne tient pas sa religion de la naissance; elle y a été seulement initiée par le mariage; elle a appris de son mari la prière qu'elle prononce. Elle ne représente pas les ancêtres, puisqu'elle ne descend pas d'eux. Elle ne deviendra pas elle-même un ancêtre; mise au tombeau, elle n'y recevra pas un culte spécial. Dans la mort comme dans la vie, elle ne compte que comme un membre de son époux.

Le droit grec, le droit romain, le droit hindou, qui dérivent de ces croyances religieuses, s'accordent à considérer la femme comme toujours mineure. Elle ne peut jamais avoir un foyer à elle; elle n'est jamais chef de culte. A Rome, elle reçoit le titre de *mater familias*, mais elle le perd si son mari meurt. N'ayant jamais un foyer qui lui appartienne, elle n'a rien de ce qui donne l'autorité dans la maison. Jamais elle ne commande; elle n'est même jamais libre ni maîtresse d'elle-même. Elle est toujours près du foyer d'un autre, répétant la prière d'un autre; pour tous les actes de la vie religieuse il lui faut un chef, et pour tous les actes de la vie civile un tuteur.

La loi de Manou dit: « La femme, pendant son enfance, dépend de son père; pendant sa jeunesse, de son mari; son mari mort, de ses fils; si elle n'a pas de fils, des proches parents de son mari; car une femme ne doit jamais se gouverner à sa guise. » Les lois grecques et romaines disent la même chose. Fille, elle est soumise à son père; le père mort, à ses frères; mariée, elle est sous la tutelle du mari; le mari mort, elle ne retourne pas dans sa propre famille, car elle a renoncé à elle pour toujours par le mariage sacré; la veuve reste soumise à la tutelle des agnats de son mari, c'est-à-dire de ses propres fils, s'il y en a, ou à défaut de fils, des plus proches parents. Son mari a une telle autorité sur elle, qu'il peut, avant de mourir, lui désigner un tuteur et même lui choisir un second mari.

Pour marquer la puissance du mari sur la femme, les Romains avaient une très-ancienne expression que leurs jurisconsultes ont conservée; c'est le mot *manus*. Il n'est pas aisé d'en découvrir le sens primitif. Les commentateurs en font l'expression de la force matérielle, comme si la femme était placée sous la main brutale du mari. Il y a grande apparence qu'ils se trompent. La puissance du mari sur la femme ne résultait nullement de la force plus grande du premier. Elle dérivait, comme tout le droit privé, des croyances religieuses qui plaçaient l'homme au-dessus de la femme. Ce qui le prouve, c'est que la femme qui n'avait pas été mariée suivant les rites sacrés, et qui, par conséquent, n'avait pas été associée au culte, n'était pas soumise à la puissance maritale. C'était le mariage qui faisait la subordination et en même temps la dignité de la femme. Tant il est vrai que ce n'est pas le droit du plus fort qui a constitué la famille.

Passons à l'enfant. Ici la nature parle d'elle-même assez haut; elle veut que l'enfant ait un protecteur, un guide, un maître. La religion est d'accord avec la nature; elle dit que le père sera le chef du culte et que le fils devra seulement l'aider dans ses fonctions saintes. Mais la nature n'exige cette subordination que pendant un certain nombre d'années; la religion exige davantage. La nature fait au fils une majorité: la religion ne lui en accorde pas. D'après les antiques principes, le foyer est indivisible et la propriété l'est comme lui; les frères ne se séparent pas à la mort de leur père; à plus forte raison ne peuvent-ils pas se détacher de lui de son vivant. Dans la rigueur du droit primitif, les fils restent liés au foyer du père et, par conséquent, soumis à son autorité; tant qu'il vit, ils sont mineurs.

On conçoit que cette règle n'ait pu durer qu'autant que la vieille religion domestique était en pleine vigueur. Cette sujétion sans fin du fils au père disparut de bonne heure à Athènes. Elle subsista plus longtemps à Sparte, où le patrimoine fut toujours indivisible. A Rome, la vieille règle fut scrupuleusement conservée: le fils ne put jamais entretenir un foyer particulier du vivant du père; même marié, même ayant des enfants, il fut toujours en puissance.

Du reste, il en était de la puissance paternelle comme de la puissance maritale; elle avait pour principe et pour condition le culte domestique. Le fils né du concubinat n'était pas placé sous l'autorité du père. Entre le père et lui il n'existait pas de communauté religieuse; il n'y avait donc rien qui conférât à l'un l'autorité et qui commandât à l'autre l'obéissance. La paternité ne donnait, par elle seule, aucun droit au père.

Grâce à la religion domestique, la famille était un petit corps organisé, une petite société qui avait son chef et son gouvernement. Rien, dans notre société moderne, ne peut nous donner une idée de cette puissance paternelle. Dans cette antiquité, le père n'est pas seulement l'homme fort qui protège et qui a aussi le pouvoir de se faire obéir; il est le prêtre, il est l'héritier du foyer, le continuateur des aïeux, la tige des descendants, le dépositaire des rites mystérieux du culte et des formules secrètes de la prière. Toute la religion réside en lui.

Le nom même dont on l'appelle, *pater*, porte en lui-même de curieux enseignements. Le mot est le même en grec, en latin, en sanscrit; d'où l'on peut déjà conclure que ce mot date d'un temps où les Hellènes, les Italiens et les Hindous vivaient encore ensemble dans l'Asie centrale. Quel en était le sens et quelle idée présentait-il alors à l'esprit des hommes? on peut le savoir, car il a gardé sa signification première dans les formules de la langue religieuse et dans celles de la langue juridique. Lorsque les anciens, en invoquant Jupiter, l'appelaient *pater hominum Deorumque*, ils ne voulaient pas dire que Jupiter fût le père des dieux et des hommes; car ils ne l'ont jamais considéré comme tel et ils ont cru, au contraire, que le genre humain existait avant lui. Le même titre de *pater* était donné à Neptune, à Apollon, à Bacchus, à Vulcain, à Pluton, que les hommes assurément ne considéraient pas comme leurs pères; ainsi le titre de *mater* s'appliquait à Minerve, à Diane, à Vesta, qui étaient réputées trois déesses vierges. De même dans la langue juridique le titre de *pater* ou *pater familias* pouvait être donné à un homme qui n'avait pas d'enfants, qui n'était pas marié, qui n'était même pas en âge de contracter le mariage. L'idée de paternité ne s'attachait donc pas à ce mot. La vieille langue en avait un autre qui désignait proprement le père, et qui, aussi ancien que *pater*, se trouve, comme lui, dans les langues des Grecs, des Romains et des Hindous (*gánitar*,

[Grec: genneter], *genitor*). Le mot *pater* avait un autre sens. Dans la langue religieuse on l'appliquait aux dieux; dans la langue du droit, à tout homme qui avait un culte et un domaine. Les poëtes nous montrent qu'on l'employait à l'égard de tous ceux qu'on voulait honorer. L'esclave et le client le donnaient à leur maître. Il était synonyme des mots *rex*, [Grec: anax, basileus]. Il contenait en lui, non pas l'idée de paternité, mais celle de puissance, d'autorité, de dignité majestueuse.

Qu'un tel mot se soit appliqué au père de famille jusqu'à pouvoir devenir peu à peu son nom le plus ordinaire, voilà assurément un fait bien significatif et qui paraîtra grave à quiconque veut connaître les antiques institutions. L'histoire de ce mot suffit pour nous donner une idée de la puissance que le père a exercée longtemps dans la famille et du sentiment de vénération qui s'attachait à lui comme à un pontife et à un souverain.

2° Énumération des droits qui composaient la puissance paternelle.

Les lois grecques et romaines ont reconnu au père cette puissance illimitée dont la religion l'avait d'abord revêtu. Les droits très-nombreux et très-divers qu'elles lui ont conférés peuvent être rangés en trois catégories, suivant qu'on considère le père de famille comme chef religieux, comme maître de la propriété ou comme juge.

I. Le père est le chef suprême de la religion domestique; il règle toutes les cérémonies du culte comme il l'entend ou plutôt comme il a vu faire à son père. Personne dans la famille ne conteste sa suprématie sacerdotale. La cité elle-même et ses pontifes ne peuvent rien changer à son culte. Comme prêtre du foyer, il ne reconnaît aucun supérieur.

A titre de chef religieux, c'est lui qui est responsable de la perpétuité du culte et, par conséquent, de celle de la famille. Tout ce qui touche à cette perpétuité, qui est son premier soin et son premier devoir, dépend de lui seul. De là dérive toute une série de droits:

Droit de reconnaître l'enfant à sa naissance ou de le repousser. Ce droit est attribué au père par les lois grecques aussi bien que par les lois romaines. Tout barbare qu'il est, il n'est pas en contradiction avec les principes sur lesquels la famille est fondée. La filiation, même incontestée, ne suffit pas pour entrer dans le cercle sacré de la famille; il faut le consentement du chef et l'initiation au culte. Tant que l'enfant n'est pas associé à la religion domestique, il n'est rien pour le père.

Droit de répudier la femme, soit en cas de stérilité, parce qu'il ne faut pas que la famille s'éteigne, soit en cas d'adultère, parce que la famille et la descendance doivent être pures de toute altération.

Droit de marier sa fille, c'est-à-dire de céder à un autre la puissance qu'il a sur elle. Droit de marier son fils; le mariage du fils intéresse la perpétuité de la famille.

Droit d'émanciper, c'est-à-dire d'exclure un fils de la famille et du culte. Droit d'adopter, c'est-à-dire d'introduire un étranger près du foyer domestique.

Droit de désigner en mourant un tuteur à sa femme, et à ses enfants.

Il faut remarquer que tous ces droits étaient attribués au père seul, à l'exclusion de tous les autres, membres de la famille. La femme n'avait pas le droit de divorcer, du moins dans les époques anciennes. Même quand elle était veuve, elle ne pouvait ni émanciper ni adopter. Elle n'était jamais tutrice, même de ses enfants. En cas de divorce, les enfants restaient avec le père; même les filles. Elle n'avait jamais ses enfants en sa puissance. Pour le mariage de sa fille, son consentement n'était pas, demandé.

II. On a vu plus haut que la propriété n'avait pas été conçue, à l'origine, comme un droit individuel, mais comme un droit de famille. La fortune appartenait, comme dit formellement Platon et comme disent implicitement tous les anciens législateurs, aux ancêtres et aux descendants. Cette propriété, par sa nature même, ne se partageait pas. Il ne pouvait y avoir dans chaque famille qu'un propriétaire qui était la famille même, et qu'un usufruitier qui était le père. Ce principe explique plusieurs dispositions de l'ancien droit.

La propriété ne pouvant pas se partager et reposant tout entière sur la tête du père, ni la femme ni le fils n'en avaient la moindre part. Le régime dotal et même la communauté de biens étaient alors inconnus. La dot de la femme appartenait sans réserve au mari, qui exerçait sur les biens dotaux non-seulement les droits d'un administrateur, mais ceux d'un propriétaire. Tout ce que la femme pouvait acquérir durant le mariage, tombait dans les mains du mari. Elle ne reprenait même pas sa dot en devenant veuve.

Le fils était dans les mêmes conditions que la femme: il ne possédait rien. Aucune donation faite par lui n'était valable, par la raison qu'il n'avait rien à lui. Il ne pouvait rien acquérir; les fruits de son travail, les bénéfices de son commerce étaient pour son père. Si un testament était fait en sa faveur par un étranger, c'était son père et non pas lui qui recevait le legs. Par là s'explique le texte du droit romain qui interdit tout contrat de vente entre le père et le fils. Si le père eût vendu au fils, il se fût vendu à lui-même, puisque le fils n'acquérait que pour le père.

On voit dans le droit romain et l'on trouve aussi dans les lois d'Athènes que le père pouvait vendre son fils. C'est que le père pouvait disposer de toute la propriété qui était dans la famille, et que le fils lui-même pouvait être envisagé comme une propriété, puisque ses bras et son travail étaient une source de revenu. Le père pouvait donc à son choix garder pour lui cet instrument de travail ou le céder à un autre. Le céder, c'était ce qu'on appelait vendre le fils. Les textes que nous avons du droit romain ne nous renseignent pas clairement sur la nature de ce contrat de vente et sur les réserves qui pouvaient y être contenues. Il paraît certain que le fils ainsi vendu ne devenait pas l'esclave de l'acheteur. Ce n'était pas sa liberté qu'on vendait, mais seulement son travail. Même dans cet état, le fils restait encore soumis à la puissance paternelle, ce qui prouve qu'il n'était pas considéré comme sorti de la famille. On peut croire que cette vente n'avait d'autre effet que d'aliéner pour un temps la possession du fils par une sorte de contrat de louage. Plus tard elle ne fut usitée que comme un moyen détourné d'arriver à l'émancipation du fils.

III. Plutarque nous apprend qu'à Rome les femmes ne pouvaient pas paraître en justice, même comme témoins.   On lit dans le jurisconsulte Gaius: « Il faut savoir qu'on ne peut rien céder en justice aux personnes qui sont en puissance, c'est-à-dire à la femme, au fils, à l'esclave. Car de ce que ces personnes ne pouvaient rien avoir en propre on a conclu avec raison qu'elles ne pouvaient non plus rien revendiquer en justice. Si votre fils, soumis à votre puissance, a commis un délit, l'action en justice est donnée contre vous. Le délit commis par un fils contre son père ne donne lieu à aucune action en justice. » De tout cela il résulte clairement que la femme et le fils ne pouvaient être ni demandeurs ni défendeurs, ni accusateurs, ni accusés, ni témoins. De toute la famille, il n'y avait que le père qui pût paraître devant le tribunal de la cité; la justice publique n'existait que pour lui. Aussi était-il responsable des délits commis par les siens.

Si la justice, pour le fils et la femme, n'était pas dans la cité, c'est qu'elle était dans la maison. Leur juge était le chef de famille, siégeant comme sur un tribunal, en vertu de son autorité maritale ou paternelle, au nom de la famille et sous les yeux des divinités domestiques.

Tite-Live raconte que le Sénat, voulant extirper de Rome les Bacchanales, décréta la peine de mort contre ceux qui y avaient pris part. Le décret fut aisément exécuté à l'égard des citoyens. Mais à l'égard des femmes, qui n'étaient pas les moins coupables, une difficulté grave se présentait: les femmes n'étaient pas justiciables de l'État; la famille seule avait le droit de les juger. Le Sénat respecta ce vieux principe et laissa aux maris et aux pères la charge de prononcer contre les femmes la sentence de mort.

Ce droit de justice que le chef de famille exerçait dans sa maison, était complet et sans appel. Il pouvait condamner à mort, comme faisait le magistrat dans la cité; aucune autorité n'avait le droit de modifier ses arrêts. « Le mari, dit Caton l'Ancien, est juge de sa femme; son pouvoir n'a pas de limite; il peut ce qu'il veut. Si elle a commis quelque faute, il la punit; si elle a bu du vin, il la condamne; si elle a eu commerce avec un autre homme, il la tue. »

Le droit était le même à l'égard des enfants. Valère-Maxime cite un certain Atilius qui tua sa fille coupable d'impudicité, et tout le monde connaît ce père qui mit à mort son fils, complice de Catilina.

Les faits de cette nature sont nombreux dans l'histoire romaine. Ce serait s'en faire une idée fausse que de croire que le père eût le droit absolu de tuer sa femme et ses enfants. Il était leur juge. S'il les frappait de mort, ce n'était qu'en vertu de son droit de justice. Comme le père de famille était seul soumis au jugement de la cité, la femme et le fils ne pouvaient trouver d'autre juge que lui. Il était dans l'intérieur de sa famille l'unique magistrat.

Il faut d'ailleurs remarquer que l'autorité paternelle n'était pas une puissance arbitraire, comme le serait celle qui dériverait du droit du plus fort. Elle avait son principe dans les croyances qui étaient au fond des âmes, et elle trouvait ses limites dans ces croyances mêmes. Par exemple, le père avait le droit d'exclure le fils de sa famille; mais il savait bien que, s'il le faisait, la famille courait risque de s'éteindre et les mânes de ses ancêtres de tomber dans l'éternel oubli. Il avait le droit d'adopter l'étranger; mais la religion lui défendait de le faire s'il avait un fils. Il était propriétaire unique des biens; mais il n'avait pas, du moins à l'origine, le droit de les aliéner. Il pouvait répudier sa femme; mais pour le faire il fallait qu'il osât briser le lien religieux que le mariage avait établi. Ainsi la religion imposait au père autant d'obligations qu'elle lui conférait de droits.

Telle a été longtemps la famille antique. Les croyances qu'il y avait dans les esprits ont suffi, sans qu'on eût besoin du droit de la force ou de l'autorité d'un pouvoir social, pour la constituer régulièrement, pour lui donner une discipline, un gouvernement, une justice, et pour fixer dans tous ses détails le droit privé.

CHAPITRE IX

L'ANTIQUE MORALE DE LA FAMILLE.

L'histoire n'étudie pas seulement les faits matériels et les institutions; son véritable objet d'étude est l'âme humaine; elle doit aspirer à connaître ce que cette âme a cru, a pensé, a senti aux différents âges de la vie du genre humain.

Nous avons montré, au début de ce livre, d'antiques croyances que l'homme s'était faites sur sa destinée après la mort. Nous avons dit ensuite comment ces croyances avaient engendré les institutions domestiques et le droit privé. Il reste à chercher quelle a été l'action de ces croyances sur la morale dans les sociétés primitives. Sans prétendre que cette vieille religion ait créé les sentiments moraux dans le coeur de l'homme, on peut croire du moins qu'elle s'est associée à eux pour les fortifier, pour leur donner une autorité plus grande, pour assurer leur empire et leur droit de direction sur la conduite de l'homme, quelquefois aussi pour les fausser.

La religion de ces premiers âges était exclusivement domestique; la morale l'était aussi. La religion ne disait pas à l'homme, en lui montrant un autre homme: Voilà ton frère. Elle lui disait: Voilà un étranger; il ne peut pas participer aux actes religieux de ton foyer, il ne peut pas approcher du tombeau de ta famille, il a d'autres dieux que toi et il ne peut pas s'unir à toi par une prière commune; tes dieux repoussent son adoration et le regardent comme leur ennemi; il est ton ennemi aussi.

Dans cette religion du foyer, l'homme ne prie jamais la divinité en faveur des autres hommes; il ne l'invoque que pour soi et les siens. Un proverbe grec est resté comme un souvenir et un vestige de cet ancien isolement de l'homme dans la prière. Au temps de Plutarque on disait encore à l'égoïste: Tu sacrifies au foyer. Cela signifiait: Tu t'éloignes de tes concitoyens, tu n'as pas d'amis, tes semblables ne sont rien pour toi, tu ne vis que pour toi et les tiens. Ce proverbe était l'indice d'un temps où, toute religion étant autour du foyer, l'horizon de la morale et de l'affection ne dépassait pas non plus le cercle étroit de la famille.

Il est naturel que l'idée morale ait eu son commencement et ses progrès comme l'idée religieuse. Le dieu des premières générations, dans cette race, était bien petit; peu à peu les hommes l'ont fait plus grand; ainsi la morale, fort étroite d'abord et fort incomplète, s'est insensiblement élargie jusqu'à ce que, de progrès en progrès, elle arrivât à proclamer le devoir d'amour envers tous les hommes. Son point de départ fut la famille, et c'est sous l'action des croyances de la religion domestique que les devoirs ont apparu d'abord aux yeux de l'homme.

Qu'on se figure cette religion du foyer et du tombeau, à l'époque de sa pleine vigueur. L'homme voit, tout près de lui la divinité. Elle est présente, comme la conscience même, à ses moindres actions. Cet être fragile se trouve sous les yeux d'un témoin qui ne le quitte pas. Il ne se sent jamais seul. A côté de lui, dans sa maison, dans son champ, il a des protecteurs pour le soutenir dans les labeurs de la vie et des juges pour punir ses actions coupables. « Les Lares, disent les Romains, sont des divinités redoutables qui sont chargées de châtier les humains et de veiller sur tout ce qui se passe dans l'intérieur des maisons. » — « Les Pénates, disent-ils encore, sont les dieux qui nous font vivre; ils nourrissent notre corps et règlent notre âme. »

On aimait à donner au foyer l'épithète de chaste et l'on croyait qu'il commandait aux hommes la chasteté. Aucun acte matériellement ou moralement impur ne devait être commis à sa vue.

Les premières idées de faute, de châtiment, d'expiation semblent être venues de là. L'homme qui se sent coupable ne peut plus approcher de son propre foyer; son dieu le repousse. Pour quiconque a versé le sang, il n'y a plus de sacrifice permis, plus de libation, plus de prière, plus de repas sacré. Le dieu est si sévère qu'il n'admet aucune excuse; il ne distingue pas entre un meurtre involontaire et un crime prémédité. La main tachée de sang ne peut plus toucher les objets sacrés. Pour que l'homme puisse reprendre son culte et rentrer en possession de son dieu, il faut au moins qu'il se purifie par une cérémonie expiatoire. Cette religion connaît la miséricorde; elle a des rites pour effacer les souillures de l'âme; si étroite et si grossière qu'elle soit, elle sait consoler l'homme de ses fautes mêmes.

Si elle ignore absolument les devoirs de charité, du moins elle trace à l'homme avec une admirable netteté ses devoirs de famille. Elle rend le mariage obligatoire; le célibat est un crime aux yeux d'une religion qui fait de la continuité de la famille le premier et le plus saint des devoirs. Mais l'union qu'elle prescrit ne peut s'accomplir qu'en présence des divinités domestiques; c'est l'union religieuse, sacrée, indissoluble de l'époux et de l'épouse. Que l'homme ne se croie pas permis de laisser de côté les rites et de faire du mariage un simple contrat consensuel, comme il l'a été à la fin de la société grecque et romaine. Cette antique religion le lui défend, et s'il ose le faire, elle l'en punit. Car le fils qui vient à naître d'une telle union, est considéré comme un bâtard, c'est-à-dire comme un être qui n'a pas place au foyer; il n'a droit d'accomplir aucun acte sacré; il ne peut pas prier.

Cette même religion veille avec soin sur la pureté de la famille. A ses yeux, la plus grave faute qui puisse être commise est l'adultère. Car la première règle du culte est que le foyer se transmette du père au fils; or l'adultère trouble l'ordre de la naissance. Une autre règle est que le tombeau ne contienne que les membres de la famille; or le fils de l'adultère est un étranger qui est enseveli dans le tombeau. Tous les principes de la religion sont violés; le culte est souillé, le foyer devient impur, chaque offrande au tombeau devient une impiété. Il y a plus: par l'adultère la série des descendants est brisée; la famille, même à l'insu des hommes vivants, est éteinte, et il n'y a plus de bonheur divin pour les ancêtres. Aussi le Hindou dit-il: « Le fils de l'adultère anéantit dans cette vie et dans l'autre les offrandes adressées aux mânes. »

Voilà pourquoi les lois de la Grèce et de Rome donnent au père le droit de repousser l'enfant qui vient de naître. Voilà aussi pourquoi elles sont si rigoureuses, si inexorables pour l'adultère. A Athènes il est permis au mari de tuer le coupable. A Rome le mari, juge de la femme, la condamne à mort. Cette religion était si sévère que l'homme n'avait pas même le droit de pardonner complètement et qu'il était au moins forcé de répudier sa femme.

Voilà donc les premières lois de la morale domestique trouvées et sanctionnées. Voilà, outre le sentiment naturel, une religion impérieuse qui dit à l'homme et à la femme qu'ils sont unis pour toujours et que de cette union découlent des devoirs rigoureux dont l'oubli entraînerait les conséquences les plus graves dans cette vie et dans l'autre. De là est venu le caractère sérieux et sacré de l'union conjugale chez les anciens et la pureté que la famille a conservée longtemps.

Cette morale domestique prescrit encore d'autres devoirs. Elle dit à l'épouse qu'elle doit obéir, au mari qu'il doit commander. Elle leur apprend à tous les deux à se respecter l'un l'autre. La femme a des droits, car elle a sa place au foyer; c'est elle qui a la charge de veiller à ce qu'il ne s'éteigne pas. Elle a donc aussi son sacerdoce. Là où elle n'est pas, le culte domestique est incomplet et insuffisant. C'est un grand malheur pour un Grec que d'avoir « un foyer privé d'épouse ». Chez les Romains, la présence de la femme est si nécessaire dans le sacrifice, que le prêtre perd son sacerdoce en devenant veuf.

On peut croire que c'est à ce partage du sacerdoce domestique que la mère de famille a dû la vénération dont on n'a jamais cessé de l'entourer dans la société grecque et romaine. De là vient que la femme a dans la famille le même titre que son mari: les Latins disent *pater familias* et *mater familias*, les Grecs [Grec: oichodespotaes] et [Grec: oichodespoina], les Hindous *grihapati, grihapatni*. De là vient aussi cette formule que la femme prononçait dans le mariage romain: *Ubi tu Caius, ego Caia*, formule qui nous dit que, si dans la maison il n'y a pas égale autorité, il y a au moins dignité égale.

Quant au fils, nous l'avons vu soumis à l'autorité d'un père qui peut le vendre et le condamner à mort. Mais ce fils a son rôle aussi dans le culte; il remplit une fonction dans les cérémonies religieuses; sa présence, à certains jours, est tellement nécessaire que le Romain qui n'a pas de fils est forcé d'en adopter un fictivement pour ces jours-là, afin que les rites soient accomplis. Et voyez quel lien puissant la religion établit entre le père et le fils! On croit à une seconde vie dans le tombeau, vie heureuse et calme si les repas funèbres sont régulièrement offerts. Ainsi le père est convaincu, que sa destinée après cette vie dépendra du soin que son fils aura de son tombeau, et le fils, de son côté, est convaincu que son père mort deviendra un dieu et qu'il aura à l'invoquer.

On peut deviner tout ce que ces croyances mettaient de respect et d'affection réciproque dans la famille. Les anciens donnaient aux vertus domestiques le nom de piété: l'obéissance du fils envers le père, l'amour qu'il portait à sa mère, c'était de la piété, *pietas erga parentes*; l'attachement du père pour son enfant, la tendresse de la mère, c'était encore de la piété, *pietas erga liberos*. Tout était divin dans la famille. Sentiment du devoir, affection naturelle, idée religieuse, tout cela se confondait, ne faisait qu'un, et s'exprimait par un même mot.

Il paraîtra peut-être bien étrange de compter l'amour de la maison parmi les vertus; c'en était une chez les anciens. Ce sentiment était profond et puissant dans leurs âmes. Voyez Anchise qui, à la vue de Troie en flammes, ne veut pourtant pas quitter sa vieille demeure. Voyez Ulysse à qui l'on offre tous les trésors et l'immortalité même, et qui ne veut que revoir la flamme de son foyer. Avançons jusqu'à Cicéron; ce n'est plus un poëte, c'est un homme d'État qui parle: « Ici est ma religion, ici est ma race, ici les traces de mes pères; je ne sais quel charme se trouve ici qui pénètre mon coeur et mes sens. » Il faut nous placer par la pensée au milieu des plus antiques générations, pour comprendre combien ces sentiments, affaiblis déjà au temps de Cicéron, avaient été vifs et puissants. Pour nous la maison est seulement un domicile, un abri; nous la quittons et l'oublions sans trop de peine, ou, si nous nous y attachons, ce n'est que par la force des habitudes et des souvenirs. Car pour nous la religion n'est pas là; notre dieu est le Dieu de l'univers et nous le trouvons partout. Il en était autrement chez les anciens; c'était dans l'intérieur de leur maison qu'ils trouvaient leur principale divinité, leur providence, celle qui les protégeait individuellement, qui écoutait leurs prières et exauçait leurs voeux. Hors de sa demeure, l'homme ne se sentait plus de dieu; le dieu du voisin était un dieu hostile. L'homme aimait alors sa maison comme il aime aujourd'hui son église.

Ainsi ces croyances des premiers âges n'ont pas été étrangères au développement moral de cette partie de l'humanité. Ces dieux prescrivaient la pureté et défendaient de verser le sang; la notion de justice, si elle n'est pas née de cette croyance, a du moins été fortifiée par elle. Ces dieux appartenaient en commun à tous les membres d'une même famille; la famille s'est ainsi trouvée unie par un lien puissant, et tous ses membres ont appris à s'aimer et à se respecter les uns les autres. Ces dieux vivaient dans l'intérieur de chaque maison; l'homme a aimé sa maison, sa demeure fixe et durable qu'il tenait de ses aïeux et léguait à ses enfants comme un sanctuaire.

L'antique morale, réglée par ces croyances, ignorait la charité; mais elle enseignait du moins les vertus domestiques. L'isolement de la famille a été, chez cette race, le commencement de la morale. Là les devoirs ont apparu, claire, précis, impérieux, mais resserrés dans un cercle restreint. Et il faudra, nous rappeler, dans la suite de ce livre, ce caractère étroit de la morale primitive; car la société civile, fondée plus tard sur les mêmes principes, a revêtu le même caractère, et plusieurs traits singuliers de l'ancienne politique s'expliqueront par là.

CHAPITRE X

LA GENS À ROME ET EN GRÈCE.

On trouve chez les jurisconsultes romains et les écrivains grecs les traces d'une antique institution qui paraît avoir été en grande vigueur dans le premier âge des sociétés grecque et italienne, mais qui, s'étant affaiblie peu à peu, n'a laissé que des vestiges à peine perceptibles dans la dernière partie de leur histoire. Nous voulons parler de ce que les Latins appelaient *gens* et les Grecs [Grec: genos].

On a beaucoup discuté sur la nature et la constitution de la *gens*. Il ne sera peut-être pas inutile de dire d'abord ce qui fait la difficulté du problème.

La *gens*, comme nous le verrons plus loin, formait un corps dont la constitution était tout aristocratique; c'est grâce à son organisation intérieure que les patriciens de Rome et les Eupatrides d'Athènes perpétuèrent longtemps leurs privilèges. Lors donc que le parti populaire prit le dessus, il ne manqua pas de combattre de toutes ses forces cette vieille institution. S'il avait pu l'anéantir complètement, il est probable qu'il ne nous serait pas resté d'elle le moindre souvenir. Mais elle était singulièrement vivace et enracinée dans les moeurs; on ne put pas la faire disparaître tout à fait. On se contenta donc de la modifier: on lui enleva ce qui faisait son caractère essentiel et on ne laissa subsister que ses formes extérieures, qui ne gênaient en rien le nouveau régime. Ainsi à Rome les plébéiens imaginèrent de former des *gentes* à l'imitation des patriciens; à Athènes on essaya de bouleverser les [Grec: genae], de les fondre entre eux et de les remplacer par les *dèmes* que l'on établit à leur ressemblance. Nous aurons à revenir sur ce point quand nous parlerons des révolutions. Qu'il nous suffise de faire remarquer ici que cette altération profonde que la démocratie a introduite dans le régime de la *gens* est de nature à dérouter ceux qui veulent en connaître la constitution primitive. En, effet, presque tous les renseignements qui nous sont parvenus sur elle datent de l'époque où elle avait été ainsi transformée. Ils ne nous montrent d'elle que ce que les révolutions en avaient laissé subsister.

Supposons que, dans vingt siècles, toute connaissance du moyen âge ait péri, qu'il ne reste plus aucun document sur ce qui précède la révolution de 1789, et que pourtant un historien de ce temps-là veuille se faire une idée des institutions antérieures. Les seuls documents qu'il aurait dans les mains lui montreraient la noblesse du dix-neuvième siècle, c'est-à- dire quelque chose de fort différent de la féodalité. Mais il songerait qu'une grande révolution s'est accomplie, et il en conclurait à bon droit que cette institution, comme toutes les autres, a dû être transformée; cette noblesse, que ses textes lui montreraient, ne serait plus pour lui que l'ombre ou l'image affaiblie et altérée d'une autre noblesse incomparablement plus puissante. Puis s'il examinait avec attention les faibles débris de l'antique monument, quelques expressions demeurées dans la langue, quelques termes échappés à la loi, de vagues souvenirs ou de stériles regrets, il devinerait peut-être quelque chose du régime féodal et se ferait des institutions du moyen âge une idée qui ne serait pas trop éloignée de la vérité. La difficulté serait grande assurément; elle n'est pas moindre pour celui qui aujourd'hui veut connaître la *gens* antique; car il n'a d'autres renseignements sur elle que ceux qui datent d'un temps où elle n'était plus que l'ombre d'elle-même.

Nous commencerons par analyser tout ce que les écrivains anciens nous disent de la *gens*, c'est-à-dire ce qui subsistait d'elle à l'époque où elle était déjà fort modifiée. Puis, à l'aide de ces restes, nous essayerons d'entrevoir le véritable régime de la *gens* antique.

1° *Ce que les écrivains anciens nous font connaître de la* gens.

Si l'on ouvre l'histoire romaine au temps des guerres puniques, on rencontre trois personnages qui se nomment Claudius Pulcher, Claudius Nero, Claudius Centho. Tous les trois appartiennent à une même *gens*, la *gens* Claudia.

Démosthènes, dans un de ses plaidoyers, produit, sept témoins qui certifient qu'ils font partie du même [Grec: genos], celui des Brytides. Ce qui est remarquable dans cet exemple, c'est que les sept personnes citées comme membres du même [Grec: genos], se trouvaient inscrites dans six dèmes différents; cela montre que le

[Grec: genos] ne correspondait pas exactement au dème et n'était pas, comme lui, une simple division administrative.

Voilà donc un premier fait avéré; il y avait des *gentes* à Rome et à Athènes. On pourrait citer des exemples relatifs à beaucoup d'autres villes de la Grèce et de l'Italie et en conclure que, suivant toute vraisemblance, cette institution a été universelle chez ces anciens peuples.

Chaque *gens* avait un culte spécial. En Grèce on reconnaissait les membres d'une même *gens* « à ce qu'ils accomplissaient des sacrifices en commun depuis une époque fort reculée ». Plutarque mentionne le lieu des sacrifices de la *gens* des Lycomèdes, et Eschine parle de l'autel de la *gens* des Butades.

A Rome aussi, chaque *gens* avait des actes religieux à accomplir; le jour, le lieu, les rites étaient fixés par sa religion particulière. Le Capitole est bloqué par les Gaulois; un Fabius en sort et traverse les lignes ennemies, vêtu du costume religieux et portant à la main les objets sacrés; il va offrir le sacrifice sur l'autel de sa *gens* qui est situé sur le Quirinal. Dans la seconde guerre punique, un autre Fabius, celui qu'on appelle le bouclier de Rome, tient tête à Annibal; assurément la république a grand besoin qu'il n'abandonne pas son armée; il la laisse pourtant entre les mains de l'imprudent Minucius: c'est que le jour anniversaire du sacrifice de sa *gens* est arrivé et qu'il faut qu'il coure à Rome pour accomplir l'acte sacré.

Ce culte devait être perpétué de génération en génération; et c'était un devoir de laisser des fils après soi pour le continuer. Un ennemi personnel de Cicéron, Claudius, a quitté sa *gens* pour entrer dans une famille plébéienne; Cicéron lui dit: « Pourquoi exposes-tu la religion de la *gens* Claudia à s'éteindre par ta faute? »

Les dieux de la *gens*, *Dii gentiles*, ne protégeaient qu'elle et ne voulaient être invoqués que par elle. Aucun étranger ne pouvait être admis aux cérémonies religieuses. On croyait que, si un étranger avait une part de la victime ou même s'il assistait seulement au sacrifice, les dieux de la *gens* en étaient offensés et tous les membres étaient sous le coup d'une impiété grave.

De même que chaque *gens* avait son culte et ses fêtes religieuses, elle avait aussi son tombeau commun. On lit dans un plaidoyer de Démosthènes: « Cet homme, ayant perdu ses enfants, les ensevelit dans le tombeau de ses pères, dans ce tombeau qui est commun à tous ceux de sa *gens*. » La suite du plaidoyer montre qu'aucun étranger ne pouvait être enseveli dans ce tombeau. Dans un autre discours, le même orateur parle du tombeau où la *gens* des Busélides ensevelit ses membres et où elle accomplit chaque année un sacrifice funèbre; « ce lieu de sépulture est un champ assez vaste qui est entouré d'une enceinte, suivant la coutume ancienne. »

Il en était de même chez les Romains. Velléius parle du tombeau de la *gens* Quintilia, et Suétone nous apprend que la *gens* Claudia avait le sien sur la pente du mont Capitolin.

L'ancien droit de Rome considère les membres d'une *gens* comme aptes à hériter les uns des autres. Les Douze Tables prononcent que, à défaut de fils et d'agnats, le *gentilis* est héritier naturel. Dans cette législation, le *gentilis* est donc plus proche que le cognat, c'est-à- dire plus proche que le parent par les femmes.

Rien n'est plus étroitement lié que les membres d'une *gens*. Unis dans la célébration des mêmes cérémonies sacrées, ils s'aident mutuellement dans tous les besoins de la vie. La *gens* entière répond de la dette d'un de ses membres; elle rachète le prisonnier, elle paye l'amende du condamné. Si l'un des siens devient magistrat, elle se cotise pour payer les dépenses qu'entraîne toute magistrature.

L'accusé se fait accompagner au tribunal par tous les membres de sa *gens*; cela marque la solidarité que la loi établit entre l'homme et le corps dont il fait partie. C'est un acte contraire à la religion que de plaider contre un homme de sa *gens* ou même de porter témoignage contre lui. Un Claudius, personnage considérable, était l'ennemi personnel d'Appius Claudius le décemvir; quand celui-ci fut cité en justice et menacé de mort, Claudius se présenta pour le défendre et implora le peuple en sa faveur, non toutefois sans avertir que, s'il faisait cette démarche, « ce n'était pas par affection, mais par devoir».

Si un membre de la *gens* n'avait pas le droit d'en appeler un autre devant la justice de la cité, c'est qu'il y avait une justice dans la *gens* elle-même. Chacune avait, en effet, son chef, qui était à la fois son juge, son prêtre, et son commandant militaire. On sait que lorsque la famille sabine des Claudius vint s'établir à Rome, les trois mille personnes qui la composaient, obéissaient à un chef unique. Plus tard, quand les Fabius se chargent seuls de la guerre contre les Véiens, nous voyons que cette *gens* a un chef qui parle en son nom devant le Sénat et qui la conduit à l'ennemi.

En Grèce aussi, chaque *gens* avait son chef; les inscriptions en font foi, et elles nous montrent que ce chef portait assez généralement le titre d'archonte. Enfin à Rome comme en Grèce, la *gens* avait ses assemblées; elle portait des décrets, auxquels ses membres devaient obéir, et que la cité elle-même respectait.

Tel est l'ensemble d'usages et de lois que nous trouvons encore en vigueur aux époques où la *gens* était déjà affaiblie et presque dénaturée. Ce sont là les restes de cette antique institution.

2° Examens de quelques opinions qui ont été émises pour expliquer la gens *romaine.*

Sur cet objet, qui est livré depuis longtemps aux disputes des érudits, plusieurs systèmes ont été proposés. Les uns disent: La *gens* n'est pas autre chose qu'une similitude de nom. D'autres: Le mot *gens* désigne une sorte de parenté factice. Suivant d'autres, la *gens* n'est que l'expression d'un rapport entre une famille qui exerce le patronage et d'autres familles qui sont clientes. Mais aucune de ces trois explications ne répond à toute la série de faits, de lois, d'usages, que nous venons d'énumérer.

Une autre opinion, plus sérieuse, est celle qui conclut ainsi: la *gens* est une association politique de plusieurs familles qui étaient à l'origine étrangères les unes aux autres; à défaut de lien du sang, la cité a établi entre elles une union fictive et une sorte de parenté religieuse.

Mais une première objection se présente. Si la *gens* n'est qu'une association factice, comment expliquer que ses membres aient un droit à hériter les uns des autres? Pourquoi le *gentilis* est-il préféré au cognat? Nous avons vu plus haut les règles de l'hérédité, et nous avons dit quelle relation étroite et nécessaire la religion avait établie entre le droit d'hériter et la parenté masculine. Peut-on supposer que la loi ancienne se fût écartée de ce principe au point d'accorder la succession aux *gentiles*, si ceux-ci avaient été les uns pour les autres des étrangers?

Le caractère le plus saillant et le mieux constaté de la *gens*, c'est qu'elle a en elle-même un culte, comme la famille a le sien. Or, si l'on cherche quel est le dieu que chacune adore, on remarque que c'est presque toujours un ancêtre divinisé, et que l'autel où elle porte le sacrifice est un tombeau. A Athènes, les Eumolpides vénèrent Eumolpos, auteur de leur race; les Phytalides adorent le héros Phytalos, les Butades Butès, les Busélides Busélos, les Lakiades Lakios, les Amynandrides Cérops. A Rome, les Claudius descendent d'un Clausus; les Caecilius honorent comme chef de leur race le héros Caeculus, les Calpurnius un Calpus, les Julius un Julus, les Cloelius un Cloelus.

Il est vrai qu'il nous est bien permis de croire que beaucoup de ces généalogies ont été imaginées après coup; mais il faut bien avouer que cette supercherie n'aurait pas eu de motif, si ce n'avait été un usage constant chez les véritables *gentes* de reconnaître un ancêtre commun et de lui rendre un culte. Le mensonge cherche toujours à imiter la vérité.

D'ailleurs la supercherie n'était pas aussi aisée à commettre qu'il nous le semble. Ce culte n'était pas une vaine formalité de parade. Une des règles les plus rigoureuses de la religion était qu'on ne devait honorer comme ancêtres que ceux dont on descendait véritablement; offrir ce culte à un étranger était une impiété grave. Si donc la *gens* adorait en commun un ancêtre, c'est qu'elle croyait sincèrement descendre de lui. Simuler un tombeau, établir des anniversaires et un culte annuel, c'eût été porter le mensonge dans ce qu'on avait de plus sacré, et se jouer de la religion. Une telle fiction fut possible au temps de César, quand la vieille religion des familles ne touchait plus personne. Mais si l'on se reporte au temps où ces croyances étaient puissantes, on ne peut pas imaginer que plusieurs familles, s'associant dans une même fourberie, se soient dit: Nous allons feindre d'avoir un même ancêtre; nous lui érigerons un tombeau, nous lui offrirons des repas funèbres, et nos descendants l'adoreront dans toute la suite des temps. Une telle pensée ne devait pas se présenter aux esprits, ou elle était écartée comme une pensée coupable.

Dans les problèmes difficiles que l'histoire offre souvent, il est bon de demander aux termes de la langue tous les enseignements qu'ils peuvent donner. Une institution est quelquefois expliquée par le mot qui la désigne. Or, le mot *gens* est exactement le même que le mot *genus*, au point qu'on pouvait les prendre l'un pour l'autre et dire indifféremment *gens Fabia* et *genus Fabium*; tous les deux correspondent au verbe *gignere* et au substantif *genitor*, absolument comme [Grec: genos] correspond à [Grec: gennan] et à [Grec: goneus]. Tous ces mots portent en eux l'idée de filiation. Les Grecs désignaient aussi les membres d'un [Grec: genos] par le mot [Grec: omogalactes], qui signifie *nourris du même lait*. Que l'on compare à tous ces mots ceux que nous avons l'habitude de traduire par famille, le latin *familia*, le grec [Grec: oikos]. Ni l'un ni l'autre ne contient en lui le sens de génération ou de parenté. La signification vraie de *familia* est propriété; il désigne le champ, la maison, l'argent, les esclaves, et c'est pour cela que les Douze Tables disent, en parlant de l'héritier, *familiam nancitor*, qu'il prenne la succession. Quant à [Grec: oikos], il est clair qu'il ne présente à l'esprit aucune autre idée que celle de propriété ou de domicile. Voilà cependant les mots que nous traduisons habituellement par famille. Or, est-il admissible que des termes dont le sens intrinsèque est celui de domicile ou de propriété, aient pu être employés souvent pour désigner une famille, et que d'autres mots dont le sens interne est filiation, naissance, paternité, n'aient jamais désigné qu'une association artificielle? Assurément cela ne serait pas conforme à la logique si droite et si nette des langues anciennes. Il est indubitable que les Grecs et les Romains attachaient aux mots *gens* et [Grec: genos] l'idée d'une origine commune. Cette idée a pu s'effacer quand la gens s'est altérée, mais le mot est resté pour en porter témoignage.

Le système qui présente la *gens* comme une association factice, a donc contre lui, 1° la vieille législation qui donne aux *gentiles* un droit d'hérédité, 2° les croyances religieuses qui ne veulent de

communauté de culte que là où il y a communauté de naissance; 3°
les termes de la langue qui attestent dans la *gens* une origine
commune. Ce système a encore ce défaut qu'il fait croire que les
sociétés humaines ont pu commencer par une convention et par un
artifice, ce que la science historique ne peut pas admettre comme
vrai.

3° La gens *est la famille ayant encore son organisation primitive et son unité.*

Tout nous présente la *gens* comme unie par un lien de naissance.
Consultons encore le langage: les noms des *gentes*, en Grèce aussi
bien qu'à Rome, ont tous la forme qui était usitée dans les deux
langues pour les noms patronymiques. Claudius signifie fils de
Clausus, et Butadès fils de Butès.

Ceux qui croient voir dans la *gens* une association artificielle, partent
d'une donnée qui est fausse. Ils supposent qu'une *gens* comptait
toujours plusieurs familles ayant des noms divers, et ils citent
volontiers l'exemple de la *gens* Cornélia qui renfermait en effet des
Scipions, des Lentulus, des Cossus, des Sylla. Mais il s'en faut bien
qu'il en fût toujours ainsi. La *gens* Marcia paraît n'avoir jamais eu
qu'une seule lignée; on n'en voit qu'une aussi dans la *gens* Lucrétia,
et dans la *gens* Quintilia pendant longtemps. Il serait assurément fort
difficile de dire quelles sont les familles qui ont formé la *gens* Fabia;
car tous les Fabius connus dans l'histoire appartiennent
manifestement à la même souche; tous portent d'abord le même
surnom de Vibulanus; ils le changent tous ensuite pour celui
d'Ambustus, qu'ils remplacent plus tard par celui de Maximus ou de
Dorso.

On sait qu'il était d'usage à Rome que tout patricien portât trois
noms. On s'appelait, par exemple, Publius Cornélius Scipio. Il n'est
pas inutile de rechercher lequel de ces trois mots était considère
comme le nom véritable. Publius n'était qu'un *nom mis en avant,
praenomen*; Scipio était un *nom ajouté, agnomen*. Le vrai nom était
Cornélius; or, ce nom était en même temps celui de la *gens* entière.
N'aurions-nous que ce seul renseignement sur la *gens* antique, il

nous suffirait pour affirmer qu'il y a eu des Cornélius avant qu'il y eût des Scipions, et non pas, comme on le dit souvent, que la famille des Scipions s'est associée à d'autres pour former la *gens*Cornélia.

Nous voyons, en effet, par l'histoire que la *gens* Cornélia fut longtemps indivise et que tous ses membres portaient également le surnom de Maluginensis et celui de Cossus. C'est seulement au temps du dictateur Camille qu'une de ses branches adopte le surnom de Scipion; un peu plus tard, une autre branche prend le surnom de Rufus, qu'elle remplace ensuite par celui de Sylla. Les Lentulus ne paraissent qu'à l'époque des guerres des Samnites, les Céthégus que dans la seconde guerre punique. Il en est de même de la *gens* Claudia. Les Claudius restent longtemps unis en une seule famille et portent tous le surnom de Sabinus ou de Regillensis, signe de leur origine. On les suit pendant sept générations sans distinguer de branches dans cette famille d'ailleurs fort nombreuse. C'est seulement à la huitième génération, c'est-à-dire au temps de la première guerre punique, que l'on voit trois branches se séparer et adopter trois surnoms qui leur deviennent héréditaires: ce sont les Claudius Pulcher qui se continuent pendant deux siècles, les Claudius Centho qui ne tardent guère à s'éteindre, et les Claudius Nero qui se perpétuent jusqu'au temps de l'Empire.

Il ressort de tout cela que la gens n'était pas une association de familles, mais qu'elle était la famille elle-même. Elle pouvait indifféremment ne comprendre qu'une seule lignée ou produire des branches nombreuses; ce n'était toujours qu'une famille.

Il est d'ailleurs facile de se rendre compte de la formation de la gens antique et de sa nature, si l'on se reporte aux vieilles croyances et aux vieilles institutions que nous avons observées plus haut. On reconnaîtra même que la gens est dérivée tout naturellement de la religion domestique et du droit privé des anciens âges. Que prescrit, en effet, cette religion primitive? Que l'ancêtre, c'est-à-dire l'homme qui le premier a été enseveli dans le tombeau, soit honoré perpétuellement comme un dieu, et que ses descendants réunis chaque année près du lieu sacré où il repose, lui offrent le repas funèbre. Ce foyer toujours allumé, ce tombeau toujours honoré d'un culte, voilà le centre autour duquel toutes les générations viennent vivre et par lequel toutes les branches de la famille, quelque nombreuses qu'elles puissent être, restent groupées en un seul faisceau. Que dit encore le droit privé de ces vieux âges? En observant ce qu'était l'autorité dans la famille ancienne, nous avons vu que les fils ne se séparaient pas du père; en étudiant les règles de la transmission du patrimoine, nous avons constaté que, grâce au droit d'aînesse, les frères cadets ne se séparaient pas du frère aîné. Foyer, tombeau, patrimoine, tout cela à l'origine était indivisible. La famille l'était par conséquent. Le temps ne la démembrait pas. Cette famille indivisible, qui se développait à travers les âges, perpétuant de siècle en siècle son culte et son nom, c'était véritablement la gens antique. La gens était la famille, mais la famille ayant conservé l'unité que sa religion lui commandait, et ayant atteint tout le développement que l'ancien droit privé lui permettait d'atteindre.

Cette vérité admise, tout ce que les écrivains anciens nous disent de la *gens*, devient clair. L'étroite solidarité que nous remarquions tout à l'heure entre ses membres n'a plus rien de surprenant; ils sont parents par la naissance. Le culte qu'ils pratiquent en commun n'est pas une fiction; il leur vient de leurs ancêtres. Comme ils sont une même famille, ils ont une sépulture commune. Pour la même raison, la loi des Douze Tables les déclare aptes à hériter les une des autres. Pour la même raison encore, ils portent un même nom. Comme ils avaient tous, à l'origine, un même patrimoine indivis, ce fut un usage et même une nécessité que la *gens* entière répondît de la dette d'un de ses membres, et qu'elle payât la rançon du prisonnier ou l'amende du condamné. Toutes ces règles s'étaient établies d'elles-mêmes lorsque la *gens* avait encore son unité; quand elle se démembra, elles ne purent pas disparaître complètement. De l'unité antique et sainte de cette famille il resta des marques persistantes dans le sacrifice annuel qui en rassemblait les membres épars, dans le nom qui leur restait commun, dans la législation qui leur reconnaissait des droits d'hérédité, dans les moeurs qui leur enjoignaient de s'entr'aider.

4° La famille (gens) a été d'abord la seule forme de société.

Ce que nous avons vu de la famille, sa religion domestique, les dieux qu'elle s'était faits, les lois qu'elle s'était données, le droit d'aînesse sur lequel elle s'était fondée, son unité, son développement d'âge en âge jusqu'à former la *gens*, sa justice, son sacerdoce, son gouvernement intérieur, tout cela porte forcément notre pensée vers une époque primitive où la famille était indépendante de tout pouvoir supérieur, et où la cité n'existait pas encore.

Que l'on regarde cette religion domestique, ces dieux qui n'appartenaient qu'à une famille et n'exerçaient leur providence que dans l'enceinte d'une maison, ce culte qui était secret, cette religion qui ne voulait pas être propagée, cette antique morale qui prescrivait l'isolement des familles: il est manifeste que des croyances de cette nature n'ont pu prendre naissance dans les esprits des hommes qu'à une époque où les grandes sociétés n'étaient pas encore formées. Si le sentiment religieux s'est contenté d'une conception si étroite du divin, c'est que l'association humaine était alors étroite en proportion. Le temps où l'homme ne croyait qu'aux dieux domestiques, est aussi le temps où il n'existait que des familles. Il est bien vrai que ces croyances ont pu subsister ensuite, et même fort longtemps, lorsque les cités et les nations étaient formées. L'homme ne s'affranchit pas aisément des opinions qui ont une fois pris l'empire sur lui. Ces croyances ont donc pu durer, quoiqu'elles fussent alors en contradiction avec l'état social. Qu'y a-t-il, en effet, de plus contradictoire que de vivre en société civile et d'avoir dans chaque famille des dieux particuliers? Mais il est clair que cette contradiction n'avait pas existé toujours et qu'à l'époque où ces croyances s'étaient établies dans les esprits et étaient devenues assez puissantes pour former une religion, elles répondaient exactement à l'état social des hommes. Or, le seul état social qui puisse être d'accord avec elles est celui où la famille vit indépendante et isolée.

C'est dans cet état que toute la race aryenne paraît avoir vécu longtemps. Les hymnes des Védas en font foi pour la branche qui a donné naissance aux Hindous; les vieilles croyances et le vieux droit privé l'attestent pour ceux qui sont devenus les Grecs et les Romains.

Si l'on compare les institutions politiques des Aryas de l'Orient avec celles des Aryas de l'Occident, on ne trouve presque aucune analogie. Si l'on compare, au contraire, les institutions domestiques de ces divers peuples, on s'aperçoit que la famille était constituée d'après les mêmes principes dans la Grèce et dans l'Inde; ces principes étaient d'ailleurs, comme nous l'avons constaté plus haut, d'une nature si singulière, qu'il n'est pas à supposer que cette ressemblance fût l'effet du hasard; enfin, non-seulement ces institutions offrent une évidente analogie, mais encore les mots qui les désignent sont souvent les mêmes dans les différentes langues que cette race a parlées depuis le Gange jusqu'au Tibre. On peut tirer de là une double conclusion: l'une est que la naissance des institutions domestiques dans cette race est antérieure à l'époque où ses différentes branches se sont séparées; l'autre est qu'au contraire la naissance des institutions politiques est postérieure à cette séparation. Les premières ont été fixées dès le temps où la race vivait encore dans son antique berceau de l'Asie centrale; les secondes se sont formées peu à peu dans les diverses contrées où ses migrations l'ont conduite.

On peut donc entrevoir une longue période pendant laquelle les hommes n'ont connu aucune autre forme de société que la famille. C'est alors que s'est produite la religion domestique, qui n'aurait pas pu naître dans une société autrement constituée et qui a dû même être longtemps un obstacle au développement social. Alors aussi s'est établi l'ancien droit privé, qui plus tard s'est trouvé en désaccord avec les intérêts d'une société un peu étendue, mais qui était en parfaite harmonie avec l'état de société dans lequel il est né.

Plaçons-nous donc par la pensée au milieu de ces antiques générations dont le souvenir n'a pas pu périr tout à fait et qui ont légué leurs croyances et leurs lois aux générations suivantes. Chaque famille a sa religion, ses dieux, son sacerdoce. L'isolement religieux est sa loi; son culte est secret. Dans la mort même ou dans l'existence qui la suit, les familles ne se mêlent pas: chacune continue à vivre à part dans son tombeau, d'où l'étranger est exclu. Chaque famille a aussi sa propriété, c'est-à-dire sa part de terre qui lui est attachée inséparablement par sa religion; ses dieux Termes gardent l'enceinte, et ses mânes veillent sur elle. L'isolement de la propriété est tellement obligatoire que deux domaines ne peuvent pas confiner l'un à l'autre et doivent laisser entre eux une bande de terre qui soit neutre et qui reste inviolable. Enfin chaque famille a son chef, comme une nation aurait son roi. Elle a ses lois, qui sans doute ne sont pas écrites, mais que la croyance religieuse grave dans le coeur de chaque homme. Elle a sa justice intérieure au-dessus de laquelle il n'en est aucune autre à laquelle on puisse appeler. Tout ce dont l'homme a rigoureusement besoin pour sa vie matérielle ou pour sa vie morale, la famille le possède en soi. Il ne lui faut rien du dehors; elle est un état organisé, une société qui se suffit.

Mais cette famille des anciens âges n'est pas réduite aux proportions de la famille moderne. Dans les grandes sociétés la famille se démembre et s'amoindrit; mais en l'absence de toute autre société, elle s'étend, elle se développe, elle se ramifie sans se diviser. Plusieurs branches cadettes restent groupées autour d'une branche aînée, près du foyer unique et du tombeau commun.

Un autre élément encore entra dans la composition de cette famille antique. Le besoin réciproque que le pauvre a du riche et que le riche a du pauvre, fit des serviteurs. Mais dans cette sorte de régime patriarcal, serviteurs ou esclaves c'est tout un. On conçoit, en effet, que le principe d'un service libre, volontaire, pouvant cesser au gré du serviteur, ne peut guère s'accorder avec un état social où la famille vit isolée. D'ailleurs la religion domestique ne permet pas d'admettre dans la famille un étranger. Il faut donc que par quelque moyen le serviteur devienne un membre et une partie intégrante, de cette famille. C'est à quoi l'on arrive par une sorte d'initiation du nouveau venu au culte domestique.

Un curieux usage, qui subsista longtemps dans les maisons athéniennes, nous montre comment l'esclave entrait dans la famille. On le faisait approcher du foyer, on le mettait en présence de la divinité domestique; on lui versait sur la tête de l'eau lustrale et il partageait avec la famille quelques gâteaux et quelques fruits. Cette cérémonie avait de l'analogie avec celle du mariage et celle de l'adoption. Elle signifiait sans doute que le nouvel arrivant, étranger la veille, serait désormais un membre de la famille et en aurait la religion. Aussi l'esclave assistait- il aux prières et partageait-il les fêtes. Le foyer le protégeait; la religion des dieux Lares lui appartenait aussi bien qu'à son maître. C'est pour cela que l'esclave devait être enseveli dans le lieu de la sépulture de la famille.

Mais par cela même que le serviteur acquérait le culte et le droit de prier, il perdait sa liberté. La religion était une chaîne qui le retenait. Il était attaché à la famille pour toute sa vie et même pour le temps qui suivait la mort.

Son maître pouvait le faire sortir de la basse servitude et le traiter en homme libre. Mais le serviteur ne quittait pas pour cela la famille. Comme il y était lié par le culte, il ne pouvait pas sans impiété se séparer d'elle. Sous le nom d'*affranchi* ou sous celui de *client*, il continuait à reconnaître l'autorité du chef ou patron et ne cessait pas d'avoir des obligations envers lui. Il ne se mariait qu'avec l'autorisation du maître, et les enfants qui naissaient de lui, continuaient à obéir.

Il se formait ainsi dans le sein de la grande famille un certain nombre de petites familles clientes et subordonnées. Les Romains attribuaient l'établissement de la clientèle à Romulus, comme si une institution de cette nature pouvait être l'oeuvre d'un homme. La clientèle est plus vieille que Romulus. Elle a d'ailleurs existé partout, en Grèce aussi bien que dans toute l'Italie. Ce ne sont pas les cités qui l'ont établie et réglée; elles l'ont, au contraire, comme nous le verrons plus loin, peu à peu amoindrie et détruite. La clientèle est une institution du droit domestique, et elle a existé dans les familles avant qu'il y eût des cités.

Il ne faut pas juger de la clientèle des temps antiques d'après les clients que nous voyons au temps d'Horace. Il est clair que le client fut longtemps un serviteur attaché au patron. Mais il y avait alors quelque chose qui faisait sa dignité: c'est qu'il avait part au culte et qu'il était associé à la religion de la famille. Il avait le même foyer, les mêmes fêtes, les mêmes *sacra* que son patron. A Rome, en signe de cette communauté religieuse, il prenait le nom de la famille. Il en était considéré comme un membre par l'adoption. De là un lien étroit et une réciprocité de devoirs entre le patron et le client. Écoutez la vieille loi romaine: « Si le patron a fait tort à son client, qu'il soit maudit, *sacer esto*, qu'il meure. » Le patron doit protéger le client par tous les moyens et toutes les forces dont il dispose, par sa prière comme prêtre, par sa lance comme guerrier, par sa loi comme juge. Plus tard, quand la justice de la cité appellera le client, le patron devra le défendre; il devra même lui révéler les formules mystérieuses de la loi qui lui feront gagner sa cause. On pourra témoigner en justice contre un cognat, on ne le pourra pas contre un client; et l'on continuera à considérer les devoirs envers les clients comme fort au-dessus des devoirs envers les cognats. Pourquoi? C'est qu'un cognat, lié seulement par les femmes, n'est pas un parent et n'a pas part à la religion de la famille. Le client, au contraire, a la communauté du culte; il a, tout inférieur qu'il est, la véritable parenté, qui consiste, suivant l'expression de Platon, à adorer les mêmes dieux domestiques.

La clientèle est un lien sacré que la religion a formé et que rien ne peut rompre. Une fois client d'une famille, on ne peut plus se détacher d'elle. La clientèle est même héréditaire.

On voit par tout cela que la famille des temps les plus anciens, avec sa branche aînée et ses branches cadettes, ses serviteurs et ses clients, pouvait former un groupe d'hommes fort nombreux. Une famille, grâce à sa religion qui en maintenait l'unité, grâce à son droit privé qui la rendait indivisible, grâce aux lois de la clientèle qui retenaient ses serviteurs, arrivait à former à la longue une société fort étendue qui avait son chef héréditaire. C'est d'un nombre indéfini de sociétés de cette nature que la race aryenne paraît avoir été composée pendant une longue suite de siècles. Ces milliers de petits groupes vivaient isolés, ayant peu de rapports entre eux, n'ayant nul besoin les uns des autres, n'étant unis par aucun lien ni religieux ni politique, ayant chacun son domaine, chacun son gouvernement intérieur, chacun ses dieux.

LIVRE III

LA CITÉ.

CHAPITRE PREMIER

LA PHRATRIE ET LA CURIE; LA TRIBU.

Nous n'avons présenté jusqu'ici et nous ne pouvons présenter encore aucune date. Dans l'histoire de ces sociétés antiques, les époques sont plus facilement marquées par la succession des idées et des institutions que par celle des années.

L'étude des anciennes règles du droit privé nous a fait entrevoir, par delà les temps qu'on appelle historiques, une période de siècles pendant lesquels la famille fut la seule forme de société. Cette famille pouvait alors contenir dans son large cadre plusieurs milliers d'êtres humains. Mais dans ces limites l'association humaine était encore trop étroite: trop étroite pour les besoins matériels, car il était difficile que cette famille se suffît en présence de toutes les chances de la vie; trop étroite aussi pour les besoins moraux de notre nature, car nous avons vu combien dans ce petit monde l'intelligence du divin était insuffisante et la morale incomplète.

La petitesse de cette société primitive répondait bien à la petitesse de l'idée qu'on s'était faite de la divinité. Chaque famille avait ses dieux, et l'homme ne concevait et n'adorait que des divinités domestiques. Mais il ne devait pas se contenter longtemps de ces dieux si fort au-dessous de ce que son intelligence peut atteindre. S'il lui fallait encore beaucoup de siècles pour arriver à se représenter Dieu comme un être unique, incomparable, infini, du moins, il devait se rapprocher insensiblement de cet idéal en agrandissant d'âge en âge sa conception et en reculant peu à peu l'horizon dont la ligne sépare pour lui l'Être divin des choses de la terre.

L'idée religieuse et la société humaine allaient donc grandir en même temps.

La religion domestique défendait à deux familles de se mêler et de se fondre ensemble. Mais il était possible que plusieurs familles, sans rien sacrifier de leur religion particulière, s'unissent du moins pour la célébration d'un autre culte qui leur fût commun. C'est ce qui arriva. Un certain nombre de familles formèrent un groupe, que la langue grecque appelait une phratrie, la langue latine une curie. Existait-il entre les familles d'un même groupe un lien de naissance? Il est impossible de l'affirmer. Ce qui est sûr, c'est que cette association nouvelle ne se fit pas sans un certain élargissement de l'idée religieuse. Au moment même où elles s'unissaient, ces familles conçurent une divinité supérieure à leurs divinités domestiques, qui leur était commune à toutes, et qui veillait sur le groupe entier. Elles lui élevèrent un autel, allumèrent un feu sacré et instituèrent un culte.

Il n'y avait pas de curie, de phratrie, qui n'eût son autel et son dieu protecteur. L'acte religieux y était de même nature que dans la famille. Il consistait essentiellement en un repas fait en commun; la nourriture avait été préparée sur l'autel lui-même et était par conséquent sacrée; on la mangeait en récitant quelques prières; la divinité était présente et recevait sa part d'aliments et de breuvage.

Ces repas religieux de la curie subsistèrent longtemps à Rome; Cicéron les mentionne, Ovide les décrit. Au temps d'Auguste ils avaient encore conservé toutes leurs formes antiques. « J'ai vu dans ces demeures sacrées, dit un historien de cette époque, le repas dressé devant le dieu; les tables étaient de bois, suivant l'usage des ancêtres, et la vaisselle était de terre. Les aliments étaient des pains, des gâteaux de fleur de farine, et quelques fruits. J'ai vu faire les libations; elles ne tombaient pas de coupes d'or ou d'argent, mais de vases d'argile; et j'ai admiré les hommes de nos jours qui restent si fidèles aux rites et aux coutumes de leurs pères. » A Athènes ces repas avaient lieu pendant la fête qu'on appelait Apaturies.

Il y a des usages qui ont duré jusqu'aux derniers temps de l'histoire grecque et qui jettent quelque lumière sur la nature de la phratrie antique. Ainsi nous voyons qu'au temps de Démosthènes, pour faire partie d'une phratrie, il fallait être né d'un mariage légitime dans une des familles qui la composaient. Car la religion de la phratrie, comme celle de la famille, ne se transmettait que par le sang. Le jeune Athénien était présenté à la phratrie par son père, qui jurait qu'il était son fils. L'admission avait lieu sous une forme religieuse. La phratrie immolait une victime et en faisait cuire la chair sur l'autel, tous les membres étaient présents. Refusaient-ils d'admettre le nouvel arrivant, comme ils en avaient le droit s'ils doutaient de la légitimité de sa naissance, ils devaient enlever la chair de dessus l'autel. S'ils ne le faisaient pas, si après la cuisson ils partageaient avec le nouveau venu les chairs de la victime, le jeune homme était admis et devenait irrévocablement membre de l'association. Ce qui explique ces pratiques, c'est que les anciens croyaient que toute nourriture préparée sur un autel et partagée entre plusieurs personnes établissait entre elles un lien indissoluble et une union sainte qui ne cessait qu'avec la vie.

Chaque phratrie ou curie avait un chef, curion ou phratriarque, dont la principale fonction était de présider aux sacrifices. Peut-être ses attributions avaient-elles été, à l'origine, plus étendues. La phratrie avait ses assemblées, son tribunal, et pouvait porter des décrets. En elle, aussi bien que dans la famille, il y avait un dieu, un culte, un sacerdoce, une justice, un gouvernement. C'était une petite société qui était modelée exactement sur la famille.

L'association continua naturellement à grandir, et d'après le même mode.
Plusieurs curies ou phratries se groupèrent et formèrent une tribu.

Ce nouveau cercle eut encore sa religion; dans chaque tribu il y eut un autel et une divinité protectrice.

Le dieu de la tribu était ordinairement de même nature que celui de la phratrie ou celui de la famille. C'était un homme divinisé, un *héros*. De lui la tribu tirait son nom; aussi les Grecs l'appelaient-ils le *héros éponyme*. Il avait son jour de fête annuelle. La partie principale de la cérémonie religieuse était un repas auquel la tribu entière prenait part.

La tribu, comme la phratrie, avait des assemblées et portait des décrets, auxquels tous ses membres devaient se soumettre. Elle avait un tribunal et un droit de justice sur ses membres. Elle avait un chef, *tribunus*, [Grec: phylobasileus]. Dans ce qui nous reste des institutions de la tribu, on voit qu'elle avait été constituée, à l'origine, pour être une société indépendante, et comme s'il n'y eût eu aucun pouvoir social au- dessus d'elle.

CHAPITRE II

NOUVELLES CROYANCES RELIGIEUSES

1° Les dieux de la nature physique.

Avant de passer de la formation des tribus à la naissance des cités, il faut mentionner un élément important de la vie intellectuelle de ces antiques populations.

Quand nous avons recherché les plus anciennes croyances de ces peuples, nous avons trouvé une religion qui avait pour objet les ancêtres et pour principal symbole le foyer; c'est elle qui a constitué la famille et établi les premières lois. Mais cette race a eu aussi, dans toutes ses branches, une autre religion, celle dont les principales figures ont été Zeus, Héra, Athéné, Junon, celle de l'Olympe hellénique et du Capitole romain.

De ces deux religions, la première prenait ses dieux dans l'âme humaine; la seconde prit les siens dans la nature physique. Si le sentiment de la force vive et de la conscience qu'il porte en lui avait inspiré à l'homme la première idée du Divin, la vue de cette immensité qui l'entoure et qui l'écrase traça à son sentiment religieux un autre cours.

L'homme des premiers temps était sans cesse en présence de la nature; les habitudes de la vie civilisée ne mettaient pas encore un voile entre elle et lui. Son regard était charmé par ces beautés ou ébloui par ces grandeurs. Il jouissait de la lumière, il s'effrayait de la nuit, et quand il voyait revenir « la sainte clarté des cieux », il éprouvait de la reconnaissance. Sa vie était dans les mains de la nature; il attendait le nuage bienfaisant d'où dépendait sa récolte; il redoutait l'orage qui pouvait détruire le travail et l'espoir de toute une année. Il sentait à tout moment sa faiblesse et l'incomparable force de ce qui l'entourait. Il éprouvait perpétuellement un mélange de vénération, d'amour et de terreur pour cette puissante nature.

Ce sentiment ne le conduisit pas tout de suite à la conception d'un Dieu unique régissant l'univers. Car il n'avait pas encore l'idée de l'univers. Il ne savait pas que la terre, le soleil, les astres sont des parties d'un même corps; la pensée ne lui venait pas qu'ils pussent être gouvernés par un même Être. Aux premiers regards qu'il jeta sur le monde extérieur, l'homme se le figura comme une sorte de république confuse où des forces rivales se faisaient la guerre. Comme il jugeait les choses extérieures d'après lui-même et qu'il sentait en lui une personne libre, il vit aussi dans chaque partie de la création, dans le sol, dans l'arbre, dans le nuage, dans l'eau du fleuve, dans le soleil, autant de personnes semblables à la sienne; il leur attribua la pensée, la volonté, le choix des actes; comme il les sentait puissants et qu'il subissait leur empire, il avoua sa dépendance; il les pria et les adora; il en fit des dieux.

Ainsi, dans cette race, l'idée religieuse se présenta sous deux formes très-différentes. D'une part, l'homme attacha l'attribut divin au principe invisible, à l'intelligence, à ce qu'il entrevoyait de l'âme, à ce qu'il sentait de sacré en lui. D'autre part il appliqua son idée du divin aux objets extérieurs qu'il contemplait, qu'il aimait ou redoutait, aux agents physiques qui étaient les maîtres de son bonheur et de sa vie.

Ces deux ordres de croyances donnèrent lieu à deux religions que l'on voit durer aussi longtemps que les sociétés grecque et romaine. Elles ne se firent pas la guerre; elles vécurent même en assez bonne intelligence et se partagèrent l'empire sur l'homme; mais elles ne se confondirent jamais. Elles eurent toujours des dogmes tout à fait distincts, souvent contradictoires, des cérémonies et des pratiques absolument différentes. Le culte des dieux de l'Olympe et celui des héros et des mânes n'eurent jamais entre eux rien de commun. De ces deux religions, laquelle fut la première en date, on ne saurait le dire; ce qui est certain, c'est que l'une, celle des morts, ayant été fixée à une époque très-lointaine, resta toujours immuable dans ses pratiques, pendant que ses dogmes s'effaçaient peu à peu; l'autre, celle de la nature physique, fut plus progressive et se développa librement à travers les âges, modifiant peu à peu ses légendes et ses doctrines, et augmentant sans cesse son autorité sur l'homme.

2° *Rapport de cette religion avec le développement de la société humaine.*

On peut croire que les premiers rudiments de cette religion de la nature sont fort antiques; ils le sont peut-être autant que le culte des ancêtres; mais comme elle répondait à des conceptions plus générales et plus hautes, il lui fallut beaucoup plus de temps pour se fixer en une doctrine précise. Il est bien avéré qu'elle ne se produisit pas dans le monde en un jour et qu'elle ne sortit pas toute faite du cerveau d'un homme. On ne voit à l'origine de cette religion ni un prophète ni un corps de prêtres. Elle naquit dans les différentes intelligences par un effet de leur force naturelle. Chacune se la fit à sa façon. Entre tous ces dieux, issus d'esprits divers, il y eut des ressemblances, parce que les idées se formaient en l'homme suivant un mode à peu près uniforme; mais il y eut aussi une très-grande variété, parce que chaque esprit était l'auteur de ses dieux. Il résulta de là que cette religion fut longtemps confuse et que ses dieux furent innombrables.

Pourtant les éléments que l'on pouvait diviniser n'étaient pas très-nombreux. Le soleil qui féconde, la terre qui nourrit, le nuage tour à tour bienfaisant ou funeste, telles étaient les principales puissances dont on pût faire des dieux. Mais de chacun de ces éléments des milliers de dieux naquirent. C'est que le même agent physique, aperçu sous des aspects divers, reçut des hommes différents noms. Le soleil, par exemple, fut appelé ici Héraclès (le glorieux), là Phoebos (l'éclatant), ailleurs Apollon (celui qui chasse la nuit ou le mal); l'un le nomma l'Être élevé (Hypérion), l'autre le bienfaisant (Alexicacos); et, à la longue, les groupes d'hommes qui avaient donné ces noms divers à l'astre brillant, ne reconnurent pas qu'ils avaient le même dieu.

En fait, chaque homme n'adorait qu'un nombre très-restreint de divinités; mais les dieux de l'un n'étaient pas ceux de l'autre. Les noms pouvaient, à la vérité, se ressembler; beaucoup d'hommes avaient pu donner séparément à leur dieu le nom d'Apollon ou celui d'Hercule; ces mots appartenaient à la langue usuelle et n'étaient que des adjectifs qui désignaient l'Être divin par l'un ou l'autre de ses attributs les plus saillants. Mais sous ce même nom les différents groupes d'hommes ne pouvaient pas croire qu'il n'y eût qu'un dieu.

On comptait des milliers de Jupiters différents; il y avait une multitude de Minerves, de Dianes, de Junons qui se ressemblaient fort peu. Chacune de ces conceptions s'étant formée par le travail libre de chaque esprit et étant en quelque sorte sa propriété, il arriva que ces dieux furent longtemps indépendants les uns des autres, et que chacun d'eux eut sa légende particulière et son culte.

Comme la première apparition de ces croyances est d'une époque où les hommes vivaient encore dans l'état de famille, ces dieux nouveaux eurent d'abord, comme les démons, les héros et les lares, le caractère de divinités domestiques. Chaque famille s'était fait ses dieux, et chacune les gardait pour soi, comme des protecteurs dont elle ne voulait pas partager les bonnes grâces avec des étrangers. C'est là une pensée qui apparaît fréquemment dans les hymnes des Védas; et il n'y a pas de doute qu'elle n'ait été aussi dans l'esprit des Aryas de l'Occident; car elle a laissé des traces visibles dans leur religion. A mesure qu'une famille avait, en personnifiant un agent physique, créé un dieu, elle l'associait à son foyer, le comptait parmi ses pénates et ajoutait quelques mots pour lui à sa formule de prière. C'est pour cela que l'on rencontre souvent chez les anciens des expressions comme celles-ci: les dieux qui siègent près de mon foyer, le Jupiter de mon foyer, l'Apollon de mes pères. « Je te conjure, dit Tecmesse à Ajax, au nom du Jupiter qui siège près de ton foyer. » Médée la magicienne dit dans Euripide: « Je jure par Hécate, ma déesse maîtresse, que je vénère et qui habite le sanctuaire de mon foyer. » Lorsque Virgile décrit ce qu'il y a de plus vieux dans la religion de Rome, il montre Hercule associé au foyer d'Évandre et adoré par lui comme divinité domestique.

De là sont venus ces milliers de cultes locaux entre lesquels l'unité ne put jamais s'établir. De là ces luttes de dieux dont le polythéisme est plein et qui représentent des luttes de familles, de cantons ou de villes. De là enfin cette foule innombrable de dieux et de déesses, dont nous ne connaissons assurément que la moindre partie: car beaucoup ont péri, sans laisser même le souvenir de leur nom, parce que les familles qui les adoraient se sont éteintes ou que les villes qui leur avaient voué un culte ont été détruites.

Il fallut beaucoup de temps avant que ces dieux sortissent du sein des familles qui les avaient conçus et qui les regardaient comme leur patrimoine. On sait même que beaucoup d'entre eux ne se dégagèrent jamais de cette sorte de lien domestique. La Déméter d'Eleusis resta la divinité particulière de la famille des Eumolpides; l'Athéné de l'acropole d'Athènes appartenait à la famille des Butades. Les Potitii de Rome avaient un Hercule et les Nautii une Minerve. Il y a grande apparence que le culte de Vénus fut longtemps renfermé dans la famille des Jules et que cette déesse n'eut pas de culte public dans Rome.

Il arriva à la longue que, la divinité d'une famille ayant acquis un grand prestige sur l'imagination des hommes et paraissant puissante en proportion de la prospérité de cette famille, toute une cité voulut l'adopter et lui rendre un culte public pour obtenir ses faveurs. C'est ce qui eut lieu pour la Déméter des Eumolpides, l'Athéné des Butades, l'Hercule des Potitii. Mais quand une famille consentit à partager ainsi son dieu, elle se réserva du moins le sacerdoce. On peut remarquer que la dignité de prêtre, pour chaque dieu, fut longtemps héréditaire et ne put pas sortir d'une certaine famille. C'est le vestige d'un temps où le dieu lui-même était la propriété de cette famille, ne protégeait qu'elle et ne voulait être servi que par elle.

Il est donc vrai de dire que cette seconde religion fut d'abord à l'unisson de l'état social des hommes. Elle eut pour berceau chaque famille et resta longtemps enfermée dans cet étroit horizon. Mais elle se prêtait mieux que le culte des morts aux progrès futurs de l'association humaine. En effet les ancêtres, les héros, les mânes étaient des dieux qui, par leur essence même, ne pouvaient être adorés que par un très-petit nombre d'hommes et qui établissaient à perpétuité d'infranchissables lignes de démarcation entre les familles. La religion des dieux de la nature était un cadre plus large. Aucune loi rigoureuse ne s'opposait à ce que chacun de ces cultes se propageât; il n'était pas dans la nature intime de ces dieux de n'être adorés que par une famille et de repousser l'étranger. Enfin les hommes devaient arriver insensiblement à s'apercevoir que le Jupiter d'une famille était, au fond, le même être ou la même conception que le Jupiter d'une autre; ce qu'ils ne pouvaient jamais croire de deux Lares, de deux ancêtres, ou de deux foyers.

Ajoutons que cette religion nouvelle avait aussi une autre morale. Elle ne se bornait pas à enseigner à l'homme les devoirs de famille. Jupiter était le dieu de l'hospitalité; c'est de sa part que venaient les étrangers, les suppliants, « les vénérables indigents », ceux qu'il fallait traiter « comme des frères ». Tous ces dieux prenaient souvent la forme humaine et se montraient aux mortels. C'était bien quelquefois pour assister à leurs luttes et prendre part à leurs combats; souvent aussi c'était pour leur prescrire la concorde et leur apprendre à s'aider les uns les autres.

A mesure que cette seconde religion alla se développant, la société dut grandir. Or il est assez manifeste que cette religion, faible d'abord, prit ensuite une extension très-grande. A l'origine, elle s'était comme abritée sous la protection de sa soeur aînée, auprès du foyer domestique. Là le dieu nouveau avait obtenu une petite place, une étroite *cella*, en regard et à côté de l'autel vénéré, afin qu'un peu du respect que les hommes avaient pour le foyer allât vers le dieu. Peu à peu le dieu, prenant plus d'autorité sur l'âme, renonça à cette sorte de tutelle; il quitta le foyer domestique; il eut une demeure à lui et des sacrifices qui lui furent propres. Cette demeure ([Grec: naos], de [Grec: naio], habiter) fut d'ailleurs bâtie à l'image de l'ancien sanctuaire; ce fut, comme auparavant, une *cella* vis-à-vis d'un foyer; mais la *cella* s'élargit, s'embellit, devint un temple. Le foyer resta à l'entrée de la maison du dieu, mais il parut bien petit à côté d'elle. Lui qui avait été d'abord le principal, il ne fut plus que l'accessoire. Il cessa d'être le dieu et descendit au rang d'autel du dieu, d'instrument pour le sacrifice. Il fut chargé de brûler la chair de la victime et de porter l'offrande avec la prière de l'homme à la divinité majestueuse dont la statue résidait dans le temple.

Lorsqu'on voit ces temples s'élever et ouvrir leurs portes devant la foule des adorateurs, on peut être assuré que l'association humaine a grandi.

CHAPITRE III

LA CITÉ SE FORME.

La tribu, comme la famille et la phratrie, était constituée pour être un corps indépendant, puisqu'elle avait un culte spécial dont l'étranger était exclu. Une fois formée, aucune famille nouvelle ne pouvait plus y être admise. Deux tribus ne pouvaient pas davantage se fondre en une seule; leur religion s'y opposait. Mais de même que plusieurs phratries s'étaient unies en une tribu, plusieurs tribus purent s'associer entre elles, à la condition que le culte de chacune d'elles fût respecté. Le jour où cette alliance se fit, la cité exista.

Il importe peu de chercher la cause qui détermina plusieurs tribus voisines à s'unir. Tantôt l'union fut volontaire, tantôt elle fut imposée par la force supérieure d'une tribu ou par la volonté puissante d'un homme. Ce qui est certain, c'est que le lien de la nouvelle association fut encore un culte. Les tribus qui se groupèrent pour former une cité ne manquèrent jamais d'allumer un feu sacré et de se donner une religion commune.

Ainsi la société humaine, dans cette race, n'a pas grandi à la façon d'un cercle qui s'élargirait peu à peu, gagnant de proche en proche. Ce sont, au contraire, de petits groupes qui, constitués longtemps à l'avance, se sont agrégés les uns aux autres. Plusieurs familles ont formé la phratrie, plusieurs phratries la tribu, plusieurs tribus la cité. Famille, phratrie, tribu, cité, sont d'ailleurs des sociétés exactement semblables entre elles et qui sont nées l'une de l'autre par une série de fédérations.

Il faut même remarquer qu'à mesure que ces différents groupes s'associaient ainsi entre eux, aucun d'eux ne perdait pourtant ni son individualité, ni son indépendance. Bien que plusieurs familles se fussent unies en une phratrie, chacune d'elles restait constituée comme à l'époque de son isolement; rien n'était changé en elle, ni son culte, ni son sacerdoce, ni son droit de propriété, ni sa justice intérieure. Des curies s'associaient ensuite; mais chacune gardait son culte, ses réunions, ses fêtes, son chef. De la tribu on passa à la cité; mais les tribus ne furent pas pour cela dissoutes, et chacune d'elles continua à former un corps, à peu près comme si la cité n'existait pas. En religion il subsista une multitude de petits cultes au-dessus desquels s'établit un culte commun; en politique, une foule de petits gouvernements continuèrent à fonctionner, et au-dessus d'eux un gouvernement commun s'éleva.

La cité était une confédération. C'est pour cela qu'elle fut obligée, au moins pendant plusieurs siècles, de respecter l'indépendance religieuse et civile des tribus, des curies et des familles, et qu'elle n'eut pas d'abord le droit d'intervenir dans les affaires particulières de chacun de ces petits corps. Elle n'avait rien à voir dans l'intérieur d'une famille; elle n'était pas juge de ce qui s'y passait; elle laissait au père le droit et le devoir de juger sa femme, son fils, son client. C'est pour cette raison que le droit privé, qui avait été fixé à l'époque de l'isolement des familles, a pu subsister dans les cités et n'a été modifié que fort tard.

Ce mode d'enfantement des cités anciennes est attesté par des usages qui ont duré fort longtemps. Si nous regardons l'armée de la cité, dans les premiers temps, nous la trouvons distribuée en tribus, en curies, en familles, « de telle sorte, dit un ancien, que le guerrier ait pour voisin dans le combat celui avec qui, en temps de paix, il fait la libation et le sacrifice au même autel ». Si nous regardons le peuple assemblé, dans les premiers siècles de Rome, il vote par curies et par *gentes*. Si nous regardons le culte, nous voyons à Rome six Vestales, deux pour chaque tribu; à Athènes, l'archonte fait le sacrifice au nom de la cité entière, mais il est assisté pour la cérémonie religieuse d'autant de ministres qu'il y a de tribus.

Ainsi la cité n'est pas un assemblage d'individus: c'est une confédération de plusieurs groupes qui étaient constitués avant elle et qu'elle laisse subsister. On voit dans les orateurs attiques que chaque Athénien fait partie à la fois de quatre sociétés distinctes; il est membre d'une famille, d'une phratrie, d'une tribu et d'une cité. Il n'entre pas en même temps et le même jour dans toutes les quatre, comme le Français qui, du moment de sa naissance, appartient à la fois à une famille, à une commune, à un département et à une patrie. La phratrie et la tribu ne sont pas des divisions administratives. L'homme entre à des époques diverses dans ces quatre sociétés, et il monte, en quelque sorte, de l'une à l'autre. L'enfant est d'abord admis dans la famille par la cérémonie religieuse qui a lieu dix jours après sa naissance. Quelques années après, il entre dans la phratrie par une nouvelle cérémonie que nous avons décrite plus haut. Enfin, à l'âge de seize ou de dix-huit ans, il se présente pour être admis dans la cité. Ce jour-là, en présence d'un autel et devant les chairs fumantes d'une victime, il prononce un serment par lequel il s'engage, entre autres choses, à respecter toujours la religion de la cité. A partir de ce jour-là, il est initié au culte public et devient citoyen. Que l'on observe ce jeune Athénien s'élevant d'échelon en échelon, de culte en culte, et l'on aura l'image des degrés par lesquels l'association humaine a passé. La marche que ce jeune homme est astreint à suivre est celle que la société a d'abord suivie.

Un exemple rendra cette vérité plus claire. Il nous est resté sur les antiquités d'Athènes assez de traditions et de souvenirs pour que nous puissions voir avec quelque netteté comment s'est formée la cité athénienne. A l'origine, dit Plutarque, l'Attique était divisée par familles. Quelques-unes de ces familles de l'époque primitive, comme les Eumolpides, les Cécropides, les Céphyréens, les Phytalides, les Lakiades, se sont perpétuées jusque dans les âges suivants. Alors la cité athénienne n'existait pas; mais chaque famille, entourée de ses branches cadettes et de ses clients, occupait un canton et y vivait dans une indépendance absolue. Chacune avait sa religion propre: les Eumolpides, fixés à Eleusis, adoraient Déméter; les Cécropides, qui habitaient le rocher où fut plus tard Athènes, avaient pour divinités protectrices Poséidon et Athéné. Tout à côté, sur la petite colline où fut l'Aréopage, le dieu protecteur était Arès; à Marathon c'était un Hercule, à Prasies un Apollon, un autre Apollon à Phlyes, les Dioscures à Céphale et ainsi de tous les autres cantons.

Chaque famille, comme elle avait son dieu et son autel, avait aussi son chef. Quand Pausanias visita l'Attique, il trouva dans les petits bourgs d'antiques traditions qui s'étaient perpétuées avec le culte; or ces traditions lui apprirent que chaque bourg avait eu son roi avant le temps où Cécrops régnait à Athènes. N'était-ce pas le souvenir d'une époque lointaine où ces grandes familles patriarcales, semblables aux clans celtiques, avaient chacune son chef héréditaire, qui était à la fois prêtre et juge? Une centaine de petites sociétés vivaient donc isolées dans le pays, ne connaissant entre elles ni lien religieux ni lien politique, ayant chacune son territoire, se faisant souvent la guerre, étant enfin à tel point séparées les unes des autres que le mariage entre elles n'était pas toujours réputé permis.

Mais les besoins ou les sentiments les rapprochèrent. Insensiblement elles s'unirent en petits groupes, par quatre, par cinq, par six. Ainsi nous trouvons dans les traditions que les quatre bourgs de la plaine de Marathon s'associèrent pour adorer ensemble Apollon Delphinien; les hommes du Pirée, de Phalère et de deux cantons voisins s'unirent de leur côté, et bâtirent en commun un temple à Hercule. A la longue cette centaine de petits États se réduisit à douze confédérations. Ce changement, par lequel la population de l'Attique passa de l'état de famille patriarcale à une société un peu plus étendue, était attribué par les traditions aux efforts de Cécrops; il faut seulement entendre par là qu'il ne fut achevé qu'à l'époque où l'on plaçait le règne de ce personnage, c'est-à-dire vers le seizième siècle avant notre ère. On voit d'ailleurs que ce Cécrops ne régnait que sur l'une des douze associations, celle qui fut plus tard Athènes, les onze autres étaient pleinement indépendantes; chacune avait son dieu protecteur, son autel, son feu sacré, son chef.

Plusieurs générations se passèrent pendant les-quelles le groupe des Cécropides acquit insensiblement plus d'importance. De cette période il est resté le souvenir d'une lutte sanglante qu'ils soutinrent contre les Eumolpides d'Éleusis, et dont le résultat fut que ceux-ci se soumirent, avec la seule réserve de conserver le sacerdoce héréditaire de leur divinité. On peut croire qu'il y a eu d'autres luttes et d'autres conquêtes, dont le souvenir ne s'est pas conservé. Le rocher des Cécropides, où s'était peu à peu développé le culte d'Athéné, et qui avait fini par adopter le nom de sa divinité principale, acquit la suprématie sur les onze autres États. Alors parut Thésée, héritier des Cécropides. Toutes les traditions s'accordent à dire qu'il réunit les douze groupes en une cité. Il réussit, en effet, à faire adopter dans toute l'Attique le culte d'Athéné Polias, en sorte que tout le pays célébra dès lors en commun le sacrifice des Panathénées. Avant lui, chaque bourgade avait son feu sacré et son prytanée; il voulut que le prytanée d'Athènes fût le centre religieux de toute l'Attique. Dès lors l'unité athénienne fut fondée; religieusement, chaque canton conserva son ancien culte, mais tous adoptèrent un culte commun; politiquement, chacun conserva ses chefs, ses juges, son droit de s'assembler, mais au-dessus de ces gouvernements locaux il y eut le gouvernement central de la cité.

De ces souvenirs et de ces traditions si précises qu'Athènes conservait religieusement, il nous semble qu'il ressort deux vérités également manifestes; l'une est que la cité a été une confédération de groupes constitués avant elle; l'autre est que la société ne s'est développée qu'autant que la religion s'élargissait. On ne saurait dire si c'est le progrès religieux qui a amené le progrès social; ce qui est certain, c'est qu'ils se sont produits tous les deux en même temps et avec un remarquable accord.

Il faut bien penser à l'excessive difficulté qu'il y avait pour les populations primitives à fonder des sociétés régulières. Le lien social n'est pas facile à établir entre ces êtres humains qui sont si divers, si libres, si inconstants. Pour leur donner des règles communes, pour instituer le commandement et faire accepter l'obéissance, pour faire céder la passion à la raison, et la raison individuelle, à la raison publique, il faut assurément quelque chose de plus fort que la force matérielle, de plus respectable que l'intérêt, de plus sûr qu'une théorie philosophique, de plus immuable qu'une convention, quelque chose qui soit également au fond de tous les coeurs et qui y siège avec empire.

Cette chose-là, c'est une croyance. Il n'est rien de plus puissant sur l'âme. Une croyance est l'oeuvre de notre esprit, mais nous ne sommes pas libres de la modifier à notre gré. Elle est notre création, mais nous ne le savons pas. Elle est humaine, et nous la croyons dieu. Elle est l'effet de notre puissance et elle est plus forte que nous. Elle est en nous; elle ne nous quitte pas; elle nous parle à tout moment. Si elle nous dit d'obéir, nous obéissons; si elle nous trace des devoirs, nous nous soumettons. L'homme peut bien dompter la nature, mais il est assujetti à sa pensée.

Or, une antique croyance commandait à l'homme d'honorer l'ancêtre; le culte de l'ancêtre a groupé la famille autour d'un autel. De là la première religion, les premières prières, la première idée du devoir et la première morale; de là aussi la propriété établie, l'ordre de la succession fixé; de là enfin tout le droit privé et toutes les règles de l'organisation domestique. Puis la croyance grandit, et l'association en même temps. A mesure que les hommes sentent qu'il y a pour eux des divinités communes, ils s'unissent en groupes plus étendus. Les mêmes règles, trouvées et établies dans la famille, s'appliquent successivement à la phratrie, à la tribu, à la cité.

Embrassons du regard le chemin que les hommes ont parcouru. A l'origine, la famille vit isolée et l'homme ne connaît que les dieux domestiques, [Grec: theoi patrooi], *dii gentiles*. Au-dessus de la famille se forme la phratrie avec son dieu, [Grec: theos phratrios], *Juno curialis*. Vient ensuite la tribu et le dieu de la tribu, [Grec: theos phylios]. On arrive enfin à la cité, et l'on conçoit un dieu dont la providence embrasse cette cité entière, [Grec: theos polieus], *penates publici*. Hiérarchie de croyances, hiérarchie d'association. L'idée religieuse a été, chez les anciens, le souffle inspirateur et organisateur de la société.

Les traditions des Hindous, des Grecs, des Étrusques racontaient que les dieux avaient révélé aux hommes les lois sociales. Sous cette forme légendaire il y a une vérité. Les lois sociales ont été l'oeuvre des dieux; mais ces dieux si puissants et si bienfaisants n'étaient pas autre chose que les croyances des hommes.

Tel a été le mode d'enfantement de l'État chez les anciens; cette étude était nécessaire pour nous rendre compte tout à l'heure de la nature et des institutions de la cité. Mais il faut faire ici une réserve. Si les premières cités se sont formées par la confédération de petites sociétés constituées antérieurement, ce n'est pas à dire que toutes les cités à nous connues aient été formées de la même manière. L'organisation municipale une fois trouvée, il n'était pas nécessaire que pour chaque ville nouvelle on recommençât la même route longue et difficile. Il put même arriver assez souvent que l'on suivît l'ordre inverse. Lorsqu'un chef, sortant d'une ville déjà constituée, en alla fonder une autre, il n'emmena d'ordinaire avec lui qu'un petit nombre de ses concitoyens, et il s'adjoignit beaucoup d'autres hommes qui venaient de divers lieux et pouvaient même appartenir à des races diverses. Mais ce chef ne manqua jamais de constituer le nouvel État à l'image de celui qu'il venait de quitter. En conséquence, il partagea son peuple en tribus et en phratries. Chacune de ces petites associations eut un autel, des sacrifices, des fêtes; chacune imagina même un ancien héros qu'elle honora d'un culte, et duquel elle vint à la longue à se croire issue.

Souvent encore il arriva que les hommes d'un certain pays vivaient sans lois et sans ordre, soit que l'organisation sociale n'eût pas réussi à s'établir, comme en Arcadie, soit qu'elle eût été corrompue et dissoute par des révolutions trop brusques, comme à Cyrène et à Thurii. Si un législateur entreprenait de mettre la règle parmi ces hommes, il ne manquait jamais de commencer par les répartir en tribus et en phratries, comme s'il n'y avait pas d'autre type de société que celui-là. Dans chacun de ces cadres il instituait un héros éponyme, il établissait des sacrifices, il inaugurait des traditions. C'était toujours par là que l'on commençait, si l'on voulait fonder une société régulière. Ainsi fait Platon lui-même lorsqu'il imagine une cité modèle.

CHAPITRE IV

LA VILLE.

Cité et ville n'étaient pas des mots synonymes chez les anciens. La cité était l'association religieuse et politique des familles et des tribus; la ville était le lieu de réunion, le domicile et surtout le sanctuaire de cette association.

Il ne faudrait pas nous faire des villes anciennes l'idée que nous donnent celles que nous voyons s'élever de nos jours. On bâtit quelques maisons, c'est un village; insensiblement le nombre des maisons s'accroît, c'est une ville; et nous unissons, s'il y a lieu, par l'entourer d'un fossé et d'une muraille. Une ville, chez les anciens, ne se formait pas à la longue, par le lent accroissement du nombre des hommes et des constructions. On fondait une ville d'un seul coup, tout entière en un jour.

Mais il fallait que la cité fût constituée d'abord, et c'était l'oeuvre la plus difficile et ordinairement la plus longue. Une fois que les familles, les phratries et les tribus étaient convenues de s'unir et d'avoir un même culte, aussitôt on fondait la ville pour être le sanctuaire de ce culte commun. Aussi la fondation d'une ville était-elle toujours un acte religieux.

Nous allons prendre pour premier exemple Rome elle-même, en dépit de la vogue d'incrédulité qui s'attache à cette ancienne histoire. On a bien souvent répété que Romulus était un chef d'aventuriers, qu'il s'était fait un peuple en appelant à lui des vagabonds et des voleurs, et que tous ces hommes ramassés sans choix avaient bâti au hasard quelques cabanes pour y enfermer leur butin. Mais les écrivains anciens nous présentent les faits d'une tout autre façon; et il nous semble que, si l'on veut connaître l'antiquité, la première règle doit être de s'appuyer sur les témoignages qui nous viennent d'elle. Ces écrivains parlent à la vérité d'un asile, c'est-à-dire d'un enclos sacré où Romulus admit tous ceux qui se présentèrent; en quoi il suivait l'exemple que beaucoup de fondateurs de villes lui avaient donné. Mais cet asile n'était pas la ville; il ne fut même ouvert qu'après que la ville avait été fondée et complètement bâtie. C'était un appendice ajouté à Rome; ce n'était pas Rome. Il ne faisait même pas partie de la ville de Romulus; car il était situé au pied du mont Capitolin, tandis que la ville occupait le plateau du Palatin. Il importe de bien distinguer le double élément de la population romaine. Dans l'asile sont les aventuriers sans feu ni lieu; sur le Palatin sont les hommes venus d'Albe, c'est-à-dire les hommes déjà organisés en société, distribués en *gentes* et en curies, ayant des cultes domestiques et des lois. L'asile n'est qu'une sorte de hameau ou de faubourg où les cabanes se bâtissent au hasard et sans règles; sur le Palatin s'élève une ville religieuse et sainte.

Sur la manière dont cette ville fut fondée, l'antiquité abonde en renseignements; on en trouve dans Denys d'Halicarnasse qui les puisait chez des auteurs plus anciens que lui; on en trouve dans Plutarque, dans les *Fastes* d'Ovide, dans Tacite, dans Caton l'Ancien qui avait compulsé les vieilles annales, et dans deux autres écrivains qui doivent surtout nous inspirer une grande confiance, le savant Varron et le savant Verrius Flaccus que Festus nous a en partie conservé, tous les deux fort instruits des antiquités romaines, amis de la vérité, nullement crédules, et connaissant assez bien les règles de la critique historique. Tous ces écrivains nous ont transmis le souvenir de la cérémonie religieuse qui avait marqué la fondation de Rome, et nous ne sommes pas en droit de rejeter un tel nombre de témoignages.

Il n'est pas rare de rencontrer chez les anciens des faits qui nous étonnent; est-ce un motif pour dire que ce sont des fables, surtout si ces faits qui s'éloignent beaucoup des idées modernes, s'accordent parfaitement avec celles des anciens? Nous avons vu dans leur vie privée une religion qui réglait tous leurs actes; nous avons vu ensuite que cette religion les avait constitués en société; qu'y a-t-il d'étonnant après cela que la fondation d'une ville ait été aussi un acte sacré et que Romulus lui-même ait dû accomplir des rites qui étaient observés partout?

Le premier soin du fondateur est de choisir l'emplacement de la ville nouvelle. Mais ce choix, chose grave et dont on croit que la destinée du peuple dépend, est toujours laissé à la décision des dieux. Si Romulus eût été Grec, il aurait consulté l'oracle de Delphes; Samnite, il eût suivi l'animal sacré, le loup ou le pivert. Latin, tout voisin des Étrusques, initié à la science augurale, il demande aux dieux de lui révéler leur volonté par le vol des oiseaux. Les dieux lui désignent le Palatin.

Le jour de la fondation venu, il offre d'abord un sacrifice. Ses compagnons sont rangés autour de lui; ils allument un feu de broussailles, et chacun saute à travers la flamme légère. L'explication de ce rite est que, pour l'acte qui va s'accomplir, il faut que le peuple soit pur; or les anciens croyaient se purifier de toute tache physique ou morale en sautant à travers la flamme sacrée.

Quand cette cérémonie préliminaire a préparé le peuple au grand acte de la fondation, Romulus creuse une petite fosse de forme circulaire. Il y jette une motte de terre qu'il a apportée de la ville d'Albe. Puis chacun de ses compagnons, s'approchant à son tour, jette comme lui un peu de terre qu'il a apporté du pays d'où il vient. Ce rite est remarquable, et il nous révèle chez ces hommes une pensée qu'il importe de signaler. Avant de venir sur le Palatin, ils habitaient Albe ou quelque autre des villes voisines. Là était leur foyer: c'est là que leurs pères avaient vécu et étaient ensevelis. Or la religion défendait de quitter la terre où le foyer avait été fixé et ou les ancêtres divins reposaient. Il avait donc fallu, pour se dégager de toute impiété, que chacun de ces hommes usât d'une fiction, et qu'il emportât avec lui, sous le symbole d'une motte de terre, le sol sacré où ses ancêtres étaient ensevelis et auquel leurs mânes étaient attachés. L'homme ne pouvait se déplacer qu'en emmenant avec lui son sol et ses aïeux. Il fallait que ce rite fût accompli pour qu'il pût dire en montrant la place nouvelle qu'il avait adoptée: Ceci est encore la terre de mes pères, *terra patrum, patria*; ici est ma patrie, car ici sont les mânes de ma famille.

La fosse où chacun avait ainsi jeté un peu de terre, s'appelait *mundus*; or ce mot désignait dans l'ancienne langue la région des mânes. De cette même place, suivant la tradition, les âmes des morts s'échappaient trois fois par an, désireuses de revoir un moment la lumière. Ne voyons- nous pas encore dans cette tradition la véritable pensée de ces anciens hommes? En déposant dans la fosse une motte de terre de leur ancienne patrie, ils avaient cru y enfermer aussi les âmes de leurs ancêtres. Ces âmes réunies là devaient recevoir un culte perpétuel et veiller sur leurs descendants.

Romulus à cette même place posa un autel et y alluma du feu. Ce fut le foyer de la cité.

Autour de ce foyer doit s'élever la ville, comme la maison s'élève autour du foyer domestique; Romulus trace un sillon qui marque l'enceinte. Ici encore les moindres détails sont fixés par un rituel. Le fondateur doit se servir d'un soc de cuivre; sa charrue est traînée par un taureau blanc et une vache blanche. Romulus, la tête voilée et sous le costume sacerdotal, tient lui-même le manche de la charrue et la dirige en chantant des prières. Ses compagnons marchent derrière lui en observant un silence religieux, A mesure que le soc soulève des mottes de terre, on les rejette soigneusement à l'intérieur de l'enceinte, pour qu'aucune parcelle de cette terre sacrée ne soit du côté de l'étranger.

Cette enceinte tracée par la religion est inviolable. Ni étranger ni citoyen n'a le droit de la franchir. Sauter par-dessus ce petit sillon est un acte d'impiété; la tradition romaine disait que le frère du fondateur avait commis ce sacrilège et l'avait payé de sa vie.

Mais pour que l'on puisse entrer dans la ville et en sortir, le sillon est interrompu en quelques endroits; pour cela Romulus a soulevé et porté le soc; ces intervalles s'appellent *portae*; ce sont les portes de la ville.

Sur le sillon sacré ou un peu en arrière, s'élèvent ensuite les murailles; elles sont sacrées aussi. Nul ne pourra y toucher, même pour les réparer, sans la permission des pontifes. Des deux côtés de cette muraille, un espace de quelques pas est donné à la religion; on l'appelle *pomoerium*; il n'est permis ni d'y faire passer la charrue ni d'y élever aucune construction.

Telle a été, suivant une foule de témoignages anciens, la cérémonie de la fondation de Rome. Que si l'on demande comment le souvenir a pu s'en conserver jusqu'aux écrivains qui nous l'ont transmis, c'est que cette cérémonie était rappelée chaque année à la mémoire du peuple par une fête anniversaire qu'on appelait le jour natal de Rome. Cette fête a été célébrée dans toute l'antiquité, d'année en année, et le peuple romain la célèbre encore aujourd'hui à la même date qu'autrefois, le 21 avril; tant les hommes, à travers leurs incessantes transformations, restent fidèles aux vieux usages!

On ne peut pas raisonnablement supposer que de tels rites aient été imaginés pour la première fois par Romulus. Il est certain, au contraire, que beaucoup de villes avant Rome avaient été fondées de la même manière. Varron dit que ces rites étaient communs au Latium et à l'Étrurie. Caton l'Ancien qui, pour écrire son livre des*Origines*, avait consulté les annales de tous les peuples italiens, nous apprend que des rites analogues étaient pratiqués par tous les fondateurs de villes. Les Étrusques possédaient des livres liturgiques où était consigné le rituel complet de ces cérémonies.

Les Grecs croyaient, comme les Italiens, que l'emplacement d'une ville devait être choisi et révélé par la divinité. Aussi quand ils voulaient en fonder une, consultaient-ils l'oracle de Delphes. Hérodote signale comme un acte d'impiété ou de folie que le Spartiate Doriée ait osé bâtir une ville « sans consulter l'oracle et sans pratiquer aucune des cérémonies prescrites », et le pieux historien n'est pas surpris qu'une ville ainsi construite en dépit des règles n'ait duré que trois ans. Thucydide, rappelant le jour où Sparte fut fondée, mentionne les chants pieux et les sacrifices de ce jour-là. Le même historien nous dit que les Athéniens avaient un rituel particulier et qu'ils ne fondaient jamais une colonie sans s'y conformer. On peut voir dans une comédie d'Aristophane un tableau assez exact de la cérémonie qui était usitée en pareil cas. Lorsque le poète représentait la plaisante fondation de la ville des Oiseaux, il songeait certainement aux coutumes qui étaient observées dans la fondation des villes des hommes; aussi mettait-il sur la scène un prêtre qui allumait un foyer en invoquant les dieux, un poëte qui chantait des hymnes, et un devin qui récitait des oracles.

Pausanias parcourait la Grèce vers le temps d'Adrien. Arrivé en Messénie, il se fit raconter par les prêtres la fondation de la ville de Messène, et il nous a transmis leur récit. L'événement n'était pas très-ancien; il avait eu lieu au temps d'Épaminondas. Trois siècles auparavant les Messéniens avaient été chassés de leur pays, et depuis ce temps-là ils avaient vécu dispersés parmi les autres Grecs, sans patrie, mais gardant avec un soin pieux leurs coutumes et leur religion nationale. Les Thébains voulaient les ramener dans le Péloponèse, pour attacher un ennemi aux flancs de Sparte; mais le plus difficile était de décider les Messéniens. Épaminondas, qui avait affaire à des hommes superstitieux, crut devoir mettre en circulation un oracle prédisant à ce peuple le retour dans son ancienne patrie. Des apparitions miraculeuses attestèrent que les dieux nationaux des Messéniens, qui les avaient trahis à l'époque de la conquête, leur étaient redevenus favorables. Ce peuple timide se décida alors à rentrer dans le Péloponèse à la suite d'une armée thébaine. Mais il s'agissait de savoir où la ville serait bâtie, car d'aller réoccuper les anciennes villes du pays, il n'y fallait pas songer; elles avaient été souillées par la conquête. Pour choisir la place où l'on s'établirait, on n'avait pas la ressource ordinaire de consulter l'oracle de Delphes; car la Pythie était alors du parti de Sparte. Par bonheur, les dieux avaient d'autres moyens de révéler leur volonté; un prêtre messénien eut un songe où l'un des dieux de sa nation lui apparut et lui dit qu'il allait se fixer sur le mont Ithôme, et qu'il invitait le peuple à l'y suivre. L'emplacement de la ville nouvelle étant ainsi indiqué, il restait encore à savoir les rites qui étaient nécessaires pour la fondation; mais les Messéniens les avaient oubliés; ils ne pouvaient pas, d'ailleurs, adopter ceux des Thébains ni d'aucun autre peuple; et l'on ne savait comment bâtir la ville. Un songe vint fort à propos à un autre Messénien: les dieux lui ordonnaient de se transporter sur le mont Ithôme, d'y chercher un if qui se trouvait auprès d'un myrte, et de creuser la terre en cet endroit. Il obéit; il découvrit une urne, et dans cette urne des feuilles d'étain, sur lesquelles se trouvait gravé le rituel complet de la cérémonie sacrée. Les prêtres en prirent aussitôt copie et l'inscrivirent dans leurs livres. On ne manqua pas de croire que l'urne avait été déposée là par un ancien roi des Messéniens avant la conquête du pays.

Dès qu'on fut en possession du rituel, la fondation commença. Les prêtres offrirent d'abord un sacrifice; on invoqua les anciens dieux de la Messénie, les Dioscures, le Jupiter de l'Ithôme, les anciens héros, les ancêtres connus et vénérés. Tous ces protecteurs du pays l'avaient apparemment quitté, suivant les croyances des anciens, le jour où l'ennemi s'en était rendu maître; on les conjura d'y revenir. On prononça des formules qui devaient avoir pour effet de les déterminer à habiter la ville nouvelle en commun avec les citoyens. C'était là l'important; fixer les dieux avec eux était ce que ces hommes avaient le plus à coeur, et l'on peut croire que la cérémonie religieuse n'avait pas d'autre but. De même que les compagnons de Romulus creusaient une fosse et croyaient y déposer les mânes de leurs ancêtres, ainsi les contemporains d'Épaminondas appelaient à eux leurs héros, leurs ancêtres divins, les dieux du pays. Ils croyaient, par des formules et par des rites, les attacher au sol qu'ils allaient eux-mêmes occuper, et les enfermer dans l'enceinte qu'ils allaient tracer. Aussi leur disaient-ils: « Venez avec nous, ô Êtres divins, et habitez en commun avec nous cette ville. » Une première journée fut employée à ces sacrifices et à ces prières. Le lendemain on traça l'enceinte, pendant que le peuple chantait des hymnes religieux.

On est surpris d'abord quand on voit dans les auteurs anciens qu'il n'y avait aucune ville, si antique qu'elle pût être, qui ne prétendît savoir le nom de son fondateur et la date de sa fondation. C'est qu'une ville ne pouvait pas perdre le souvenir de la cérémonie sainte qui avait marqué sa naissance; car chaque année elle en célébrait l'anniversaire par un sacrifice. Athènes, aussi bien que Rome, fêtait son jour natal.

Il arrivait souvent que des colons ou des conquérants s'établissaient dans une ville déjà bâtie. Ils n'avaient pas de maisons à construire, car rien ne s'opposait à ce qu'ils occupassent celles des vaincus. Mais ils avaient à accomplir la cérémonie de la fondation, c'est-à-dire à poser leur propre foyer et à fixer dans leur nouvelle demeure leurs dieux nationaux. C'est pour cela qu'on lit dans Thucydide et dans Hérodote que les Doriens fondèrent Lacédémone, et les Ioniens Milet, quoique les deux peuples eussent trouvé ces villes toutes bâties et déjà fort anciennes.

Ces usages nous disent clairement ce que c'était qu'une ville dans la pensée des anciens. Entourée d'une enceinte sacrée, et s'étendant autour d'un autel, elle était le domicile religieux qui recevait les dieux et les hommes de la cité. Tite-Live disait de Rome: « Il n'y a pas une place dans cette ville qui ne soit imprégnée de religion et qui ne soit occupée par quelque divinité… Les dieux l'habitent. » Ce que Tite-Live disait de Rome, tout homme pouvait le dire de sa propre ville; car, si elle avait été fondée suivant les rites, elle avait reçu dans son enceinte des dieux protecteurs qui s'étaient comme implantés dans son sol et ne devaient plus le quitter. Toute ville était un sanctuaire; toute ville pouvait être appelée sainte.

Comme les dieux étaient pour toujours attachés à la ville, le peuple ne devait pas non plus quitter l'endroit où ses dieux étaient fixés. Il y avait à cet égard un engagement réciproque, une sorte de contrat entre les dieux et les hommes. Les tribuns de la plèbe disaient un jour que Rome, dévastée par les Gaulois, n'était plus qu'un monceau de ruines, qu'à cinq lieues de là il existait une ville toute bâtie, grande et belle, bien située et vide d'habitants depuis que les Romains en avaient fait la conquête; qu'il fallait donc laisser là Rome détruite et se transporter à Veii. Mais le pieux Camille leur répondit: « Notre ville a été fondée religieusement; les dieux mêmes en ont marqué la place et s'y sont établis avec nos pères. Toute ruinée qu'elle est, elle est encore la demeure de nos dieux nationaux. » Les Romains restèrent à Rome.

Quelque chose de sacré et de divin s'attachait naturellement à ces villes que les dieux avaient élevées et qu'ils continuaient à remplir de leur présence. On sait que les traditions romaines promettaient à Rome l'éternité. Chaque ville avait des traditions semblables. On bâtissait toutes les villes pour être éternelles.

CHAPITRE V

LE CULTE DU FONDATEUR; LA LÉGENDE D'ÉNÉE.

Le fondateur était l'homme qui accomplissait l'acte religieux sans lequel une ville ne pouvait pas être. C'était lui qui posait le foyer où devait brûler éternellement le feu sacré; c'était lui qui par ses prières et ses rites appelait les dieux et les fixait pour toujours dans la ville nouvelle.

On conçoit le respect qui devait s'attacher à cet homme sacré. De son vivant, les hommes voyaient en lui l'auteur du culte et le père de la cité; mort, il devenait un ancêtre commun pour toutes les générations qui se succédaient; il était pour la cité ce que le premier ancêtre était pour la famille, un Lare familier. Son souvenir se perpétuait comme le feu du foyer qu'il avait allumé. On lui vouait un culte, on le croyait dieu et la ville l'adorait comme sa Providence. Des sacrifices et des fêtes étaient renouvelés chaque année sur son tombeau.

Tout le monde sait que Romulus était adoré, qu'il avait un temple et des prêtres. Les sénateurs purent bien l'égorger, mais non pas le priver du culte auquel il avait droit comme fondateur. Chaque ville adorait de même celui qui l'avait fondée. Cécrops et Thésée que l'on regardait comme ayant été successivement fondateurs d'Athènes, y avaient des temples. Abdère faisait des sacrifices à son fondateur Timésios, Théra à Théras, Ténédos à Ténès, Délos à Anios, Cyrène à Battos, Milet à Nélée, Amphipolis à Hagnon. Au temps de Pisistrate, un Miltiade alla fonder une colonie dans la Chersonèse de Thrace; cette colonie lui institua un culte après sa mort, « suivant l'usage ordinaire ». Hiéron de Syracuse, ayant fondé la ville d'Aetna, y jouit dans la suite « du culte des fondateurs ».

Il n'y avait rien qui fût plus à coeur à une ville que le souvenir de sa fondation. Quand Pausanias visita la Grèce, au second siècle de notre ère, chaque ville put lui dire le nom de son fondateur avec sa généalogie et les principaux faits de son existence. Ce nom et ces faits ne pouvaient pas sortir de la mémoire, car ils faisaient partie de la religion, et ils étaient rappelés chaque, année dans les cérémonies sacrées.

On a conservé le souvenir d'un grand nombre de poëmes grecs qui avaient pour sujet la fondation d'une ville. Philochore avait chanté celle de Salamine, Ion celle de Chio, Criton celle de Syracuse, Zopyre celle de Milet; Apollonius, Hermogène, Hellanicus, Dioclès avaient composé sur le même sujet des poëmes ou des histoires. Peut-être n'y avait-il pas une seule ville qui ne possédât son poëme ou au moins son hymne sur l'acte sacré qui lui avait donné naissance.

Parmi tous ces anciens poëmes, qui avaient pour objet la fondation sainte d'une ville, il en est un qui n'a pas péri, parce que si son sujet le rendait cher à une cité, ses beautés l'ont rendu précieux pour tous les peuples et tous les siècles. On sait qu'Énée avait fondé Lavinium, d'où étaient issus les Albains et les Romains, et qu'il était par conséquent regardé comme le premier fondateur de Rome. Il s'était établi sur lui un ensemble de traditions et de souvenirs que l'on trouve déjà consignés dans les vers du vieux Naevius et dans les histoires de Caton l'Ancien. Virgile s'empara de ce sujet, et écrivit le poëme national de la cité romaine.

C'est l'arrivée d'Énée, ou plutôt c'est le transport des dieux de Troie en Italie qui est le sujet de l'*Enéide*. Le poëte chante cet homme qui traversa les mers pour aller fonder une ville et porter ses dieux dans le Latium, dum conderet urbem Inferretque Deos Latio.

Il ne faut pas juger l'*Enéide* avec nos idées modernes. On se plaint souvent de ne pas trouver dans Énée l'audace, l'élan, la passion. On se fatigue de cette épithète de pieux qui revient sans cesse. On s'étonne de voir ce guerrier consulter ses Pénates avec un soin si scrupuleux, invoquer à tout propos quelque divinité, lever les bras au ciel quand il s'agit de combattre, se laisser ballotter par les oracles à travers toutes les mers, et verser des larmes à la vue d'un danger. On ne manque guère non plus de lui reprocher sa froideur pour Didon et l'on est tenté de dire avec la malheureuse reine:

Nullis ille movetur Fletibus, aut voces ullas tractabilis audit.

C'est qu'il ne s'agit pas ici d'un guerrier ou d'un héros de roman. Le poëte veut nous montrer un prêtre. Énée est le chef du culte, l'homme sacré, le divin fondateur, dont la mission est de sauver les Pénates de la cité,

Sum pius Aeneas raptos qui ex hoste Pénates Classe veho mecum.

Sa qualité dominante doit être la piété, et l'épithète que le poëte lui applique le plus souvent est aussi celle qui lui convient le mieux. Sa vertu doit être une froide et haute impersonnalité, qui fasse de lui, non un homme, mais un instrument des dieux. Pourquoi chercher en lui des passions? il n'a pas le droit d'en avoir, ou il doit les refouler au fond de son coeur,

Multa gemens multoque animum labefactus amore, Jussa tamen Divum insequitur.

Déjà dans Homère Énée était un personnage sacré, un grand prêtre, que le peuple « vénérait à l'égal d'un dieu », et que Jupiter préférait à Hector. Dans Virgile il est le gardien et le sauveur des dieux troyens. Pendant la nuit qui a consommé la ruine de la ville, Hector lui est apparu en songe. « Troie, lui a-t-il dit, te confie ses dieux; cherche-leur une nouvelle ville. » Et en même temps il lui a remis les choses saintes, les statuettes protectrices et le feu du foyer qui ne doit pas s'éteindre. Ce songe n'est pas un ornement placé là par la fantaisie du poëte. Il est, au contraire, le fondement sur lequel repose le poëme tout entier; car c'est par lui qu'Énée est devenu le dépositaire des dieux de la cité et que sa mission sainte lui a été révélée.

La ville de Troie a péri, mais non pas la cité troyenne; grâce à Énée, le foyer n'est pas éteint, et les dieux ont encore un culte. La cité et les dieux fuient avec Énée; ils parcourent les mers et cherchent une contrée où il leur soit donné de s'arrêter,

Considere Teucros Errantesque Deos agitataque numina Trojae.

Énée cherche une demeure fixe, si petite qu'elle soit, pour ses dieux paternels,

Dis sedem exiguam patriis.

Mais le choix de cette demeure, à laquelle la destinée de la cité sera liée pour toujours, ne dépend pas des hommes; il appartient aux dieux. Énée consulte les devins et interroge les oracles. Il ne marque pas lui-même sa route et son but; il se laisse diriger par la divinité:

Italiam non sponte sequor.

Il voudrait s'arrêter en Thrace, en Crète, en Sicile, à Carthage avec Didon; *fata obstant*. Entre lui et son désir du repos, entre lui et son amour, vient toujours se placer l'arrêt des dieux, la parole révélée, *fata*.

Il ne faut pas s'y tromper: le vrai héros du poëme n'est pas Énée; ce sont les dieux de Troie, ces mêmes dieux qui doivent être un jour ceux de Rome. Le sujet de l'*Enéide*, c'est la lutte des dieux romains contre une divinité hostile. Des obstacles de toute nature pensent les arrêter,

Tantae mons erat romanam condere gentem!

Peu s'en faut que la tempête ne les engloutisse ou que l'amour d'une femme ne les enchaîne. Mais ils triomphent de tout et arrivent au but marqué,

Fata viam inveniunt.

Voilà ce qui devait singulièrement éveiller l'intérêt des Romains. Dans ce poëme ils se voyaient, eux, leur fondateur, leur ville, leurs institutions, leurs croyances, leur empire. Car sans ces dieux la cité romaine n'existerait pas.

CHAPITRE VI

LES DIEUX DE LA CITÉ.

Il ne faut pas perdre de vue que, chez les anciens, ce qui faisait le lien de toute société, c'était un culte. De même qu'un autel domestique tenait groupés autour de lui les membres d'une famille, de même la cité était la réunion de ceux qui avaient les mêmes dieux protecteurs et qui accomplissaient l'acte religieux au même autel.

Cet autel de la cité était renfermé dans l'enceinte d'un bâtiment que les Grecs appelaient prytanée et que les Romains appelaient temple de Vesta.

Il n'y avait rien de plus sacré dans une ville que cet autel, sur lequel le feu sacré était toujours entretenu. Il est vrai que cette grande vénération s'affaiblit de bonne heure en Grèce, parce que l'imagination grecque se laissa entraîner du côté des plus beaux temples, des plus riches légendes et des plus belles statues. Mais elle ne s'affaiblit jamais à Rome. Les Romains ne cessèrent pas d'être convaincus que le destin de la cité était attaché à ce foyer qui représentait leurs dieux. Le respect qu'on portait aux Vestales prouve l'importance de leur sacerdoce. Si un consul en rencontrait une sur son passage, il faisait abaisser ses faisceaux devant elle. En revanche, si l'une d'elles laissait le feu s'éteindre ou souillait le culte en manquant à son devoir de chasteté, la ville qui se croyait alors menacée de perdre ses dieux, se vengeait sur la Vestale en l'enterrant toute vive.

Un jour, le temple de Vesta faillit être brûlé dans un incendie des maisons environnantes. Rome fut en alarmes, car elle sentit tout son avenir en péril. Le danger passé, le Sénat prescrivit au consul de rechercher les auteurs de l'incendie, et le consul porta aussitôt ses accusations contre quelques habitants de Capoue qui se trouvaient alors à Rome. Ce n'était pas qu'il eût aucune preuve contre eux, mais il faisait ce raisonnement: « Un incendie a menacé notre foyer; cet incendie qui devait briser notre grandeur et arrêter nos destinées, n'a pu être allumé que par la main de nos plus cruels ennemis. Or nous n'en avons pas de plus acharnés que les habitants de Capoue, cette ville qui est présentement l'alliée d'Annibal et qui aspire à être à notre place la capitale de l'Italie. Ce sont donc ces hommes-là qui ont voulu détruire notre temple de Vesta, notre foyer éternel, ce gage et ce garant de notre grandeur future. » Ainsi un consul, sous l'empire de ses idées religieuses, croyait que les ennemis de Rome n'avaient pas pu trouver de moyen plus sûr de la vaincre que de détruire son foyer. Nous voyons là les croyances des anciens; le foyer public était le sanctuaire de la cité; c'était ce qui l'avait fait naître et ce qui la conservait.

De même que le culte du foyer domestique était secret et que la famille seule avait droit d'y prendre part, de même le culte du foyer public était caché aux étrangers. Nul, s'il n'était citoyen, ne pouvait assister au sacrifice. Le seul regard de l'étranger souillait l'acte religieux.

Chaque cité avait des dieux qui n'appartenaient qu'à elle. Ces dieux étaient ordinairement de même nature que ceux de la religion primitive des familles. On les appelait Lares, Pénates, Génies, Démons, Héros; sous tous ces noms, c'étaient des âmes humaines divinisées par la mort. Car nous avons vu que, dans la race indo-européenne, l'homme avait eu d'abord le culte de la force invisible et immortelle qu'il sentait en lui. Ces Génies ou ces Héros étaient la plupart du temps les ancêtres du peuple. Les corps étaient enterrés soit dans la ville même, soit sur son territoire, et comme, d'après les croyances que nous avons montrées plus haut, l'âme ne quittait pas le corps, il en résultait que ces morts divins étaient attachés au sol où leurs ossements étaient enterrés. Du fond de leurs tombeaux ils veillaient sur la cité; ils protégeaient le pays, et ils en étaient en quelque sorte les chefs et les maîtres. Cette expression de chefs du pays, appliquée aux morts, se trouve dans un oracle adressé par la Pythie à Solon: « Honore d'un culte les chefs du pays, les morts qui habitent sous terre. » Ces opinions venaient de la très-grande puissance que les antiques générations avaient attribuée à l'âme humaine après la mort. Tout homme qui avait rendu un grand service à la cité, depuis celui qui l'avait fondée jusqu'à celui qui lui avait donné une victoire ou avait amélioré ses lois, devenait un dieu pour cette cité. Il n'était même pas nécessaire d'avoir été un grand homme ou un bienfaiteur; il suffisait d'avoir frappé vivement l'imagination de ses contemporains et de s'être rendu l'objet d'une tradition populaire, pour devenir un héros, c'est-à-dire, un mort puissant dont la protection fût à désirer et la colère à craindre. Les Thébains continuèrent pendant dix siècles à offrir des sacrifices à Étéocle et à Polynice. Les habitants d'Acanthe rendaient un culte à un Perse qui était mort chez eux pendant l'expédition de Xerxès. Hippolyte était vénéré comme dieu à Trézène. Pyrrhus, fils d'Achille, était un dieu à Delphes, uniquement parce qu'il y était mort et y était enterré. Crotone rendait un culte à un héros par le seul motif qu'il avait été de son vivant le plus bel homme de la ville. Athènes adorait comme un de ses protecteurs Eurysthée, qui était pourtant un Argien; mais Euripide nous explique la naissance de ce culte, quand il fait paraître sur la scène Eurysthée, près de mourir et lui fait dire aux Athéniens: « Ensevelissez-moi dans l'Attique; je vous serai propice, et dans le sein de la terre je serai pour votre pays un hôte protecteur. » Toute la tragédie d'*Édipe à Colone* repose sur ces croyances: Athènes et Thèbes se disputent le corps d'un homme qui va mourir et qui va devenir un dieu.

C'était un grand bonheur pour une cité de posséder des morts quelque peu marquants. Mantinée parlait avec orgueil des ossements d'Arcas, Thèbes de ceux de Géryon, Messène de ceux d'Aristomène. Pour se procurer ces reliques précieuses on usait quelquefois de ruse. Hérodote raconte par quelle supercherie les Spartiates dérobèrent les ossements d'Oreste. Il est vrai que ces ossements, auxquels était attachée l'âme du héros, donnèrent immédiatement une victoire aux Spartiates. Dès qu'Athènes eut acquis de la puissance, le premier usage qu'elle en fit, fut de s'emparer des ossements de Thésée qui avait été enterré dans l'île de Scyros, et de leur élever un temple dans la ville, pour augmenter le nombre de ses dieux protecteurs.

Outre ces héros et ces génies, les hommes avaient des dieux d'une autre espèce, comme Jupiter, Junon, Minerve, vers lesquels le spectacle de la nature avait porté leur pensée. Mais nous avons vu que ces créations de l'intelligence humaine avaient eu longtemps le caractère de divinités domestiques ou locales. On ne conçut pas d'abord ces dieux comme veillant sur le genre humain tout entier; on crut que chacun d'eux appartenait en propre à une famille ou à une cité.

Ainsi il était d'usage que chaque cité, sans compter ses héros, eût encore un Jupiter, une Minerve ou quelque autre divinité qu'elle avait associée à ses premiers pénates et à son foyer. Il y avait ainsi en Grèce et en Italie une foule de divinités *poliades*. Chaque ville avait ses dieux qui l'habitaient.

Les noms de beaucoup de ces divinités sont oubliés; c'est par hasard qu'on a conservé le souvenir du dieu Satrapès, qui appartenait à la ville d'Élis, de la déesse Dindymène à Thèbes, de Soteira à Aegium, de Britomartis en Crète, de Hyblaea à Hybla. Les noms de Zeus, Athéné, Héra, Jupiter, Minerve, Neptune, nous sont plus connus, et nous savons qu'ils étaient souvent appliqués à ces divinités poliades. Mais de ce que deux villes donnaient à leur dieu le même nom, gardons-nous de conclure qu'elles adoraient le même dieu. Il y avait une Athéné à Athènes et il y en avait une à Sparte; c'étaient deux déesses. Un grand nombre de cités avaient un Jupiter pour divinité poliade. C'étaient autant de Jupiters qu'il y avait de villes. Dans la légende de la guerre de Troie on voit une Pallas qui combat pour les Grecs, et il y a chez les Troyens une autre Pallas qui reçoit un culte et qui protége ses adorateurs. Dira-t-on que c'était la même divinité qui figurait dans les deux armées? Non certes; car les anciens n'attribuaient pas à leurs dieux le don d'ubiquité. Les villes d'Argos et de Samos avaient chacune une Héra poliade; ce n'était pas la même déesse, car elle était représentée dans les deux villes avec des attributs bien différents. Il y avait à Rome une Junon; à cinq lieues de là, la ville de Veii en avait une autre; c'était si peu la même divinité, que nous voyons le dictateur Camille, assiégeant Veii, s'adresser à la Junon de l'ennemi pour la conjurer d'abandonner la ville étrusque et de passer dans son camp. Maître de la ville, il prend la statue, bien persuadé qu'il prend en même temps une déesse, et il la transporte dévotement à Rome. Rome eut dès lors deux Junons protectrices. Même histoire, quelques années après, pour un Jupiter, qu'un autre dictateur apporta de Préneste, alors que Rome en avait déjà trois ou quatre chez elle.

La ville qui possédait en propre une divinité, ne voulait pas qu'elle protégeât les étrangers, et ne permettait pas qu'elle fût adorée par eux. La plupart du temps un temple n'était accessible qu'aux citoyens. Les Argiens seuls avaient le droit d'entrer dans le temple de la Héra d'Argos. Pour pénétrer dans celui de l'Athéné d'Athènes, il fallait être Athénien. Les Romains, qui adoraient chez eux deux Junons, ne pouvaient pas entrer dans le temple d'une troisième Junon qu'il y avait dans la petite ville de Lanuvium.

Il faut bien reconnaître que les anciens ne se sont jamais représenté Dieu comme un être unique qui exerce son action sur l'univers. Chacun de leurs innombrables dieux avait son petit domaine; à l'un une famille, à l'autre une tribu, à celui-ci une cité: c'était là le monde qui suffisait à la providence de chacun d'eux. Quant au Dieu du genre humain, quelques philosophes ont pu le deviner, les mystères d'Eleusis ont pu le faire entrevoir aux plus intelligents de leurs initiés, mais le vulgaire n'y a jamais cru. Pendant longtemps l'homme n'a compris l'être divin que comme une force qui le protégeait personnellement, et chaque homme ou chaque groupe d'hommes a voulu avoir son dieu. Aujourd'hui encore, chez les descendants de ces Grecs, on voit des paysans grossiers prier les saints avec ferveur; mais on doute s'ils ont l'idée de Dieu; chacun d'eux veut avoir parmi ces saints un protecteur particulier, une providence spéciale. A Naples, chaque quartier a sa madone; le lazzarone s'agenouille devant celle de sa rue, et il insulte celle de la rue d'à côté; il n'est pas rare de voir deux facchini se quereller et se battre à coups de couteau pour les mérites de leurs deux madones. Ce sont là des exceptions aujourd'hui, et on ne les rencontre que chez de certains peuples et dans de certaines classes. C'était la règle chez les anciens.

Chaque cité avait son corps de prêtres qui ne dépendait d'aucune autorité étrangère. Entre les prêtres de deux cités il n'y avait nul lien, nulle communication, nul échange d'enseignement ni de rites. Si l'on passait d'une ville à une autre, on trouvait d'autres dieux, d'autres dogmes, d'autres cérémonies. Les anciens avaient des livres liturgiques; mais ceux d'une ville ne ressemblaient pas à ceux d'une autre. Chaque cité avait son recueil de prières et de pratiques, qu'elle tenait fort secret; elle eût cru compromettre sa religion et sa destinée si elle l'eût laissé voir aux étrangers. Ainsi, la religion était toute locale, toute civile, à prendre ce mot dans le sens ancien, c'est-à-dire spéciale à chaque cité.

En général, l'homme ne connaissait que les dieux de sa ville, n'honorait et ne respectait qu'eux. Chacun pouvait dire ce que, dans une tragédie d'Eschyle, un étranger dit aux Argiennes: « Je ne crains pas les dieux de votre pays, et je ne leur dois rien. »

Chaque ville attendait son salut de ses dieux. On les invoquait dans le danger, on les remerciait d'une victoire. Souvent aussi on s'en prenait à eux d'une défaite; on leur reprochait d'avoir mal rempli leur office de défenseurs de la ville, on allait quelquefois jusqu'à renverser leurs autels et jeter des pierres contre leurs temples.

Ordinairement ces dieux se donnaient beaucoup de peine pour la ville dont ils recevaient un culte, et cela était bien naturel; ces dieux étaient avides d'offrandes, et ils ne recevaient de victimes que de leur ville. S'ils voulaient la continuation des sacrifices et des hécatombes, il fallait bien qu'ils veillassent au salut de la cité. Voyez dans Virgile comme Junon « fait effort et travaille » pour que sa Carthage obtienne un jour l'empire du monde. Chacun de ces dieux, comme la Junon de Virgile, avait à coeur la grandeur de sa cité. Ces dieux avaient mêmes intérêts que les hommes leurs concitoyens. En temps de guerre ils marchaient au combat au milieu d'eux. On voit dans Euripide un personnage qui dit, à l'approche d'une bataille: « Les dieux qui combattent avec nous valent bien ceux qui sont du côté de nos ennemis. » Jamais les Éginètes n'entraient en campagne sans emporter avec eux les statues de leurs héros nationaux, les Éacides. Les Spartiates emmenaient dans toutes leurs expéditions les Tyndarides. Dans la mêlée, les dieux et les citoyens se soutenaient réciproquement, et quand on était vainqueur, c'est que tous avaient fait leur devoir.

Si une ville était vaincue, on croyait que ses dieux étaient vaincus avec elle. Si une ville était prise, ses dieux eux-mêmes étaient captifs.

Il est vrai que sur ce dernier point les opinions étaient incertaines et variaient. Beaucoup étaient persuadés qu'une ville ne pouvait jamais être prise tant que ses dieux y résidaient. Lorsque Énée voit les Grecs maîtres de Troie, il s'écrie que les dieux de la ville sont partis, désertant leurs temples et leurs autels. Dans Eschyle, le choeur des Thébaines exprime la même croyance lorsque, à l'approche de l'ennemi, il conjure les dieux de ne pas quitter la ville.

En vertu de cette opinion il fallait, pour prendre une ville, en faire sortir les dieux. Les Romains employaient pour cela une certaine formule qu'ils avaient dans leurs rituels, et que Macrobe nous a conservée: « Toi, ô très-grand, qui as sous ta protection cette cité, je te prie, je t'adore, je te demande en grâce d'abandonner cette ville et ce peuple, de quitter ces temples, ces lieux sacrés, et t'étant éloigné d'eux, de venir à Rome chez moi et les miens. Que notre ville, nos temples, nos lieux sacrés te soient plus agréables et plus chers; prends-nous sous ta garde. Si tu fais ainsi, je fonderai un temple en ton honneur. » Or les anciens étaient convaincus qu'il y avait des formules tellement efficaces et puissantes, que si on les prononçait exactement et sans y changer un seul mot, le dieu ne pouvait pas résister à la demande des hommes. Le dieu, ainsi appelé, passait donc à l'ennemi, et la ville était prise.

On trouve en Grèce les mêmes opinions et des usages analogues. Encore au temps de Thucydide, lorsqu'on assiégeait une ville, on ne manquait pas d'adresser une invocation à ses dieux pour qu'ils permissent qu'elle fût prise. Souvent, au lieu d'employer une formule pour attirer le dieu, les Grecs préféraient enlever adroitement sa statue. Tout le monde connaît la légende d'Ulysse dérobant la Pallas des Troyens. A une autre époque, les Éginètes, voulant faire la guerre à Épidaure, commencèrent par enlever deux statues protectrices de cette ville, et les transportèrent chez eux.

Hérodote raconte que les Athéniens voulaient faire la guerre aux Éginètes; mais l'entreprise était hasardeuse, car Égine avait un héros protecteur d'une grande puissance et d'une singulière fidélité; c'était Éacus. Les Athéniens, après avoir mûrement réfléchi, remirent à trente années l'exécution de leur dessein; en même temps ils élevèrent dans leur pays une chapelle à ce même Éacus, et lui vouèrent un culte. Ils étaient persuadés que si ce culte était continué sans interruption durant trente ans, le dieu n'appartiendrait plus aux Éginètes, mais aux Athéniens. Il leur semblait, en effet, qu'un dieu ne pouvait pas accepter pendant si longtemps de grasses victimes, sans devenir l'obligé de ceux qui les lui offraient. Éacus serait donc à la fin forcé d'abandonner les intérêts des Éginètes, et de donner la victoire aux Athéniens.

Il y a dans Plutarque cette autre histoire. Solon voulait qu'Athènes fût maîtresse de la petite île de Salamine, qui appartenait alors aux Mégariens. Il consulta l'oracle. L'oracle lui répondit: « Si tu veux conquérir l'île, il faut d'abord que tu gagnes la faveur des héros qui la protègent et qui l'habitent. » Solon obéit; au nom d'Athènes il offrit des sacrifices aux deux principaux héros salaminiens. Ces héros ne résistèrent pas aux dons qu'on leur faisait; ils passèrent du côté d'Athènes, et l'île, privée de protecteurs, fut conquise.

En temps de guerre, si les assiégeants cherchaient à s'emparer des divinités de la ville, les assiégés, de leur côté, les retenaient de leur mieux. Quelquefois on attachait le dieu avec des chaînes pour l'empêcher de déserter. D'autres fois on le cachait à tous les regards pour que l'ennemi ne pût pas le trouver, Ou bien encore on opposait à la formule par laquelle l'ennemi essayait de débaucher le dieu, une autre formule qui avait la vertu de le retenir. Les Romains avaient imaginé un moyen qui leur semblait plus sûr: ils tenaient secret le nom du principal et du plus puissant de leurs dieux protecteurs; ils pensaient que, les ennemis ne pouvant jamais appeler ce dieu par son nom, il ne passerait jamais de leur côté et que leur ville ne serait jamais prise.

On voit par là quelle singulière idée les anciens se faisaient des dieux. Ils furent très-longtemps sans concevoir la Divinité comme une puissance suprême. Chaque famille eut sa religion domestique, chaque cité sa religion nationale. Une ville était comme une petite Église complète, qui avait ses dieux, ses dogmes et son culte. Ces croyances nous semblent bien grossières; mais elles ont été celles du peuple le plus spirituel de ces temps-là, et elles ont exercé sur ce peuple et sur le peuple romain une si forte action que la plus grande partie de leurs lois, de leurs institutions et de leur histoire est venue de là.

CHAPITRE VII

LA RELIGION DE LA CITÉ.

1° Les repas publics.

On a vu plus haut que la principale cérémonie du culte domestique était un repas qu'on appelait sacrifice. Manger une nourriture préparée sur un autel, telle fut, suivant toute apparence, la première forme que l'homme ait donnée à l'acte religieux. Le besoin de se mettre en communion avec la divinité fut satisfait par ce repas auquel on la conviait, et dont on lui donnait sa part.

La principale cérémonie du culte de la cité était aussi un repas de cette nature; il devait être accompli en commun, par tous les citoyens, en l'honneur des divinités protectrices. L'usage de ces repas publics était universel en Grèce; on croyait que le salut de la cité dépendait de leur accomplissement.

L'Odyssée nous donne la description d'un de ces repas sacrés; neuf longues tables sont dressées pour le peuple de Pylos; à chacune d'elles cinq cents citoyens sont assis, et chaque groupe a immolé neuf taureaux en l'honneur des dieux. Ce repas, que l'on appelle le repas des dieux, commence et finit par des libations et des prières. L'antique usage des repas en commun est signalé aussi par les plus vieilles traditions athéniennes; on racontait qu'Oreste, meurtrier de sa mère, était arrivé à Athènes au moment même où la cité, réunie autour de son roi, accomplissait l'acte sacré.

Les repas publics de Sparte sont fort connus; mais on s'en fait ordinairement une idée qui n'est pas conforme à la vérité. On se figure les Spartiates vivant et mangeant toujours en commun, comme si la vie privée n'eût pas été connue chez eux. Nous savons, au contraire, par des textes anciens que les Spartiates prenaient souvent leurs repas dans leur maison, au milieu de leur famille. Les repas publics avaient lieu deux fois par mois, sans compter les jours de fête. C'étaient des actes religieux de même nature que ceux qui étaient pratiqués à Athènes, à Argos et dans toute la Grèce.

Outre ces immenses banquets, où tous les citoyens étaient réunis et qui ne pouvaient guère avoir lieu qu'aux fêtes solennelles, la religion prescrivait qu'il y eût chaque jour un repas sacré. A cet effet, quelques hommes choisis par la cité devaient manger ensemble, en son nom, dans l'enceinte du prytanée, en présence du foyer et des dieux protecteurs. Les Grecs étaient convaincus que, si ce repas venait à être omis un seul jour, l'État était menacé de perdre la faveur de ses dieux.

A Athènes, le sort désignait les hommes qui devaient prendre part au repas commun, et la loi punissait sévèrement ceux qui refusaient de s'acquitter de ce devoir. Les citoyens qui s'asseyaient à la table sacrée, étaient revêtus momentanément d'un caractère sacerdotal; on les appelait *parasites*; ce mot, qui devint plus tard un terme de mépris, commença par être un titre sacré. Au temps de Démosthènes, les parasites avaient disparu; mais les prytanes étaient encore astreints à manger ensemble au Prytanée. Dans toutes les villes il y avait des salles affectées, aux repas communs.

A voir comment les choses se passaient dans ces repas, on reconnaît bien une cérémonie religieuse. Chaque convive avait une couronne sur la tête; c'était en effet un antique usage de se couronner de feuilles ou de fleurs chaque fois qu'on accomplissait un acte solennel de la religion. « Plus on est paré de fleurs, disait-on, et plus on est sûr de plaire aux dieux; mais si tu sacrifies sans avoir une couronne, ils se détournent de toi. » « Une couronne, disait-on encore, est la messagère d'heureux augure que la prière envoie devant elle vers les dieux. » Les convives, pour la même raison, étaient vêtus de robes blanches; le blanc était la couleur sacrée chez les anciens, celle qui plaisait aux dieux.

Le repas commençait invariablement par une prière et des libations; on chantait des hymnes. La nature des mets et l'espèce de vin qu'on devait servir étaient réglées par le rituel dé chaque cité. S'écarter en quoi que ce fût de l'usage suivi par les ancêtres, présenter un plat nouveau ou altérer le rhythme des hymnes sacrés, était une impiété grave dont la cité entière eût été responsable envers ses dieux. La religion allait jusqu'à fixer la nature des vases qui devaient être employés, soit pour la cuisson des aliments, soit pour le service de la table. Dans telle ville, il fallait que le pain fût placé dans des corbeilles de cuivre; dans telle autre, on ne devait employer que des vases de terre. La forme même des pains était immuablement fixée.

Ces règles de la vieille religion ne cessèrent jamais d'être observées, et les repas sacrés gardèrent toujours leur simplicité primitive. Croyances, moeurs, état social, tout changea; ces repas demeurèrent immuables. Car les Grecs furent toujours très- scrupuleux observateurs de leur religion nationale.

Il est juste d'ajouter que, lorsque les convives avaient satisfait à la religion en mangeant les aliments prescrits, ils pouvaient immédiatement après commencer un autre repas plus succulent et mieux en rapport avec leur goût. C'était assez l'usage à Sparte.

La coutume des repas sacrés était en vigueur en Italie autant qu'en Grèce. Aristote dit qu'elle existait anciennement chez les peuples qu'on appelait Oenotriens, Osques, Ausones. Virgile en a consigné le souvenir, par deux fois, dans son Énéide; le vieux Latinus reçoit les envoyés d'Énée, non pas dans sa demeure, mais dans un temple « consacré par la religion des ancêtres; là ont lieu les festins sacrés après l'immolation des victimes; là tous les chefs de famille s'asseyent ensemble à de longues tables ». Plus loin, quand Énée arrive chez Évandre, il le trouve célébrant un sacrifice; le roi est au milieu de son peuple; tous sont couronnés de fleurs; tous, assis à la même table, chantent un hymne à la louange du dieu de la cité.

Cet usage se perpétua à Rome. Il y eut toujours une salle où les représentants des curies mangèrent en commun. Le sénat, à certains jours, faisait un repas sacré au Capitole. Aux fêtes solennelles, des tables étaient dressées dans les rues, et le peuple entier y prenait place. A l'origine, les pontifes présidaient à ces repas; plus tard on délégua ce soin à des prêtres spéciaux que l'on appela *epulones*.

Ces vieilles coutumes nous donnent une idée du lien étroit qui unissait les membres d'une cité. L'association humaine était une religion; son symbole était un repas fait en commun. Il faut se figurer une de ces petites sociétés primitives rassemblée tout entière, du moins les chefs de famille, à une même table, chacun vêtu de blanc et portant sur la tête une couronne; tous font ensemble la libation, récitent une même prière, chantent les mêmes hymnes, mangent la même nourriture préparée sur le même autel; au milieu d'eux les aïeux sont présents, et les dieux protecteurs partagent le repas. Ce qui fait le lien social, ce n'est ni l'intérêt, ni une convention, ni l'habitude; c'est cette communion sainte pieusement accomplie en présence des dieux de la cité.

2° Les fêtes et le calendrier.

De tout temps et dans toutes les sociétés, l'homme a voulu honorer ses dieux par des fêtes; il a établi qu'il y aurait des jours pendant lesquels le sentiment religieux régnerait seul dans son âme, sans être distrait par les pensées et les labeurs terrestres. Dans le nombre de journées qu'il a à à vivre, il a fait la part des dieux.

Chaque ville avait été fondée avec des rites qui, dans la pensée des anciens, avaient eu pour effet de fixer dans son enceinte les dieux nationaux. Il fallait que la vertu de ces rites fût rajeunie chaque année par une nouvelle cérémonie religieuse; on appelait cette fête le jour natal; tous les citoyens devaient la célébrer.

Tout ce qui était sacré donnait lieu à une fête. Il y avait la fête de l'enceinte de la ville, *amburbalia*, celle des limites du territoire, *ambarvalia*. Ces jours-là, les citoyens formaient une grande procession, vêtus de robes blanches et couronnes de feuillage; ils faisaient le tour de la ville ou du territoire en chantant des prières; en tête marchaient les prêtres, conduisant des victimes, qu'on immolait à la fin de la cérémonie.

Venait ensuite la fête du fondateur. Puis chacun des héros de la cité, chacune de ces âmes que les hommes invoquaient comme protectrices, réclamait un culte; Romulus avait le sien, et, Servius Tullius, et bien d'autres, jusqu'à la nourrice de Romulus et à la mère d'Évandre. Athènes avait, de même, la fête de Cécrops, celle d'Érechthée, celle de Thésée; et elle célébrait chacun des héros du pays, le tuteur de Thésée, et Eurysthée, et Androgée, et une foule d'autres.

Il y avait encore les fêtes des champs, celle du labour, celle des semailles, celle de la floraison, celle des vendanges. En Grèce comme en Italie, chaque acte de la vie de l'agriculteur était accompagné de sacrifices, et on exécutait les travaux en récitant des hymnes sacrés.

A Rome, les prêtres fixaient, chaque année, le jour où devaient commencer les vendanges, et le jour où l'on pouvait boire du vin nouveau. Tout était réglé par la religion. C'était la religion qui ordonnait de tailler la vigne; car elle disait aux hommes: Il y aura impiété à offrir aux dieux une libation avec le vin d'une vigne non taillée.

Toute cité avait une fête pour chacune des divinités qu'elle avait adoptées comme protectrices, et elle en comptait souvent beaucoup. A mesure que le culte d'une divinité nouvelle s'introduisait dans la cité, il fallait trouver dans l'année un jour à lui consacrer. Ce qui caractérisait ces fêtes religieuses, c'était l'interdiction du travail, l'obligation d'être joyeux, le chant et les jeux en public. La religion athénienne ajoutait: Gardez-vous dans ces jours-là de vous faire tort les uns aux autres.

Le calendrier n'était pas autre chose que la succession des fêtes religieuses. Aussi était-il établi par les prêtres. A Rome on fut longtemps sans le mettre en écrit; le premier jour du mois, le pontife, après avoir offert un sacrifice, convoquait le peuple, et disait quelles fêtes il y aurait dans le courant du mois. Cette convocation s'appelait *calatio*, d'où vient le nom de calendes qu'on donnait à ce jour-là.

Le calendrier n'était réglé ni sur le cours de la lune, ni sur le cours apparent du soleil; il n'était réglé que par les lois de la religion, lois mystérieuses que les prêtres connaissaient seuls. Quelquefois la religion prescrivait de raccourcir l'année, et quelquefois de l'allonger. On peut se faire une idée des calendriers primitifs, si l'on songe que chez les Albains le mois de mai avait douze jours, et que mars en avait trente-six.

On conçoit que le calendrier d'une ville ne devait ressembler en rien à celui d'une autre, puisque la religion n'était pas la même entre elles, et que les fêtes comme les dieux différaient. L'année n'avait pas la même durée d'une ville à l'autre. Les mois ne portaient pas le même nom; Athènes les nommait tout autrement que Thèbes, et Rome tout autrement que Lavinium. Cela vient de ce que le nom de chaque mois était tiré ordinairement de la principale fête qu'il contenait; or, les fêtes n'étaient pas les mêmes. Les cités ne s'accordaient pas pour faire commencer l'année à la même époque, ni pour compter la série de leurs années à partir d'une même date. En Grèce, la fête d'Olympie devint à la longue une date commune, mais qui n'empêcha pas chaque cité d'avoir son année particulière. En Italie, chaque ville comptait les années à partir du jour de sa fondation.

3° *Le cens.*

Parmi les cérémonies les plus importantes de la religion de la cité, il y en avait une qu'on appelait la purification. Elle avait lieu tous les ans à Athènes; on ne l'accomplissait à Rome que tous les quatre ans. Les rites qui y étaient observés et le nom même qu'elle portait, indiquent que cette cérémonie devait avoir pour vertu d'effacer les fautes commises par les citoyens contre le culte. En effet, cette religion si compliquée était une source de terreurs pour les anciens; comme la foi et la pureté des intentions étaient peu de chose, et que toute la religion consistait dans la pratique minutieuse d'innombrables prescriptions, on devait toujours craindre d'avoir commis quelque négligence, quelque omission ou quelque erreur, et l'on n'était jamais sûr de n'être pas sous le coup de la colère ou de la rancune de quelque dieu. Il fallait donc, pour rassurer le coeur de l'homme, un sacrifice expiatoire. Le magistrat qui était chargé de l'accomplir (c'était à Rome le censeur; avant le censeur c'était le consul; avant le consul, le roi), commençait par s'assurer, à l'aide des auspices, que les dieux agréeraient la cérémonie. Puis il convoquait le peuple par l'intermédiaire d'un héraut, qui se servait à cet effet d'une formule sacramentelle. Tous les citoyens, au jour dit, se réunissaient hors des murs; là, tous étant en silence, le magistrat faisait trois fois le tour de l'assemblée, poussant devant lui trois victimes, un mouton, un porc, un taureau (*suovetaurile*); la réunion de ces trois animaux constituait, chez les Grecs comme chez les Romains, un sacrifice expiatoire. Des prêtres et des victimaires suivaient la procession; quand le troisième tour était achevé, le magistrat prononçait une formule de prière, et il immolait les victimes. A partir de ce moment toute souillure était effacée, toute négligence dans le culte réparée, et la cité était en paix avec ses dieux.

Pour un acte de cette nature et d'une telle importance, deux choses étaient nécessaires: l'une était qu'aucun étranger ne se glissât parmi les citoyens, ce qui eût troublé et funesté la cérémonie; l'autre était que tous les citoyens y fussent présents, sans quoi la cité aurait pu garder quelque souillure. Il fallait donc que cette cérémonie religieuse fût précédée d'un dénombrement des citoyens. A Rome et à Athènes on les comptait avec un soin très-scrupuleux; il est probable que leur nombre était prononcé par le magistrat dans la formule de prière, comme il était ensuite inscrit dans le compte rendu que le censeur rédigeait de la cérémonie.

La perte du droit de cité était la punition de l'homme qui ne s'était pas fait inscrire. Cette sévérité s'explique. L'homme qui n'avait pas pris part à l'acte religieux, qui n'avait pas été purifié, pour qui la prière n'avait pas été dite ni la victime immolée, ne pouvait plus être un membre de la cité. Vis-à-vis des dieux, qui avaient été présents à la cérémonie, il n'était plus citoyen.

On peut juger de l'importance de cette cérémonie par le pouvoir exorbitant du magistrat qui y présidait. Le censeur, avant de commencer le sacrifice, rangeait le peuple suivant un certain ordre, ici les sénateurs, là les chevaliers, ailleurs les tribus. Maître absolu ce jour-là, il fixait la place de chaque homme dans les différentes catégories. Puis, tout le monde étant rangé suivant ses prescriptions, il accomplissait l'acte sacré. Or, il résultait de là qu'à partir de ce jour jusqu'à la lustration suivante, chaque homme conservait dans la cité le rang que le censeur lui avait assigné dans la cérémonie. Il était sénateur s'il avait compté ce jour-là parmi les sénateurs; chevalier, s'il avait figuré parmi les chevaliers. Simple citoyen, il faisait partie de la tribu dans les rangs de laquelle il avait été ce jour-là; et même, si le magistrat avait refusé de l'admettre dans la cérémonie, il n'était plus citoyen. Ainsi, la place que chacun avait occupée dans l'acte religieux et où les dieux l'avaient vu, était celle qu'il gardait dans la cité pendant quatre ans. L'immense pouvoir des censeurs est venu de là.

A cette cérémonie les citoyens seuls assistaient; mais leurs femmes, leurs enfants, leurs esclaves, leurs biens, meubles et immeubles, étaient, en quelque façon, purifiés en la personne du chef de famille.

C'est pour cela qu'avant le sacrifice chacun devait donner au censeur l'énumération des personnes et des choses qui dépendaient de lui.

La lustration était accomplie au temps d'Auguste avec la même exactitude et les mêmes rites que dans les temps les plus anciens. Les pontifes la regardaient encore comme un acte religieux; les hommes d'État y voyaient au moins une excellente mesure d'administration.

4° La religion dans l'assemblée, au Sénat, au tribunal, à l'armée; le triomphe.

Il n'y avait pas un seul acte de la vie publique dans lequel on ne fît intervenir les dieux. Comme on était sous l'empire de cette idée qu'ils étaient tour à tour d'excellents protecteurs ou de cruels ennemis, l'homme n'osait jamais agir sans être sûr qu'ils lui fussent favorables.

Le peuple ne se réunissait en assemblée qu'aux jours où la religion le lui permettait. On se souvenait que la cité avait éprouvé un désastre un certain jour; c'était, sans nul doute, que ce jour-là les dieux avaient été ou absents ou irrités; sans doute encore ils devaient l'être chaque année à pareille époque pour des raisons inconnues aux mortels. Donc ce jour était à tout jamais néfaste: on ne s'assemblait pas, on ne jugeait pas, la vie publique était suspendue.

A Rome, avant d'entrer en séance, il fallait que les augures assurassent que les dieux étaient propices. L'assemblée commençait par une prière que l'augure prononçait et que le consul répétait après lui. Il en était de même chez les Athéniens: l'assemblée commençait toujours par un acte religieux. Des prêtres offraient un sacrifice; puis on traçait un grand cercle en répandant à terre de l'eau lustrale, et c'était dans ce cercle sacré que les citoyens se réunissaient. Avant qu'aucun orateur prît la parole, une prière était prononcée devant le peuple silencieux. On consultait aussi les auspices, et s'il se manifestait dans le ciel quelque signe d'un caractère funeste, l'assemblée se séparait aussitôt.

La tribune était un lieu sacré, et l'orateur n'y montait qu'avec une couronne sur la tête.

Le lieu de réunion du sénat de Rome était toujours un temple. Si une séance avait été tenue ailleurs que dans un lieu sacré, les décisions prises eussent été entachées de nullité; car les dieux n'y eussent pas été présents. Avant toute délibération, le président offrait un sacrifice et prononçait une prière. Il y avait dans la salle un autel où chaque sénateur, en entrant, répandait une libation en invoquant les dieux.

Le sénat d'Athènes n'était guère différent. La salle renfermait aussi un autel, un foyer. On accomplissait un acte religieux au début de chaque séance. Tout sénateur en entrant s'approchait de l'autel et prononçait une prière. Tant que durait la séance, chaque sénateur portait une couronne sur la tête comme dans les cérémonies religieuses.

On ne rendait la justice dans la cité, à Rome comme à Athènes, qu'aux jours que la religion indiquait comme favorables. A Athènes, la séance du tribunal avait lieu près d'un autel et commençait par un sacrifice. Au temps d'Homère, les juges s'assemblaient « dans un cercle sacré ».

Festus dit que dans les rituels des Étrusques se trouvait l'indication de la manière dont on devait fonder une ville, consacrer un temple, distribuer les curies et les tribus en assemblée, ranger une armée en bataille. Toutes ces choses étaient marquées dans les rituels, parce que toutes ces choses touchaient à la religion.

Dans la guerre la religion était pour le moins aussi puissante que dans la paix. Il y avait dans les villes italiennes des collèges de prêtres appelés féciaux qui présidaient, comme les hérauts chez les Grecs, à toutes les cérémonies sacrées auxquelles donnaient lieu les relations internationales. Un fécial, la tête voilée, une couronne sur la tête, déclarait la guerre en prononçant une formule sacramentelle. En même temps, le consul en costume sacerdotal faisait un sacrifice et ouvrait solennellement le temple de la divinité la plus ancienne et la plus vénérée de l'Italie. Avant de partir pour une expédition, l'armée étant rassemblée, le général prononçait des prières et offrait un sacrifice. Il en était exactement de même à Athènes et à Sparte.

L'armée en campagne présentait l'image de la cité; sa religion la suivait. Les Grecs emportaient avec eux les statues de leurs divinités. Toute armée grecque ou romaine portait avec elle un foyer sur lequel on entretenait nuit et jour le feu sacré. Une armée romaine était accompagnée d'augures et de pullaires; toute armée grecque avait un devin.

Regardons une armée romaine au moment où elle se dispose au combat. Le consul fait amener une victime et la frappe de la hache; elle tombe: ses entrailles doivent indiquer la volonté des dieux. Un aruspice les examine, et si les signes sont favorables, le consul donne le signal de la bataille. Les dispositions les plus habiles, les circonstances les plus heureuses ne servent de rien si les dieux ne permettent pas le combat. Le fond de l'art militaire chez les Romains était de n'être jamais obligé de combattre malgré soi, quand les dieux étaient contraires. C'est pour cela qu'ils faisaient de leur camp, chaque jour, une sorte de citadelle.

Regardons maintenant une armée grecque, et prenons pour exemple la bataille de Platée. Les Spartiates sont rangés en ligne, chacun à son poste de combat; ils ont tous une couronne sur la tête, et les joueurs de flûte font entendre les hymnes religieux. Le roi, un peu en arrière des rangs, égorge les victimes. Mais les entrailles ne donnent pas les signes favorables, et il faut recommencer le sacrifice. Deux, trois, quatre victimes sont successivement immolées. Pendant ce temps, la cavalerie perse approche, lance ses flèches, tue un assez grand nombre de Spartiates. Les Spartiates restent immobiles, le bouclier posé à leurs pieds, sans même se mettre en défense contre les coups de l'ennemi. Ils attendent le signal des dieux. Enfin les victimes présentent les signes favorables; alors les Spartiates relèvent leurs boucliers, mettent l'épée à la main, combattent et sont vainqueurs.

Après chaque victoire on offrait un sacrifice; c'est là l'origine du triomphe qui est si connu chez les Romains et qui n'était pas moins usité chez les Grecs. Cette coutume était la conséquence de l'opinion qui attribuait la victoire aux dieux de la cité. Avant la bataille, l'armée leur avait adressé une prière analogue à celle qu'on lit dans Eschyle: « A vous, dieux qui habitez et possédez notre territoire, si nos armes sont heureuses et si notre ville est sauvée, je vous promets d'arroser vos autels du sang des brebis, de vous immoler des taureaux, et d'étaler dans vos temples saints les trophées conquis par la lance. » En vertu de cette promesse, le vainqueur devait un sacrifice. L'armée rentrait dans la ville pour l'accomplir; elle se rendait au temple en formant une longue procession et en chantant un hymne sacré, [Grec: thriambos].

A Rome la cérémonie était à peu près la même. L'armée se rendait en procession au principal temple de la ville; les prêtres marchaient en tête du cortège, conduisant des victimes. Arrivé au temple, le général immolait les victimes aux dieux. Chemin faisant, les soldats portaient tous une couronne, comme il convenait dans une cérémonie sacrée, et ils chantaient un hymne comme en Grèce. Il vint, à la vérité, un temps où les soldats ne se firent pas scrupule de remplacer l'hymne, qu'ils ne comprenaient plus, par des chansons de caserne ou des railleries contre leur général. Mais ils conservèrent du moins l'usage de répéter de temps en temps le refrain, *Io triumphe*. C'était même ce refrain qui donnait à la cérémonie son nom.

Ainsi en temps de paix et en temps de guerre la religion intervenait dans tous les actes. Elle était partout présente, elle enveloppait l'homme. L'âme, le corps, la vie privée, la vie publique, les repas, les fêtes, les assemblées, les tribunaux, les combats, tout était sous l'empire de cette religion de la cité. Elle réglait toutes les actions de l'homme, disposait de tous les instants de sa vie, fixait toutes ses habitudes. Elle gouvernait l'être humain avec une autorité si absolue qu'il ne restait rien qui fût en dehors d'elle.

Ce serait avoir une idée bien fausse de la nature humaine que de croire que cette religion des anciens était une imposture et pour ainsi dire une comédie. Montesquieu prétend que les Romains ne se sont donné un culte que pour brider le peuple. Jamais religion n'a eu une telle origine, et toute religion qui en est venue à ne se soutenir que par cette raison d'utilité publique, ne s'est pas soutenue longtemps. Montesquieu dit encore que les Romains assujettissaient la religion à l'État; c'est le contraire qui est vrai; il est impossible de lire quelques pages de Tite-Live sans en être convaincu. Ni les Romains ni les Grecs n'ont connu ces tristes conflits qui ont été si communs dans d'autres sociétés entre l'Église et l'État. Mais cela tient uniquement à ce qu'à Rome, comme à Sparte et à Athènes, l'État était asservi à la religion; ou plutôt, l'État et la religion étaient si complètement confondus ensemble qu'il était impossible non seulement d'avoir l'idée d'un conflit entre eux, mais même de les distinguer l'un de l'autre.

CHAPITRE VIII

LES RITUELS ET LES ANNALES.

Le caractère et la vertu de la religion des anciens n'était pas d'élever l'intelligence humaine à la conception de l'absolu, d'ouvrir à l'avide esprit une route éclatante au bout de laquelle il pût entrevoir Dieu. Cette religion était un ensemble mal lié de petites croyances, de petites pratiques, de rites minutieux. Il n'en fallait pas chercher le sens; il n'y avait pas à réfléchir, à se rendre compte. Le mot religion ne signifiait pas ce qu'il signifie pour nous; sous ce mot nous entendons un corps de dogmes, une doctrine sur Dieu, un symbole de foi sur les mystères qui sont en nous et autour de nous; ce même mot, chez les anciens, signifiait rites, cérémonies, actes de culte extérieur. La doctrine était peu de chose; c'étaient les pratiques qui étaient l'important; c'étaient elles qui étaient obligatoires et qui *liaient* l'homme (*ligare, religio*). La religion était un lien matériel, une chaîne qui tenait l'homme esclave. L'homme se l'était faite, et il était gouverné par elle. Il en avait peur et n'osait ni raisonner, ni discuter, ni regarder en face. Des dieux, des héros, des morts réclamaient de lui un culte matériel, et il leur payait sa dette, pour se faire d'eux des amis, et plus encore pour ne pas s'en faire des ennemis.

Leur amitié, l'homme y comptait peu. C'étaient des dieux envieux, irritables, sans attachement ni bienveillance, volontiers en guerre avec l'homme. Ni les dieux n'aimaient l'homme, ni l'homme n'aimait ses dieux. Il croyait à leur existence, mais il aurait voulu qu'ils n'existassent pas. Même ses dieux domestiques ou nationaux, il les redoutait, il craignait incessamment d'être trahi par eux. Encourir la haine de ces êtres invisibles était sa grande inquiétude. Il était occupé toute sa vie à les apaiser, *paces deorum quaerere*, dit le poète. Mais le moyen de les contenter? Le moyen surtout d'être sûr qu'on les contentait et qu'on les avait pour soi? On crut le trouver dans l'emploi de certaines formules. Telle prière, composée de tels mots, avait été suivie du succès qu'on avait demandé, c'était sans doute qu'elle avait été entendue du dieu, qu'elle avait eu de l'action sur lui, qu'elle avait été puissante, plus puissante que lui, puisqu'il n'avait pas pu lui résister. On conserva donc les termes mystérieux et sacrés de cette prière. Après le père, le fils les répéta. Dès qu'on sut écrire, on les mit en écrit. Chaque famille, du moins chaque famille religieuse, eut un livre où étaient contenues les formules dont les ancêtres s'étaient servis et auxquelles les dieux avaient cédé. C'était une arme que l'homme employait contre l'inconstance de ses dieux. Mais il n'y fallait changer ni un mot ni une syllabe, ni surtout le rhythme suivant lequel elle devait être chantée. Car alors la prière eût perdu sa force, et les dieux fussent restés libres.

Mais la formule n'était pas assez: il y avait encore des actes extérieurs dont le détail était minutieux et immuable. Les moindres gestes du sacrificateur et les moindres parties de son costume étaient réglés. En s'adressant à un dieu, il fallait avoir la tête voilée; à un autre, la tête découverte; pour un troisième, le pan de la toge devait être relevé sur l'épaule. Dans certains actes, il fallait avoir les pieds nus. Il y avait des prières qui n'avaient d'efficacité que si l'homme, après les avoir prononcées, pirouettait sur lui-même de gauche à droite. La nature de la victime, la couleur de son poil, la manière de l'égorger, la forme même du couteau, l'espèce de bois qu'on devait employer pour faire rôtir les chairs, tout cela était fixé pour chaque dieu par la religion de chaque famille ou de chaque cité. En vain le coeur le plus fervent offrait-il aux dieux les plus grasses victimes; si l'un des innombrables rites du sacrifice était négligé, le sacrifice était nul. Le moindre manquement faisait d'un acte sacré un acte impie. L'altération la plus légère troublait et bouleversait la religion de la patrie, et transformait les dieux protecteurs en autant d'ennemis cruels. C'est pour cela qu'Athènes était sévère pour le prêtre qui changeait quelque chose aux anciens rites; c'est pour cela que le sénat de Rome dégradait ses consuls et ses dictateurs qui avaient commis quelque erreur dans un sacrifice.

Toutes ces formules et ces pratiques avaient été léguées par les ancêtres qui en avaient éprouvé l'efficacité. Il n'y avait pas à innover. On devait se reposer sur ce que ces ancêtres avaient fait, et la suprême piété consistait à faire comme eux. Il importait assez peu que la croyance changeât: elle pouvait se modifier librement à travers les âges et prendre mille formes diverses, au gré de la réflexion des sages ou de l'imagination populaire. Mais il était de la plus grande importance que les formules ne tombassent pas en oubli et que les rites ne fussent pas modifiés. Aussi chaque cité avait-elle un livre où tout cela était conservé.

L'usage des livres sacrés était universel chez les Grecs, chez les Romains, chez les Étrusques. [3.] Quelquefois le rituel était écrit sur des tablettes de bois, quelquefois sur la toile; Athènes gravait ses rites sur des tables de cuivre, afin qu'ils fussent impérissables. Rome avait ses livres des pontifes, ses livres des augures, son livre des cérémonies, et son recueil des *Indigitamenta*. Il n'y avait pas de ville qui n'eût aussi une collection de vieux hymnes en l'honneur de ses dieux; en vain la langue changeait avec les moeurs et les croyances; les paroles et le rhythme restaient immuables, et dans les fêtes on continuait à chanter ces hymnes sans les comprendre.

Ces livres et ces chants, écrits par les prêtres, étaient gardés par eux avec un très-grand soin. On ne les montrait jamais aux étrangers. Révéler un rite ou une formule, c'eût été trahir la religion de la cité et livrer ses dieux à l'ennemi. Pour plus de précaution, on les cachait même aux citoyens, et les prêtres seuls pouvaient en prendre connaissance.

Dans la pensée de ces peuples, tout ce qui était ancien était respectable et sacré. Quand un Romain voulait dire qu'une chose lui était chère, il disait: Cela est antique pour moi. Les Grecs avaient la même expression. Les villes tenaient fort à leur passé, parce que c'était dans le passé qu'elles trouvaient tous les motifs comme toutes les règles de leur religion. Elles avaient besoin de se souvenir, car c'était sur des souvenirs et des traditions que tout leur culte reposait. Aussi l'histoire avait-elle pour les anciens beaucoup plus d'importance qu'elle n'en a pour nous. Elle a existé longtemps avant les Hérodote et les Thucydide; écrite ou non écrite, simple tradition orale ou livre, elle a été contemporaine de la naissance des cités. Il n'y avait pas de ville, si petite et obscure qu'elle fût, qui ne mît la plus grande attention à conserver le souvenir de ce qui s'était passé en elle. Ce n'était pas de la vanité, c'était de la religion. Une ville ne croyait pas avoir le droit de rien oublier; car tout dans son histoire se liait à son culte.

L'histoire commençait, en effet, par l'acte de la fondation, et disait le nom sacré du fondateur. Elle se continuait par la légende des dieux de la cité, des héros protecteurs. Elle enseignait la date, l'origine, la raison de chaque culte, et en expliquait les rites obscurs. On y consignait les prodiges que les dieux du pays avaient opérés et par lesquels ils avaient manifesté leur puissance, leur bonté, ou leur colère. On y décrivait les cérémonies par lesquelles les prêtres avaient habilement détourné un mauvais présage; ou apaisé les rancunes des dieux. On y mettait quelles épidémies avaient frappé la cité et par quelles formules saintes on les avait guéries, quel jour un temple avait été consacré et pour quel motif un sacrifice avait été établi. On y inscrivait tous les événements qui pouvaient se rapporter à la religion, les victoires qui prouvaient l'assistance des dieux et dans lesquelles on avait souvent vu ces dieux combattre, les défaites qui indiquaient leur colère et pour lesquelles il avait fallu instituer un sacrifice expiatoire. Tout cela était écrit pour l'enseignement et la piété des descendante. Toute cette histoire était la preuve matérielle de l'existence des dieux nationaux; car les événements qu'elle contenait étaient la forme visible sous laquelle ces dieux s'étaient révélés d'âge en âge. Même parmi ces faits il y en avait beaucoup qui donnaient lieu à des fêtes et à des sacrifices annuels. L'histoire de la cité disait au citoyen tout ce qu'il devait croire et tant ce qu'il devait adorer.

Aussi cette histoire était-elle écrite par des prêtres. Rome avait ses annales des pontifes; les prêtres sabins, les prêtres samnites, les prêtres étrusques en avaient de semblables. Chez les Grecs il nous est resté le souvenir des livres ou annales sacrées d'Athènes, de Sparte, de Delphes, de Naxos, de Tarente. Lorsque Pausanias parcourut la Grèce, au temps d'Adrien, les prêtres de chaque ville lui racontèrent les vieilles histoires locales; ils ne les inventaient pas; ils les avaient apprises dans leurs annales.

Cette sorte d'histoire était toute locale. Elle commençait à la fondation, parce que ce qui était antérieur à cette date n'intéressait en rien la cité; et c'est pourquoi les anciens ont si complètement ignoré leurs origines. Elle ne rapportait aussi que les événements dans lesquels la cité s'était trouvée engagée, et elle ne s'occupait pas du reste de la terre. Chaque cité avait son histoire spéciale, comme elle avait sa religion et son calendrier.

On peut croire que ces annales des villes étaient fort sèches, fort bizarres pour le fond et pour la forme. Elles n'étaient pas une oeuvre d'art, mais une oeuvre de religion. Plus tard sont venus les écrivains, les conteurs comme Hérodote, les penseurs comme Thucydide.

L'histoire est sortie alors des mains des prêtres et s'est transformée. Malheureusement, ces beaux et brillants écrits nous laissent encore regretter les vieilles annales des villes et tout ce qu'elles nous apprendraient sur les croyances et la vie intime des anciens. Mais ces livres, qui paraissent avoir été tenus secrets, qui ne sortaient pas des sanctuaires, dont on ne faisait pas de copie et que les prêtres seuls lisaient, ont tous péri, et il ne nous en est resté qu'un faible souvenir.

Il est vrai que ce souvenir a une grande valeur pour nous. Sans lui on serait peut-être en droit de rejeter tout ce que la Grèce et Rome nous racontent de leurs antiquités; tous ces récits, qui nous paraissent si peu vraisemblables, parce qu'ils s'écartent de nos habitudes et de notre manière de penser et d'agir, pourraient passer pour le produit de l'imagination des hommes. Mais ce souvenir qui nous est resté des vieilles annales, nous montre le respect pieux que les anciens avaient pour leur histoire. Chaque ville avait des archives où les faits étaient religieusement déposés à mesure qu'ils se produisaient. Dans ces livres sacrés chaque page était contemporaine de l'événement qu'elle racontait. Il était matériellement impossible d'altérer ces documents, car les prêtres en avaient la garde, et la religion était grandement intéressée à ce qu'ils restassent inaltérables. Il n'était même pas facile au pontife, à mesure qu'il en écrivait les lignes, d'y insérer sciemment des faits contraires à la vérité. Car on croyait que tout événement venait des dieux, qu'il révélait leur volonté, qu'il donnait lieu pour les générations suivantes à des souvenirs pieux et même à des actes sacrés; tout événement qui se produisait dans la cité faisait aussitôt partie de la religion de l'avenir. Avec de telles croyances, on comprend bien qu'il y ait eu beaucoup d'erreurs involontaires, résultat de la crédulité, de la prédilection pour le merveilleux, de la foi dans les dieux nationaux; mais le mensonge volontaire ne se conçoit pas; car il eût été impie; il eût violé la sainteté des annales et altéré la religion. Nous pouvons donc croire que dans ces vieux livres, si tout n'était pas vrai, du moins il n'y avait rien que le prêtre ne crût vrai. Or c'est, pour l'historien qui cherche à percer l'obscurité de ces vieux temps, un puissant motif de confiance, que de savoir que, s'il a affaire à des erreurs, il n'a pas affaire à l'imposture. Ces erreurs mêmes, ayant encore l'avantage d'être contemporaines des

vieux âges qu'il étudie, peuvent lui révéler, sinon le détail des
événements, du moins les croyances sincères des hommes.

Ces annales, à la vérité, étaient tenues secrètes; ni Hérodote ni Tite-
Live ne les lisaient. Mais plusieurs passages d'auteurs anciens
prouvent qu'il en transpirait quelque chose dans le public, et qu'il en
parvint des fragments à la connaissance des historiens.

Il y avait d'ailleurs, à côté des annales, documents écrits et
authentiques, une tradition orale qui se perpétuait parmi le peuple
d'une cité: non pas tradition vague et indifférente comme le sont les
nôtres, mais tradition chère aux villes, qui ne variait pas au gré de
l'imagination, et qu'on n'était pas libre de modifier; car elle faisait
partie du culte, et elle se composait de récits et de chants qui se
répétaient d'année en année dans les fêtes de la religion. Ces hymnes
sacrés et immuables fixaient les souvenirs et ravivaient
perpétuellement la tradition.

Sans doute, on ne peut pas croire que cette tradition eût l'exactitude
des annales. Le désir de louer les dieux pouvait être plus fort que
l'amour de la vérité. Pourtant elle devait être au moins le reflet des
annales, et se trouver ordinairement d'accord avec elles. Car les
prêtres qui rédigeaient et qui lisaient celles-ci, étaient les mêmes qui
présidaient aux fêtes où les vieux récits étaient chantés.

Il vint d'ailleurs un temps où ces annales furent divulguées; Rome
finit par publier les siennes; celles des autres villes italiennes furent
connues; les prêtres des villes grecques ne se firent plus scrupule de
raconter ce que les leurs contenaient. On étudia, on compulsa ces
monuments authentiques. Il se forma une école d'érudits, depuis
Varron et Verrius Flaccus, jusqu'à Aulu-Gelle et Macrobe. La
lumière se fit sur toute l'ancienne histoire. On corrigea quelques
erreurs qui s'étaient glissées dans la tradition, et que les historiens
de l'époque précédente avaient répétées; on sut, par exemple, que
Porsenna avait pris Rome, et que l'or avait été payé aux Gaulois.
L'âge de la critique historique commença. Mais il est bien digne de
remarque que cette critique, qui remontait aux sources, et étudiait
les annales, n'y ait rien trouvé qui lui ait donné le droit de rejeter
l'ensemble historique que les Hérodote et les Tite-Live avaient
construit.

CHAPITRE IX

GOUVERNEMENT DE LA CITÉ. LE ROI.

1° Autorité religieuse du roi.

Il ne faut pas se représenter une cité, à sa naissance, délibérant sur le gouvernement qu'elle va se donner, cherchant et discutant ses lois, combinant ses institutions. Ce n'est pas ainsi que les lois se trouvèrent et que les gouvernements s'établirent. Les institutions politiques de la cité naquirent avec la cité elle-même, le même jour qu'elle; chaque membre de la cité les portait en lui-même; car elles étaient en germe dans les croyances et la religion de chaque homme.

La religion prescrivait que le foyer eût toujours un prêtre suprême. Elle n'admettait pas que l'autorité sacerdotale fût partagée. Le foyer domestique avait un grand-prêtre, qui était le père de famille; le foyer de la curie avait son curion ou phratriarque; chaque tribu avait de même son chef religieux, que les Athéniens appelaient le roi de la tribu. La religion de la cité devait avoir aussi son prêtre suprême.

Ce prêtre du foyer public portait le nom de roi. Quelquefois on lui donnait d'autres titres; comme il était, avant tout, prêtre du prytanée, les Grecs l'appelaient volontiers prytane; quelquefois encore ils l'appelaient archonte. Sous ces noms divers, roi, prytane, archonte, nous devons voir un personnage qui est surtout le chef du culte; il entretient le foyer, il fait le sacrifice et prononce la prière, il préside aux repas religieux.

Il importe de prouver que les anciens rois de l'Italie et de la Grèce étaient des prêtres. On lit dans Aristote: « Le soin des sacrifices publics de la cité appartient, suivant la coutume religieuse, non à des prêtres spéciaux, mais à ces hommes qui tiennent leur dignité du foyer, et que l'on appelle, ici rois, là prytanes, ailleurs archontes. » Ainsi parle Aristote, l'homme qui a le mieux connu les constitutions des cités grecques. Ce passage si précis prouve d'abord que les trois mots roi, prytane, archonte, ont été longtemps synonymes; cela est si vrai, qu'un ancien historien, Charon de Lampsaque, écrivant un livre sur les rois de Lacédémone, l'intitula: *Archontes et prytanes des Lacédémoniens.* Il prouve encore que le personnage que l'on appelait indifféremment de l'un de ces trois noms, peut-être de tous les trois à la fois, était le prêtre de la cité, et que le culte du foyer public était la source de sa dignité et de sa puissance.

Ce caractère sacerdotal de la royauté primitive est clairement indiqué par les écrivains anciens. Dans Eschyle, les filles de Danaüs s'adressent au roi d'Argos en ces termes: « Tu es le prytane suprême, et c'est toi qui veilles sur le foyer de ce pays. » Dans Euripide, Oreste, meurtrier de sa mère, dit à Ménélas: « Il est juste que, fils d'Agamemnon, je règne dans Argos »; et Ménélas lui répond: « As-tu donc en mesure, toi meurtrier, de toucher les vases d'eau lustrale pour les sacrifices? Es-tu en mesure d'égorger les victimes? » La principale fonction d'un roi était donc d'accomplir les cérémonies religieuses. Un ancien roi de Sicyone fut déposé, parce que, sa main ayant été souillée par un meurtre, il n'était plus en état d'offrir les sacrifices. Ne pouvant plus être prêtre, il ne pouvait plus être roi.

Homère et Virgile nous montrent les rois occupés sans cesse de cérémonies sacrées. Nous savons par Démosthènes que les anciens rois de l'Attique faisaient eux-mêmes tous les sacrifices qui étaient prescrits par la religion de la cité, et par Xénophon que les rois de Sparte étaient les chefs de la religion lacédémonienne. Les lucumons étrusques étaient à la fois des magistrats, des chefs militaires et des pontifes.

Il n'en fut pas autrement des rois de Rome. La tradition les représente toujours comme des prêtres. Le premier fut Romulus, qui était instruit dans la science augurale, et qui fonda la ville suivant des rites religieux. Le second fut Numa; il remplissait, dit Tite-Live, la plupart des fonctions sacerdotales; mais il prévit que ses successeurs, ayant souvent des guerres à soutenir, ne pourraient pas toujours vaquer au soin des sacrifices, et il institua les flamines pour remplacer les rois, quand ceux-ci seraient absents de Rome. Ainsi, le sacerdoce romain n'était qu'une sorte d'émanation de la royauté primitive.

Ces rois-prêtres étaient intronisés avec un cérémonial religieux. Le nouveau roi, conduit sur la cime du mont Capitolin, s'asseyait sur un siége de pierre, le visage tourné vers le midi. A sa gauche était assis un augure, la tête couverte de bandelettes sacrées, et tenant à la main le bâton augural. Il figurait dans le ciel certaines lignes, prononçait une prière, et posant la main sur la tête du roi, il suppliait les dieux de marquer par un signe visible que ce chef leur était agréable. Puis, dès qu'un éclair ou le vol des oiseaux avait manifesté l'assentiment des dieux, le nouveau roi prenait possession de sa charge. Tite-Live décrit cette cérémonie pour l'installation de Numa; Denys assure qu'elle eut lieu pour tous les rois, et après les rois, pour les consuls; il ajoute qu'elle était pratiquée encore de son temps. Un tel usage avait sa raison d'être: comme le roi allait être le chef suprême de la religion et que de ses prières et de ses sacrifices le salut de la cité allait dépendre, on avait bien le droit de s'assurer d'abord que ce roi était accepté par les dieux.

Les anciens ne nous renseignent pas sur la manière dont les rois de Sparte étaient élus; mais nous pouvons tenir pour certain qu'on faisait intervenir dans l'élection la volonté des dieux. On reconnaît même à de vieux usages, qui ont duré jusqu'à la fin de l'histoire de Sparte, que la cérémonie par laquelle on les consultait était renouvelée tous les neuf ans; tant on craignait que le roi ne perdît les bonnes grâces de la divinité. « Tous les neuf ans, dit Plutarque, les éphores choisissent une nuit très-claire, mais sans lune, et ils s'asseyent en silence, les yeux fixés vers le ciel. Voient-ils une étoile traverser d'un côté du ciel à l'autre, cela leur indique que leurs rois sont coupables de quelque faute envers les dieux. Ils les suspendent alors de la royauté jusqu'à ce qu'un oracle venu de Delphes les relève de leur déchéance. »

2° *Autorité politique du roi.*

De même que dans la famille l'autorité était inhérente au sacerdoce, et que le père, à titre de chef du culte domestique, était en même temps juge et maître, de même, le grand-prêtre de la cité en fut aussi le chef politique. L'autel, suivant l'expression d'Aristote, lui conféra la dignité et la puissance. Cette confusion du sacerdoce et du pouvoir n'a rien qui doive surprendre. On la trouve à l'origine de presque toutes les sociétés, soit que, dans l'enfance des peuples, il n'y ait que la religion qui puisse obtenir d'eux l'obéissance, soit que notre nature éprouve le besoin de ne se soumettre jamais à d'autre empire qu'à celui d'une idée morale.

Nous avons dit combien la religion de la cité se mêlait à toutes choses. L'homme se sentait à tout moment dépendre de ses dieux, et par conséquent de ce prêtre qui était placé entre eux et lui. C'était ce prêtre qui veillait sur le feu sacré; c'était, comme dit Pindare, son culte de chaque jour qui sauvait chaque jour la cité. C'était lui qui connaissait les formules de prière auxquelles les dieux ne résistaient pas; au moment du combat, c'était lui qui égorgeait la victime et qui attirait sur l'armée la protection des dieux. Il était bien naturel qu'un homme armé d'une telle puissance fût accepté et reconnu comme chef. De ce que la religion se mêlait au gouvernement, à la justice, à la guerre, il résulta nécessairement que le prêtre fut en même temps magistrat, juge et chef militaire. « Les rois de Sparte, dit Aristote, ont trois attributions: ils font les sacrifices, ils commandent à la guerre, et ils rendent la justice. » Denys d'Halicarnasse s'exprime dans les mêmes termes au sujet des rois de Rome.

Les règles constitutives de cette monarchie furent très-simples, et il ne fut pas nécessaire de les chercher longtemps; elles découlèrent des règles mêmes du culte. Le fondateur qui avait posé le foyer sacré en fut naturellement le premier prêtre. L'hérédité était la règle constante, à l'origine, pour la transmission de ce culte; que le foyer fût celui d'une famille ou qu'il fût celui d'une cité, la religion prescrivait que le soin de l'entretenir passât toujours du père au fils. Le sacerdoce fut donc héréditaire, et le pouvoir avec lui.

Un trait bien connu de l'ancienne histoire de la Grèce prouve d'une manière frappante que la royauté appartint, à l'origine, à l'homme qui avait posé le foyer de la cité. On sait que la population des colonies ioniennes ne se composait pas d'Athéniens, mais qu'elle était un mélange de Pélasges, d'Éoliens, d'Abantes, de Cadméens. Pourtant les foyers des cités nouvelles furent tous posés par des membres de la famille religieuse de Codrus. Il en résulta que ces colons, au lieu d'avoir pour chefs des hommes de leur race, les Pélasges un Pélasge, les Abantes un Abante, les Éoliens un Éolien, donnèrent tous la royauté, dans leurs douze villes, aux Codrides. Assurément ces personnages n'avaient pas acquis leur autorité par la force, car ils étaient presque les seuls Athéniens qu'il y eût dans cette nombreuse agglomération. Mais comme ils avaient posé les foyers, c'était à eux qu'il appartenait de les entretenir. La royauté leur fut donc déférée sans conteste, et resta héréditaire dans leur famille. Battos avait fondé Cyrène en Afrique: les Battiades y furent longtemps en possession de la dignité royale. Protis avait fondé Marseille: les Protiades, de père en fils, y exercèrent le sacerdoce et y jouirent de grands privilèges.

Ce ne fut donc pas la force qui fit les chefs et les rois dans ces anciennes cités. Il ne serait pas vrai de dire que le premier qui y fut roi fut un soldat heureux. L'autorité découla du culte du foyer. La religion fit le roi dans la cité, comme elle avait fait le chef de famille dans la maison. La croyance, l'indiscutable et impérieuse croyance, disait que le prêtre héréditaire du foyer était le dépositaire des choses saintes et le gardien des dieux. Comment hésiter à obéir à un tel homme? Un roi était un être sacré; [Grec: Basileis hieroi], dit Pindare. On voyait en lui, non pas tout à fait un dieu, mais du moins « l 'homme le plus puissant pour conjurer la colère des dieux », l'homme sans le secours duquel nulle prière n'était efficace, nul sacrifice n'était accepté.

Cette royauté demi-religieuse et demi-politique s'établit dans toutes les villes, dès leur naissance, sans efforts de la part des rois, sans résistance de la part des sujets. Nous ne voyons pas à l'origine des peuples anciens les fluctuations et les luttes qui marquent le pénible enfantement des sociétés modernes. On sait combien de temps il a fallu, après la chute de l'empire romain, pour retrouver les règles d'une société régulière. L'Europe a vu durant des siècles plusieurs principes opposés se disputer le gouvernement des peuples, et les peuples se refuser quelquefois à toute organisation sociale. Un tel spectacle ne se voit ni dans l'ancienne Grèce ni dans l'ancienne Italie; leur histoire ne commence pas par des conflits; les révolutions n'ont paru qu'à la fin. Chez ces populations, la société s'est formée lentement, longuement, par degrés, en passant de la famille à la tribu et de la tribu à la cité, mais sans secousses et sans luttes. La royauté s'est établie tout naturellement, dans la famille d'abord, dans la cité plus tard. Elle ne fut pas imaginée par l'ambition de quelques-uns; elle naquit d'une nécessité qui était manifeste aux yeux de tous. Pendant de longs siècles elle fut paisible, honorée, obéie. Les rois n'avaient pas besoin de la force matérielle; ils n'avaient ni armée ni finances; mais soutenue par des croyances qui étaient puissantes sur l'âme, leur autorité était sainte et inviolable.

Une révolution, dont nous parlerons plus loin, renversa la royauté dans toutes les villes. Mais en tombant elle ne laissa aucune haine dans le coeur des hommes. Ce mépris mêlé de rancune qui s'attache d'ordinaire aux grandeurs abattues, ne la frappa jamais. Toute déchue qu'elle était, le respect et l'affection des hommes restèrent attachés à sa mémoire. On vit même en Grèce une chose qui n'est pas très-commune dans l'histoire, c'est que dans les villes où la famille royale ne s'éteignit pas, non-seulement elle ne fut pas expulsée, mais les mêmes hommes qui l'avaient dépouillée du pouvoir, continuèrent à l'honorer. A Éphèse, à Marseille, à Cyrène, la famille royale, privée de sa puissance, resta entourée du respect des peuples et garda même le titre et les insignes de la royauté.

Les peuples établirent le régime républicain; mais le nom de roi, loin de devenir une injure, resta un titre vénéré. On a l'habitude de dire que ce mot était odieux et méprisé: singulière erreur! les Romains l'appliquaient aux dieux dans leurs prières. Si les usurpateurs n'osèrent jamais prendre ce titre, ce n'était pas qu'il fût odieux, c'était plutôt qu'il était sacré. En Grèce la monarchie fut maintes fois rétablie dans les villes; mais les nouveaux monarques ne se crurent jamais le droit de se faire appeler rois et se contentèrent d'être appelés tyrans. Ce qui faisait la différence de ces deux noms, ce n'était pas le plus ou le moins de qualités morales qui se trouvaient dans le souverain; on n'appelait pas roi un bon prince et tyran un mauvais. C'était la religion qui les distinguait l'un de l'autre. Les rois primitifs avaient rempli les fonctions de prêtres et avaient tenu leur autorité du foyer; les tyrans de l'époque postérieure n'étaient que des chefs politiques et ne devaient leur pouvoir qu'à la force ou à l'élection.

CHAPITRE X

LE MAGISTRAT.

La confusion de l'autorité politique et du sacerdoce dans le même personnage n'a pas cessé avec la royauté. La révolution qui a établi le régime républicain, n'a pas séparé des fonctions dont le mélange paraissait fort naturel et était alors la loi fondamentale de la société humaine. Le magistrat qui remplaça le roi fut comme lui un prêtre en même temps qu'un chef politique.

Quelquefois ce magistrat annuel porta le titre sacré de roi. Ailleurs le nom de prytane, qui lui fut conservé, indiqua sa principale fonction. Dans d'autres villes le titre d'archonte prévalut. A Thèbes, par exemple, le premier magistrat fut appelé de ce nom; mais ce que Plutarque dit de cette magistrature montre qu'elle différait peu d'un sacerdoce. Cet archonte, pendant le temps de sa charge, devait porter une couronne, comme il convenait à un prêtre; la religion lui défendait de laisser croître ses cheveux et de porter aucun objet en fer sur sa personne, prescriptions qui le font ressembler un peu aux flamines romains. La ville de Platée avait aussi un archonte, et la religion de cette cité ordonnait que, pendant tout le cours de sa magistrature, il fût vêtu de blanc, c'est-à-dire de la couleur sacrée.

Les archontes athéniens, le jour de leur entrée en charge, montaient à l'acropole, la tête couronnée de myrte, et ils offraient un sacrifice à la divinité poliade. C'était aussi l'usage que dans l'exercice de leurs fonctions ils eussent une couronne de feuillage sur la tête. Or il est certain que la couronne, qui est devenue à la longue et est restée l'emblème de la puissance, n'était alors qu'un emblème religieux, un signe extérieur qui accompagnait la prière et le sacrifice. Parmi ces neuf archontes, celui qu'on appelait Roi était surtout le chef de la religion; mais chacun de ses collègues avait quelque fonction sacerdotale à remplir, quelque sacrifice à offrir aux dieux.

Les Grecs avaient une expression générale pour désigner les magistrats; ils disaient [Grec: oi eu telei], ce qui signifie littéralement ceux qui sont à accomplir le sacrifice: vieille expression qui indique l'idée qu'on se faisait primitivement du magistrat. Pindare dit de ces personnages que, par les offrandes qu'ils font au foyer, ils assurent le salut de la cité.

A Rome le premier acte du consul était d'accomplir un sacrifice au forum. Des victimes étaient amenées sur la place publique; quand le pontife les avait déclarées dignes d'être offertes, le consul les immolait de sa main, pendant qu'un héraut commandait à la foule le silence religieux et qu'un joueur de flûte faisait entendre l'air sacré. Peu de jours après, le consul se rendait à Lavinium, d'où les pénates romains étaient issus, et il offrait encore un sacrifice.

Quand on examine avec un peu d'attention le caractère du magistrat chez les anciens, on voit combien il ressemble peu aux chefs d'État des sociétés modernes. Sacerdoce, justice et commandement se confondent en sa personne. Il représente la cité, qui est une association religieuse au moins autant que politique. Il a dans ses mains les auspices, les rites, la prière, la protection des dieux. Un consul est quelque chose de plus qu'un homme; il est l'intermédiaire entre l'homme et la divinité. A sa fortune est attachée la fortune publique; il est comme le génie tutélaire de la cité. La mort d'un consul funeste la république. Quand le consul Claudius Néron quitte son armée pour voler au secours de son collègue, Tite-Live nous montre combien Rome est en alarmes sur le sort de cette armée; c'est que, privée de son chef, l'armée est en même temps privée de la protection céleste; avec le consul sont partis les auspices, c'est-à-dire la religion et les dieux.

Les autres magistratures romaines qui furent, en quelque sorte, des membres successivement détachés du consulat, réunirent comme lui des attributions sacerdotales et des attributions politiques. On voyait, à certains jours, le censeur, une couronne sur la tête, offrir un sacrifice au nom de la cité et frapper de sa main la victime. Les préteurs, les édiles curules présidaient à des fêtes religieuses. Il n'y avait pas de magistrat qui n'eût à accomplir quelque acte sacré; car dans la pensée des anciens toute autorité devait être religieuse par quelque côté. Les tribuns de la plèbe étaient les seuls qui n'eussent à accomplir aucun sacrifice; aussi ne les comptait-on pas parmi les vrais magistrats. Nous verrons plus loin que leur autorité était d'une nature tout à fait exceptionnelle.

Le caractère sacerdotal qui s'attachait au magistrat, se montre surtout dans la manière dont il était élu. Aux yeux des anciens il ne semblait pas que les suffrages des hommes fussent suffisants pour établir le chef de la cité. Tant que dura la royauté primitive, il parut naturel que ce chef fût désigné par la naissance en vertu de la loi religieuse qui prescrivait que le fils succédât au père dans tout sacerdoce; la naissance semblait révéler assez la volonté des dieux. Lorsque les révolutions eurent supprimé partout cette royauté, les hommes paraissent avoir cherché, pour suppléer à la naissance, un mode d'élection que les dieux n'eussent pas à désavouer. Les Athéniens, comme beaucoup de peuples grecs, n'en virent pas de meilleur que le tirage au sort. Mais il importe de ne pas se faire une idée fausse de ce procédé, dont on a fait un sujet d'accusation contre la démocratie athénienne; et pour cela il est nécessaire de pénétrer dans la pensée des anciens. Pour eux le sort n'était pas le hasard; le sort était la révélation de la volonté divine. De même qu'on y avait recours dans les temples pour surprendre les secrets d'en haut, de même la cité y recourait pour le choix de son magistrat. On était persuadé que les dieux désignaient le plus digne en faisant sortir son nom de l'urne. Cette opinion était celle de Platon lui-même qui disait: « L'homme que le sort a désigné, nous disons qu'il est cher à la divinité et nous trouvons juste qu'il commande. Pour toutes les magistratures qui touchent aux choses sacrées, laissant à la divinité le choix de ceux qui lui sont agréables, nous nous en remettons au sort. » La cité croyait ainsi recevoir ses magistrats des dieux.

Au fond les choses se passaient de même à Rome. La désignation du consul ne devait pas appartenir aux hommes. La volonté ou le caprice du peuple n'était pas ce qui pouvait créer légitimement un magistrat. Voici donc comment le consul était choisi. Un magistrat en charge, c'est-à-dire un homme déjà en possession du caractère sacré et des auspices, indiquait parmi les jours fastes celui où le consul devait être nommé. Pendant la nuit qui précédait ce jour, il veillait, en plein air, les yeux fixés au ciel, observant les signes que les dieux envoyaient, en même temps qu'il prononçait mentalement le nom de quelques candidats à la magistrature. Si les présages étaient favorables, c'est que les dieux agréaient ces candidats. Le lendemain, le peuple se réunissait au champ de Mars; le même personnage qui avait consulté les dieux, présidait l'assemblée. Il disait à haute voix les noms des candidats sur lesquels il avait pris les auspices; si parmi ceux qui demandaient le consulat, il s'en trouvait un pour lequel les auspices n'eussent pas été favorables, il omettait son nom. Le peuple ne votait que sur les noms qui étaient prononcés par le président. Si le président ne nommait que deux candidats, le peuple votait pour eux nécessairement; s'il en nommait trois, le peuple choisissait entre eux. Jamais l'assemblée n'avait le droit de porter ses suffrages sur d'autres hommes que ceux que le président avait désignés; car pour ceux-là seulement les auspices avaient été favorables et l'assentiment des dieux était assuré.

Ce mode d'élection, qui fut scrupuleusement suivi dans les premiers siècles de la république, explique quelques traits de l'histoire romaine dont on est d'abord surpris. On voit, par exemple, assez souvent que le peuple veut presque unanimement porter deux hommes au consulat, et que pourtant il ne le peut pas; c'est que le président n'a pas pris les auspices sur ces deux hommes, ou que les auspices ne se sont pas montrés favorables. Par contre, on voit plusieurs fois le peuple nommer consuls deux hommes qu'il déteste; c'est que le président n'a prononcé que deux noms. Il a bien fallu voter pour eux; car le vote ne s'exprime pas par oui ou par non; chaque suffrage doit porter deux noms propres sans qu'il soit possible d'en écrire d'autres que ceux qui ont été désignés. Le peuple à qui l'on présente des candidats qui lui sont odieux, peut bien marquer sa colère en se retirant sans voter; il reste toujours dans l'enceinte assez de citoyens pour figurer un vote.

On voit par là quelle était la puissance du président des comices, et l'on ne s'étonne plus de l'expression consacrée, *creat consules*, qui s'appliquait, non au peuple, mais au président des comices. C'était de lui, en effet, plutôt que du peuple, qu'on pouvait dire: Il crée les consuls; car c'était lui qui découvrait la volonté des dieux. S'il ne faisait pas les consuls, c'était au moins par lui que les dieux les faisaient. La puissance du peuple n'allait que jusqu'à ratifier l'élection, tout au plus jusqu'à choisir entre trois ou quatre noms, si les auspices s'étaient montrés également favorables à trois ou quatre candidats.

Il est hors de doute que cette manière de procéder fut fort avantageuse à l'aristocratie romaine; mais on se tromperait si l'on ne voyait en tout cela qu'une ruse imaginée par elle. Une telle ruse ne se conçoit pas dans les siècles où l'on croyait à cette religion. Politiquement, elle était inutile dans les premiers temps, puisque les patriciens avaient alors la majorité dans les suffrages. Elle aurait même pu tourner contre eux en investissant un seul homme d'un pouvoir exorbitant. La seule explication qu'on puisse donner de ces usages, ou plutôt de ces rites de l'élection, c'est que tout le monde croyait très sincèrement que le choix du magistrat n'appartenait pas au peuple, mais aux dieux. L'homme qui allait disposer de la religion et de la fortune de la cité devait être révélé par la voix divine.

La règle première pour l'élection d'un magistrat était celle que donne Cicéron: « Qu'il soit nommé suivant les rites. » Si, plusieurs mois après, on venait dire au Sénat que quelque rite avait été négligé ou mal accompli, le Sénat ordonnait aux consuls d'abdiquer, et ils obéissaient. Les exemples sont fort nombreux; et si, pour deux ou trois d'entre eux, il est permis de croire que le Sénat fut bien aise de se débarrasser d'un consul ou inhabile ou mal pensant, la plupart du temps, au contraire, on ne peut pas lui supposer d'autre motif qu'un scrupule religieux.

Il est vrai que lorsque le sort ou les auspices avaient désigné l'archonte ou le consul, il y avait une sorte d'épreuve par laquelle on examinait le mérite du nouvel élu. Mais cela même va nous montrer ce que la cité souhaitait trouver dans son magistrat, et nous allons voir qu'elle ne cherchait pas l'homme le plus courageux à la guerre, le plus habile ou le plus juste dans la paix, mais le plus aimé des dieux. En effet, le sénat athénien demandait au nouvel élu s'il avait quelque défaut corporel, s'il possédait un dieu domestique, si sa famille avait toujours été fidèle à son culte, si lui-même avait toujours rempli ses devoirs envers les morts.   Pourquoi ces questions? c'est qu'un défaut corporel, signe de la malveillance des dieux, rendait un homme indigne de remplir aucun sacerdoce, et, par conséquent, d'exercer aucune magistrature; c'est que celui qui n'avait pas de culte de famille ne devait pas avoir part au culte national, et n'était pas apte à faire les sacrifices au nom de la cité; c'est que si la famille n'avait pas été toujours fidèle à son culte, c'est-à-dire si l'un des ancêtres avait commis un de ces actes qui blessaient la religion, le foyer était à jamais souillé, et les descendants détestés des dieux; c'est, enfin, que si lui-même avait négligé le tombeau de ses morts, il était exposé à leurs redoutables colères et était poursuivi par des ennemis invisibles. La cité aurait été bien téméraire de confier sa fortune à un tel homme. Voilà les principales questions que l'on adressait à celui qui allait être magistrat. Il semblait qu'on ne se préoccupât ni de son caractère ni de son intelligence. On tenait surtout à s'assurer qu'il était apte à remplir les fonctions sacerdotales, et que la religion de la cité ne serait pas compromise dans ses mains.

Cette sorte d'examen était aussi en usage à Rome. Il est vrai que nous n'avons aucun renseignement sur les questions auxquelles le consul devait répondre. Mais il nous suffit que nous sachions que cet examen était fait par les pontifes.

CHAPITRE XI

LA LOI.

Chez les Grecs et chez les Romains, comme chez les Hindous, la loi fut d'abord une partie de la religion. Les anciens codes des cités étaient un ensemble de rites, de prescriptions liturgiques, de prières, en même temps que de dispositions législatives. Les règles du droit de propriété et du droit de succession y étaient éparses au milieu des règles des sacrifices, de la sépulture et du culte des morts.

Ce qui nous est resté des plus anciennes lois de Rome, qu'on appelait lois royales, est aussi souvent relatif au culte qu'aux rapports de la vie civile. L'une d'elles interdisait à la femme coupable d'approcher des autels; une autre défendait de servir certains mets dans les repas sacrés, une troisième disait quelle cérémonie religieuse un général vainqueur devait faire en rentrant dans la ville. Le code des Douze Tables, quoique plus récent, contenait encore des prescriptions minutieuses sur les rites religieux de la sépulture. L'oeuvre de Solon était à la fois un code, une constitution et un rituel; l'ordre des sacrifices et le prix des victimes y étaient réglés, ainsi que les rites des noces et le culte des morts.

Cicéron, dans son traité des Lois, trace le plan d'une législation qui n'est pas tout à fait imaginaire. Pour le fond comme pour la forme de son code, il imite les anciens législateurs. Or, voici les premières lois qu'il écrit: « Que l'on n'approche des dieux qu'avec les mains pures; — que l'on entretienne les temples des pères et la demeure des Lares domestiques; — que les prêtres n'emploient dans les repas sacrés que les mets prescrits; — que l'on rende aux dieux Mânes le culte qui leur est dû. » Assurément le philosophe romain se préoccupait peu de cette vieille religion des Lares et des Mânes; mais il traçait un code à l'image des codes anciens, et il se croyait tenu d'y insérer les règles du culte.

A Rome, c'était une vérité reconnue qu'on ne pouvait pas être un bon pontife si l'on ne connaissait pas le droit, et, réciproquement, que l'on ne pouvait pas connaître le droit si l'on ne savait pas la religion. Les pontifes furent longtemps les seuls jurisconsultes. Comme il n'y avait presque aucun acte de la vie qui n'eût quelque rapport avec la religion, il en résultait que presque tout était soumis aux décisions de ces prêtres, et qu'ils se trouvaient les seuls juges compétents dans un nombre infini de procès. Toutes les contestations relatives au mariage, au divorce, aux droits civils et religieux des enfants, étaient portées à leur tribunal. Ils étaient juges de l'inceste comme du célibat. Comme l'adoption touchait à la religion, elle ne pouvait se faire qu'avec l'assentiment du pontife. Faire un testament, c'était rompre l'ordre que la religion avait établi pour la succession des biens et la transmission du culte; aussi le testament devait-il, à l'origine, être autorisé par le pontife. Comme les limites de toute propriété étaient marquées par la religion, dès que deux voisins étaient en litige, ils devaient plaider devant le pontife ou devant des prêtres qu'on appelait frères arvales. Voilà pourquoi les mêmes hommes étaient pontifes et jurisconsultes; droit et religion ne faisaient qu'un.

A Athènes, l'archonte et le roi avaient a peu près les mêmes attributions judiciaires que le pontife romain.

Le mode de génération des lois anciennes apparaît clairement. Ce n'est pas un homme qui les a inventées. Solon, Lycurgue, Minos, Numa ont pu mettre en écrit les lois de leurs cités; ils ne les ont pas faites. Si nous entendons par législateur un homme qui crée un code par la puissance de son génie et qui l'impose aux autres hommes, ce législateur n'exista jamais chez les anciens. La loi antique ne sortit pas non plus des votes du peuple. La pensée que le nombre des suffrages pouvait faire une loi, n'apparut que fort tard dans les cités, et seulement après que deux révolutions les avaient transformées. Jusque-là les lois se présentent comme quelque chose d'antique, d'immuable, de vénérable. Aussi vieilles que la cité, c'est le fondateur qui les a *posées*, en même temps qu'il *posait* le foyer, *moresque viris et moenia ponit*. Il les a instituées en même temps qu'il instituait la religion. Mais encore ne peut-on pas dire qu'il les ait imaginées lui-même. Quel en est donc le véritable auteur? Quand nous avons parlé plus haut de l'organisation de la famille et des lois grecques ou romaines qui réglaient la propriété, la succession, le testament, l'adoption, nous avons observé combien ces lois correspondaient exactement aux croyances des anciennes générations. Si l'on met ces lois en présence de l'équité naturelle, on les trouve souvent en contradiction avec elle, et il paraît assez évident que ce n'est pas dans la notion du droit absolu et dans le sentiment du juste qu'on est allé les chercher. Mais que l'on mette ces mêmes lois en regard du culte des morts et du foyer, qu'on les compare aux diverses prescriptions de cette religion primitive, et l'on reconnaîtra qu'elles sont avec tout cela dans un accord parfait.

L'homme n'a pas eu à étudier sa conscience et à dire: Ceci est juste; ceci ne l'est pas. Ce n'est pas ainsi qu'est né le droit antique. Mais l'homme croyait que le foyer sacré, en vertu de la loi religieuse, passait du père au fils; il en est résulté que la maison a été un bien héréditaire. L'homme qui avait enseveli son père dans son champ, croyait que l'esprit du mort prenait à jamais possession de ce champ et réclamait de sa postérité un culte perpétuel; il en est résulté que le champ, domaine du mort et lieu des sacrifices, est devenu la propriété inaliénable d'une famille. La religion disait: Le fils continue le culte, non la fille; et la loi a dit avec la religion: Le fils hérite, la fille n'hérite pas; le neveu par les mâles hérite, non pas le neveu par les femmes. Voilà comment la loi s'est faite; elle s'est présentée d'elle-même et sans qu'on eût à la chercher. Elle était la conséquence directe et nécessaire de la croyance; elle était la religion même s'appliquant aux relations des hommes entre eux.

Les anciens disaient que leurs lois leur étaient venues des dieux. Les Crétois attribuaient les leurs, non à Minos, mais à Jupiter; les Lacédémoniens croyaient que leur législateur n'était pas Lycurgue, mais Apollon. Les Romains disaient que Numa avait écrit sous la dictée d'une des divinités les plus puissantes de l'Italie ancienne, la déesse Égérie. Les Étrusques avaient reçu leurs lois du dieu Tagès. Il y a du vrai dans toutes ces traditions. Le véritable législateur chez les anciens, ce ne fut pas l'homme, ce fut la croyance religieuse que l'homme avait en soi.

Les lois restèrent longtemps une chose sacrée. Même à l'époque où l'on admit que la volonté d'un homme ou les suffrages d'un peuple pouvaient faire une loi, encore fallait-il que la religion fût consultée et qu'elle fût an moins consentante. A Rome on ne croyait pas que l'unanimité des suffrages fût suffisante pour qu'il y eût une loi; il fallait encore que la décision du peuple fût approuvée par les pontifes et que les augures attestassent que les dieux étaient favorables à la loi proposée. Un jour que les tribuns plébéiens voulaient faire adopter une loi par une assemblée des tribus, un patricien leur dit: « Quel droit avez-vous de faire une loi nouvelle ou de toucher aux lois existantes? Vous qui n'avez pas les auspices, vous qui dans vos assemblées n'accomplissez pas d'actes religieux, qu'avez-vous de commun avec la religion et toutes les choses sacrées, parmi lesquelles il faut compter la loi? »

On conçoit d'après cela le respect et l'attachement que les anciens ont eus longtemps pour leurs lois. En elles ils ne voyaient pas une oeuvre humaine. Elles avaient une origine sainte. Ce n'est pas un vain mot quand Platon dit qu'obéir aux lois c'est obéir aux dieux. Il ne fait qu'exprimer la pensée grecque lorsque, dans le *Criton*, il montre Socrate donnant sa vie parce que les lois la lui demandent. Avant Socrate, on avait écrit sur le rocher des Thermopyles: « Passant, va dire à Sparte que nous sommes morts ici pour obéir à ses lois. » La loi chez les anciens fut toujours sainte; au temps de la royauté elle était la reine des rois; au temps des républiques elle fut la reine des peuples. Lui désobéir était un sacrilège.

En principe, la loi était immuable, puisqu'elle était divine. Il est à remarquer que jamais on n'abrogeait les lois. On pouvait bien en faire de nouvelles, mais les anciennes subsistaient toujours, quelque contradiction qu'il y eût entre elles. Le code de Dracon n'a pas été aboli par celui de Solon, ni les Lois Royales par les Douze Tables. La pierre où la loi était gravée était inviolable; tout au plus les moins scrupuleux se croyaient-ils permis de la retourner. Ce principe a été la cause principale de la grande confusion qui se remarque dans le droit ancien. Des lois opposées et de différentes époques s'y trouvaient réunies; et toutes avaient droit au respect. On voit dans un plaidoyer d'Isée deux hommes se disputer un héritage; chacun d'eux allègue une loi en sa faveur; les deux lois sont absolument contraires et également sacrées. C'est ainsi que le Code de Manou garde l'ancienne loi qui établit le droit d'aînesse, et en écrit une autre à côté qui prescrit le partage égal entre les frères.

La loi antique n'a jamais de considérants. Pourquoi en aurait-elle? Elle n'est pas tenue de donner ses raisons; elle est, parce que les dieux l'ont faite. Elle ne se discute pas, elle s'impose; elle est une oeuvre d'autorité; les hommes lui obéissent parce qu'ils ont foi en elle.

Pendant de longues générations, les lois n'étaient pas écrites; elles se transmettaient de père en fils, avec la croyance et la formule de prière. Elles étaient une tradition sacrée qui se perpétuait autour du foyer de la famille ou du foyer de la cité.

Le jour où l'on a commencé à les mettre en écrit, c'est dans les livres sacrés qu'on les a consignées, dans les rituels, au milieu des prières et des cérémonies. Varron cite une loi ancienne de la ville de Tusculum et il ajoute qu'il l'a lue dans les livres sacrés de cette ville. Denys d'Halicarnasse, qui avait consulté les documents originaux, dit qu'avant l'époque des Décemvirs tout ce qu'il y avait à Rome de lois écrites se trouvait dans les livres des prêtres. Plus tard la loi est sortie des rituels; on l'a écrite à part; mais l'usage a continué de la déposer dans un temple, et les prêtres en ont conservé la garde.

Écrites ou non, ces lois étaient toujours formulées en arrêts très-brefs, que l'on peut comparer, pour la forme, aux versets du livre de Moïse ou aux slocas du livre de Manou. Il y a même grande apparence que les paroles de la loi étaient rhythmées. Aristote dit qu'avant le temps où les lois furent écrites, on les chantait. Il en est resté des souvenirs dans la langue; les Romains appelaient les lois *carmina*, des vers; les Grecs disaient [Grec: nomoi], des chants.

Ces vieux vers étaient des textes invariables. Y changer une lettre, y déplacer un mot, en altérer le rhythme, c'eût été détruire la loi elle-même, en détruisant la forme sacrée sous laquelle elle s'était révélée aux hommes. La loi était comme la prière, qui n'était agréable à la divinité qu'à la condition d'être récitée exactement, et qui devenait impie si un seul mot y était changé. Dans le droit primitif, l'extérieur, la lettre est tout; il n'y a pas à chercher le sens ou l'esprit de la loi. La loi ne vaut pas par le principe moral qui est en elle, mais par les mots que sa formule renferme. Sa force est dans les paroles sacrées qui la composent.

Chez les anciens et surtout à Rome, l'idée du droit était inséparable de l'emploi de certains mots sacramentels. S'agissait-il, par exemple, d'une obligation à contracter; l'un devait dire: *Dari spondes?* et l'autre devait répondre: *Spondeo*. Si ces mots-là n'étaient pas prononcés, il n'y avait pas de contrat. En vain le créancier venait-il réclamer le payement de la dette, le débiteur ne devait rien. Car ce qui obligeait l'homme dans ce droit antique, ce n'était pas la conscience ni le sentiment du juste, c'était la formule sacrée. Cette formule prononcée entre deux hommes établissait entre eux un lien de droit. Où la formule n'était pas, le droit n'était pas.

Les formes bizarres de l'ancienne procédure romaine ne nous surprendront pas, si nous songeons que le droit antique était une religion, la loi un texte sacré, la justice un ensemble de rites. Le demandeur poursuit avec la loi, *agit lege*. Par l'énoncé de la loi il saisit l'adversaire. Mais qu'il prenne garde; pour avoir la loi pour soi, il faut en connaître les termes et les prononcer exactement. S'il dit un mot pour un autre, la loi n'existe plus et ne peut pas le défendre. Gaius raconte l'histoire d'un homme dont un voisin avait coupé les vignes; le fait était constant; il prononça la loi. Mais la loi disait arbres, il prononça vignes; il perdit son procès.

L'énoncé de la loi ne suffisait pas. Il fallait encore un accompagnement de signes extérieurs, qui étaient comme les rites de cette cérémonie religieuse qu'on appelait contrat ou qu'on appelait procédure en justice. C'est par cette raison que pour toute vente il fallait employer le morceau de cuivre et la balance; que pour acheter un objet il fallait le toucher de la main, *mancipatio*; que, si l'on se disputait une propriété, il y avait combat fictif, *manuum consertio*. De là les formes de l'affranchissement, celles de l'émancipation, celles de l'action en justice, et toute la pantomime de la procédure.

Comme la loi faisait partie de la religion, elle participait au caractère mystérieux de toute cette religion des cités. Les formules de la loi étaient tenues secrètes comme celles du culte. Elle était cachée à l'étranger, cachée même au plébéien. Ce n'est pas parce que les patriciens avaient calculé qu'ils puiseraient une grande force dans la possession exclusive des lois; mais c'est que la loi, par son origine et sa nature, parut longtemps un mystère auquel on ne pouvait être initié qu'après l'avoir été préalablement au culte national et au culte domestique.

L'origine religieuse du droit antique nous explique encore un des principaux caractères de ce droit. La religion était purement civile, c'est-à-dire spéciale à chaque cité; il n'en pouvait découler aussi qu'un droit *civil*. Mais il importe de distinguer le sens que ce mot avait chez les anciens. Quand ils disaient que le droit était civil, *jus civile*, [Grec: nomoi politichoi], ils n'entendaient pas seulement que chaque cité avait son code, comme de nos jours chaque État a le sien. Ils voulaient dire que leurs lois n'avaient de valeur et d'action qu'entre membres d'une même cité. Il ne suffisait pas d'habiter une ville pour être soumis à ses lois et être protégé par elles; il fallait en être citoyen. La loi n'existait pas pour l'esclave; elle n'existait pas davantage pour l'étranger. Nous verrons plus loin que l'étranger, domicilié dans une ville, ne pouvait ni y être propriétaire, ni y hériter, ni tester, ni faire un contrat d'aucune sorte, ni paraître devant les tribunaux ordinaires des citoyens. A Athènes, s'il se trouvait créancier d'un citoyen, il ne pouvait pas le poursuivre en justice pour le payement de sa dette, la loi ne reconnaissant pas de contrat valable pour lui.

Ces dispositions de l'ancien droit étaient d'une logique parfaite. Le droit n'était pas né de l'idée de la justice, mais de la religion, et il n'était pas conçu en dehors d'elle. Pour qu'il y eût un rapport de droit entre deux hommes, il fallait qu'il y eût déjà entre eux un rapport religieux, c'est-à-dire qu'ils eussent le culte d'un même foyer et les mêmes sacrifices. Lorsqu'entre deux hommes cette communauté religieuse n'existait pas, il ne semblait pas qu'aucune relation de droit pût exister. Or ni l'esclave ni l'étranger n'avaient part à la religion de la cité. Un étranger et un citoyen pouvaient vivre côte à côte pendant de longues années, sans qu'on conçût la possibilité d'établir un lien de droit entre eux. Le droit n'était qu'une des faces de la religion. Pas de religion commune, pas de loi commune.

CHAPITRE XII

LE CITOYEN ET L'ÉTRANGER.

On reconnaissait le citoyen à ce qu'il avait part au culte de la cité, et c'était de cette participation que lui venaient tous ses droits civils et politiques. Renonçait-on au culte, on renonçait aux droits. Nous avons parlé plus haut des repas publics, qui étaient la principale cérémonie du culte national. Or à Sparte celui qui n'y assistait pas, même sans que ce fût par sa faute, cessait aussitôt de compter parmi les citoyens. A Athènes, celui qui ne prenait pas part à la fête des dieux nationaux, perdait le droit de cité. A Rome, il fallait avoir été présent à la cérémonie sainte de la lustration pour jouir des droits politiques. L'homme qui n'y avait pas assisté, c'est-à-dire qui n'avait pas eu part à la prière commune et au sacrifice, n'était plus citoyen jusqu'au lustre suivant.

Si l'on veut donner la définition exacte du citoyen, il faut dire que c'est l'homme qui a la religion de la cité. L'étranger, au contraire, est celui qui n'a pas accès au culte, celui que les dieux de la cité ne protègent pas et qui n'a pas même le droit de les invoquer. Car ces dieux nationaux ne veulent recevoir de prières et d'offrandes que du citoyen; ils repoussent l'étranger; l'entrée de leurs temples lui est interdite et sa présence pendant le sacrifice est un sacrilège. Un témoignage de cet antique sentiment de répulsion nous est resté dans un des principaux rites du culte romain; le pontife, lorsqu'il sacrifie en plein air, doit avoir la tête voilée, « parce qu'il ne faut pas que devant les feux sacrés, dans l'acte religieux qui est offert aux dieux nationaux, le visage d'un étranger se montre aux yeux du pontife; les auspices en seraient troublés ». Un objet sacré, qui tombait momentanément aux mains d'un étranger, devenait aussitôt profane; il ne pouvait recouvrer son caractère religieux que par une cérémonie expiatoire. Si l'ennemi s'était emparé d'une ville et que les citoyens vinssent à la reprendre, il fallait avant toute chose que les temples fussent purifiés et tous les foyers éteints et renouvelés; le regard de l'étranger les avait souillés.

C'est ainsi que la religion établissait entre le citoyen et l'étranger une distinction profonde et ineffaçable. Cette même religion, tant qu'elle fut puissante sur les âmes, défendit de communiquer aux étrangers le droit de cité. Au temps d'Hérodote, Sparte ne l'avait encore accordé à personne, excepté à un devin; encore avait-il fallu pour cela l'ordre formel de l'oracle. Athènes l'accordait quelquefois; mais avec quelles précautions! Il fallait d'abord que le peuple réuni votât au scrutin secret l'admission de l'étranger; ce n'était rien encore; il fallait que, neuf jours après, une seconde assemblée votât dans le même sens, et qu'il y eût au moins six mille suffrages favorables: chiffre qui paraîtra énorme si l'on songe qu'il était fort rare qu'une assemblée athénienne réunît ce nombre de citoyens. Il fallait ensuite un vote du Sénat qui confirmât la décision de cette double assemblée. Enfin le premier venu parmi les citoyens pouvait opposer une sorte de veto et attaquer le décret comme contraire aux vieilles lois. Il n'y avait certes pas d'acte public que le législateur eût entouré d'autant de difficultés et de précautions que celui qui allait conférer à un étranger le titre de citoyen, et il s'en fallait de beaucoup qu'il y eût autant de formalités à remplir pour déclarer la guerre ou pour faire une loi nouvelle. D'où vient qu'on opposait tant d'obstacles à l'étranger qui voulait être citoyen? Assurément on ne craignait pas que dans les assemblées politiques son vote fît pencher la balance. Démosthènes nous dit le vrai motif et la vraie pensée des Athéniens: « C'est qu'il faut conserver aux sacrifices leur pureté. » Exclure l'étranger c'est « veiller sur les cérémonies saintes ». Admettre un étranger parmi les citoyens c'est « lui donner part à la religion et aux sacrifice ». Or pour un tel acte le peuple ne se sentait pas entièrement libre, et il était saisi d'un scrupule religieux; car il savait que les dieux nationaux étaient portés à repousser l'étranger et que les sacrifices seraient peut-être altérés par la présence du nouveau venu. Le don du droit de cité à un étranger était une véritable violation des principes fondamentaux du culte national, et c'est pour cela que la cité, à l'origine, en était si avare. Encore faut-il noter que l'homme si péniblement admis comme citoyen ne pouvait être ni archonte ni prêtre. La cité lui permettait bien d'assister à son culte; mais quant à y présider, c'eût été trop.

Nul ne pouvait devenir citoyen à Athènes, s'il était citoyen dans une autre ville. Car il y avait une impossibilité religieuse à être à la fois membre de deux cités, comme nous avons vu qu'il y en avait une à être membre de deux familles. On ne pouvait pas être de deux religions à la fois.

La participation au culte entraînait avec elle la possession des droits. Comme le citoyen pouvait assister au sacrifice qui précédait l'assemblée, il y pouvait aussi voter. Comme il pouvait faire les sacrifices au nom de la cité, il pouvait être prytane et archonte. Ayant la religion de la cité, il pouvait en invoquer la loi et accomplir tous les rites de la procédure.

L'étranger, au contraire, n'ayant aucune part à la religion n'avait aucun droit. S'il entrait dans l'enceinte sacrée que le prêtre avait tracée pour l'assemblée, il était puni de mort. Les lois de la cité n'existaient pas pour lui. S'il avait commis un délit, il était traité comme l'esclave et puni sans forme de procès, la cité ne lui devant aucune justice. Lorsqu'on est arrivé à sentir le besoin d'avoir une justice pour l'étranger, il a fallu établir un tribunal exceptionnel. A Rome, pour juger l'étranger, le préteur a dû se faire étranger lui-même (*praetor peregrinus*). A Athènes le juge des étrangers a été le polémarque, c'est-à-dire le magistrat qui était chargé des soins de la guerre et de toutes les relations avec l'ennemi.

Ni à Rome ni à Athènes l'étranger ne pouvait être propriétaire. Il ne pouvait pas se marier; du moins son mariage n'était pas reconnu, et ses enfants étaient réputés bâtards. Il ne pouvait pas faire un contrat avec un citoyen; du moins la loi ne reconnaissait à un tel contrat aucune valeur. A l'origine il n'avait pas le droit de faire le commerce. La loi romaine lui défendait d'hériter d'un citoyen, et même à un citoyen d'hériter de lui. On poussait si loin la rigueur de ce principe que, si un étranger obtenait le droit de cité romaine sans que son fils, né avant cette époque, eût la même faveur, le fils devenait à l'égard du père un étranger et ne pouvait pas hériter de lui. La distinction entre citoyen et étranger était plus forte que le lien de nature entre père et fils. Il semblerait à première vue qu'on eût pris à tâche d'établir un système de vexation contre l'étranger. Il n'en était rien. Athènes et Rome lui faisaient, au contraire, bon accueil et le protégeaient, par des raisons de commerce ou de politique. Mais leur bienveillance et leur intérêt même ne pouvaient pas abolir les anciennes lois que la religion avait établies. Cette religion ne permettait pas que l'étranger devînt propriétaire, parce qu'il ne pouvait pas avoir de part dans le sol religieux de la cité. Elle ne permettait ni à l'étranger d'hériter du citoyen ni au citoyen d'hériter de l'étranger, parce que toute transmission de biens entraînait la transmission d'un culte, et qu'il était aussi impossible au citoyen de remplir le culte de l'étranger qu'à l'étranger celui du citoyen.

On pouvait accueillir l'étranger, veiller sur lui, l'estimer même, s'il était riche ou honorable; on ne pouvait pas lui donner part à la religion et au droit. L'esclave, à certaine égards, était mieux traité que lui; car l'esclave, membre d'une famille dont il partageait le culte, était rattaché à la cité par l'intermédiaire de son maître; les dieux le protégeaient. Aussi la religion romaine disait-elle que le tombeau de l'esclave était sacré, mais que celui de l'étranger ne l'était pas.

Pour que l'étranger fût compté pour quelque chose aux yeux de la loi, pour qu'il pût faire le commerce, contracter, jouir en sûreté de son bien, pour que la justice de la cité pût le défendre efficacement, il fallait qu'il se fît le client d'un citoyen. Rome et Athènes voulaient que tout étranger adoptât un patron. En se mettant dans la clientèle et sous la dépendance d'un citoyen, l'étranger était rattaché par cet intermédiaire à la cité. Il participait alors à quelques-uns des bénéfices du droit civil et la protection des lois lui était acquise.

CHAPITRE XIII

LE PATRIOTISME. L'EXIL.

Le mot patrie chez les anciens signifiait la terre des pères, *terra patria*. La patrie de chaque homme était la part de sol que sa religion domestique ou nationale avait sanctifiée, la terre où étaient déposés les ossements de ses ancêtres et que leurs âmes occupaient. La petite patrie était l'enclos de la famille, avec son tombeau et son foyer. La grande patrie était la cité, avec son prytanée et ses héros, avec son enceinte sacrée et son territoire marqué par la religion. « Terre sacrée de la patrie », disaient les Grecs. Ce n'était pas un vain mot. Ce sol était véritablement sacré pour l'homme, car il était habité par ses dieux. État, Cité, Patrie, ces mots n'étaient pas une abstraction, comme chez les modernes; ils représentaient réellement tout un ensemble de divinités locales avec un culte de chaque jour et des croyances puissantes sur l'âme.

On s'explique par là le patriotisme des anciens, sentiment énergique qui était pour eux la vertu suprême et auquel toutes les autres vertus venaient aboutir. Tout ce que l'homme pouvait avoir de plue cher se confondait avec la patrie. En elle il trouvait son bien, sa sécurité, son droit, sa foi, son dieu. En la perdant, il perdait tout. Il était presque impossible que l'intérêt privé fût en désaccord avec l'intérêt public. Platon dit: C'est la patrie qui nous enfante, qui nous nourrit, qui nous élève. Et Sophocle: C'est la patrie qui nous conserve.

Une telle patrie n'est pas seulement pour l'homme un domicile. Qu'il quitte ces saintes murailles, qu'il franchisse les limites sacrées du territoire, et il ne trouve plus pour lui ni religion ni lien social d'aucune espèce. Partout ailleurs que dans sa patrie il est en dehors de la vie régulière et du droit; partout ailleurs il est sans dieu et en dehors de la vie morale. Là seulement il a sa dignité d'homme et ses devoirs. Il ne peut être homme que là.

La patrie tient l'homme attaché par un lien sacré. Il faut l'aimer comme on aime une religion, lui obéir comme on obéit à Dieu. « Il faut se donner à elle tout entier, mettre tout en elle, lui vouer tout. » Il faut l'aimer glorieuse ou obscure, prospère ou malheureuse. Il faut l'aimer dans ses bienfaits et l'aimer encore dans ses rigueurs. Socrate condamné par elle sans raison ne doit pas moins l'aimer. Il faut l'aimer, comme Abraham aimait son Dieu, jusqu'à lui sacrifier son fils. Il faut surtout savoir mourir pour elle. Le Grec ou le Romain ne meurt guère par dévouement à un homme ou par point d'honneur; mais à la patrie il doit sa vie. Car si la patrie est attaquée, c'est sa religion qu'on attaque. Il combat véritablement pour ses autels, pour ses foyers, *pro aris et focis*; car si l'ennemi s'empare de sa ville, ses autels seront renversés, ses foyers éteints, ses tombeaux profanés, ses dieux détruits, son culte effacé. L'amour de la patrie, c'est la piété des anciens.

Il fallait que la possession de la patrie fût bien précieuse; car les anciens n'imaginaient guère de châtiment plus cruel que d'en priver l'homme. La punition ordinaire des grands crimes était l'exil.

L'exil était proprement l'interdiction du culte. Exiler un homme, c'était, suivant la formule également usitée chez les Grecs et chez les Romains, lui interdire le feu et l'eau. Par ce feu, il faut entendre le feu sacré du foyer; par cette eau, l'eau lustrale qui servait aux sacrifices. L'exil mettait donc un homme hors de la religion. « Qu'il fuie, disait la sentence, et qu'il n'approche jamais des temples. Que nul citoyen ne lui parle ni ne le reçoive; que nul né l'admette aux prières ni aux sacrifices; que nul ne lui présente l'eau lustrale. » Toute maison était souillée par sa présence. L'homme qui l'accueillait devenait impur à son contact. « Celui qui aura mangé ou bu avec lui ou qui l'aura touché, disait la loi, devra se purifier. » Sous le coup de cette excommunication, l'exilé ne pouvait prendre part à aucune cérémonie religieuse; il n'avait plus de culte, plus de repas sacrés, plus de prières; il était déshérité de sa part de religion.

Il faut bien songer que, pour les anciens, Dieu n'était pas partout. S'ils avaient quelque vague idée d'une divinité de l'univers, ce n'était pas celle-là qu'ils considéraient comme leur Providence et qu'ils invoquaient. Les dieux de chaque homme étaient ceux qui habitaient sa maison, son canton, sa ville. L'exilé, en laissant sa patrie derrière lui, laissait aussi ses dieux. Il ne voyait plus nulle part de religion qui pût le consoler et le protéger; il ne sentait plus de providence qui veillât sur lui; le bonheur de prier lui était ôté.

Tout ce qui pouvait satisfaire les besoins de son âme était éloigné de lui.

Or la religion était la source d'où découlaient les droits civils et politiques. L'exilé perdait donc tout cela en perdant la religion de la patrie. Exclu du culte de la cité, il se voyait enlever du même coup son culte domestique et il devait éteindre son foyer.

Il n'avait plus de droit de propriété; sa terre et tous ses biens, comme s'il était mort, passaient à ses enfants, à moins qu'ils ne fussent confisqués, au profit des dieux ou de l'État. N'ayant plus de culte, il n'avait plus de famille; il cessait d'être époux et père. Ses fils n'étaient plus en sa puissance; sa femme n'était plus sa femme, et elle pouvait immédiatement prendre un autre époux. Voyez Régulus, prisonnier de l'ennemi, la loi romaine l'assimile à un exilé; si le Sénat lui demande son avis, il refuse de le donner, parce que l'exilé n'est plus sénateur; si sa femme et ses enfants courent à lui, il repousse leurs embrassements, car pour l'exilé il n'y a plus d'enfants, plus d'épouse:

Fertur pudicae conjugis osculum
Parvosque natos, *ut capitis minor,*
A se removisse.

« L'exilé, dit Xénophon, perd foyer, liberté, patrie, femme, enfants. » Mort, il n'a pas le droit d'être enseveli dans le tombeau de sa famille; car il est un étranger.

Il n'est pas surprenant que les républiques anciennes aient presque toujours permis au coupable d'échapper à la mort par la fuite. L'exil ne semblait pas un supplice plus doux que la mort. Les jurisconsultes romains l'appelaient une peine capitale.

CHAPITRE XIV

DE L'ESPRIT MUNICIPAL.

Ce que nous avons vu jusqu'ici des anciennes institutions et surtout des anciennes croyances a pu nous donner une idée de la distinction profonde qu'il y avait toujours entre deux cités. Si voisines qu'elles fussent, elles formaient toujours deux sociétés complètement séparées. Entre elles il y avait bien plus que la distance qui sépare aujourd'hui deux villes, bien plus que la frontière qui divise deux États; les dieux n'étaient pas les mêmes, ni les cérémonies, ni les prières. Le culte d'une cité était interdit à l'homme de la cité voisine. On croyait que les dieux d'une ville repoussaient les hommages et les prières de quiconque n'était pas leur concitoyen.

Il est vrai que ces vieilles croyances se sont à la longue modifiées et adoucies; mais elles avaient été dans leur pleine vigueur à l'époque où les sociétés s'étaient formées, et ces sociétés en ont toujours gardé l'empreinte.

On conçoit aisément deux choses: d'abord, que cette religion propre à chaque ville a dû constituer la cité d'une manière très-forte et presque inébranlable; il est, en effet, merveilleux combien cette organisation sociale, malgré ses défauts et toutes ses chances de ruine, a duré longtemps; ensuite, que cette religion a dû avoir pour effet, pendant de longs siècles, de rendre impossible l'établissement d'une autre forme sociale que la cité.

Chaque cité, par l'exigence de sa religion même, devait être absolument indépendante. Il fallait que chacune eût son code particulier, puisque chacune avait sa religion et que c'était de la religion que la loi découlait. Chacune devait avoir sa justice souveraine, et il ne pouvait y avoir aucune justice supérieure à celle de la cité. Chacune avait ses fêtes religieuses et son calendrier; les mois et l'année ne pouvaient pas être les mêmes dans deux villes, puisque la série des actes religieux était différente. Chacune avait sa monnaie particulière, qui, à l'origine, était ordinairement marquée de son emblème religieux. Chacune avait ses poids et ses mesures. On n'admettait pas qu'il pût y avoir rien de commun entre deux cités. La ligne de démarcation était si profonde qu'on imaginait à peine que le mariage fût permis entre habitants de deux villes différentes. Une telle union parut toujours étrange et fut longtemps réputée illégitime. La législation de Rome et celle d'Athènes répugnent visiblement à l'admettre. Presque partout les enfants qui naissaient d'un tel mariage étaient confondus parmi les bâtards et privés des droits de citoyen. Pour que le mariage fût légitime entre habitants de deux villes, il fallait qu'il y eût entre elles une convention particulière (*jus connubii*, [Grec: epilamia]).

Chaque cité avait autour de son territoire une ligne de bornes sacrées. C'était l'horizon de sa religion nationale et de ses dieux. Au delà de ces bornes d'autres dieux régnaient et l'on pratiquait un autre culte.

Le caractère le plus saillant de l'histoire de la Grèce et de celle de l'Italie, avant la conquête romaine, c'est le morcellement poussé à l'excès et l'esprit d'isolement de chaque cité. La Grèce n'a jamais réussi à former un seul État; ni les villes latines, ni les villes étrusques, ni les tribus samnites n'ont jamais pu former un corps compacte. On a attribué l'incurable division des Grecs à la nature de leur pays, et l'on a dit que les montagnes qui s'y croisent, établissent entre les hommes des lignes de démarcation naturelles. Mais il n'y avait pas de montagnes entre Thèbes et Platée, entre Argos et Sparte, entre Sybaris et Crotone. Il n'y en avait pas entre les villes du Latium ni entre les douze cités de l'Étrurie. La nature physique a sans nul doute quelque action sur l'histoire des peuples; mais les croyances de l'homme en ont une bien plus puissante. Entre deux cités voisines il y avait quelque chose de plus infranchissable qu'une montagne; c'était la série des bornes sacrées, c'était la différence des cultes et la haine des dieux nationaux pour l'étranger.

Pour ce motif les anciens n'ont jamais pu établir ni même concevoir aucune autre organisation sociale que la cité. Ni les Grecs, ni les Italiens, ni les Romains même pendant fort longtemps n'ont eu la pensée que plusieurs villes pussent s'unir et vivre à titre égal sous un même gouvernement. Entre deux cités il pouvait bien y avoir alliance, association momentanée en vue d'un profit à faire ou d'un danger à repousser; mais il n'y avait jamais union complète. Car la religion faisait de chaque ville un corps qui ne pouvait s'agréger à aucun autre. L'isolement était la loi de la cité.

Avec les croyances et les usages religieux que nous avons vus, comment plusieurs villes auraient-elles pu se confondre dans un même État? On ne comprenait l'association humaine et elle ne paraissait régulière qu'autant qu'elle était fondée sur la religion. Le symbole de cette association devait être un repas sacré fait en commun. Quelques milliers de citoyens pouvaient bien, à la rigueur, se réunir autour d'un même prytanée, réciter la même prière et se partager les mets sacrés. Mais essayez donc, avec ces usages, de faire un seul État de la Grèce entière! Comment fera-t-on les repas publics et toutes les cérémonies saintes auxquelles tout citoyen est tenu d'assister? Où sera le prytanée? Comment fera-t-on la lustration annuelle des citoyens? Que deviendront les limites inviolables qui ont marqué à l'origine le territoire de la cité et qui l'ont séparé pour toujours du reste du sol? Que deviendront tous les cultes locaux, les divinités poliades, les héros qui habitent chaque canton? Athènes a sur ses terres le héros Oedipe, ennemi de Thèbes; comment réunir Athènes et Thèbes dans un même culte et dans un même gouvernement?

Quand ces superstitions s'affaiblirent (et elles ne s'affaiblirent que très-tard dans l'esprit du vulgaire), il n'était plus temps d'établir une nouvelle forme d'État. La division était consacrée par l'habitude, par l'intérêt, par la haine invétérée, par le souvenir des vieilles luttes. Il n'y avait plus à revenir sur le passé.

Chaque ville tenait fort à son autonomie; elle appelait ainsi un ensemble qui comprenait son culte, son droit, son gouvernement, toute son indépendance religieuse et politique.

Il était plus facile à une cité d'en assujettir une autre que de se l'adjoindre. La victoire pouvait faire de tous les habitants d'une ville prise autant d'esclaves; elle ne pouvait pas en faire des concitoyens du vainqueur. Confondre deux cités en un seul État, unir la population vaincue à la population victorieuse et les associer sous un même gouvernement, c'est ce qui ne se voit jamais chez les anciens, à une seule exception près dont nous parlerons plus tard. Si Sparte conquiert la Messénie, ce n'est pas pour faire des Spartiates et des Messéniens un seul peuple; elle expulse toute la race des vaincus et prend leurs terres. Athènes en use de même à l'égard de Salamine, d'Égine, de Mélos.

Faire entrer les vaincus dans la cité des vainqueurs était une pensée qui ne pouvait venir à l'esprit de personne. La cité possédait des dieux, des hymnes, des fêtes, des lois, qui étaient son patrimoine précieux; elle se gardait bien d'en donner part à des vaincus. Elle n'en avait même pas le droit; Athènes pouvait-elle admettre que l'habitant d'Égine entrât dans le temple d'Athéné poliade? qu'il adressât un culte à Thésée? qu'il prît part aux repas sacrés? qu'il entretînt, comme prytane, le foyer public? La religion le défendait. Donc la population vaincue de l'île d'Égine ne pouvait pas former un même État avec la population d'Athènes. N'ayant pas les mêmes dieux, les Éginètes et les Athéniens ne pouvaient pas avoir les mêmes lois, ni les mêmes magistrats.

Mais Athènes ne pouvait-elle pas du moins, en laissant debout la ville vaincue, envoyer dans ses murs des magistrats pour la gouverner? Il était absolument contraire aux principes des anciens qu'une cité fût gouvernée par un homme qui n'en fût pas citoyen. En effet le magistrat devait être un chef religieux et sa fonction principale était d'accomplir le sacrifice au nom de la cité. L'étranger, qui n'avait pas le droit de faire le sacrifice, ne pouvait donc pas être magistrat. N'ayant aucune fonction religieuse, il n'avait aux yeux des hommes aucune autorité régulière. Sparte essaya de mettre dans les villes ses harmostes; mais ces hommes n'étaient pas magistrats, ne jugeaient pas, ne paraissaient pas dans les assemblées. N'ayant aucune relation régulière avec le peuple des villes, ils ne purent pas se maintenir longtemps.

Il résultait de là que tout vainqueur était dans l'alternative, ou de détruire la cité vaincue et d'en occuper le territoire, ou de lui laisser toute son indépendance. Il n'y avait pas de moyen terme. Ou la cité cessait d'être, ou elle était un État souverain. Ayant son culte, elle devait avoir son gouvernement; elle ne perdait l'un qu'en perdant l'autre, et alors elle n'existait plus.

Cette indépendance absolue de la cité ancienne n'a pu cesser que quand les croyances sur lesquelles elle était fondée eurent complètement disparu. Après que les idées eurent été transformées et que plusieurs révolutions eurent passé sur ces sociétés antiques, alors on put arriver à concevoir et à établir un État plus grand régi par d'autres règles. Mais il fallut pour cela que les hommes découvrissent d'autres principes et un autre lien social que ceux des vieux âges.

CHAPITRE XV

RELATIONS ENTRE LES CITÉS; LA GUERRE; LA PAIX; L'ALLIANCE DES DIEUX.

La religion qui exerçait un si grand empire sur la vie intérieure de la cité, intervenait avec la même autorité dans toutes les relations que les cités avaient entre elles. C'est ce qu'on peut voir en observant comment les hommes de ces vieux âges se faisaient la guerre, comment ils concluaient la paix, comment ils formaient des alliances.

Deux cités étaient deux associations religieuses qui n'avaient pas les mêmes dieux. Quand elles étaient en guerre, ce n'étaient pas seulement les hommes qui combattaient, les dieux aussi prenaient part à la lutte. Qu'on ne croie pas que ce soit là une simple fiction poétique. Il y a eu chez les anciens une croyance très-arrêtée et très-vivace en vertu de laquelle chaque armée emmenait avec elle ses dieux. On était convaincu qu'ils combattaient dans la mêlée; les soldats les défendaient et ils défendaient les soldats. En combattant contre l'ennemi, chacun croyait combattre aussi contre les dieux de l'autre cité; ces dieux étrangers, il était permis de les détester, de les injurier, de les frapper; on pouvait les faire prisonniers.

La guerre avait ainsi un aspect étrange. Il faut se représenter deux petites armées en présence; chacune a au milieu d'elle ses statues, son autel, ses enseignes qui sont des emblèmes sacrés; chacune a ses oracles qui lui ont promis le succès, ses augures et ses devins qui lui assurent la victoire. Avant la bataille, chaque soldat dans les deux armées pense et dit comme ce Grec dans Euripide: « Les dieux qui combattent avec nous sont plus forts que ceux qui sont avec nos ennemis. » Chaque armée prononce contre l'armée ennemie une imprécation dans le genre de celle dont Macrobe nous a conservé la formule: « O dieux, répandez l'effroi, la terreur, le mal parmi nos ennemis. Que ces hommes et quiconque habite leurs champs et leur ville, soient par vous privés de la lumière du soleil. Que cette ville et leurs champs, et leurs têtes et leurs personnes y vous soient dévoués. » Cela dit, on se bat des deux côtés avec cet acharnement sauvage que donne la pensée qu'on a des dieux pour soi et qu'on combat contre des dieux étrangers. Pas de merci pour l'ennemi; la guerre est implacable; la religion préside à la lutte et excite les combattants. Il ne peut y avoir aucune règle supérieure qui tempère le désir de tuer; il est permis d'égorger les prisonniers, d'achever les blessés.

Même en dehors du champ de bataille, on n'a pas l'idée d'un devoir, quel qu'il soit, vis-à-vis de l'ennemi. Il n'y a jamais de droit pour l'étranger; à plus forte raison n'y en a-t-il pas quand on lui fait la guerre. On n'a pas à distinguer à son égard le juste et l'injuste. Mucius Scaevola et tous les Romains ont cru qu'il était beau d'assassiner un ennemi. Le consul Marcius se vantait publiquement d'avoir trompé le roi de Macédoine. Paul-Émile vendit comme esclaves cent mille Épirotes qui s'étaient remis volontairement dans ses mains.

Le Lacédémonien Phébidas, en pleine paix, s'était emparé de la citadelle des Thébains. On interrogeait Agésilas sur la justice de cette action: « Examinez seulement si elle est utile, dit le roi; car dès qu'une action est utile à la patrie, il est beau de la faire. » Voilà le droit des gens des cités anciennes. Un autre roi de Sparte, Cléomène, disait que tout le mal qu'on pouvait faire aux ennemis était toujours juste aux yeux des dieux et des hommes.

Le vainqueur pouvait user de sa victoire comme il lui plaisait. Aucune loi divine ni humaine n'arrêtait sa vengeance ou sa cupidité. Le jour où Athènes décréta que tous les Mityléniens, sans distinction de sexe ni d'âge, seraient exterminés, elle ne croyait pas dépasser son droit; quand, le lendemain, elle revint sur son décret et se contenta de mettre à mort mille citoyens et de confisquer toutes les terres, elle se crut humaine et indulgente. Après la prise de Platée, les hommes furent égorgés, les femmes vendues, et personne n'accusa les vainqueurs d'avoir violé le droit.

On ne faisait pas seulement la guerre aux soldats; on la faisait à la population tout entière, hommes, femmes, enfants, esclaves. On ne la faisait pas seulement aux êtres humains; on la faisait aux champs et aux moissons. On brûlait les maisons, on abattait les arbres; la récolte de l'ennemi était presque toujours dévouée aux dieux infernaux et par conséquent brûlée. On exterminait les bestiaux; on détruisait même les semis qui auraient pu produire l'année suivante. Une guerre pouvait faire disparaître d'un seul coup le nom et la race de tout un peuple et transformer une contrée fertile en un désert. C'est en vertu de ce droit de la guerre que Rome a étendu la solitude autour d'elle; du territoire où les Volsques avaient vingt-trois cités, elle a fait les marais pontins; les cinquante-trois villes du Latium ont disparu; dans le Samnium on put longtemps reconnaître les lieux où les armées romaines avaient passé, moins aux vestiges de leurs camps, qu'à la solitude qui régnait aux environs.

Quand le vainqueur n'exterminait pas les vaincus, il avait le droit de supprimer leur cité, c'est-à-dire de briser leur association religieuse et politique. Alors les cultes cessaient et les dieux étaient oubliée. La religion de la cité étant abattue, la religion de chaque famille disparaissait en même temps. Les foyers s'éteignaient. Avec le culte tombaient les lois, le droit civil, la famille, la propriété, tout ce qui s'étayait sur la religion. Écoutons le vaincu à qui l'on fait grâce de la vie; on lui fait prononcer la formule suivante: « Je donne ma personne, ma ville, ma terre, l'eau qui y coule, mes dieux termes, mes temples, mes objets mobiliers, toutes les choses qui appartiennent aux dieux, je les donne au peuple romain. » A partir de ce moment, les dieux, les temples, les maisons, les terres, les personnes étaient au vainqueur. Nous dirons plus loin ce que tout cela devenait sous la domination de Rome.

Quand la guerre ne finissait pas par l'extermination ou l'assujettissement de l'un des deux partis, un traité de paix pouvait la terminer. Mais pour cela il ne suffisait pas d'une convention, d'une parole donnée; il fallait un acte religieux. Tout traité était marqué par l'immolation d'une victime. Signer un traité est une expression toute moderne; les Latins disaient frapper un chevreau, *icere haedus ou foedus*; le nom de la victime qui était le plus ordinairement employée à cet effet est resté dans la langue usuelle pour désigner l'acte tout entier. Les Grecs s'exprimaient d'une manière analogue, ils disaient faire la libation, [Grec: spendesthai]. C'étaient toujours des prêtres qui, se conformant au rituel, accomplissaient la cérémonie du traité. On les appelait féciaux en Italie, spendophores ou porte-libation chez les Grecs.

Cette cérémonie religieuse donnait seule aux conventions internationales un caractère sacré et inviolable. Tout le monde connaît l'histoire des fourches caudines. Une armée entière, par l'organe de ses consuls, de ses questeurs, de ses tribuns et de ses centurions, avait fait une convention avec les Samnites. Mais il n'y avait pas eu de victime immolée. Aussi le Sénat se crut-il en droit de dire que la convention n'avait aucune valeur. En l'annulant, il ne vint à l'esprit d'aucun pontife, d'aucun patricien, que l'on commettait un acte de mauvaise foi.

C'était une opinion constante chez les anciens que chaque homme n'avait d'obligations qu'envers ses dieux particuliers. Il faut se rappeler ce mot d'un certain Grec dont la cité adorait le héros Alabandos; il s'adressait à un homme d'une autre ville qui adorait Hercule: « Alabandos, disait-il, est un dieu et Hercule n'en est pas un. » Avec de telles idées, il était nécessaire que dans un traité de paix chaque cité prît ses propres dieux à témoin de ses serments. « Nous avons fait un traité et versé les libations, disent les Platéens aux Spartiates, nous avons attesté, vous les dieux de vos pères, nous les dieux qui occupent notre pays. On cherchait bien, à invoquer, s'il était possible, des divinités qui fussent communes aux deux villes. On jurait par ces dieux qui sont visibles à tous, le soleil qui éclaire tout, la terre nourricière. Mais les dieux de chaque cité et ses héros protecteurs touchaient bien plus les hommes et il fallait que les contractants les prissent à témoin, si l'on voulait qu'ils fussent véritablement liés par la religion.

De même que pendant la guerre les dieux s'étaient mêlés aux combattants, ils devaient aussi être compris dans le traité. On stipulait donc qu'il y aurait alliance entre les dieux comme entre les hommes des deux villes. Pour marquer cette alliance des dieux, il arrivait quelquefois que les deux peuples s'autorisaient mutuellement à assister à leurs fêtes sacrées. Quelquefois ils s'ouvraient réciproquement leurs temples et faisaient un échange de rites religieux. Rome stipula un jour que le dieu de la ville de Lanuvium protégerait dorénavant les Romains, qui auraient le droit de le prier et d'entrer dans son temple. Souvent chacune des deux parties contractantes s'engageait à offrir un culte aux divinités de l'autre. Ainsi les Éléens, ayant conclu un traité avec les Étoliens, offrirent dans la suite un sacrifice annuel aux héros de leurs alliés. Il était fréquent qu'à la suite d'une alliance on représentât par des statues ou des médailles les divinités des deux villes se donnant la main. C'est ainsi qu'on a des médailles où nous voyons unis l'Apollon de Milet et le Génie de Smyrne, la Pallas des Sidéens et l'Artémis de Perge, l'Apollon d'Hiérapolis et l'Artémis d'Éphèse. Virgile, parlant d'une alliance entre la Thrace et les Troyens, montre les Pénates des deux peuples unis et associés.

Ces coutumes bizarres répondaient parfaitement à l'idée que les anciens se faisaient des dieux. Comme chaque cité avait les siens, il semblait naturel que ces dieux figurassent dans les combats et dans les traités. La guerre ou la paix entre deux villes était la guerre ou la paix entre deux religions. Le droit des gens des anciens fut longtemps fondé sur ce principe. Quand les dieux étaient ennemis, il y avait guerre sans merci et sans règle; dès qu'ils étaient amis, les hommes étaient liés entre eux et avaient le sentiment de devoirs réciproques. Si l'on pouvait supposer que les divinités poliades de deux cités eussent quelque motif pour être alliées, c'était assez pour que les deux cités le fussent. La première ville avec laquelle Borne contracta amitié fut Caeré en Étrurie, et Tite- Live en dit la raison: dans le désastre de l'invasion gauloise, les dieux romains avaient trouvé un asile à Caeré; ils avaient habité cette ville, ils y avaient été adorés; un lien sacré d'hospitalité s'était ainsi formé entre les dieux romains et la cité étrusque; dès lors la religion ne permettait pas que les deux villes fussent ennemies; elles étaient alliées pour toujours.

CHAPITRE XVI

LE ROMAIN; L'ATHÉNIEN.

Cette même religion, qui avait fondé les sociétés et qui les gouverna longtemps, façonna aussi l'âme humaine et fit à l'homme son caractère. Par ses dogmes et par ses pratiques elle donna au Romain et au Grec une certaine manière de penser et d'agir et de certaines habitudes dont ils ne purent de longtemps se défaire. Elle montrait à l'homme des dieux partout, dieux petits, dieux facilement irritables et malveillants. Elle écrasait l'homme sous la crainte d'avoir toujours des dieux contre soi et ne lui laissait aucune liberté dans ses actes.

Il faut voir quelle place la religion occupe dans la vie d'un Romain. Sa maison est pour lui ce qu'est pour nous un temple; il y trouve son culte et ses dieux. C'est un dieu que son foyer; les murs, les portes, le seuil sont des dieux; les bornes qui entourent son champ sont encore des dieux. Le tombeau est un autel, et ses ancêtres sont des êtres divins.

Chacune de ses actions de chaque jour est un rite; toute sa journée appartient à sa religion. Le matin et le soir il invoque son foyer, ses pénates, ses ancêtres; en sortant de sa maison, en y rentrant, il leur adresse une prière. Chaque repas est un acte religieux qu'il partage avec ses divinités domestiques. La naissance, l'initiation, la prise de la toge, le mariage et les anniversaires de tous ces événements sont les actes solennels de son culte.

Il sort de chez lui et ne peut presque faire un pas sans rencontrer un objet sacré; ou c'est une chapelle, ou c'est un lieu jadis frappé de la foudre, ou c'est un tombeau; tantôt il faut qu'il se recueille et prononce une prière, tantôt il doit détourner les yeux et se couvrir le visage pour éviter la vue d'un objet funeste.

Chaque jour il sacrifie dans sa maison, chaque mois dans sa curie, plusieurs fois par an dans sa *gens* ou dans sa tribu. Par-dessus tous ces dieux, il doit encore un culte à ceux de la cité. Il y a dans Rome plus de dieux que de citoyens.

Il fait des sacrifices pour remercier les dieux; il en fait d'autres, et en plus grand nombre, pour apaiser leur colère. Un jour il figure dans une procession en dansant suivant un rhythme ancien au son de la flûte sacrée. Un autre jour il conduit des chars dans lesquels sont couchées les statues des divinités. Une autre fois c'est un *lectisternium*; une table est dressée dans une rue et chargée de mets; sur des lits sont couchées les statues des dieux, et chaque Romain passe en s'inclinant, une couronne sur la tête et une branche de laurier à la main.

Il a une fête pour les semailles; une pour la moisson, une pour la taille de la vigne. Avant que le blé soit venu en épi, il a fait plus de dix sacrifices et invoqué une dizaine de divinités particulières pour le succès de sa récolte. Il a surtout un grand nombre de fêtes pour les morts, parce qu'il a peur d'eux.

Il ne sort jamais de chez lui sans regarder s'il ne paraît pas quelque oiseau de mauvais augure. Il y a des mots qu'il n'ose prononcer de sa vie. Forme-t-il quelque désir, il inscrit son voeu sur une tablette qu'il dépose aux pieds de la statue d'un dieu.

A tout moment il consulte les dieux et veut savoir leur volonté. Il trouve toutes ses résolutions dans les entrailles des victimes, dans le vol des oiseaux, dans les avis de la foudre. L'annonce d'une pluie de sang ou d'un boeuf qui a parlé, le trouble et le fait trembler; il ne sera tranquille que lorsqu'une cérémonie expiatoire l'aura mis en paix avec les dieux.

Il ne sort de sa maison que du pied droit. Il ne se fait couper les cheveux que pendant la pleine lune. Il porte sur lui des amulettes. Il couvre les murs de sa maison d'inscriptions magiques contre l'incendie. Il sait des formules pour éviter la maladie, et d'autres pour la guérir; mais il faut les répéter vingt-sept fois et cracher à chaque fois d'une certaine façon.

Il ne délibère pas au Sénat si les victimes n'ont pas donné les signes favorables. Il quitte l'assemblée du peuple s'il a entendu le cri d'une souris. Il renonce aux desseins les mieux arrêtés s'il a aperçu un mauvais présage ou si une parole funeste a frappé son oreille. Il est brave au combat, mais à condition que les auspices lui assurent la victoire.

Ce Romain que nous présentons ici n'est pas l'homme du peuple, l'homme à l'esprit faible que la misère et l'ignorance retiennent dans la superstition. Nous parlons du patricien, de l'homme noble, puissant et riche. Ce patricien est tour à tour guerrier, magistrat, consul, agriculteur, commerçant; mais partout et toujours il est prêtre et sa pensée est fixée sur les dieux. Patriotisme, amour de la gloire, amour de l'or, si puissants que soient ces sentiments sur son âme, la crainte des dieux domine tout. Horace a dit le mot le plus vrai sur le Romain:

Dis te minorem quod geris, imperas.

On a dit que c'était une religion de politique. Mais pouvons-nous supposer qu'un sénat de trois cents membres, un corps de trois mille patriciens se soit entendu avec une telle unanimité pour tromper le peuple ignorant? et cela pendant des siècles, sans que parmi tant de rivalités, de luttes, de haines personnelles, une seule voix se soit jamais élevée pour dire: Ceci est un mensonge. Si un patricien eût trahi les secrets de sa secte, si, s'adressant aux plébéiens qui supportaient impatiemment le joug de cette religion, il les eût tout à coup débarrassés et affranchis de ces auspices et de ces sacerdoces, cet homme eût acquis immédiatement un tel crédit qu'il fût devenu le maître de l'État. Croit-on que, si les patriciens n'eussent pas cru à la religion qu'ils pratiquaient, une telle tentation n'aurait pas été assez forte pour déterminer au moins un d'entre eux à révéler le secret? On se trompe gravement sur la nature humaine si l'on suppose qu'une religion puisse s'établir par convention et se soutenir par imposture. Que l'on compte dans Tite-Live combien de fois cette religion gênait les patriciens eux-mêmes, combien de fois elle embarrassa le Sénat et entrava son action, et que l'on dise ensuite si cette religion avait été inventée pour la commodité des hommes d'État. C'est bien tard, c'est seulement au temps des Scipions que l'on a commencé de croire que la religion était utile au gouvernement; mais déjà la religion était morte dans les âmes.

Prenons un Romain des premiers siècles; choisissons un des plus grands guerriers, Camille qui fut cinq fois dictateur et qui vainquit dans plus de dix batailles. Pour être dans le vrai, il faut se le représenter autant comme un prêtre que comme un guerrier. Il appartient à la *gens* Furia; son surnom est un mot qui désigne une fonction sacerdotale. Enfant, on lui a fait porter la robe prétexte qui indique sa caste, et la bulle qui détourne les mauvais sorts. Il a grandi en assistant chaque jour aux cérémonies du culte; il a passé sa jeunesse à s'instruire des rites de la religion. Il est vrai qu'une guerre a éclaté et que le prêtre s'est fait soldat; on l'a vu, blessé à la cuisse dans un combat de cavalerie, arracher le fer de la blessure et continuer à combattre. Après plusieurs campagnes, il a été élevé aux magistratures; comme tribun consulaire, il a fait les sacrifices publics, il a jugé, il a commandé l'armée. Un jour vient où l'on songe à lui pour la dictature. Ce jour-là, le magistrat en charge, après s'être recueilli pendant une nuit claire, a consulté les dieux; sa pensée était attachée à Camille dont il prononçait tout bas le nom, et ses yeux étaient fixés au ciel où ils cherchaient les présages. Les dieux n'en ont envoyé que de bons; c'est que Camille leur est agréable; il est nommé dictateur.

Le voilà chef d'armée; il sort de la ville, non sans avoir consulté les auspices et immolé force victimes. Il a sous ses ordres beaucoup d'officiers, presque autant de prêtres, un pontife, des augures, des aruspices, des pullaires, des victimaires, un porte-foyer.

On le charge de terminer la guerre contre Veii que l'on assiège sans succès depuis neuf ans. Veii est une ville étrusque, c'est-à-dire presque une ville sainte; c'est de piété plus que de courage qu'il faut lutter. Si depuis neuf ans les Romains ont le dessous, c'est que les Étrusques connaissent mieux les rites qui sont agréables aux dieux et les formules magiques qui gagnent leur faveur. Rome, de son côté, a ouvert ses livres Sibyllins et y a cherché la volonté des dieux. Elle s'est aperçue que ses féries latines avaient été souillées par quelque vice de forme et elle a renouvelé le sacrifice. Pourtant les Étrusques ont encore la supériorité; il ne reste qu'une ressource, s'emparer d'un prêtre étrusque et savoir par lui le secret des dieux. Un prêtre véien est pris et mené au Sénat: « Pour que Rome l'emporte, dit-il, il faut qu'elle abaisse le niveau du lac albain, en se gardant bien d'en faire écouler l'eau dans la mer. » Rome obéit, on creuse une infinité de canaux et de rigoles, et l'eau du lac se perd dans la campagne.

C'est à ce moment que Camille est élu dictateur. Il se rend à l'armée près de Veii. Il est sûr du succès; car tous les oracles ont été révélés, tous les ordres des dieux accomplis; d'ailleurs, avant de quitter Rome, il a promis aux dieux protecteurs des fêtes et des sacrifices. Pour vaincre, il ne néglige pas les moyens humains; il augmente l'armée, raffermit la discipline, fait creuser une galerie souterraine pour pénétrer dans la citadelle. Le jour de l'attaque est arrivé; Camille sort de sa tente; il prend les auspices et immole des victimes. Les pontifes, les augures l'entourent; revêtu du *paludamentum*, il invoque les dieux: « Sous ta conduite, ô Apollon, et par ta volonté qui m'inspire, je marche pour prendre et détruire la ville de Veii; à toi je promets et je voue la dixième partie du butin. » Mais il ne suffit pas d'avoir des dieux pour soi; l'ennemi a aussi une divinité puissante qui le protège. Camille l'évoque par cette formule: « Junon Reine, qui pour le présent habites à Veii, je te prie, viens avec nous vainqueurs; suis-nous dans notre ville; que notre ville devienne la tienne. » Puis, les sacrifices accomplis, les prières dites, les formules récitées, quand les Romains sont sûrs que les dieux sont pour eux et qu'aucun dieu ne défend plus l'ennemi, l'assaut est donné et la ville est prise.

Tel est Camille. Un général romain est un homme qui sait admirablement combattre, qui sait surtout l'art de se faire obéir, mais qui croit fermement aux augures, qui accomplit chaque jour des actes religieux et qui est convaincu que ce qui importe le plus, ce n'est pas le courage, ce n'est pas même la discipline, c'est l'énoncé de quelques formules exactement dites suivant les rites. Ces formules adressées aux dieux les déterminent et les contraignent presque toujours à lui donner la victoire. Pour un tel général la récompense suprême est que le Sénat lui permette d'accomplir le sacrifice triomphal. Alors il monte sur le char sacré qui est attelé de quatre chevaux blancs; il est vêtu de la robe sacrée dont on revêt les dieux aux jours de fête; sa tête est couronnée, sa main droite tient une branche de laurier, sa gauche le sceptre d'ivoire; ce sont exactement les attributs et le costume que porte la statue de Jupiter. Sous cette majesté presque divine il se montre à ses concitoyens, et il va rendre hommage à la majesté vraie du plus grand des dieux romains. Il gravit la pente du Capitole, et arrivé devant le temple de Jupiter, il immole des victimes.

La peur des dieux n'était pas un sentiment propre au Romain; elle régnait aussi bien dans le coeur d'un Grec. Ces peuples, constitués à l'origine par la religion, nourris et élevés par elle, conservèrent très-longtemps la marque de leur éducation première. On connaît les scrupules du Spartiate, qui ne commence jamais une expédition avant que la lune soit dans son plein, qui immole sans cesse des victimes pour savoir s'il doit combattre et qui renonce aux entreprises les mieux conçues et les plus nécessaires parce qu'un mauvais présage l'effraye. L'Athénien n'est pas moins scrupuleux. Une armée athénienne n'entre jamais en campagne avant le septième jour du mois, et, quand une flotte va prendre la mer, on a grand soin de redorer la statue de Pallas.

Xénophon assure que les Athéniens ont plus de fêtes religieuses qu'aucun autre peuple grec. « Que de victimes offertes aux dieux, dit Aristophane, que de temples! que de statues! que de processions sacrées! A tout moment de l'année on voit des festins religieux et des victimes couronnées. » La ville d'Athènes et son territoire sont couverts de temples et de chapelles; il y en a pour le culte de la cité, pour le culte des tribus et des dèmes, pour le culte des familles. Chaque maison est elle-même un temple et dans chaque champ il y a un tombeau sacré.

L'Athénien qu'on se figure si inconstant, si capricieux, si libre penseur, a, au contraire, un singulier respect pour les vieilles traditions et les vieux rites. Sa principale religion, celle qui obtient de lui la dévotion la plus fervente, c'est la religion des ancêtres et des héros. Il a le culte des morts et il les craint. Une de ses lois l'oblige à leur offrir chaque année les prémices de sa récolte; une autre lui défend de prononcer un seul mot qui puisse provoquer leur colère. Tout ce qui touche à l'antiquité est sacré pour un Athénien. Il a de vieux recueils où sont consignés ses rites et jamais il ne s'en écarte; si un prêtre introduisait dans le culte la plus légère innovation, il serait puni de mort. Les rites les plus bizarres sont observés de siècle en siècle. Un jour de l'année, l'Athénien fait un sacrifice en l'honneur d'Ariane, et parce qu'on dit que l'amante de Thésée est morte en couches, il faut qu'on imite les cris et les mouvements d'une femme en travail. Il célèbre une autre fête annuelle qu'on appelle Oschophories et qui est comme la pantomime du retour de Thésée dans l'Attique; on couronne le caducée d'un héraut, parce que le héraut de Thésée a couronné son caducée; on pousse un certain cri que l'on suppose que le héraut a poussé, et il se fait une procession où chacun porte le costume qui était en usage au temps de Thésée. Il y a un autre jour où l'Athénien ne manque pas de faire bouillir des légumes dans une marmite d'une certaine espèce; c'est un rite dont l'origine se perd dans une antiquité lointaine, dont on ne connaît plus le sens, mais qu'on renouvelle pieusement chaque année.

L'Athénien, comme le Romain, a des jours néfastes; ces jours-là, on ne se marie pas, on ne commence aucune entreprise, on ne tient pas d'assemblée, on ne rend pas la justice. Le dix-huitième et le dix-neuvième jour de chaque mois sont employés à des purifications. Le jour des Plyntéries, jour néfaste entre tous, on voile la statue de la grande divinité poliade. Au contraire, le jour des Panathénées, le voile de la déesse est porté en grande procession, et tous les citoyens, sans distinction d'âge ni de rang, doivent lui faire cortège. L'Athénien fait des sacrifices pour les récoltes; il en fait pour le retour de la pluie ou le retour du beau temps; il en fait pour guérir les maladies et chasser la famine ou la peste.

Athènes a ses recueils d'antiques oracles, comme Rome a ses livres Sibyllins, et elle nourrit au Prytanée des hommes qui lui annoncent l'avenir. Dans ses rues on rencontre à chaque pas des devins, des prêtres, des interprètes des songes. L'Athénien croit aux présages; un éternument ou un tintement des oreilles l'arrête dans une entreprise. Il ne s'embarque jamais sans avoir interrogé les auspices. Avant de se marier il ne manque pas de consulter le vol des oiseaux. L'assemblée du peuple se sépare dès que quelqu'un assure qu'il a paru dans le ciel un signe funeste. Si un sacrifice a été troublé par l'annonce d'une mauvaise nouvelle, il faut le recommencer.

L'Athénien ne commence guère une phrase sans invoquer d'abord la bonne fortune. Il met ce mot invariablement à la tête de tous ses décrets. A la tribune, l'orateur débute volontiers par une invocation aux dieux et aux héros qui habitent le pays. On mène le peuple en lui débitant des oracles. Les orateurs, pour faire prévaloir leur avis, répètent à tout moment: La Déesse ainsi l'ordonne.

Nicias appartient à une grande et riche famille. Tout jeune, il conduit au sanctuaire de Délos une *théorie*, c'est-à-dire des victimes et un choeur pour chanter les louanges du dieu pendant le sacrifice. Revenu à Athènes, il fait hommage aux dieux d'une partie de sa fortune, dédiant une statue à Athéné, une chapelle à Dionysos. Tour à tour il est *hestiateur* et fait les frais du repas sacré de sa tribu; il est chorége et entretient un choeur pour les fêtes religieuses. Il ne passe pas un jour sans offrir un sacrifice à quelque dieu. Il a un devin attaché à sa maison, qui ne le quitte pas et qu'il consulte sur les affaires publiques aussi bien que sur ses intérêts particuliers. Nommé général, il dirige une expédition contre Corinthe; tandis qu'il revient vainqueur à Athènes, il s'aperçoit que deux de ses soldats morts sont restés sans sépulture sur le territoire ennemi; il est saisi d'un scrupule religieux; il arrête sa flotte, et envoie un héraut demander aux Corinthiens la permission d'ensevelir les deux cadavres. Quelque temps après, le peuple athénien délibère sur l'expédition de Sicile. Nicias monte à la tribune et déclare que ses prêtres et son devin annoncent des présages qui s'opposent à l'expédition. Il est vrai qu'Alcibiade a d'autres devins qui débitent des oracles en sens contraire. Le peuple est indécis. Surviennent des hommes qui arrivent d'Égypte; ils ont consulté le dieu d'Ammon, qui commence à être déjà fort en vogue, et ils en rapportent cet oracle: Les Athéniens prendront tous les Syracusains. Le peuple se décide aussitôt pour la guerre.

Nicias, bien malgré lui, commande l'expédition. Avant de partir, il accomplit un sacrifice, suivant l'usage. Il emmène avec lui, comme fait tout général, une troupe de devins, de sacrificateurs, d'aruspices et de hérauts. La flotte emporte son foyer; chaque vaisseau a un emblème qui représente quelque dieu.

Mais Nicias a peu d'espoir. Le malheur n'est-il pas annoncé par assez de prodiges? Des corbeaux ont endommagé une statue de Pallas; un homme s'est mutilé sur un autel; et le départ a lieu pendant les jours néfastes des Plyntéries! Nicias ne sait que trop que cette guerre sera fatale à lui et à la patrie. Aussi pendant tout le cours de cette campagne le voit-on toujours craintif et circonspect; il n'ose presque jamais donner le signal d'un combat, lui que l'on connaît pour être si brave soldat et si habile général.

On ne peut pas prendre Syracuse, et après des pertes cruelles il faut se décider à revenir à Athènes. Nicias prépare sa flotte pour le retour; la mer est libre encore. Mais il survient une éclipse de lune. Il consulte son devin; le devin répond que le présage est contraire et qu'il faut attendre trois fois neuf jours. Nicias obéit; il passe tout ce temps dans l'inaction, offrant force sacrifices pour apaiser la colère des dieux. Pendant ce temps, les ennemis lui ferment le port et détruisent sa flotte. Il ne reste plus qu'à faire retraite par terre, chose impossible; ni lui ni aucun de ses soldats n'échappe aux Syracusains.

Que dirent les Athéniens à la nouvelle du désastre? Ils savaient le courage personnel de Nicias et son admirable constance. Ils ne songèrent pas non plus à le blâmer d'avoir suivi les arrêts de la religion. Ils ne trouvèrent qu'une chose à lui reprocher, c'était d'avoir emmené un devin ignorant. Car le devin s'était trompé sur le présage de l'éclipse de lune; il aurait dû savoir que, pour une armée qui veut faire retraite, la lune qui cache sa lumière est un présage favorable.

CHAPITRE XVII

DE L'OMNIPOTENCE DE L'ÉTAT; LES ANCIENS N'ONT PAS CONNU LA LIBERTÉ INDIVIDUELLE.

La cité avait été fondée sur une religion et constituée comme une Église. De là sa force; de là aussi son omnipotence et l'empire absolu qu'elle exerçait sur ses membres. Dans une société établie sur de tels principes, la liberté individuelle ne pouvait pas exister. Le citoyen était soumis en toutes choses et sans nulle réserve à la cité; il lui appartenait tout entier. La religion qui avait enfanté l'État, et l'État qui entretenait la religion, se soutenaient l'un l'autre et ne faisaient qu'un; ces deux puissances associées et confondues formaient une puissance presque surhumaine à laquelle l'âme et le corps étaient également asservis.

Il n'y avait rien dans l'homme qui fût indépendant. Son corps appartenait à l'État et était voué à sa défense; à Rome, le service militaire était dû jusqu'à cinquante ans, à Athènes jusqu'à soixante, à Sparte toujours. Sa fortune était toujours à la disposition de l'État; si la cité avait besoin d'argent, elle pouvait ordonner aux femmes de lui livrer leurs bijoux, aux créanciers de lui abandonner leurs créances, aux possesseurs d'oliviers de lui céder gratuitement l'huile qu'ils avaient fabriquée.

La vie privée n'échappait pas à cette omnipotence de l'État. La loi athénienne, au nom de la religion, défendait à l'homme de rester célibataire. Sparte punissait non-seulement celui qui ne se mariait pas, mais même celui qui se mariait tard. L'État pouvait prescrire à Athènes le travail, à Sparte l'oisiveté. Il exerçait sa tyrannie jusque dans les plus petites choses; à Locres, la loi défendait aux hommes de boire du vin pur; à Rome, à Milet, à Marseille, elle le défendait aux femmes. Il était ordinaire que le costume fût fixé invariablement par les lois de chaque cité; la législation de Sparte réglait la coiffure des femmes, et celle d'Athènes leur interdisait d'emporter en voyage plus de trois robes. A Rhodes et à Byzance, la loi défendait de se raser la barbe.

L'État avait le droit de ne pas tolérer que ses citoyens fussent difformes ou contrefaits. En conséquence il ordonnait au père à qui naissait un tel enfant, de le faire mourir. Cette loi se trouvait dans les anciens codes de Sparte et de Rome. Nous ne savons pas si elle existait à Athènes; nous savons seulement qu'Aristote et Platon l'inscrivirent dans leurs législations idéales.

Il y a dans l'histoire de Sparte un trait que Plutarque et Rousseau admiraient fort. Sparte venait d'éprouver une défaite à Leuctres et beaucoup de ses citoyens avaient péri. A cette nouvelle, les parents des morts durent se montrer en public avec un visage gai. La mère qui savait que son fils avait échappé au désastre et qu'elle allait le revoir, montrait de l'affliction et pleurait. Celle qui savait qu'elle ne reverrait plus son fils, témoignait de la joie et parcourait les temples en remerciant les dieux. Quelle était donc la puissance de l'État, qui ordonnait le renversement des sentiments naturels et qui était obéi!

L'État n'admettait pas qu'un homme fût indifférent à ses intérêts; le philosophe, l'homme d'étude n'avait pas le droit de vivre à part. C'était une obligation qu'il votât dans l'assemblée et qu'il fût magistrat à son tour. Dans un temps où les discordes étaient fréquentes, la loi athénienne ne permettait pas au citoyen de rester neutre; il devait combattre avec l'un ou avec l'autre parti; contre celui qui voulait demeurer à l'écart des factions et se montrer calme, la loi prononçait la peine de l'exil avec confiscation des biens.

Il s'en fallait de beaucoup que l'éducation fût libre chez les Grecs. Il n'y avait rien, au contraire, où l'État tînt davantage à être maître. A Sparte, le père n'avait aucun droit sur l'éducation de son enfant. La loi paraît avoir été moins rigoureuse à Athènes; encore la cité faisait-elle en sorte que l'éducation fût commune sous des maîtres choisis par elle. Aristophane, dans un passage éloquent, nous montre les enfants d'Athènes se rendant à leur école; en ordre, distribués par quartiers, ils marchent en rangs serrés, par la pluie, par la neige ou au grand soleil; ces enfants semblent déjà comprendre que c'est un devoir civique qu'ils remplissent. L'État voulait diriger seul l'éducation, et Platon dit le motif de cette exigence: « Les parents ne doivent pas être libres d'envoyer ou de ne pas envoyer leurs enfants chez les maîtres que la cité a choisis; car les enfants sont moins à leurs parents qu'à la cité. » L'État considérait le corps et l'âme de chaque citoyen comme lui appartenant; aussi voulait-il façonner ce corps et cette âme de manière à en tirer le meilleur parti. Il lui enseignait la gymnastique, parce que le corps de l'homme était une arme pour la cité, et qu'il fallait que cette arme fût aussi forte et aussi maniable que possible. Il lui enseignait aussi les chants religieux, les hymnes, les danses sacrées, parce que cette connaissance était nécessaire à la bonne exécution des sacrifices et des fêtes de la cité.

On reconnaissait à l'État le droit d'empêcher qu'il y eût un enseignement libre à côté du sien. Athènes fit un jour une loi qui défendait d'instruire les jeunes gens sans une autorisation des magistrats, et une autre qui interdisait spécialement d'enseigner la philosophie.

L'homme n'avait pas le choix de ses croyances. Il devait croire et se soumettre à la religion de la cité. On pouvait haïr ou mépriser les dieux de la cité voisine; quant aux divinités d'un caractère général et universel, comme Jupiter Céleste ou Cybèle ou Junon, on était libre d'y croire ou de n'y pas croire. Mais il ne fallait pas qu'on s'avisât de douter d'Athéné Poliade ou d'Érechthée ou de Cécrops. Il y aurait eu là une grande impiété qui eût porté atteinte à la religion et à l'État en même temps, et que l'État eût sévèrement punie. Socrate fut mis à mort pour ce crime. La liberté de penser à l'égard de la religion de la cité était absolument inconnue chez les anciens. Il fallait se conformer à toutes les règles du culte, figurer dans toutes les processions, prendre part au repas sacré. La législation athénienne prononçait une peine contre ceux qui s'abstenaient de célébrer religieusement une fête nationale.

Les anciens ne connaissaient donc ni la liberté de la vie privée, ni la liberté d'éducation, ni la liberté religieuse. La personne humaine comptait pour bien peu de chose vis-à-vis de cette autorité sainte et presque divine qu'on appelait la patrie ou l'État. L'État n'avait pas seulement, comme dans nos sociétés modernes, un droit de justice à l'égard des citoyens. Il pouvait frapper sans qu'on fût coupable et par cela seul que son intérêt était en jeu. Aristide assurément n'avait commis aucun crime et n'en était même pas soupçonné; mais la cité avait le droit de le chasser de son territoire par ce seul motif qu'Aristide avait acquis par ses vertus trop d'influence et qu'il pouvait devenir dangereux, s'il le voulait. On appelait cela l'ostracisme; cette institution n'était pas particulière à Athènes; on la trouve à Argos, à Mégare, à Syracuse, et nous pouvons croire qu'elle existait dans toutes les cités grecques. Or l'ostracisme n'était pas un châtiment; c'était une précaution que la cité prenait contre un citoyen qu'elle soupçonnait de pouvoir la gêner un jour. A Athènes on pouvait mettre un homme en accusation et le condamner pour incivisme, c'est-à-dire pour défaut d'affection envers l'État. La vie de l'homme n'était garantie par rien dès qu'il s'agissait de l'intérêt de la cité. Rome fit une loi par laquelle il était permis de tuer tout homme qui aurait l'intention de devenir roi. La funeste maxime que le salut de l'État est la loi suprême, a été formulée par l'antiquité. On pensait que le droit, la justice, la morale, tout devait céder devant l'intérêt de la patrie.

C'est donc une erreur singulière entre toutes les erreurs humaines que d'avoir cru que dans les cités anciennes l'homme jouissait de la liberté. Il n'en avait pas même l'idée. Il ne croyait pas qu'il pût exister de droit vis-à-vis de la cité et de ses dieux. Nous verrons bientôt que le gouvernement a plusieurs fois changé de forme; mais la nature de l'État est restée à peu près la même, et son omnipotence n'a guère été diminuée. Le gouvernement s'appela tour à tour monarchie, aristocratie, démocratie; mais aucune de ces révolutions ne donna aux hommes la vraie liberté, la liberté individuelle. Avoir des droits politiques, voter, nommer des magistrats, pouvoir être archonte, voilà ce qu'on appelait la liberté; mais l'homme n'en était pas moins asservi à l'État. Les anciens, et surtout les Grecs, s'exagérèrent toujours l'importance et les droits de la société; cela tient sans doute au caractère sacré et religieux que la société avait revêtu à l'origine.

LIVRE IV

LES RÉVOLUTIONS.

Assurément on ne pouvait rien imaginer de plus solidement constitué que cette famille des anciens âges qui contenait en elle ses dieux, son culte, son prêtre, son magistrat. Rien de plus fort que cette cité qui avait aussi en elle-même sa religion, ses dieux protecteurs, son sacerdoce indépendant, qui commandait à l'âme autant qu'au corps de l'homme, et qui, infiniment plus puissante que l'État d'aujourd'hui, réunissait en elle la double autorité que nous voyons partagée de nos jours entre l'État et l'Église. Si une société a été constituée pour durer, c'était bien celle- là. Elle a eu pourtant, comme tout ce qui est humain, sa série de révolutions.

Nous ne pouvons pas dire d'une manière générale à quelle époque ces révolutions ont commencé. On conçoit, en effet, que cette époque n'ait pas été la même pour les différentes cités de la Grèce et de l'Italie. Ce qui est certain, c'est que, dès le septième siècle avant notre ère, cette organisation sociale était discutée et attaquée presque partout. A partir de ce temps-là, elle ne se soutint plus qu'avec peine et par un mélange plus ou moins habile de résistance et de concessions. Elle se débattit ainsi plusieurs siècles, au milieu de luttes perpétuelles, et enfin elle disparut.

Les causes qui l'ont fait périr peuvent se réduire à deux. L'une est le changement qui s'est opéré à la longue dans les idées par suite du développement naturel de l'esprit humain, et qui, en effaçant les antiques croyances, a fait crouler en même temps l'édifice social que ces croyances avaient élevé et pouvaient seules soutenir. L'autre est l'existence d'une classe d'hommes qui se trouvait placée en dehors de cette organisation de la cité, qui en souffrait, qui avait intérêt à la détruire et qui lui fit la guerre sans relâche.

Lors donc que les croyances sur lesquelles ce régime social était fondé se sont affaiblies, et que les intérêts de la majorité des hommes ont été en désaccord avec ce régime, il a dû tomber. Aucune cité n'a échappé à cette loi de transformation, pas plus Sparte qu'Athènes, pas plus Rome que la Grèce. De même que nous avons vu que les hommes de la Grèce et ceux de l'Italie avaient eu à l'origine les mêmes croyances, et que la même série d'institutions s'était déployée chez eux, nous allons voir maintenant que toutes ces cités ont passé par les mêmes révolutions.

Il faut étudier pourquoi et comment les hommes se sont éloignés par degrés de cette antique organisation, non pas pour déchoir, mais pour s'avancer, au contraire, vers une forme sociale plus large et meilleure. Car sous une apparence de désordre et quelquefois de décadence, chacun de leurs changements les approchait d'un but qu'ils ne connaissaient pas.

CHAPITRE PREMIER

PATRICIENS ET CLIENTS.

Jusqu'ici nous n'avons pas parlé des classes inférieures et nous n'avions pas à en parler. Car il s'agissait de décrire l'organisme primitif de la cité, et les classes inférieures ne comptaient absolument pour rien dans cet organisme. La cité s'était constituée comme si ces classes n'eussent pas existé. Nous pouvions donc attendre pour les étudier que nous fussions arrivé à l'époque des révolutions.

La cité antique, comme toute société humaine, présentait des rangs, des distinctions, des inégalités. On connaît à Athènes la distinction originaire entre les Eupatrides et les Thètes; à Sparte on trouve la classe des Égaux et celle des Inférieurs, en Eubée celle des chevaliers et celle du peuple. L'histoire de Rome est pleine de la lutte entre les patriciens et les plébéiens, lutte que l'on retrouve dans toutes les cités sabines, latines et étrusques. On peut même remarquer que plus haut on remonte dans l'histoire de la Grèce et de l'Italie, plus la distinction apparaît profonde et les rangs fortement marqués: preuve certaine que l'inégalité ne s'est pas formée à la longue, mais qu'elle a existé dès l'origine et qu'elle est contemporaine de la naissance des cités.

Il importe de rechercher sur quels principes reposait cette division des classes. On pourra voir ainsi plus facilement en vertu de quelles idées ou de quels besoins les luttes vont s'engager, ce que les classes inférieures vont réclamer et au nom de quels principes les classes supérieures défendront leur empire.

On a vu plus haut que la cité était née de la confédération des familles et des tribus. Or, avant le jour où la cité se forma, la famille contenait déjà en elle-même cette distinction de classes. En effet la famille ne se démembrait pas; elle était indivisible comme la religion primitive du foyer. Le fils aîné, succédant seul au père, prenait en main le sacerdoce, la propriété, l'autorité, et ses frères étaient à son égard ce qu'ils avaient été à l'égard du père. De génération en génération, d'aîné en aîné, il n'y avait toujours qu'un chef de famille; il présidait au sacrifice, disait la prière, jugeait, gouvernait. A lui seul, à l'origine, appartenait le titre de *pater*; car ce mot qui désignait la puissance et non pas la paternité, n'a pu s'appliquer alors qu'au chef de la famille. Ses fils, ses frères, ses serviteurs, tous l'appelaient ainsi.

Voilà donc dans la constitution intime de la famille un premier principe d'inégalité. L'aîné est privilégié pour le culte, pour la succession, pour le commandement. Après plusieurs générations il se forme naturellement, dans chacune de ces grandes familles, des branches cadettes qui sont, par la religion et par la coutume, dans un état d'infériorité vis-à-vis de la branche aînée et qui, vivant sous sa protection, obéissent à son autorité.

Puis cette famille a des serviteurs, qui ne la quittent pas, qui sont attachés héréditairement à elle, et sur lesquels le *pater* ou *patron* exerce la triple autorité de maître, de magistrat et de prêtre. On les appelle de noms qui varient suivant les lieux; celui de clients et celui de thètes sont les plus connus.

Voilà encore une classe inférieure. Le client est au-dessous, non-seulement du chef suprême de la famille, mais encore des branches cadettes. Entre elles et lui il y a cette différence que le membre d'une branche cadette, en remontant la série de ses ancêtres, arrive toujours à un *pater*, c'est-à-dire à un chef de famille, à un de ces aïeux divins que la famille invoque dans ses prières. Comme il descend d'un *pater*, on l'appelle en latin *patricius*. Le fils d'un client, au contraire, si haut qu'il remonte dans sa généalogie, n'arrive jamais qu'à un client ou à un esclave. Il n'a pas de *pater* parmi ses aïeux. De là pour lui un état d'infériorité dont rien ne peut le faire sortir.

La distinction entre ces deux classes d'hommes est manifeste en ce qui concerne les intérêts matériels. La propriété de la famille appartient tout entière au chef, qui d'ailleurs en partage la jouissance avec les branches cadettes et même avec les clients. Mais tandis que la branche cadette a au moins un droit éventuel sur la propriété, dans le cas où la branche aînée viendrait à s'éteindre, le client ne peut jamais devenir propriétaire. La terre qu'il cultive, il ne l'a qu'en dépôt; s'il meurt, elle fait retour au patron; le droit romain des époques postérieures a conservé un vestige de cette ancienne règle dans ce qu'on appelait *jus applicationis*. L'argent même du client n'est pas à lui; le patron en est le vrai propriétaire et peut s'en saisir pour ses propres besoins. C'est en vertu de cette règle antique que le droit romain dit que le client doit doter la fille du patron, qu'il doit payer pour lui l'amende, qu'il doit fournir sa rançon ou contribuer aux frais de ses magistratures.

La distinction est plus manifeste encore dans la religion. Le descendant d'un *pater* peut seul accomplir les cérémonies du culte de la famille. Le client y assiste; on fait pour lui le sacrifice, mais il ne le fait pas lui-même. Entre lui et la divinité domestique il y a toujours un intermédiaire. Il ne peut pas même remplacer la famille absente. Que cette famille vienne à s'éteindre, les clients ne continuent pas le culte; ils se dispersent. Car la religion n'est pas leur patrimoine; elle n'est pas de leur sang, elle ne leur vient pas de leurs propres ancêtres. C'est une religion d'emprunt; ils en ont la jouissance, non la propriété.

Rappelons-nous que, d'après les idées des anciennes générations, le droit d'avoir un dieu et de prier était héréditaire. La tradition sainte, les rites, les paroles sacramentelles, les formules puissantes qui déterminaient les dieux à agir, tout cela ne se transmettait qu'avec le sang. Il était donc bien naturel que, dans chacune de ces antiques familles, la partie libre et ingénue qui descendait réellement de l'ancêtre premier, fût seule en possession du caractère sacerdotal. Les patriciens ou eupatrides avaient le privilège d'être prêtres et d'avoir une religion qui leur appartînt en propre.

Ainsi, avant même qu'on fût sorti de l'état de famille, il existait déjà une distinction de classes; la vieille religion domestique avait établi des rangs.

Lorsque ensuite la cité se forma, rien ne fut changé à la constitution intérieure de la famille. Nous avons même montré que la cité, à l'origine, ne fut pas une association d'individus, mais une confédération de tribus, de curies et de familles, et que, dans cette sorte d'alliance, chacun de ces corps resta ce qu'il était auparavant. Les chefs de ces petits groupes s'unissaient entre eux, mais chacun d'eux restait maître absolu dans la petite société dont il était déjà le chef. C'est pour cela que le droit romain laissa si longtemps au *pater* l'autorité absolue sur la famille, la toute-puissance et le droit de justice à l'égard des clients. La distinction des classes, née dans la famille, se continua donc dans la cité.

La cité, dans son premier âge, ne fut que la réunion des chefs de famille. On a de nombreux témoignages d'un temps où il n'y avait qu'eux qui pussent être citoyens. Cette règle s'est conservée à Sparte, où les cadets n'avaient pas de droits politiques. On en peut voir encore un vestige dans une ancienne loi d'Athènes qui disait que pour être citoyen il fallait posséder un dieu domestique. Aristote remarque qu'anciennement, dans beaucoup de villes, il était de règle que le fils ne fût pas citoyen du vivant du père, et que, le père mort, le fils aîné seul jouît des droits politiques. La loi ne comptait donc dans la cité ni les branches cadettes ni, à plus forte raison, les clients. Aussi Aristote ajoute-t-il que les vrais citoyens étaient alors en fort petit nombre.

L'assemblée qui délibérait sur les intérêts généraux de la cité n'était aussi composée, dans ces temps anciens, que des chefs de famille, des *patres*. Il est permis de ne pas croire Cicéron quand il dit que Romulus appela *pères* les sénateurs pour marquer l'affection paternelle qu'ils avaient pour le peuple. Les membres du Sénat portaient naturellement ce titre parce qu'ils étaient les chefs des *gentes*. En même temps que ces hommes réunis représentaient la cité, chacun d'eux restait maître absolu dans sa *gens*, qui était comme son petit royaume. On voit aussi dès les commencements de Rome une autre assemblée plus nombreuse, celle des curies; mais elle diffère assez peu de celle des *patres*. Ce sont encore eux qui forment l'élément principal de cette assemblée; seulement, chaque *pater* s'y montre entouré de sa famille; ses parents, ses clients même lui font cortège et marquent sa puissance. Chaque famille n'a d'ailleurs dans ces comices qu'un seul suffrage. On peut bien admettre que le chef consulte ses parents et même ses clients, mais il est clair que c'est lui qui vote. La loi défend d'ailleurs au client d'être d'un autre avis que son patron. Si les clients sont rattachés à la cité, ce n'est que par l'intermédiaire de leurs chefs patriciens. Ils participent au culte public, ils paraissent devant le tribunal, ils entrent dans l'assemblée, mais c'est à la suite de leurs patrons.

Il ne faut pas se représenter la cité de ces anciens âges comme une agglomération d'hommes vivant pêle-mêle dans l'enceinte des mêmes murailles. La ville n'est guère, dans les premiers temps, un lieu d'habitation; elle est le sanctuaire où sont les dieux de la communauté; elle est la forteresse qui les défend et que leur présence sanctifie; elle est le centre de l'association, la résidence du roi et des prêtres, le lieu où se rend la justice; mais les hommes n'y vivent pas. Pendant plusieurs générations encore, les hommes continuent à vivre hors de la ville, en familles isolées qui se partagent la campagne. Chacune de ces familles occupe son canton, où elle a son sanctuaire domestique et où elle forme, sous l'autorité de son *pater*, un groupe indivisible. Puis, à certains jours, s'il s'agit des intérêts de la cité ou des obligations du culte commun, les chefs de ces familles se rendent à la ville et s'assemblent autour du roi, soit pour délibérer, soit pour assister au sacrifice. S'agit-il d'une guerre, chacun de ces chefs arrive, suivi de sa famille et de ses serviteurs (*sua manus*), ils se groupent par phratries ou par curies et ils forment l'armée de la cité sous les ordres du roi.

CHAPITRE II

LES PLÉBÉIENS.

Il faut maintenant signaler un autre élément de population qui était au- dessous des clients eux-mêmes, et qui, infime à l'origine, acquit insensiblement assez de force pour briser l'ancienne organisation sociale. Cette classe, qui devint plus nombreuse à Rome que dans aucune autre cité, y était appelée la plèbe. Il faut voir l'origine et le caractère de cette classe pour comprendre le rôle qu'elle a joué dans l'histoire de la cité et de la famille chez les anciens.

Les plébéiens n'étaient pas les clients; les historiens de l'antiquité ne confondent pas ces deux classes entre elles. Tite-Live dit quelque part: « La plèbe ne voulut pas prendre part à l'élection des consuls; les consuls furent donc élus par les patriciens et leurs clients. » Et ailleurs: « La plèbe se plaignit que les patriciens eussent trop d'influence dans les comices grâce aux suffrages de leurs clients. » On lit dans Denys d'Halicarnasse: « La plèbe sortit de Rome et se retira sur le mont Sacré: les patriciens restèrent seuls clans la ville avec leurs clients. » Et plus loin: « La plèbe mécontente refusa de s'enrôler, les patriciens prirent les armes avec leurs clients et firent la guerre. » Cette plèbe, bien séparée des clients, ne faisait pas partie, du moins dans les premiers siècles, de ce qu'on appelait le peuple romain. Dans une vieille formule de prière, qui se répétait encore au temps des guerres puniques, on demandait aux dieux d'être propices « au peuple et à la plèbe. » La plèbe n'était donc pas comprise dans le peuple, du moins à l'origine. Le peuple comprenait les patriciens et leurs clients; la plèbe était en dehors.

Ce qui fait le caractère essentiel de la plèbe, c'est qu'elle est étrangère à l'organisation religieuse de là cité, et même à celle de la famille. On reconnaît à cela le plébéien et on le distingue du client. Le client partage au moins le culte de son patron et fait partie d'une famille, d'une *gens*. Le plébéien, à l'origine, n'a pas de culte et ne connaît pas la famille sainte.

Ce que nous avons vu plus haut de l'état social et religieux des anciens âges nous explique comment cette classe a pris naissance. La religion ne se propageait pas; née dans une famille, elle y restait comme enfermée; il fallait que chaque famille se fît sa croyance, ses dieux, son culte. Mais nous devons admettre qu'il y eut, dans ces temps si éloignés de nous, un grand nombre de familles où l'esprit n'eut pas la puissance de créer des dieux, d'arrêter une doctrine, d'instituer un culte, d'inventer l'hymne et le rhythme de la prière. Ces familles se trouvèrent naturellement dans un état d'infériorité vis-à-vis de celles qui avaient une religion, et ne purent pas s'unir en société avec elles; elles n'entrèrent ni dans les curies ni dans la cité. Même dans la suite il arriva que des familles qui avaient un culte, le perdirent, soit par négligence et oubli des rites, soit après une de ces fautes qui interdisaient à l'homme d'approcher de son foyer et de continuer son culte. Il a dû arriver aussi que des clients, coupables ou mal traités, aient quitté la famille et renoncé à sa religion; le fils qui était né d'un mariage sans rites, était réputé bâtard, comme celui qui naissait de l'adultère, et la religion de la famille n'existait pas pour lui. Tous ces hommes, exclus des familles et mis en dehors du culte, tombaient dans la classe des hommes sans foyer, c'est-à-dire dans la plèbe.

On trouve cette classe à côté de presque toutes les cités anciennes, mais séparée par une ligne de démarcation. A l'origine, une ville grecque est double: il y a la ville proprement dite, [Grec: polis], qui s'élève ordinairement sur le sommet d'une colline; elle a été bâtie avec des rites religieux et elle renferme le sanctuaire des dieux nationaux. Au pied de la colline on trouve une agglomération de maisons, qui ont été bâties sans cérémonies religieuses, sans enceinte sacrée; c'est le domicile de la plèbe, qui ne peut pas habiter dans la ville sainte.

A Rome la différence entre les deux populations est frappante. La ville des patriciens et de leurs clients est celle que Romulus a fondée suivant les rites sur le plateau du Palatin. Le domicile de la plèbe est l'asile, espèce d'enclos qui est situé sur la pente du mont Capitolin et où Romulus a admis les gens sans feu ni lieu qu'il ne pouvait pas faire entrer dans sa ville. Plus tard, quand de nouveaux plébéiens vinrent à Rome, comme ils étaient étrangers à la religion de la cité, on les établit sur l'Aventin, c'est-à-dire en dehors du pomoerium et de la ville religieuse.

Un mot caractérise ces plébéiens: ils sont sans foyer; ils ne possèdent pas, du moins à l'origine, d'autel domestique. Leurs adversaires leur reprochent toujours de ne pas avoir d'ancêtres, ce qui veut dire assurément qu'ils n'ont pas le culte des ancêtres et ne possèdent pas un tombeau de famille où ils puissent porter le repas funèbre. Ils n'ont pas de père, *pater*, c'est-à-dire qu'ils remonteraient en vain la série de leurs ascendants, ils n'y rencontreraient jamais un chef de famille religieuse. Ils n'ont pas de famille, *gentem non habent*, c'est-à-dire qu'ils n'ont que la famille naturelle; quant à celle que forme et constitue la religion, ils ne l'ont pas.

Le mariage sacré n'existe pas pour eux; ils n'en connaissent pas les rites. N'ayant pas le foyer, l'union que le foyer établit leur est interdite. Aussi le patricien qui ne connaît pas d'autre union régulière que celle qui lie l'époux à l'épouse en présence de la divinité domestique, peut-il dire en parlant des plébéiens: *Connubia promiscua habent more ferarum.*

Pas de famille pour eux, pas d'autorité paternelle. Ils peuvent avoir sur leurs enfants le pouvoir que donne la force; mais cette autorité sainte dont la religion revêt le père, ils ne l'ont pas.

Pour eux le droit de propriété n'existe pas. Car toute propriété doit être établie et consacrée par un foyer, par un tombeau, par des dieux termes, c'est-à-dire par tous les éléments du culte domestique. Si le plébéien possède une terre, cette terre n'a pas le caractère sacré; elle est profane et ne connaît pas le bornage. Mais peut-il même posséder une terre dans les premiers temps? On sait qu'à Rome nul ne peut exercer le droit de propriété s'il n'est citoyen, or le plébéien, dans le premier âge de Rome, n'est pas citoyen. Le jurisconsulte dit qu'on ne peut être propriétaire que parle droit des Quirites; or le plébéien n'est pas compté d'abord parmi les Quirites. A l'origine de Rome l'*ager romanus* a été partagé entre les tribus, les curies et les *gentes*; or le plébéien, qui n'appartient à aucun de ces groupes, n'est certainement pas entré dans le partage. Ces plébéiens, qui n'ont pas la religion, n'ont pas ce qui fait que l'homme peut mettre son empreinte sur une part de terre et la faire sienne. On sait qu'ils habitèrent longtemps l'Aventin et y bâtirent des maisons; mais ce ne fut qu'après trois siècles et beaucoup de luttes qu'ils obtinrent enfin la propriété de ce terrain.

Pour les plébéiens il n'y a pas de loi, pas de justice; car la loi est l'arrêt de la religion, et la procédure est un ensemble de rites. Le client a le bénéfice du droit de la cité par l'intermédiaire du patron; pour le plébéien ce droit n'existe pas. Un historien ancien dit formellement que le sixième roi de Rome fit le premier quelques lois pour la plèbe, tandis que les patriciens avaient les leurs depuis longtemps. Il paraît même que ces lois furent ensuite retirées à la plèbe, ou que, n'étant pas fondées sur la religion, les patriciens refusèrent d'en tenir compte; car nous voyons dans l'historien que, lorsqu'on créa des tribuns, il fallut faire une loi spéciale pour protéger leur vie et leur liberté, et que cette loi était conçue ainsi: « Que nul ne s'avise de frapper ou de tuer un tribun comme il ferait à un homme de la plèbe. » Il semble donc que l'on eût le droit de frapper ou de tuer un plébéien, ou du moins ce méfait commis envers un homme qui était hors la loi, n'était pas puni.

Pour les plébéiens il n'y a pas de droits politiques. Ils ne sont pas d'abord citoyens et nul parmi eux ne peut être magistrat. Il n'y a d'autre assemblée à Rome, durant deux siècles, que celle des curies; or les curies ne comprennent pas les plébéiens. La plèbe n'entre même pas dans la composition de l'armée, tant que celle-ci est distribuée par curies.

Mais ce qui sépare le plus manifestement le plébéien du patricien, c'est que le plébéien n'a pas la religion de la cité. Il est impossible qu'il soit revêtu d'un sacerdoce. On peut même croire que la prière, dans les premiers siècles, lui est interdite et que les rites ne peuvent pas lui être révélés. C'est comme dans l'Inde où « le coudra doit ignorer toujours les formules sacrées ». Il est étranger, et par conséquent sa seule présence souille le sacrifice. Il est repoussé des dieux. Il y a entre le patricien et lui toute la distance que la religion peut mettre entre deux hommes. La plèbe est une population méprisée et abjecte, hors de la religion, hors de la loi, hors de la société, hors de la famille. Le patricien ne peut comparer cette existence qu'à celle de la bête, *more ferarum*. Le contact du plébéien est impur. Les décemvirs, dans leurs dix premières tables, avaient oublié d'interdire le mariage entre les deux ordres; c'est que ces premiers décemvirs étaient tous patriciens et qu'il ne vint à l'esprit d'aucun d'eux qu'un tel mariage fût possible.

On voit combien de classes, dans l'âge primitif des cités, étaient superposées l'une à l'autre. En tête était l'aristocratie des chefs de famille, ceux que la langue officielle de Rome appelait *patres*, que les clients appelaient *reges*, que l'Odyssée nomme [Grec: basileis] ou [Grec: anachtes]. Au-dessous étaient les branches cadettes des familles; au-dessous encore, les clients; puis plus bas, bien plus bas, la plèbe.

C'est de la religion que cette distinction des classes était venue. Car au temps où les ancêtres des Grecs, des Italiens et des Hindous vivaient encore ensemble dans l'Asie centrale, la religion avait dit: « L'aîné fera la prière. » De là était venue la prééminence de l'aîné en toutes choses; la branche aînée dans chaque famille avait été la branche sacerdotale et maîtresse. La religion comptait néanmoins pour beaucoup les branches cadettes, qui étaient comme une réserve pour remplacer un jour la branche aînée éteinte et sauver le culte. Elle comptait encore pour quelque chose le client, même l'esclave, parce qu'ils assistaient aux actes religieux. Mais le plébéien, qui n'avait aucune part au culte, elle ne le comptait absolument pour rien. Les rangs avaient été ainsi fixés.

Mais aucune des formes sociales que l'homme imagine et établit, n'est immuable. Celle-ci portait en elle un germe de maladie et de mort; c'était cette inégalité trop grande. Beaucoup d'hommes avaient intérêt à détruire une organisation sociale qui n'avait pour eux aucun bienfait.

CHAPITRE III

PREMIÈRE RÉVOLUTION.

1° *L'autorité politique est enlevée aux rois.*

Nous avons dit qu'à l'origine le roi avait été le chef religieux de la cité, le grand prêtre du foyer public, et qu'à cette autorité sacerdotale il avait joint l'autorité politique, parce qu'il avait paru naturel que l'homme qui représentait la religion de la cité fût en même temps le président de l'assemblée, le juge, le chef de l'armée. En vertu de ce principe il était arrivé que tout ce qu'il y avait de puissance dans l'État avait été réuni dans les mains du roi.

Mais les chefs des familles, les *patres*, et au-dessus d'eux les chefs des phratries et des tribus formaient à côté de ce roi une aristocratie très-forte. Le roi n'était pas seul roi; chaque *pater* l'était comme lui dans sa *gens*; c'était même à Rome un antique usage d'appeler chacun de ces puissants patrons du nom de roi; à Athènes, chaque phratrie et chaque tribu avait son chef, et à côté du roi de la cité il y avait les rois des tribus, [Grec: phylobasileis]. C'était une hiérarchie de chefs ayant tous, dans un domaine plus ou moins étendu, les mêmes attributions et la même inviolabilité. Le roi de la cité n'exerçait pas son pouvoir sur la population entière; l'intérieur des familles et toute la clientèle échappaient à son action. Comme le roi féodal, qui n'avait pour sujets que quelques puissants vassaux, ce roi de la cité ancienne ne commandait qu'aux chefs des tribus et des *gentes*, dont chacun individuellement pouvait être aussi puissant que lui, et qui réunis l'étaient beaucoup plus. On peut bien croire qu'il ne lui était pas facile de se faire obéir. Les hommes devaient avoir pour lui un grand respect, parce qu'il était le chef du culte et le gardien du foyer; mais ils avaient sans doute peu de soumission, parce qu'il avait peu de force. Les gouvernants et les gouvernés ne furent pas longtemps sans s'apercevoir qu'ils n'étaient pas d'accord sur la mesure d'obéissance qui était due. Les rois voulaient être puissants et les *pères* ne voulaient pas qu'ils le fussent. Une lutte s'engagea donc, dans toutes les cités, entre l'aristocratie et les rois.

Partout l'issue de la lutte fut la même; la royauté fut vaincue. Mais il ne faut pas perdre de vue que cette royauté primitive était sacrée. Le roi était l'homme qui disait la prière, qui faisait le sacrifice, qui avait enfin par droit héréditaire le pouvoir d'attirer sur la ville la protection des dieux. On ne pouvait donc pas songer à se passer de roi; il en fallait un pour la religion; il en fallait un pour le salut de la cité. Aussi voyons-nous dans toutes les cités dont l'histoire nous est connue, que l'on ne toucha pas d'abord à l'autorité sacerdotale du roi et que l'on se contenta de lui ôter l'autorité politique. Celle-ci n'était qu'une sorte d'appendice que les rois avaient ajouté à leur sacerdoce; elle n'était pas sainte et inviolable comme lui. On pouvait l'enlever au roi sans que la religion fût mise en péril.

La royauté fut donc conservée; mais, dépouillée de sa puissance, elle ne fut plus qu'un sacerdoce. « Dans les temps très-anciens, dit Aristote, les rois avaient un pouvoir absolu en paix et en guerre; mais dans la suite les uns renoncèrent d'eux-mêmes à ce pouvoir, aux autres il fut enlevé de force, et on ne laissa plus à ces rois que le soin des sacrifices. » Plutarque dit la même chose: « Comme les rois se montraient orgueilleux et durs dans le commandement, la plupart des Grecs leur enlevèrent le pouvoir et ne leur laissèrent que le soin de la religion. » Hérodote parle de la ville de Cyrène et dit: « On laissa à Battos, descendant des rois, le soin du culte et la possession des terres sacrées et on lui retira toute la puissance dont ses pères avaient joui. »

Cette royauté ainsi réduite aux fonctions sacerdotales continua, la plupart du temps, à être héréditaire dans la famille sacrée qui avait jadis posé le foyer et commencé le culte national. Au temps de l'empire romain, c'est-à-dire sept ou huit siècles après cette révolution, il y avait encore à Éphèse, à Marseille, à Thespies, des familles qui conservaient le titre et les insignes de l'ancienne royauté et avaient encore la présidence des cérémonies religieuses.

Dans les autres villes les familles sacrées s'étaient éteintes, et la royauté était devenue élective et ordinairement annuelle.

2° *Histoire de cette révolution à Sparte.*

Sparte a toujours eu des rois, et pourtant la révolution dont nous parlons ici, s'y est accomplie aussi bien que dans les autres cités.

Il paraît que les premiers rois doriens régnèrent en maîtres absolus. Mais dès la troisième génération la querelle s'engagea entre les rois et l'aristocratie. Il y eut pendant deux siècles une série de luttes qui firent de Sparte une des cités les plus agitées de la Grèce; on sait qu'un de ces rois, le père de Lycurgue, périt frappé dans une guerre civile.

Rien n'est plus obscur que l'histoire de Lycurgue; son biographe ancien commence par ces mots: « On ne peut rien dire de lui qui ne soit sujet à controverse. » Il paraît du moins certain que Lycurgue parut au milieu des discordes, « dans un temps où le gouvernement flottait dans une agitation perpétuelle ». Ce qui ressort le plus clairement de tous les renseignements qui nous sont parvenus sur lui, c'est que sa réforme porta à la royauté un coup dont elle ne se releva jamais. « Sous Charilaos, dit Aristote, la monarchie fit place à une aristocratie. » Or ce Charilaos était roi lorsque Lycurgue fit sa réforme. On sait d'ailleurs par Plutarque que Lycurgue ne fut chargé des fonctions de législateur qu'au milieu d'une émeute pendant laquelle le roi Charilaos dut chercher un asile dans un temple. Lycurgue fut un moment le maître de supprimer la royauté; il s'en garda bien, jugeant la royauté nécessaire et la famille régnante inviolable. Mais il fit en sorte que les rois fussent désormais soumis au Sénat en ce qui concernait le gouvernement, et qu'ils ne fussent plus que les présidents de cette assemblée et les exécuteurs de ses décisions. Un siècle après, la royauté fut encore affaiblie et ce pouvoir exécutif lui fut ôté; on le confia à des magistrats annuels qui furent appelés éphores.

Il est facile de juger par les attributions qu'on donna aux éphores, de celles qu'on laissa aux rois. Les éphores rendaient la justice en matière civile, tandis que le Sénat jugeait les affaires criminelles. Les éphores, sur l'avis du Sénat, déclaraient la guerre ou réglaient les clauses des traités de paix. En temps de guerre, deux éphores accompagnaient le roi, le surveillaient; c'étaient eux qui fixaient le plan de campagne et commandaient toutes les opérations. Que restait-il donc aux rois, si on leur ôtait la justice, les relations extérieures, les opérations militaires? Il leur restait le sacerdoce. Hérodote décrit leurs prérogatives: « Si la cité fait un sacrifice, ils ont la première place au repas sacré; on les sert les premiers et on leur donne double portion. Ils font aussi les premiers la libation, et la peau des victimes leur appartient. On leur donne à chacun, deux fois par mois, une victime qu'ils immolent à Apollon. » « Les rois, dit Xénophon, accomplissent les sacrifices publics et ils ont la meilleure part des victimes. » S'ils ne jugent ni en matière civile ni en matière criminelle, on leur réserve du moins le jugement dans toutes les affaires qui concernent la religion. En cas de guerre, un des deux rois marche toujours à la tête des troupes, faisant chaque jour les sacrifices et consultant les présages. En présence de l'ennemi, il immole des victimes, et quand les signes sont favorables, il donne le signal de la bataille. Dans le combat il est entouré de devins qui lui indiquent la volonté des dieux, et de joueurs de flûte qui font entendre les hymnes sacrés. Les Spartiates disent que c'est le roi qui commande, parce qu'il tient dans ses mains la religion et les auspices; mais ce sont les éphores et les polémarques qui règlent tous les mouvements de l'armée.

Il est donc vrai de dire que la royauté de Sparte n'est qu'un sacerdoce héréditaire. La même révolution qui a supprimé la puissance politique du roi dans toutes les cités, l'a supprimée aussi à Sparte. La puissance appartient réellement au Sénat qui dirige et aux éphores qui exécutent. Les rois, dans tout ce qui ne concerne pas la religion, obéissent aux éphores. Aussi Hérodote peut-il dire que Sparte ne connaît pas le régime monarchique, et Aristote que le gouvernement de Sparte est une aristocratie.

3° *Même révolution à Athènes.*

On a vu plus haut quel avait été l'état primitif de la population de l'Attique. Un certain nombre de familles, indépendantes et sans lien entre elles, se partageaient le pays; chacune d'elles formait une petite société que gouvernait un chef héréditaire. Puis ces familles se groupèrent et de leur association naquit la cité athénienne. On attribuait à Thésée d'avoir achevé la grande oeuvre de l'unité de l'Attique. Mais les traditions ajoutaient et nous croyons sans peine que Thésée avait dû briser beaucoup de résistances. La classe d'hommes qui lui fit opposition ne fut pas celle des clients, des pauvres, qui étaient répartis dans les bourgades et les [Grec: genae]. Ces hommes se réjouirent plutôt d'un changement qui donnait un chef à leurs chefs et assurait à eux-mêmes un recours et une protection. Ceux qui souffrirent du changement furent les chefs des familles, les chefs des bourgades et des tribus, les [Grec: basileis], les [Grec: phylobasileis], ces eupatrides qui avaient par droit héréditaire l'autorité suprême dans leur [Grec: genos] ou dans leur tribu. Ils défendirent de leur mieux leur indépendance; perdue, ils la regrettèrent.

Du moins retinrent-ils tout ce qu'ils purent de leur ancienne autorité. Chacun d'eux resta le chef tout-puissant de sa tribu ou de son [Grec: genos]. Thésée ne put pas détruire une autorité que la religion avait établie et qu'elle rendait inviolable. Il y a plus. Si l'on examine les traditions qui sont relatives à cette époque, on voit que ces puissants eupatrides ne consentirent à s'associer pour former une cité qu'en stipulant que le gouvernement serait réellement fédératif et que chacun d'eux y aurait part. Il y eut bien un roi suprême; mais dès que les intérêts communs étaient en jeu, l'assemblée des chefs devait être convoquée et rien d'important ne pouvait être fait qu'avec l'assentiment de cette sorte de sénat.

Ces traditions, dans le langage des générations suivantes, s'exprimaient à peu près ainsi: Thésée a changé le gouvernement d'Athènes et de monarchique il l'a rendu républicain. Ainsi parlent Aristote, Isocrate, Démosthènes, Plutarque. Sous cette forme un peu mensongère il y a un fonds vrai. Thésée a bien, comme dit la tradition, « remis l'autorité souveraine entre les mains du peuple ». Seulement, le mot peuple, [Grec: daemos], que la tradition a conservé, n'avait pas au temps de Thésée une application aussi étendue que celle qu'il a eue au temps de Démosthènes. Ce peuple ou corps politique n'était certainement alors que l'aristocratie, c'est-à- dire l'ensemble des chefs des [Grec: genae].

Thésée, en instituant cette assemblée, n'était pas volontairement novateur. La formation de la grande unité athénienne changeait, malgré lui, les conditions du gouvernement. Depuis que ces eupatrides, dont l'autorité restait intacte dans les familles, étaient réunis en une même cité, ils constituaient un corps puissant qui avait ses droits et pouvait avoir ses exigences. Le roi du petit rocher de Cécrops devint roi de toute l'Attique; mais au lieu que dans sa petite bourgade il avait été roi absolu, il ne fut plus que le chef d'un État fédératif, c'est-à-dire le premier entre des égaux.

Un conflit ne pouvait guère tarder à éclater entre cette aristocratie et la royauté. « Les eupatrides regrettaient la puissance vraiment royale que chacun d'eux avait exercée jusque-là dans son bourg. » Il paraît que ces guerriers prêtres mirent la religion en avant et prétendirent que l'autorité des cultes locaux était amoindrie. S'il est vrai, comme le dit Thucydide, que Thésée essaya de détruire les prytanées des bourgs, il n'est pas étonnant que le sentiment religieux se soit soulevé contre lui. On ne peut pas dire combien de luttes il eut à soutenir, combien de soulèvements il dut réprimer par l'adresse ou par la force; ce qui est certain, c'est qu'il fut à la fin vaincu, qu'il fut chassé d'Athènes et qu'il mourut en exil.

Les eupatrides l'emportaient donc; ils ne supprimèrent pas la royauté, mais ils firent un roi de leur choix, Ménesthée. Après lui la famille de Thésée ressaisit le pouvoir et le garda pendant trois générations. Puis elle fut remplacée par une autre famille, celle des Mélanthides. Toute cette époque a dû être très troublée; mais le souvenir des guerres civiles ne nous a pas été nettement conservé.

La mort de Codrus coïncide avec la victoire définitive des eupatrides. Ils ne supprimèrent pas encore la royauté; car leur religion le leur défendait; mais ils lui ôtèrent sa puissance politique. Le voyageur Pausanias qui était fort postérieur à ces événements, mais qui consultait avec soin les traditions, dit que la royauté perdit alors une grande partie de ses attributions et « devint dépendante »; ce qui signifie sans doute qu'elle fut dès lors subordonnée au Sénat des eupatrides. Les historiens modernes appellent cette période de l'histoire d'Athènes l'archontat, et ils ne manquent guère de dire que la royauté fut alors abolie. Cela n'est pas entièrement vrai. Les descendants de Codrus se succédèrent de père en fils pendant treize générations. Ils avaient le titre d'archonte; mais il y a des documents anciens qui leur donnent aussi celui de roi; et nous avons dit plus haut que ces deux titres étaient exactement synonymes. Athènes, pendant cette longue période, avait donc encore des rois héréditaires; mais elle leur avait enlevé leur puissance et ne leur avait laissé que leurs fonctions religieuses. C'est ce qu'on avait fait à Sparte.

Au bout de trois siècles, les eupatrides trouvèrent cette royauté religieuse plus forte encore qu'ils ne voulaient, et ils l'affaiblirent. On décida que le même homme ne serait plus revêtu de cette haute dignité sacerdotale que pendant dix ans. Du reste on continua de croire que l'ancienne famille royale était seule apte à remplir les fonctions d'archonte.

Quarante ans environ se passèrent ainsi. Mais un jour la famille royale se souilla d'un crime. On allégua qu'elle ne pouvait plus remplir les fonctions sacerdotales; on décida qu'à l'avenir les archontes seraient choisis en dehors d'elle et que cette dignité serait accessible à tous les eupatrides. Quarante ans encore après, pour affaiblir cette royauté ou pour la partager entre plus de mains, on la rendit annuelle et en même temps on la divisa en deux magistratures distinctes. Jusque-là l'archonte était en même temps roi; désormais ces deux titres furent séparés. Un magistrat nommé archonte et un autre magistrat nommé roi se partagèrent les attributions de l'ancienne royauté religieuse. La charge de veiller à la perpétuité des familles, d'autoriser ou d'interdire l'adoption, de recevoir les testaments, de juger en matière de propriété immobilière, toutes choses où la religion se trouvait intéressée, fut dévolue à l'archonte. La charge d'accomplir les sacrifices solennels et celle de juger en matière d'impiété furent réservées au roi. Ainsi le titre de roi, titre sacré qui était nécessaire à la religion, se perpétua dans la cité avec les sacrifices et le culte national. Le roi et l'archonte joints au polémarque et aux six thesmothètes, qui existaient peut-être depuis longtemps, complétèrent le nombre de neuf magistrats annuels, qu'on prit l'habitude d'appeler les neuf archontes, du nom du premier d'entre eux.

La révolution qui enleva à la royauté sa puissance politique, s'opéra sous des formes diverses, dans toutes les cités. A Argos, dès la seconde génération des rois doriens, la royauté fut affaiblie au point « qu'on ne laissa aux descendants de Téménos que le nom de roi sans aucune puissance »; d'ailleurs cette royauté resta héréditaire pendant plusieurs siècles. A Cyrène les descendants de Battos réunirent d'abord dans leurs mains le sacerdoce et la puissance; mais à partir de la quatrième génération on ne leur laissa plus que le sacerdoce. A Corinthe la royauté s'était d'abord transmise héréditairement dans la famille des Bacchides; la révolution eut pour effet de la rendre annuelle, mais sans la faire sortir de cette famille, dont les membres la possédèrent à tour de rôle pendant un siècle.

4° Même révolution à Rome.

La royauté fut d'abord à Rome ce qu'elle était en Grèce. Le roi était le grand prêtre de la cité; il était en même temps le juge suprême; en temps de guerre, il commandait les citoyens armés. A côté de lui étaient les chefs de famille, *patres*, qui formaient un Sénat. Il n'y avait qu'un roi, parce que la religion prescrivait l'unité dans le sacerdoce et l'unité dans le gouvernement. Mais il était entendu que ce roi devait sur toute affaire importante consulter les chefs des familles confédérées. Les historiens mentionnent, dès cette époque, une assemblée du peuple. Mais il faut se demander quel pouvait être alors le sens du mot peuple (*populus*), c'est-à-dire quel était le corps politique au temps des premiers rois. Tous les témoignages s'accordent à montrer que ce peuple s'assemblait toujours par curies; or les curies étaient la réunion des *gentes*; chaque *gens* s'y rendait en corps et n'avait qu'un suffrage. Les clients étaient là, rangés autour du *pater*, consultés peut-être, donnant peut-être leur avis, contribuant à composer le vote unique que la *gens* prononçait, mais ne pouvant pas être d'une autre opinion que le *pater*. Cette assemblée des curies n'était donc pas autre chose que la cité patricienne réunie en face du roi.

On voit par là que Rome se trouvait dans les mêmes conditions que les autres cités. Le roi était en présence d'un corps aristocratique très fortement constitué et qui puisait sa force dans la religion. Les mêmes conflits que nous avons vus en Grèce se retrouvent donc à Rome.

L'histoire des sept rois est l'histoire de cette longue querelle. Le premier veut augmenter son pouvoir et s'affranchir de l'autorité du Sénat. Il se fait aimer des classes inférieures; mais les *Pères* lui sont hostiles. Il périt assassiné dans une réunion du Sénat.

L'aristocratie songe aussitôt à abolir la royauté, et les *Pères* exercent à tour de rôle les fonctions de roi. Il est vrai que les classes inférieures s'agitent; elles ne veulent pas être gouvernées par les chefs des *gentes*; elles exigent le rétablissement de la royauté. Mais les patriciens se consolent en décidant qu'elle sera désormais élective et ils fixent avec une merveilleuse habileté les formes de l'élection: le Sénat devra choisir le candidat; l'assemblée patricienne des curies confirmera ce choix et enfin les augures patriciens diront si le nouvel élu plaît aux dieux.

Numa fut élu d'après ces règles. Il se montra fort religieux, plus prêtre que guerrier, très scrupuleux observateur de tous les rites du culte et, par conséquent, fort attaché à la constitution religieuse des familles et de la cité. Il fut un roi selon le coeur des patriciens et mourut paisiblement dans son lit.

Il semble que sous Numa la royauté ait été réduite aux fonctions sacerdotales, comme il était arrivé dans les cités grecques. Il est au moins certain que l'autorité religieuse du roi était tout à fait distincte de son autorité politique et que l'une n'entraînait pas nécessairement l'autre. Ce qui le prouve, c'est qu'il y avait une double élection. En vertu de la première, le roi n'était qu'un chef religieux; si à cette dignité il voulait joindre la puissance politique, *imperium*, il avait besoin que la cité la lui conférât par un décret spécial. Ce point ressort clairement de ce que Cicéron nous dit de l'ancienne constitution. Ainsi le sacerdoce et la puissance étaient distincts; ils pouvaient être placés dans les mêmes mains, mais il fallait pour cela doubles comices et double élection.

Le troisième roi les réunit certainement en sa personne. Il eut le sacerdoce et le commandement; il fut même plus guerrier que prêtre; il dédaigna et voulut amoindrir la religion qui faisait la force de l'aristocratie. On le voit accueillir dans Rome une foule d'étrangers, en dépit du principe religieux qui les exclut; il ose même habiter au milieu d'eux, sur le Coelius. On le voit encore distribuer à des plébéiens quelques terres dont le revenu avait été affecté jusque-là aux frais des sacrifices. Les patriciens l'accusent d'avoir négligé les rites, et même, chose plus grave, de les avoir modifiés et altérés. Aussi meurt-il comme Romulus; les dieux des patriciens le frappent de la foudre et ses fils avec lui.

Ce coup rend l'autorité au Sénat, qui nomme un roi de son choix. Ancus observe scrupuleusement la religion, fait la guerre le moins qu'il peut et passe sa vie dans les temples. Cher aux patriciens, il meurt dans son lit.

Le cinquième roi est Tarquin, qui a obtenu la royauté malgré le Sénat et par l'appui des classes inférieures. Il est peu religieux, fort incrédule; il ne faut pas moins qu'un miracle pour le convaincre de la science des augures. Il est l'ennemi des anciennes familles; il crée des patriciens; il altère autant qu'il peut la vieille constitution religieuse de la cité. Tarquin est assassiné.

Le sixième roi s'est emparé de la royauté par surprise; il semble même que le Sénat ne l'ait jamais reconnu comme roi légitime. Il flatte les classes inférieures, leur distribue des terres, méconnaissant le principe du droit de propriété; il leur donne même des droits politiques. Servius est égorgé sur les marches du Sénat.

La querelle entre les rois et l'aristocratie prenait le caractère d'une lutte sociale. Les rois s'attachaient le peuple; des clients et de la plèbe ils se faisaient un appui. Au patriciat si puissamment organisé ils opposaient les classes inférieures si nombreuses à Rome. L'aristocratie se trouva alors dans un double danger, dont le pire n'était pas d'avoir à plier devant la royauté. Elle voyait se lever derrière elle les classes qu'elle méprisait. Elle voyait se dresser la plèbe, la classe sans religion et sans foyer. Elle se voyait peut-être attaquée par ses clients, dans l'intérieur même de la famille, dont la constitution, le droit, la religion se trouvaient discutés et mis en péril. Les rois étaient donc pour elle des ennemis odieux qui, pour augmenter leur pouvoir, visaient à bouleverser l'organisation sainte de la famille et de la cité.

A Servius succède le second Tarquin; il trompe l'espoir des sénateurs qui l'ont élu; il veut être maître, *de rege dominus exstitit*. Il fait autant de mal qu'il peut au patriciat; il abat les hautes têtes; il règne sans consulter les Pères, fait la guerre et la paix sans leur demander leur approbation. Le patriciat semble décidément vaincu.

Enfin une occasion se présente. Tarquin est loin de Rome; non-seulement lui, mais l'armée, c'est-à-dire ce qui le soutient. La ville est momentanément entre les mains du patriciat. Le préfet de la ville, c'est-à-dire celui qui a le pouvoir civil en l'absence du roi, est un patricien, Lucrétius. Le chef de la cavalerie, c'est-à-dire celui qui a l'autorité militaire après le roi, est un patricien, Junius. Ces deux hommes préparent l'insurrection. Ils ont pour associés d'autres patriciens, un Valérius, un Tarquin Collatin. Le lieu de réunion n'est pas Rome, c'est la petite ville de Collatie, qui appartient en propre à l'un des conjurés. Là, ils montrent au peuple le cadavre d'une femme; ils disent que cette femme s'est tuée elle-même, se punissant du crime d'un fils du roi. Le peuple de Collatie se soulève; on se porte à Rome; on y renouvelle la même scène. Les esprits sont troublés, les partisans du roi déconcertés; et d'ailleurs, dans ce moment même, le pouvoir légal dans Rome appartient à Junius et à Lucrétius.

Les conjurés se gardent d'assembler le peuple; ils se rendent au Sénat. Le Sénat prononce que Tarquin est déchu et la royauté abolie. Mais le décret du Sénat doit être confirmé par la cité. Lucrétius, à titre de préfet de la ville, a le droit de convoquer l'assemblée. Les curies se réunissent; elles pensent comme les conjurés; elles prononcent la déposition de Tarquin et la création de deux consuls.

Ce point principal décidé, on laisse le soin de nommer les consuls à l'assemblée par centuries. Mais cette assemblée où quelques plébéiens votent, ne va-t-elle pas protester contre ce que les patriciens ont fait dans le Sénat et dans les curies? Elle ne le peut pas. Car toute assemblée romaine est présidée par un magistrat qui désigne l'objet du vote, et nul ne peut mettre en délibération un autre objet. Il y a plus: nul autre que le président, à cette époque, n'a le droit de parler. S'agit-il d'une loi? les centuries ne peuvent voter que par oui ou par non. S'agit-il d'une élection? le président présente des candidats, et nul ne peut voter que pour les candidats présentés. Dans le cas actuel, le président désigné par le Sénat est Lucrétius, l'un des conjurés. Il indique comme unique sujet de vote l'élection de deux consuls. Il présente deux noms aux suffrages des centuries, ceux de Junius et de Tarquin Collatin. Ces deux hommes sont nécessairement élus. Puis le Sénat ratifie l'élection, et enfin les augures la confirment au nom des dieux.

Cette révolution ne plut pas à tout le monde dans Rome. Beaucoup de plébéiens rejoignirent le roi et s'attachèrent à sa fortune. En revanche, un riche patricien de la Sabine, le chef puissant d'une *gens* nombreuse, le fier Attus Clausus trouva le nouveau gouvernement si conforme à ses vues qu'il vint s'établir à Rome.

Du reste, la royauté politique fut seule supprimée; la royauté religieuse était sainte et devait durer. Aussi se hâta-t-on de nommer un roi, mais qui ne fut roi que pour les sacrifices, *rex sacrorum*. On prit toutes les précautions imaginables pour que ce roi-prêtre n'abusât jamais du grand prestige que ses fonctions lui donnaient pour s'emparer de l'autorité.

CHAPITRE IV

L'ARISTOCRATIE GOUVERNE LES CITÉS.

La même révolution, sous des formes légèrement variées, s'était accomplie à Athènes, à Sparte, à Rome, dans toutes les cités enfin dont l'histoire nous est connue. Partout elle avait été l'oeuvre de l'aristocratie, partout elle eut pour effet de supprimer la royauté politique en laissant subsister la royauté religieuse. A partir de cette époque et pendant une période dont la durée fut fort inégale pour les différentes villes, le gouvernement de la cité appartint à l'aristocratie.

Cette aristocratie était fondée sur la naissance et sur la religion à la fois. Elle avait son principe dans la constitution religieuse des familles. La source d'où elle dérivait, c'étaient ces mêmes règles que nous avons observées plus haut dans le culte domestique et dans le droit privé, c'est-à-dire la loi d'hérédité du foyer, le privilège de l'aîné, le droit de dire la prière attaché à la naissance. La religion héréditaire était le titre de cette aristocratie à la domination absolue. Elle lui donnait des droits qui paraissaient sacrés. D'après les vieilles croyances, celui-là seul pouvait être propriétaire du sol, qui avait un culte domestique; celui-là seul était membre de la cité, qui avait en lui le caractère religieux qui faisait le citoyen; celui-là seul pouvait être prêtre, qui descendait d'une famille ayant un culte, celui-là seul pouvait être magistrat, qui avait le droit d'accomplir les sacrifices. L'homme qui n'avait pas de culte héréditaire devait être le client d'un autre homme, ou s'il ne s'y résignait pas, il devait rester en dehors de toute société. Pendant de longues générations, il ne vint pas à l'esprit des hommes que cette inégalité fût injuste. On n'eut pas la pensée de constituer la société humaine d'après d'autres règles.

A Athènes, depuis la mort de Codrus jusqu'à Solon, toute autorité fut aux mains des eupatrides. Ils étaient seuls prêtres et seuls archontes. Seuls ils rendaient la justice et connaissaient les lois, qui n'étaient pas écrites et dont ils se transmettaient de père en fils les formules sacrées.

Ces familles gardaient autant qu'il leur était possible les anciennes formes du régime patriarcal. Elles ne vivaient pas réunies dans la ville. Elles continuaient à vivre dans les divers cantons de l'Attique, chacune sur son vaste domaine, entourée de ses nombreux serviteurs, gouvernée par son chef eupatride et pratiquant dans une indépendance absolue son culte héréditaire. La cité athénienne ne fut pendant quatre siècles que la confédération de ces puissants chefs de famille qui s'assemblaient à certains jours pour la célébration du culte central ou pour la poursuite des intérêts communs.

On a souvent remarqué combien l'histoire est muette sur cette longue période de l'existence d'Athènes et en général de l'existence des cités grecques. On s'est étonné qu'ayant gardé le souvenir de beaucoup d'événements du temps des anciens rois, elle n'en ait enregistré presque aucun du temps des gouvernements aristocratiques. C'est sans doute qu'il se produisit alors très-peu d'actes qui eussent un intérêt général. Le retour au régime patriarcal avait suspendu presque partout la vie nationale. Les hommes vivaient séparés et avaient peu d'intérêts communs. L'horizon de chacun était le petit groupe et la petite bourgade où il vivait à titre d'eupatride ou à titre de serviteur.

A Rome aussi chacune des familles patriciennes vivait sur son domaine, entourée de ses clients. On venait à la ville pour les fêtes du culte public ou pour les assemblées. Pendant les années qui suivirent l'expulsion des rois, le pouvoir de l'aristocratie fut absolu. Nul autre que le patricien ne pouvait remplir les fonctions sacerdotales dans la cité; c'était dans la caste sacrée qu'il fallait choisir exclusivement les vestales, les pontifes, les saliens, les flamines, les augures. Les seuls patriciens pouvaient être consuls; seuls ils composaient le Sénat. Si l'on ne supprima pas l'assemblée par centuries, où les plébéiens avaient accès, on regarda du moins l'assemblée par curies comme la seule qui fût légitime et sainte. Les centuries avaient en apparence l'élection des consuls; mais nous avons vu qu'elles ne pouvaient voter que sur les noms que les patriciens leur présentaient, et d'ailleurs leurs décisions étaient soumises à la triple ratification du Sénat, des curies et des augures. Les seuls patriciens rendaient la justice et connaissaient les formules de la loi.

Ce régime politique n'a duré à Rome qu'un petit nombre d'années. En Grèce, au contraire, il y eut un long âge où l'aristocratie fut maîtresse. L'Odyssée nous présente un tableau fidèle de cet état social, dans la partie occidentale de la Grèce. Nous y voyons, en effet, un régime patriarcal fort analogue à celui que nous avons remarqué dans l'Attique. Quelques grandes et riches familles se partagent le pays; de nombreux serviteurs cultivent le sol ou soignent les troupeaux; la vie est simple; une même table réunit le chef et les serviteurs. Ces chefs sont appelés d'un nom qui devint dans d'autres sociétés un titre pompeux, [Grec: anaktes, basileis]. C'est ainsi que les Athéniens de l'époque primitive appelaient [Grec: basileus] le chef du [Grec: genos] et que les clients de Rome gardèrent l'usage d'appeler *rex* le chef de la *gens*. Ces chefs de famille ont un caractère sacré; le poëte les appelle les rois divins. Ithaque est bien petite; elle renferme pourtant un grand nombre de ces rois. Parmi eux il y a, à la vérité, un roi suprême; mais il n'a guère d'importance et ne paraît pas avoir d'autre prérogative que celle de présider le conseil des chefs. Il semble même à certains signes qu'il soit soumis à l'élection, et l'on voit bien que Télémaque ne sera le chef suprême de l'île qu'autant que les autres chefs, ses égaux, voudront bien l'élire. Ulysse rentrant dans sa patrie ne paraît pas avoir d'autres sujets que les serviteurs qui lui appartiennent en propre; quand il a tué quelques-uns des chefs, les serviteurs de ceux-ci prennent les armes et soutiennent une lutte que le poëte ne songe pas à trouver blâmable. Chez les Phéaciens, Alcinoos a l'autorité suprême; mais nous le voyons se rendre dans la réunion des chefs, et l'on peut remarquer que ce n'est pas lui qui a convoqué le conseil, mais que c'est le conseil qui a mandé le roi. Le poëte décrit une assemblée de la cité phéacienne; il s'en faut de beaucoup que ce soit une réunion de la multitude; les chefs seuls, individuellement convoqués par un héraut, comme à Rome pour les *comitia calata*, se sont réunis; ils sont assis sur des sièges de pierre; le roi prend la parole et il qualifie ses auditeurs du nom de rois porteurs de sceptres.

Dans la ville d'Hésiode, dans la pierreuse Ascra, nous trouvons une classe d'hommes que le poëte appelle les chefs ou les rois; ce sont eux qui rendent la justice au peuple. Pindare nous montre aussi une classe de chefs chez les Cadméens; à Thèbes, il vante la race sacrée des Spartes, à laquelle Épaminondas rattacha plus tard sa naissance.

On ne peut guère lire Pindare sans être frappé de l'esprit aristocratique qui règne encore dans la société grecque au temps des guerres médiques; et l'on devine par là combien cette aristocratie fut puissante un siècle ou deux plus tôt. Car ce que le poëte vante le plus dans ses héros, c'est leur famille, et nous devons supposer que cette sorte d'éloge avait alors un grand prix et que la naissance semblait encore le bien suprême. Pindare nous montre les grandes familles qui brillaient alors dans chaque cité; dans la seule cité d'Égine il nomme les Midylides, les Théandrides, les Euxénides, les Blepsiades, les Chariades, les Balychides. A Syracuse il vante la famille sacerdotale des Jamides, à Agrigente celle des Emménides, et ainsi dans toutes les villes dont il a occasion de parler.

A Épidaure, le corps tout entier des citoyens, c'est-à-dire de ceux qui avaient des droits politiques, ne se composa longtemps que de 180 membres; tout le reste « était en dehors de la cité ». Les vrais citoyens étaient moins nombreux encore à Héraclée, où les cadets des grandes familles n'avaient pas de droits politiques. Il en fut longtemps de même à Cnide, à Istros, à Marseille. A Théra, tout le pouvoir était aux mains de quelques familles qui étaient réputées sacrées. Il en était ainsi à Apollonie. A Érythres il existait une classe aristocratique que l'on nommait les Basilides. Dans les villes d'Eubée la classe maîtresse s'appelait les Chevaliers. On peut remarquer à ce sujet que chez les anciens, comme au moyen âge, c'était un privilège de combattre à cheval.

La monarchie n'existait déjà plus à Corinthe lorsqu'une colonie en partit pour fonder Syracuse. Aussi la cité nouvelle ne connut-elle pas la royauté et fut-elle gouvernée tout d'abord par une aristocratie. On appelait cette classe les Géomores, c'est-à-dire les propriétaires. Elle se composait des familles qui, le jour de la fondation, s'étaient distribué avec tous les rites ordinaires les parts sacrées du territoire. Cette aristocratie resta pendant plusieurs générations maîtresse absolue du gouvernement, et elle conserva son titre de *propriétaires*, ce qui semble indiquer que les classes inférieures n'avaient pas le droit de propriété sur le sol. Une aristocratie semblable fut longtemps maîtresse à Milet et à Samos.

CHAPITRE V

DEUXIÈME RÉVOLUTION: CHANGEMENTS DANS LA CONSTITUTION DE LA FAMILLE; LE DROIT D'AÎNESSE DISPARAÎT; LA GENS SE DÉMEMBRE.

La révolution qui avait renversé la royauté, avait modifié la forme extérieure du gouvernement plutôt qu'elle n'avait changé la constitution de la société. Elle n'avait pas été l'oeuvre des classes inférieures, qui avaient intérêt à détruire les vieilles institutions, mais de l'aristocratie qui voulait les maintenir. Elle n'avait donc pas été faite pour renverser la constitution antique de la famille, mais bien pour la conserver. Les rois avaient eu souvent la tentation d'élever les basses classes et d'affaiblir les *gentes*, et c'était pour cela qu'on avait renversé les rois. L'aristocratie n'avait opéré une révolution politique que pour empêcher une révolution sociale. Elle avait pris en mains le pouvoir, moins pour le plaisir de dominer que pour défendre contre des attaques ses vieilles institutions, ses antiques principes, son culte domestique, son autorité paternelle, le régime de la *gens* et enfin le droit privé que la religion primitive avait établi.

Ce grand et général effort de l'aristocratie répondait donc à un danger. Or il paraît qu'en dépit de ses efforts et de sa victoire même, le danger subsista. Les vieilles institutions commençaient à chanceler et de graves changements allaient s'introduire dans la constitution intime des familles.

Le vieux régime de la *gens*, fondé par la religion domestique, n'avait pas été détruit le jour où les hommes étaient passés au régime de la cité. On n'avait pas voulu ou on n'avait pas pu y renoncer immédiatement, les chefs tenant à conserver leur autorité, les inférieurs n'ayant pas tout de suite la pensée de s'affranchir. On avait donc concilié le régime de la *gens* avec celui de la cité. Mais c'étaient, au fond, deux régimes opposés, que l'on ne devait pas espérer d'allier pour toujours et qui devaient un jour ou l'autre se faire la guerre. La famille, indivisible et nombreuse, était trop forte et trop indépendante pour que le pouvoir social n'éprouvât pas la tentation et même le besoin de l'affaiblir. Ou la cité ne devait pas durer, ou elle devait à la longue briser la famille.

L'ancienne *gens* avec son foyer unique, son chef souverain, son domaine indivisible, se conçoit bien tant que dure l'état d'isolement et qu'il n'existe pas d'autre société qu'elle. Mais dès que les hommes sont réunis en cité, le pouvoir de l'ancien chef est forcément amoindri; car en même temps qu'il est souverain chez lui, il est membre d'une communauté; comme tel, des intérêts généraux l'obligent à des sacrifices, et des lois générales lui commandent l'obéissance. A ses propres yeux et surtout aux yeux de ses inférieurs, sa dignité est diminuée. Puis, dans cette communauté, si aristocratiquement qu'elle soit constituée, les inférieurs comptent pourtant pour quelque chose, ne serait-ce qu'à cause de leur nombre. La famille qui comprend plusieurs branches et qui se rend aux comices entourée d'une foule de clients, a naturellement plus d'autorité dans les délibérations communes que la famille peu nombreuse et qui compte peu de bras et peu de soldats. Or ces inférieurs ne tardent guère à sentir l'importance qu'ils ont et leur force; un certain sentiment de fierté et le désir d'un sort meilleur naissent en eux. Ajoutez à cela les rivalités des chefs de famille luttant d'influence et cherchant mutuellement à s'affaiblir. Ajoutez encore qu'ils deviennent avides des magistratures de la cité, que pour les obtenir ils cherchent à se rendre populaires, et que pour les gérer ils négligent ou oublient leur petite souveraineté locale. Ces causes produisirent peu à peu une sorte de relâchement dans la constitution de la *gens*; ceux qui avaient intérêt à maintenir cette constitution, y tenaient moins; ceux qui avaient intérêt à la modifier devenaient plus hardis et plus forts.

La force d'individualité qu'il y avait d'abord dans la famille s'affaiblit insensiblement. Le droit d'aînesse, qui était la condition de son unité, disparut. On ne doit sans doute pas s'attendre à ce qu'aucun écrivain de l'antiquité nous fournisse la date exacte de ce grand changement. Il est probable qu'il n'a pas eu de date, parce qu'il ne s'est pas accompli en une année. Il s'est fait à la longue, d'abord dans une famille, puis dans une autre, et peu à peu dans toutes. Il s'est achevé sans qu'on s'en fût pour ainsi dire aperçu.

On peut bien croire aussi que les hommes ne passèrent pas d'un seul bond de l'indivisibilité du patrimoine au partage égal entre les frères. Il y eut vraisemblablement entre ces deux régimes une transition. Les choses se passèrent peut-être en Grèce et en Italie comme dans l'ancienne société hindoue, où la loi religieuse, après avoir prescrit l'indivisibilité du patrimoine, laissa le père libre d'en donner quelque portion à ses fils cadets, puis, après avoir exigé que l'aîné eût au moins une part double, permit que le partage fût fait également, et finit même par le recommander.

Mais sur tout cela nous n'avons aucune indication précise. Un seul point est certain, c'est que le droit d'aînesse a existé à une époque ancienne et qu'ensuite il a disparu.

Ce changement ne s'est pas accompli en même temps ni de la même manière dans toutes les cités. Dans quelques-unes, la législation le maintint assez longtemps. A Thèbes et à Corinthe il était encore en vigueur au huitième siècle. A Athènes la législation de Solon marquait encore une certaine préférence à l'égard de l'aîné. A Sparte le droit d'aînesse a subsisté jusqu'au triomphe de la démocratie. Il y a des villes où il n'a disparu qu'à la suite d'une insurrection. A Héraclée, à Cnide, à Istros, à Marseille, les branches cadettes prirent les armes pour détruire à la fois l'autorité paternelle et le privilège de l'aîné. A partir de ce moment, telle cité grecque qui n'avait compté jusque-là qu'une centaine d'hommes jouissant des droits politiques, en put compter jusqu'à cinq ou six cents. Tous les membres des familles aristocratiques furent citoyens et l'accès des magistratures et du Sénat leur fut ouvert.

Il n'est pas possible de dire à quelle époque le privilège de l'aîné a disparu à Rome. Il est probable que les rois, au milieu de leur lutte contre l'aristocratie, firent ce qu'ils purent pour le supprimer et pour désorganiser ainsi les *gentes*. Au début de la république, nous voyons cent nouveaux membres entrer dans le Sénat; Tite-Live croit qu'ils sortaient de la plèbe, mais il n'est pas possible que la domination si dure du patriciat ait commencé par une concession de cette nature. Ces nouveaux sénateurs durent être tirés des familles patriciennes. Ils n'eurent pas le même titre que les anciens membres du Sénat; on appelait ceux-ci *patres* (chefs de famille); ceux-là furent appelés *conscripti* (choisis). Cette différence de dénomination ne permet-elle pas de croire que les cent nouveaux sénateurs, qui n'étaient pas chefs de famille, appartenaient à des branches cadettes des *gentes* patriciennes? On peut supposer que cette classe des branches cadettes, nombreuse et énergique, n'apporta son concours à l'entreprise de Brutus et des pères qu'à la condition qu'on lui donnerait les droits civils et politiques. Elle acquit ainsi, à la faveur du besoin qu'on avait d'elle, ce que la même classe conquit par les armes à Héraclée, à Cnide et à Marseille.

Le droit d'aînesse disparut donc partout: révolution considérable qui commença à transformer la société. La *gens* italienne et le *genos* hellénique perdirent leur unité primitive. Les différentes branches se séparèrent; chacune d'elles eut désormais sa part de propriété, son domicile, ses intérêts à part, son indépendance. *Singuli singulas familias incipiunt habere*, dit le jurisconsulte. Il y a dans la langue latine une vieille expression qui paraît dater de cette époque: *familiam ducere*, disait-on de celui qui se détachait de la *gens* et allait faire souche à part, comme on disait *ducere coloniam* de celui qui quittait la métropole et allait au loin fonder une colonie. Le frère qui s'était ainsi séparé du frère aîné, avait désormais son foyer propre, qu'il avait sans doute allumé au foyer commun de la *gens*, comme la colonie allumait le sien au prytanée de la métropole. La *gens* ne conserva plus qu'une sorte d'autorité religieuse à l'égard des différentes familles qui s'étaient détachées d'elle. Son culte eut la suprématie sur leurs cultes. Il ne leur fut pas permis d'oublier qu'elles étaient issues de cette *gens*; elles continuèrent à porter son nom; à des jours fixés, elles se réunirent autour du foyer commun, pour vénérer l'antique ancêtre ou la divinité protectrice. Elles continuèrent même à avoir un chef religieux et il est probable que l'aîné conserva son privilège pour le sacerdoce, qui resta longtemps héréditaire. A cela près, elles furent indépendantes.

Ce démembrement de la *gens* eut de graves conséquences. L'antique famille sacerdotale, qui avait formé un groupe si bien uni, si fortement constitué, si puissant, fut pour toujours affaiblie. Cette révolution prépara et rendit plus faciles d'autres changements.

CHAPITRE VI

LES CLIENTS S'AFFRANCHISSENT.

1° Ce que c'était d'abord que la clientèle et comment elle s'est transformée.

Voici encore une révolution dont on ne peut pas indiquer la date, mais qui a très certainement modifié la constitution de la famille et de la société elle-même. La famille antique comprenait, sous l'autorité d'un chef unique, deux classes de rang inégal: d'une part, les branches cadettes, c'est-à-dire les individus naturellement libres; de l'autre, les serviteurs ou clients, inférieurs par la naissance, mais rapprochés du chef par leur participation au culte domestique. De ces deux classes, nous venons de voir la première sortir de son état d'infériorité; la seconde aspire aussi de bonne heure à s'affranchir. Elle y réussit à la longue; la clientèle se transforme et finit par disparaître.

Immense changement que les écrivains anciens ne nous racontent pas. C'est ainsi que, dans le moyen âge, les chroniqueurs ne nous disent pas comment la population des campagnes s'est peu à peu transformée. Il y a eu dans l'existence des sociétés humaines un assez grand nombre de révolutions dont le souvenir ne nous est fourni par aucun document. Les écrivains ne les ont pas remarquées, parce qu'elles s'accomplissaient lentement, d'une manière insensible, sans luttes visibles; révolutions profondes et cachées qui remuaient le fond de la société humaine sans qu'il en parût rien à la surface, et qui restaient inaperçues des générations mêmes qui y travaillaient. L'histoire ne peut les saisir que fort longtemps après qu'elles sont achevées, lorsqu'en comparant deux époques de la vie d'un peuple elle constate entre elles de si grandes différences qu'il devient évident que, dans l'intervalle qui les sépare, une grande révolution s'est accomplie.

Si l'on s'en rapportait au tableau, que les écrivains nous tracent de la clientèle primitive à Rome, ce serait vraiment une institution de l'âge d'or. Qu'y a-t-il de plus humain que ce patron qui défend son client en justice, qui le soutient de son argent s'il est pauvre, et qui pourvoit à l'éducation de ses enfants? Qu'y a-t-il de plus touchant que ce client qui soutient à son tour le patron tombé dans la misère, qui paye sas dettes, qui donne tout ce qu'il a pour fournir sa rançon? Mais il n'y a pas tant de sentiment dans les lois des anciens peuples. L'affection désintéressée et le dévouement ne furent jamais des institutions. Il faut nous faire une autre idée de la clientèle et du patronage.

Ce que nous savons avec le plus de certitude sur le client, c'est qu'il ne peut pas se séparer du patron ni en choisir un autre, et qu'il est attaché de père en fils à une famille. Ne saurions-nous que cela, ce serait assez pour croire que sa condition ne devait pas être très-douce. Ajoutons que le client n'est pas propriétaire du sol; la terre appartient au patron, qui, comme chef d'un culte domestique et aussi comme membre d'une cité, a seul qualité pour être propriétaire. Si le client cultive le sol, c'est au nom et au profit du maître. Il n'a même pas la propriété des objets mobiliers, de son argent, de son pécule. La preuve en est que le patron peut lui reprendre tout cela, pour payer ses propres dettes ou sa rançon. Ainsi rien n'est à lui. Il est vrai que le patron lui doit la subsistance, à lui et à ses enfants; mais en retour il doit son travail au patron. On ne peut pas dire qu'il soit précisément esclave; mais il a un maître auquel il appartient et à la volonté duquel il est soumis en toute chose. Toute sa vie il est client, et ses fils le sont après lui.

Il y a quelque analogie entre le client des époques antiques et le serf du moyen âge. A la vérité, le principe qui les condamne à l'obéissance n'est pas le même. Pour le serf, ce principe est le droit de propriété qui s'exerce sur la terre et sur l'homme à la fois; pour le client, ce principe est la religion domestique à laquelle il est attaché sous l'autorité du patron qui en est le prêtre. D'ailleurs pour le client et pour le serf la subordination est la même; l'un est lié à son patron comme l'autre l'est à son seigneur; le client ne peut pas plus quitter la *gens* que le serf la glèbe. Le client, comme le serf, reste soumis à un maître de père en fils. Un passage de Tite-Live fait supposer qu'il lui est interdit de se marier hors de la *gens*, comme il l'est au serf de se marier hors du village. Ce qui est sûr, c'est qu'il ne peut pas contracter mariage sans l'autorisation du patron. Le patron peut reprendre le sol que le client cultive et l'argent qu'il possède, comme le seigneur peut le faire pour le serf. Si le client meurt, tout ce dont il a eu l'usage revient de droit au patron, de même que la succession du serf appartient au seigneur.

Le patron n'est pas seulement un maître; il est un juge; il peut condamner à mort le client. Il est de plus un chef religieux. Le client plie sous cette autorité à la fois matérielle et morale qui le prend par son corps et par son âme. Il est vrai que cette religion impose des devoirs au patron, mais des devoirs dont il est le seul juge et pour lesquels il n'y a pas de sanction. Le client ne voit rien qui le protège; il n'est pas citoyen par lui-même; s'il veut paraître devant le tribunal de la cité, il faut que son patron le conduise et parle pour lui. Invoquera-t-il la loi? Il n'en connaît pas les formules sacrées; les connaîtrait-il, la première loi pour lui est de ne jamais témoigner ni parler contre son patron. Sans le patron nulle justice; contre le patron nul recours.

Le client n'existe pas seulement à Rome; on le trouve chez les Sabins et les Étrusques, faisant partie de la *manus* de chaque chef. Il a existé dans l'ancienne *gens* hellénique aussi bien que dans la *gens* italienne. Il est vrai qu'il ne faut pas le chercher dans les cités doriennes, où le régime de la *gens* a disparu de bonne heure et où les vaincus sont attachés, non à la famille d'un maître, mais à un lot de terre. Nous le trouvons à Athènes et dans les cités ioniennes et éoliennes sous le nom de *thète* ou de *pélate*. Tant que dure le régime aristocratique, ce *thète* ne fait pas partie de la cité; enfermé dans une famille dont il ne peut sortir, il est sous la main d'un eupatride qui a en lui le même caractère et la même autorité que le patron romain.

On peut bien présumer que de bonne heure il y eut de la haine entre le patron et le client. On se figure sans peine ce qu'était l'existence dans cette famille où l'un avait tout pouvoir et l'autre n'avait aucun droit, où l'obéissance sans réserve et sans espoir était tout à côté de l'omnipotence sans frein, où le meilleur maître avait ses emportements et ses caprices, où le serviteur le plus résigné avait ses rancunes, ses gémissements et ses colères. Ulysse est un bon maître: voyez quelle affection paternelle il porte à Eumée et à Philaetios. Mais il fait mettre à mort un serviteur qui l'a insulté sans le reconnaître, et des servantes qui sont tombées dans le mal auquel son absence même les a exposées. De la mort des prétendants il est responsable vis-à-vis de la cité; mais de la mort des serviteurs personne ne lui demande compte.

Dans l'état d'isolement où la famille avait longtemps vécu, la clientèle avait pu se former et se maintenir. La religion domestique était alors toute-puissante sur l'âme. L'homme qui en était le prêtre par droit héréditaire, apparaissait aux classes inférieures comme un être sacré. Plus qu'un homme, il était l'intermédiaire entre les hommes et Dieu. De sa bouche sortait la prière puissante, la formule irrésistible qui attirait la faveur ou la colère de la divinité. Devant une telle force il fallait s'incliner; l'obéissance était commandée par la foi et la religion. D'ailleurs comment le client aurait-il eu la tentation de s'affranchir? Il ne voyait pas d'autre horizon que cette famille à laquelle tout l'attachait. En elle seule il trouvait une vie calme, une subsistance assurée; en elle seule, s'il avait un maître, il avait aussi un protecteur; en elle seule enfin il trouvait un autel dont il pût approcher, et des dieux qu'il lui fût permis d'invoquer. Quitter cette famille, c'était se placer en dehors de toute organisation sociale et de tout droit; c'était perdre ses dieux et renoncer au droit de prier.

Mais la cité étant fondée, les clients des différentes familles pouvaient se voir, se parler, se communiquer leurs désirs ou leurs rancunes, comparer les différents maîtres et entrevoir un sort meilleur. Puis leur regard commençait à s'étendre au delà de l'enceinte de la famille. Ils voyaient qu'en dehors d'elle il existait une société, des règles, des lois, des autels, des temples, des dieux. Sortir de la famille n'était donc plus pour eux un malheur sans remède. La tentation devenait chaque jour plus forte; la clientèle semblait un fardeau de plus en plus lourd, et l'on cessait de croire que l'autorité du maître fût légitime et sainte. Il y eut alors dans le coeur de ces hommes un ardent désir d'être libres. Sans doute on ne trouve dans l'histoire d'aucune cité le souvenir d'une insurrection générale de cette classe. S'il y eut des luttes à main armée, elles furent renfermées et cachées dans l'enceinte de chaque famille. C'est là qu'il y eut, pendant plus d'une génération, d'un côté d'énergiques efforts pour l'indépendance, de l'autre une répression implacable. Il se déroula, dans chaque maison, une longue et dramatique histoire qu'il est impossible aujourd'hui de retracer. Ce qu'on peut dire seulement, c'est que les efforts de la classe inférieure ne furent pas sans résultats. Une nécessité invincible obligea peu à peu les maîtres à céder quelque chose de leur omnipotence. Lorsque l'autorité cesse de paraître juste aux sujets, il faut encore du temps pour qu'elle cesse de le paraître aux maîtres; mais cela vient à la longue, et alors le maître, qui ne croit plus son autorité légitime, la défend mal ou finit par y renoncer. Ajoutez que cette classe inférieure était utile, que ses bras, en cultivant la terre, faisaient la richesse du maître, et en portant les armes, faisaient sa force au milieu des rivalités des familles, qu'il était donc sage de la satisfaire et que l'intérêt s'unissait à l'humanité pour conseiller des concessions.

Il paraît certain que la condition des clients s'améliora peu à peu. A l'origine ils vivaient dans la maison du maître, cultivant ensemble le domaine commun. Plus tard on assigna à chacun d'eux un lot de terre particulier. Le client dut se trouver déjà plus heureux. Sans doute il travaillait encore au profit du maître; la terre n'était pas à lui, c'était plutôt lui qui était à elle. N'importe; il la cultivait de longues années de suite et il l'aimait. Il s'établissait entre elle et lui, non pas ce lien que la religion de la propriété avait créé entre elle et le maître, mais un autre lien, celui que le travail et la souffrance même peuvent former entre l'homme qui donne sa peine et la terre qui donne ses fruits.

Vint ensuite un nouveau progrès. Il ne cultiva plus pour le maître, mais pour lui-même. Sous la condition d'une redevance, qui peut-être fut d'abord variable, mais qui ensuite devint fixe, il jouit de la récolte. Ses sueurs trouvèrent ainsi quelque récompense et sa vie fut à la fois plus libre et plus fière. « Les chefs de famille, dit un ancien, assignaient des portions de terre à leurs inférieurs, comme s'ils eussent été leurs propres enfants. » On lit de même dans l'Odyssée: « Un maître bienveillant donne à son serviteur une maison et une terre »; et Eumée ajoute: « une épouse désirée », parce que le client ne peut pas encore se marier sans la volonté du maître, et que c'est le maître qui lui choisit sa compagne.

Mais ce champ où s'écoulait désormais sa vie, où étaient tout son labeur et toute sa jouissance, n'était pas encore sa propriété. Car ce client n'avait pas en lui le caractère sacré qui faisait que le sol pouvait devenir la propriété d'un homme. Le lot qu'il occupait, continuait à porter la borne sainte, le dieu Terme que la famille du maître avait autrefois posé. Cette borne inviolable attestait que le champ, uni à la famille du maître par un lien sacré, ne pourrait jamais appartenir en propre au client affranchi. En Italie, le champ et la maison qu'occupait le *villicus*, client du patron, renfermaient un foyer, un *Lar familiaris*; mais ce foyer n'était pas au cultivateur; c'était le foyer du maître. Cela établissait à la fois le droit de propriété du patron et la subordination religieuse du client, qui, si loin qu'il fût du patron, suivait encore son culte.

Le client, devenu possesseur, souffrit de ne pas être propriétaire et aspira à le devenir. Il mit son ambition à faire disparaître de ce champ, qui semblait bien à lui par le droit du travail, la borne sacrée qui en faisait à jamais la propriété de l'ancien maître.

On voit clairement qu'en Grèce les clients arrivèrent à leur but; par quels moyens, on l'ignore. Combien il leur fallut de temps et d'efforts pour y parvenir, on ne peut que le deviner. Peut-être s'est-il opéré dans l'antiquité la même série de changements sociaux que l'Europe a vus se produire au moyen âge, quand les esclaves des campagnes devinrent serfs de la glèbe, que ceux-ci de serfs taillables à merci se changèrent en serfs abonnés, et qu'enfin ils se transformèrent à la longue en paysans propriétaires.

2° La clientèle disparaît à Athènes; oeuvre de Solon.

Cette sorte de révolution est marquée nettement dans l'histoire d'Athènes. Le renversement de la royauté avait eu pour effet de raviver le régime du [Grec: genos]; les familles avaient repris leur vie d'isolement et chacune avait recommencé à former un petit État qui avait pour chef un eupatride et pour sujets la foule des clients. Ce régime paraît avoir pesé lourdement sur la population athénienne; car elle en conserva un mauvais souvenir. Le peuple s'estima si malheureux que l'époque précédente lui parut avoir été une sorte d'âge d'or; il regretta les rois; il en vint à s'imaginer que sous la monarchie il avait été heureux et libre, qu'il avait joui alors de l'égalité, et que c'était seulement à partir de la chute des rois que l'inégalité et la souffrance avaient commencé. Il y avait là une illusion comme les peuples en ont souvent; la tradition populaire plaçait le commencement de l'inégalité là où le peuple avait commencé à la trouver odieuse. Cette clientèle, cette sorte de servage, qui était aussi vieille que la constitution de la famille, on la faisait dater de l'époque où les hommes en avaient pour la première fois senti le poids et compris l'injustice. Il est pourtant bien certain que ce n'est pas au septième siècle que les eupatrides établirent les dures lois de la clientèle. Ils ne firent que les conserver. En cela seulement était leur tort; ils maintenaient ces lois au delà du temps où les populations les acceptaient sans gémir; ils les maintenaient contre le voeu des hommes. Les eupatrides de cette époque étaient peut-être des maîtres moins durs que n'avaient été leurs ancêtres; ils furent pourtant détestés davantage.

Il paraît que, même sous la domination de cette aristocratie, la condition de la classe inférieure s'améliora. Car c'est alors que l'on voit clairement cette classe obtenir la possession de lots de terre sous la seule condition de payer une redevance qui était fixée au sixième de la récolte. Ces hommes étaient ainsi presque émancipés; ayant un chez soi et n'étant plus sous les yeux du maître, ils respiraient plus à l'aise et travaillaient à leur profit.

Mais telle est la nature humaine que ces hommes, à mesure que leur sort s'améliorait, sentaient plus amèrement ce qu'il leur restait d'inégalité. N'être pas citoyens et n'avoir aucune part à l'administration de la cité les touchait sans doute médiocrement; mais ne pas pouvoir devenir propriétaires du sol sur lequel ils naissaient et mouraient, les touchait bien davantage. Ajoutons que ce qu'il y avait de supportable dans leur condition présente, manquait de stabilité. Car s'ils étaient vraiment possesseurs du sol, pourtant aucune loi formelle ne leur assurait ni cette possession ni l'indépendance qui en résultait. On voit dans Plutarque que l'ancien patron pouvait ressaisir son ancien serviteur; si la redevance annuelle n'était pas payée ou pour toute autre cause, ces hommes retombaient dans une sorte d'esclavage.

De graves questions furent donc agitées dans l'Attique pendant une suite de quatre ou cinq générations. Il n'était guère possible que les hommes de la classe inférieure restassent dans cette position instable et irrégulière vers laquelle un progrès insensible les avait conduits; et alors de deux choses l'une, ou perdant cette position ils devaient retomber dans les liens de la dure clientèle, ou décidément affranchis par un progrès nouveau ils devaient monter au rang de propriétaires du sol et d'hommes libres.

On peut deviner tout ce qu'il y eut d'efforts de la part du laboureur, ancien client, de résistance de la part du propriétaire, ancien patron. Ce ne fut pas une guerre civile; aussi les annales athéniennes n'ont-elles conservé le souvenir d'aucun combat. Ce fut une guerre domestique dans chaque bourgade, dans chaque maison, de père en fils.

Ces luttes paraissent avoir eu une fortune diverse suivant la nature du sol des divers cantons de l'Attique. Dans la plaine où l'eupatride avait son principal domaine et où il était toujours présent, son autorité se maintint à peu près intacte sur le petit groupe de serviteurs qui étaient toujours sous ses yeux; aussi les *pédiéens* se montrèrent-ils généralement fidèles à l'ancien régime. Mais ceux qui labouraient péniblement le flanc de la montagne, les *diacriens*, plus loin du maître, plus habitués à la vie indépendante, plus hardis et plus courageux, renfermaient au fond du coeur une violente haine pour l'eupatride et une ferme volonté de s'affranchir. C'étaient surtout ces hommes-là qui s'indignaient de voir sur leur champ « la borne sacrée » du maître, et de sentir « leur terre esclave ». Quant aux habitants des cantons voisins de la mer, aux *paraliens*, la propriété du sol les tentait moins; ils avaient la mer devant eux, et le commerce et l'industrie. Plusieurs étaient devenus riches, et avec la richesse ils étaient à peu près libres. Ils ne partageaient donc pas les ardentes convoitises des diacriens et n'avaient pas une haine bien vigoureuse pour les eupatrides. Mais ils n'avaient pas non plus la lâche résignation des pédiéens; ils demandaient plus de stabilité dans leur condition et des droits mieux assurés.

C'est Solon qui donna satisfaction à ces voeux dans la mesure du possible. Il y a une partie de l'oeuvre de ce législateur que les anciens ne nous font connaître que très-imparfaitement, mais qui paraît en avoir été la partie principale. Avant lui, la plupart des habitants de l'Attique étaient encore réduits à la possession précaire du sol et pouvaient même retomber dans la servitude personnelle. Après lui, cette nombreuse classe d'hommes ne se retrouve plus: le droit de propriété est accessible à tous; il n'y a plus de servitude pour l'Athénien; les familles de la classe inférieure sont à jamais affranchies de l'autorité des familles eupatrides. Il y a là un grand changement dont l'auteur ne peut être que Solon.

Il est vrai que, si l'on s'en tenait aux paroles de Plutarque, Solon n'aurait fait qu'adoucir la législation sur les dettes en ôtant au créancier le droit d'asservir le débiteur. Mais il faut regarder de près à ce qu'un écrivain qui est si postérieur à cette époque, nous dit de ces dettes qui troublèrent la cité athénienne comme toutes les cités de la Grèce et de l'Italie. Il est difficile de croire qu'il y eût avant Solon une telle circulation d'argent qu'il dût y avoir beaucoup de prêteurs et d'emprunteurs. Ne jugeons pas ces temps-là d'après ceux qui ont suivi. Il y avait alors fort peu de commerce; l'échange des créances était inconnu et les emprunts devaient être assez rares. Sur quel gage l'homme qui n'était propriétaire de rien, aurait-il emprunté? Ce n'est guère l'usage, dans aucune société, de prêter aux pauvres. On dit à la vérité, sur la foi des traducteurs de Plutarque plutôt que de Plutarque lui-même, que l'emprunteur engageait sa terre. Mais en supposant que cette terre fût sa propriété, il n'aurait pas pu l'engager; car le système des hypothèques n'était pas encore connu en ce temps-là et était en contradiction avec la nature du droit de propriété. Dans ces débiteurs dont Plutarque nous parle, il faut voir les anciens clients; dans leurs dettes, la redevance annuelle qu'ils doivent payer aux anciens maîtres; dans la servitude où ils tombent s'ils ne payent pas, l'ancienne clientèle qui les ressaisit.

Solon supprima peut-être la redevance, ou, plus probablement, en réduisit le chiffre à un taux tel que le rachat en devînt facile; il ajouta qu'à l'avenir le manque de payement ne ferait pas retomber le laboureur en servitude.

Il fit plus. Avant lui, ces anciens clients, devenus possesseurs du sol, ne pouvaient pas en devenir propriétaires: car sur leur champ se dressait toujours la borne sacrée et inviolable de l'ancien patron. Pour l'affranchissement de la terre et du cultivateur, il fallait que cette borne disparût. Solon la renversa: nous trouvons le témoignage de cette grande réforme dans quelques vers de Solon lui-même: « C'était une oeuvre inespérée, dit-il; je l'ai accomplie avec l'aide des dieux. J'en atteste la déesse Mère, la Terre noire, dont j'ai en maints endroits arraché les bornes, la terre qui était esclave et qui maintenant est libre. » En faisant cela, Solon avait accompli une révolution considérable. Il avait mis de côté l'ancienne religion de la propriété qui, au nom du dieu Terme immobile, retenait la terre en un petit nombre de mains. Il avait arraché la terre à la religion pour la donner au travail. Il avait supprimé, avec l'autorité de l'eupatride sur le sol, son autorité sur l'homme, et il pouvait dire dans ses vers: « Ceux qui sur cette terre subissaient la cruelle servitude et tremblaient devant un maître, je les ai faits libres. »

Il est probable que ce fut cet affranchissement que les contemporains de Solon appelèrent du nom de [Grec: seisachtheia] (secouer le fardeau). Les générations suivantes qui, une fois habituées à la liberté, ne voulaient ou ne pouvaient pas croire que leurs pères eussent été serfs, expliquèrent ce mot comme s'il marquait seulement une abolition des dettes. Mais il a une énergie qui nous révèle une plus grande révolution. Ajoutons-y cette phrase d'Aristote qui, sans entrer dans le récit de l'oeuvre de Solon, dit simplement: « Il fit cesser l'esclavage du peuple. »

3° Transformation de la clientèle à Rome.

Cette guerre entre les client et les patrons a rempli aussi une longue période de l'existence de Rome. Tite-Live, à la vérité, n'en dit rien, parce qu'il n'a pas l'habitude d'observer de près le changement des institutions; d'ailleurs les annales des pontifes et les documents analogues où avaient puisé les anciens historiens que Tite-Live compulsait, ne devaient pas donner le récit de ces luttes domestiques.

Une chose, du moins, est certaine. Il y a eu, à l'origine de Rome, des clients; il nous est même resté des témoignages très précis de la dépendance où leurs patrons les tenaient. Si, plusieurs siècles après, nous cherchons ces clients, nous ne les trouvons plus. Le nom existe encore, non la clientèle. Car il n'y a rien de plus différent des clients de l'époque primitive que ces plébéiens du temps de Cicéron qui se disaient clients d'un riche pour avoir droit à la sportule.

Il y a quelqu'un qui ressemble mieux à l'ancien client, c'est l'affranchi. Pas plus à la fin de la république qu'aux premiers temps de Rome, l'homme, en sortant de la servitude, ne devient immédiatement homme libre et citoyen. Il reste soumis au maître. Autrefois on l'appelait client, maintenant on l'appelle affranchi; le nom seul est changé. Quant au maître, son nom même ne change pas; autrefois on l'appelait patron, c'est encore ainsi qu'on l'appelle. L'affranchi, comme autrefois le client, reste attaché à la famille; il en porte le nom, aussi bien que l'ancien client. Il dépend de son patron; il lui doit non-seulement de la reconnaissance, mais un véritable service, dont le maître seul fixe la mesure. Le patron a droit de justice sur son affranchi, comme il l'avait sur son client; il peut le remettre en esclavage pour délit d'ingratitude. L'affranchi rappelle donc tout à fait l'ancien client. Entre eux il n'y a qu'une différence: on était client autrefois de père en fils; maintenant la condition d'affranchi cesse à la seconde ou au moins à la troisième génération. La clientèle n'a donc pas disparu; elle saisit encore l'homme au moment où la servitude le quitte; seulement, elle n'est plus héréditaire. Cela seul est déjà un changement considérable; il est impossible de dire à quelle époque il s'est opéré.

On peut bien discerner les adoucissements successifs qui furent apportés au sort du client, et par quels degrés il est arrivé au droit de propriété. A l'origine le chef de la *gens* lui assigne un lot de terre à cultiver. Il ne tarde guère à devenir possesseur viager de ce lot, moyennant qu'il contribue à toutes les dépenses qui incombent à son ancien maître. Les dispositions si dures de la vieille loi qui l'obligent à payer la rançon du patron, la dot de sa fille, ou ses amendes judiciaires, prouvent du moins qu'au temps où cette loi fut écrite il était déjà possesseur viager du sol. Le client fait ensuite un progrès de plus: il obtient le droit, en mourant, de transmettre le lot à son fils; il est vrai qu'à défaut de fils la terre retourne encore au patron. Mais voici un progrès nouveau: le client qui ne laisse pas de fils, obtient le droit de faire un testament. Ici la coutume hésite et varie; tantôt le patron reprend la moitié des biens, tantôt la volonté du testateur est respectée tout entière; en tout cas, son testament n'est jamais sans valeur. Ainsi le client, s'il ne peut pas encore se dire propriétaire, a du moins une jouissance aussi étendue qu'il est possible.

Sans doute ce n'est pas encore là l'affranchissement complet. Mais aucun document ne nous permet de fixer l'époque où les clients se sont définitivement détachés des familles patriciennes. Il y a un texte de Tite-Live (II, 16) qui, si on le prend à la lettre, montre que dès les premières années de la république, les clients étaient citoyens. Il y a grande apparence qu'ils l'étaient déjà au temps du roi Servius; peut-être même votaient-ils dans les comices curiates dès l'origine de Rome. Mais on ne peut pas conclure de là qu'ils fussent dès lors tout à fait affranchis; car il est possible que les patriciens aient trouvé leur intérêt à donner à leurs clients des droits politiques, sans qu'ils aient pour cela consenti à leur donner des droits civils.

Il ne paraît pas que la révolution qui affranchit les clients à Rome, se soit achevée d'un seul coup comme à Athènes. Elle s'accomplit fort lentement et d'une manière presque imperceptible, sans qu'aucune loi formelle l'ait jamais consacrée. Les liens de la clientèle se relâchèrent peu à peu et le client s'éloigna insensiblement du patron.

Le roi Servius fit une grande réforme à l'avantage des clients: il changea l'organisation de l'armée. Avant lui, l'armée marchait divisée en tribus, en curies, en *gentes*; c'était la division patricienne: chaque chef de *gens* était à la tête de ses clients. Servius partagea l'armée en centuries, chacun eut son rang d'après sa richesse. Il en résulta que le client ne marcha plus à côté de son patron, qu'il ne le reconnut plus pour chef dans le combat et qu'il prit l'habitude de l'indépendance.

Ce changement en amena un autre dans la constitution des comices. Auparavant l'assemblée se partageait en curies et en *gentes*, et le client, s'il votait, votait sous l'oeil du maître. Mais la division par centuries étant établie pour les comices comme pour l'armée, le client ne se trouva plus dans le même cadre que son patron. Il est vrai que la vieille loi lui commanda encore de voter comme lui, mais comment vérifier son vote?

C'était beaucoup que de séparer le client du patron dans les moments les plus solennels de la vie, au moment du combat et au moment du vote. L'autorité du patron se trouva fort amoindrie et ce qu'il lui en resta fut de jour en jour plus contesté. Dès que le client eut goûté à l'indépendance, il la voulut tout entière. Il aspira à se détacher de la *gens* et à entrer dans la plèbe, où l'on était libre. Que d'occasions se présentaient! Sous les rois, il était sûr d'être aidé par eux, car ils ne demandaient pas mieux que d'affaiblir les *gentes*. Sous la république, il trouvait la protection de la plèbe elle-même et des tribuns. Beaucoup de clients s'affranchirent ainsi et la *gens* ne put pas les ressaisir. En 472 avant J.-C., le nombre des clients était encore assez considérable, puisque la plèbe se plaignait que, par leurs suffrages dans les comices centuriates, ils fissent pencher la balance du côté des patriciens. Vers la même époque, la plèbe ayant refusé de s'enrôler, les patriciens purent former une armée avec leurs clients. Il paraît pourtant que ces clients n'étaient plus assez nombreux pour cultiver à eux seuls les terres des patriciens, et que ceux-ci étaient obligés d'emprunter des bras à la plèbe. Il est vraisemblable que la création du tribunat, en assurant aux clients échappés des protecteurs contre leurs anciens patrons, et en rendant la situation des plébéiens plus enviable et plus sûre, hâta ce mouvement graduel vers l'affranchissement. En 372 il n'y avait plus de clients, et un Manlius pouvait dire à la plèbe: « Autant vous avez été de clients autour de chaque patron, autant vous serez maintenant contre un seul ennemi. » Dès lors nous ne voyons plus dans l'histoire de Rome ces anciens clients, ces hommes héréditairement attachés à la *gens*. La clientèle primitive fait place à une clientèle d'un genre nouveau, lien volontaire et presque fictif qui n'entraîne plus les mêmes obligations. On ne distingue plus dans Rome les trois classes des patriciens, des clients, des plébéiens. Il n'en reste plus que deux, et les clients se sont fondus dans la plèbe. Les Marcellus paraissent être une branche ainsi détachée de la *gens* Claudia. Leur nom était Claudius; mais puisqu'ils n'étaient pas patriciens, ils n'avaient dû faire partie de la *gens* qu'à titre de clients. Libres de bonne heure, enrichis par des moyens qui nous sont inconnus, ils s'élevèrent d'abord aux dignités de la plèbe, plus tard à celles de la cité. Pendant plusieurs siècles, la *gens* Claudia parut avoir oublié ses anciens droits sur eux. Un jour pourtant, au temps de Cicéron, elle s'en souvint inopinément. Un affranchi ou client des Marcellus était mort et laissait un héritage qui, suivant la loi, devait faire retour au patron. Les Claudius patriciens prétendirent que les Marcellus, en clients qu'ils étaient, ne pouvaient pas avoir eux-mêmes de clients, et que leurs affranchis devaient tomber, eux et leur héritage, dans les mains du chef de la *gens* patricienne, seul capable d'exercer les droits de patronage. Ce procès étonna fort le public et embarrassa les jurisconsultes; Cicéron même trouva la question fort obscure. Elle ne l'aurait pas été quatre siècles plus tôt, et les Claudius auraient gagné leur cause. Mais au temps de Cicéron, le droit sur lequel ils fondaient leur réclamation était si antique qu'on l'avait oublié et que le tribunal put bien donner gain de cause aux Marcellus. L'ancienne clientèle n'existait plus.

CHAPITRE VII

TROISIÈME RÉVOLUTION: LA PLÈBE ENTRE DANS LA CITÉ.

1° *Histoire générale de cette révolution.*

Les changements qui s'étaient opérés à la longue dans la constitution de la famille, en amenèrent d'autres dans la constitution de la cité. L'ancienne famille aristocratique et sacerdotale se trouvait affaiblie. Le droit d'aînesse ayant disparu, elle avait perdu son unité et sa vigueur; les clients s'étant pour la plupart affranchis, elle avait perdu la plus grande partie de ses sujets. Les hommes de la classe inférieure n'étaient plus répartis dans les *gentes*; vivant en dehors d'elles, ils formèrent entre eux un corps. Par là, la cité changea d'aspect; au lieu qu'elle avait été précédemment un assemblage faiblement lié d'autant de petits États qu'il y avait de familles, l'union se fit, d'une part entre les membres patriciens des *gentes*, de l'autre entre les hommes de rang inférieur. Il y eut ainsi deux grands corps en présence, deux sociétés ennemies. Ce ne fut plus, comme dans l'époque précédente, une lutte obscure dans chaque famille; ce fut dans chaque ville une guerre ouverte. Des deux classes, l'une voulait que la constitution religieuse de la cité fût maintenue, et que le gouvernement, comme le sacerdoce, restât dans les mains des familles sacrées. L'autre voulait briser les vieilles barrières qui la plaçaient en dehors du droit, de la religion et de la société politique.

Dans la première partie de la lutte, l'avantage était à l'aristocratie de naissance. A la vérité, elle n'avait plus ses anciens sujets, et sa force matérielle était tombée; mais il lui restait le prestige de sa religion, son organisation régulière, son habitude du commandement, ses traditions, son orgueil héréditaire. Elle ne doutait pas de son droit; en se défendant, elle croyait défendre la religion. Le peuple n'avait pour lui que son grand nombre. Il était gêné par une habitude de respect dont il ne lui était pas facile de se défaire. D'ailleurs il n'avait pas de chefs; tout principe d'organisation lui manquait. Il était, à l'origine, une multitude sans lien plutôt qu'un corps bien constitué et vigoureux. Si nous nous rappelons que les hommes n'avaient pas trouvé d'autre principe d'association que la religion héréditaire des familles, et qu'ils n'avaient pas l'idée d'une autorité qui ne dérivât pas du culte, nous comprendrons aisément que cette plèbe, qui était en dehors du culte et de la religion, n'ait pas pu former d'abord une société régulière, et qu'il lui ait fallu beaucoup de temps pour trouver en elle les éléments d'une discipline et les règles d'un gouvernement.

Cette classe inférieure, dans sa faiblesse, ne vit pas d'abord d'autre moyen de combattre l'aristocratie que de lui opposer la monarchie.

Dans les villes où la classe populaire était déjà formée au temps des anciens rois, elle les soutint de toute la force dont elle disposait, et les encouragea à augmenter leur pouvoir. A Rome, elle exigea le rétablissement de la royauté après Romulus; elle fit nommer Hostilius; elle fit roi Tarquin l'Ancien; elle aima Servius et elle regretta Tarquin le Superbe.

Lorsque les rois eurent été partout vaincus et que l'aristocratie devint maîtresse, le peuple ne se borna pas à regretter la monarchie; il aspira à la restaurer sous une forme nouvelle. En Grèce, pendant le sixième siècle, il réussit généralement à se donner des chefs; ne pouvant pas les appeler rois, parce que ce titre impliquait l'idée de fonctions religieuses et ne pouvait être porté que par des familles sacerdotales, il les appela tyrans.

Quel que soit le sens originel de ce mot, il est certain qu'il n'était pas emprunté à la langue de la religion; on ne pouvait pas l'appliquer aux dieux, comme on faisait du mot roi; on ne le prononçait pas dans les prières. Il désignait, en effet, quelque chose de très nouveau parmi les hommes, une autorité qui ne dérivait pas du culte, un pouvoir que la religion n'avait pas établi. L'apparition de ce mot dans la langue grecque marque l'apparition d'un principe que les générations précédentes n'avaient pas connu, l'obéissance de l'homme à l'homme. Jusque-là, il n'y avait eu d'autres chefs d'État que ceux qui étaient les chefs de la religion; ceux-là seuls commandaient à la cité, qui faisaient le sacrifice et invoquaient les dieux pour elle; en leur obéissant, on n'obéissait qu'à la loi religieuse et on ne faisait acte de soumission qu'à la divinité. L'obéissance à un homme, l'autorité donnée à cet homme par d'autres hommes, un pouvoir d'origine et de nature tout humaine, cela avait été inconnu aux anciens eupatrides, et cela ne fut conçu que le jour où les classes inférieures rejetèrent le joug de l'aristocratie et cherchèrent un gouvernement nouveau.

Citons quelques exemples. À Corinthe, « le peuple supportait avec peine la domination des Bacchides; Cypsélus, témoin de la haine qu'on leur portait et voyant que le peuple cherchait un chef pour le conduire à l'affranchissement », s'offrit à être ce chef; le peuple l'accepta, le fit tyran, chassa les Bacchides et obéit à Cypsélus. Milet eut pour tyran un certain Thrasybule; Mitylène obéit à Pittacus, Samos à Polycrate. Nous trouvons des tyrans à Argos, à Epidaure, à Mégare au sixième siècle; Sicyone en a eu durant cent trente ans sans interruption. Parmi les Grecs d'Italie, on voit des tyrans à Cumes, à Crotone, à Sybaris, partout. A Syracuse, en 485, la classe inférieure se rendit maîtresse de la ville et chassa la classe aristocratique; mais elle ne put ni se maintenir ni se gouverner, et au bout d'une année elle dut se donner un tyran.

Partout ces tyrans, avec plus ou moins de violence, avaient la même politique. Un tyran de Corinthe demandait un jour à un tyran de Milet des conseils sur le gouvernement. Celui-ci, pour toute réponse, coupa les épis de blé qui dépassaient les autres. Ainsi leur règle de conduite était d'abattre les hautes têtes et de frapper l'aristocratie en s'appuyant sur le peuple.

La plèbe romaine forma d'abord des complots pour rétablir Tarquin. Elle essaya ensuite de faire des tyrans et jeta les yeux tour à tour sur Publicola, sur Spurius Cassius, sur Manlius. L'accusation que le patriciat adresse si souvent à ceux des siens qui se rendent populaires, ne doit pas être une pure calomnie. La crainte des grands atteste les désirs de la plèbe.

Mais il faut bien noter que, si le peuple en Grèce et à Rome cherchait à relever la monarchie, ce n'était pas par un véritable attachement à ce régime. Il aimait moins les tyrans qu'il ne détestait l'aristocratie. La monarchie était pour lui un moyen de vaincre et de se venger; mais jamais ce gouvernement, qui n'était issu que du droit de la force et ne reposait sur aucune tradition sacrée, n'eut de racines dans le coeur des populations. On se donnait un tyran pour le besoin de la lutte; on lui laissait ensuite le pouvoir par reconnaissance ou par nécessité; mais lorsque quelques années s'étaient écoulées et que le souvenir de la dure oligarchie s'était effacé, on laissait tomber le tyran. Ce gouvernement n'eut jamais l'affection des Grecs; ils ne l'acceptèrent que comme une ressource momentanée, et en attendant que le parti populaire trouvât un régime meilleur et se sentît la force de se gouverner lui-même.

La classe inférieure grandit peu à peu. Il y a des progrès qui s'accomplissent obscurément et qui pourtant décident de l'avenir d'une classe et transforment une société. Vers le sixième siècle avant notre ère, la Grèce et l'Italie virent jaillir une nouvelle source de richesse. La terre ne suffisait plus à tous les besoins de l'homme; les goûts se portaient vers le beau et vers le luxe: même les arts naissaient; alors l'industrie et le commerce devinrent nécessaires. Il se forma peu à peu une richesse mobilière; on frappa des monnaies; l'argent parut. Or l'apparition de l'argent était une grande révolution. L'argent n'était pas soumis aux mêmes conditions de propriété que la terre; il était, suivant l'expression du jurisconsulte, *res nec mancipi*; il pouvait passer de main en main sans aucune formalité religieuse et arriver sans obstacle au plébéien. La religion, qui avait marqué le sol de son empreinte, ne pouvait rien sur l'argent.

Les hommes des classes inférieures connurent alors une autre occupation que celle de cultiver la terre: il y eut des artisans, des navigateurs, des chefs d'industrie, des commerçants; bientôt il y eut des riches parmi eux. Singulière nouveauté! Auparavant les chefs des *gentes* pouvaient seuls être propriétaires, et voici d'anciens clients ou des plébéiens qui sont riches et qui étalent leur opulence. Puis, le luxe, qui enrichissait l'homme du peuple, appauvrissait l'eupatride; dans beaucoup de cités, notamment à Athènes, on vit une partie des membres du corps aristocratique tomber dans la misère. Or dans une société où la richesse se déplace, les rangs sont bien près d'être renversés.

Une autre conséquence de ce changement fut que dans le peuple même des distinctions et des rangs s'établirent, comme il en faut dans toute société humaine. Quelques familles furent en vue; quelques noms grandirent peu à peu. Il se forma dans le peuple une sorte d'aristocratie; ce n'était pas un mal; le peuple cessa d'être une masse confuse et commença à ressembler à un corps constitué. Ayant des rangs en lui, il put se donner des chefs, sans plus avoir besoin de prendre parmi les patriciens le premier ambitieux venu qui voulait régner. Cette aristocratie plébéienne eut bientôt les qualités qui accompagnent ordinairement la richesse acquise par le travail, c'est-à-dire le sentiment de la valeur personnelle, l'amour d'une liberté calme, et cet esprit de sagesse qui, en souhaitant les améliorations, redoute les aventures. La plèbe se laissa guider par cette élite qu'elle fut fière d'avoir en elle. Elle renonça à avoir des tyrans dès qu'elle sentit qu'elle possédait dans son sein les éléments d'un gouvernement meilleur. Enfin la richesse devint pour quelque temps, comme nous le verrons tout à l'heure, un principe d'organisation sociale.

Il y a encore un changement dont il faut parler, car il aida fortement la classe inférieure à grandir; c'est celui qui s'opéra dans l'art militaire. Dans les premiers siècles de l'histoire des cités, la force des armées était dans la cavalerie. Le véritable guerrier était celui qui combattait sur un char ou à cheval; le fantassin, peu utile au combat, était peu estimé. Aussi l'ancienne aristocratie s'était-elle réservé partout le droit de combattre à cheval; même dans quelques villes les nobles se donnaient le titre de chevaliers. Les *celeres* de Romulus, les chevaliers romains des premiers siècles étaient tous des patriciens. Chez les anciens la cavalerie fut toujours l'arme noble. Mais peu à peu l'infanterie prit quelque importance. Le progrès dans la fabrication des armes et la naissance de la discipline lui permirent de résister à la cavalerie. Ce point obtenu, elle prit aussitôt le premier rang dans les batailles, car elle était plus maniable et ses manoeuvres plus faciles; les légionnaires, les hoplites firent dorénavant la force des armées. Or les légionnaires et les hoplites étaient des plébéiens. Ajoutez que la marine prit de l'extension, surtout en Grèce, qu'il y eut des batailles sur mer et que le destin d'une cité fut souvent entre les mains de ses rameurs, c'est-à-dire des plébéiens. Or la classe qui est assez forte pour défendre une société l'est assez pour y conquérir des droits et y exercer une légitime influence. L'état social et politique d'une nation est toujours en rapport avec la nature et la composition de ses armées.

Enfin la classe inférieure réussit à avoir, elle aussi, sa religion. Ces hommes avaient dans le coeur, on peut le supposer, ce sentiment religieux qui est inséparable de notre nature et qui nous fait un besoin de l'adoration et de la prière. Ils souffraient donc de se voir écarter de la religion par l'antique principe qui prescrivait que chaque dieu appartînt à une famille et que le droit de prier ne se transmît qu'avec le sang. Ils travaillèrent à avoir aussi un culte.

Il est impossible d'entrer ici dans le détail des efforts qu'ils firent, des moyens qu'ils imaginèrent, des difficultés ou des ressources qui se présentèrent à eux. Ce travail, longtemps individuel, fut longtemps le secret de chaque intelligence; nous n'en pouvons apercevoir que les résultats. Tantôt une famille plébéienne se fit un foyer, soit qu'elle eût osé l'allumer elle-même, soit qu'elle se fût procuré ailleurs le feu sacré; alors elle eut son culte, son sanctuaire, sa divinité protectrice, son sacerdoce, à l'image de la famille patricienne. Tantôt le plébéien, sans avoir de culte domestique, eut accès aux temples de la cité; à Rome, ceux qui n'avaient pas de foyer, par conséquent pas de fête domestique, offraient leur sacrifice annuel au dieu Quirinus. Quand la classe supérieure persistait à écarter de ses temples la classe inférieure, celle-ci se faisait des temples pour elle; à Rome elle en avait un sur l'Aventin, qui était consacré à Diana; elle avait le temple de la pudeur plébéienne. Les cultes orientaux qui, à partir du sixième siècle, envahirent la Grèce et l'Italie, furent accueillis avec empressement par la plèbe; c'étaient des cultes qui, comme le bouddhisme, ne faisaient acception ni de castes ni de peuples. Souvent enfin on vit la plèbe se faire des objets sacrés analogues aux dieux des curies et des tribus patriciennes. Ainsi le roi Servius éleva un autel dans chaque quartier, pour que la multitude eût l'occasion de faire des sacrifices; de même les Pisistratides dressèrent des *hermès* dans les rues et sur les places d'Athènes. Ce furent là les dieux de la démocratie. La plèbe, autrefois foule sans culte, eut dorénavant ses cérémonies religieuses et ses fêtes. Elle put prier; c'était beaucoup dans une société où la religion faisait la dignité de l'homme.

Une fois que la classe inférieure eut achevé ces différents progrès, quand il y eut en elle des riches, des soldats, des prêtres, quand elle eut tout ce qui donne à l'homme le sentiment de sa valeur et de sa force, quand enfin elle eut obligé la classe supérieure à la compter pour quelque chose, il fut alors impossible de la retenir en dehors de la vie sociale et politique, et la cité ne put pas lui rester fermée plus longtemps.

L'entrée de cette classe inférieure dans la cité est une révolution qui, du septième au cinquième siècle, a rempli l'histoire de la Grèce et de l'Italie. Les efforts du peuple ont eu partout la victoire, mais non pas partout de la même manière ni par les mêmes moyens.

Ici, le peuple, dès qu'il s'est senti fort, s'est insurgé; les armes à la main, il a force les portes de la ville où il lui était interdit d'habiter. Une fois devenu le maître, ou il a chassé les grands et a occupé leurs maisons, ou il s'est contenté de décréter l'égalité des droits. C'est ce qu'on vit à Syracuse, à Érythrées, à Milet.

Là, au contraire, le peuple a usé de moyens moins violents. Sans luttes à main armée, par la seule force morale que lui avaient donnée ses derniers progrès, il a contraint les grands à faire des concessions. On a nommé alors un législateur et la constitution a été changée. C'est ce qu'on vit à Athènes.

Ailleurs, la classe inférieure, sans secousse et sans bouleversement, arriva par degrés à son but. Ainsi à Cumes le nombre des membres de la cité, d'abord très restreint, s'accrut une première fois par l'admission de ceux du peuple qui étaient assez riches pour nourrir un cheval. Plus tard, on éleva jusqu'à mille le nombre des citoyens, et l'on arriva enfin peu à peu à la démocratie.

Dans quelques villes, l'admission de la plèbe parmi les citoyens fut l'oeuvre des rois; il en fut ainsi à Rome. Dans d'autres, elle fut l'oeuvre des tyrans populaires; c'est ce qui eut lieu à Corinthe, à Sicyone, à Argos. Quand l'aristocratie reprit le dessus, elle eut ordinairement la sagesse de laisser à la classe inférieure ce titre de citoyen que les rois ou les tyrans lui avaient donné. A Samos, l'aristocratie ne vint à bout de sa lutte contre les tyrans qu'en affranchissant les plus basses classes. Il serait trop long d'énumérer toutes les formes diverses sous lesquelles cette grande révolution s'est accomplie. Le résultat a été partout le même: la classe inférieure a pénétré dans la cité et a fait partie du corps politique.

Le poète Théognis nous donne une idée assez nette de cette révolution et de ses conséquences. Il nous dit que dans Mégare, sa patrie, il y a deux sortes d'hommes. Il appelle l'une la classe des *bons*, [Grec: agathoi]; c'est, en effet, le nom qu'elle se donnait dans la plupart des villes grecques. Il appelle l'autre la classe des *mauvais*, [Grec: kakoi]; c'est encore de ce nom qu'il était d'usage de désigner la classe inférieure. Cette classe, le poëte nous décrit sa condition ancienne: « elle ne connaissait autrefois ni les tribunaux ni les lois »; c'est assez dire qu'elle n'avait pas le droit de cité. Il n'était même pas permis à ces hommes d'approcher de la ville; « ils vivaient en dehors comme des bêtes sauvages ». Ils n'assistaient pas aux repas religieux; ils n'avaient pas le droit de se marier dans les familles des *bons*.

Mais que tout cela est changé! les rangs ont été bouleversés, « les mauvais ont été mis au-dessus des bons ». La justice est troublée; les antiques lois ne sont plus, et des lois d'une nouveauté étrange les ont remplacées. La richesse est devenue l'unique objet des désirs des hommes, parce qu'elle donne la puissance. L'homme de race noble épouse la fille du riche plébéien et « le mariage confond les races ».

Théognis, qui sort d'une famille aristocratique, a vainement essayé de résister au cours des choses. Condamné à l'exil, dépouillé de ses biens, il n'a plus que ses vers pour protester et pour combattre. Mais s'il n'espère pas le succès, du moins il ne doute pas de la justice de sa cause; il accepte la défaite, mais il garde le sentiment de son droit. À ses yeux, la révolution qui s'est faite est un mal moral, un crime. Fils de l'aristocratie, il lui semble que cette révolution n'a pour elle ni la justice ni les dieux et qu'elle porte atteinte à la religion. « Les dieux, dit-il, ont quitté la terre; nul ne les craint. La race des hommes pieux a disparu; on n'a plus souci des Immortels. »

Mais ces regrets sont inutiles, il le sait bien. S'il gémit ainsi, c'est par une sorte de devoir pieux, c'est parce qu'il a reçu des anciens « la tradition sainte », et qu'il doit la perpétuer. Mais en vain: la tradition même va se flétrir, les fils des nobles vont oublier leur noblesse; bientôt on les verra tous s'unir par le mariage aux familles plébéiennes, « ils boiront à leurs fêtes et mangeront à leur table »; ils adopteront bientôt leurs sentiments. Au temps de Théognis, le regret est tout ce qui reste à l'aristocratie grecque, et ce regret même va disparaître.

En effet, après Théognis, la noblesse ne fut plus qu'un souvenir. Les grandes familles continuèrent à garder pieusement le culte domestique et la mémoire des ancêtres; mais ce fut tout. Il y eut encore des hommes qui s'amusèrent à compter leurs aïeux; mais on riait de ces hommes. On garda l'usage d'inscrire sur quelques tombes que le mort était de noble race; mais nulle tentative ne fut faite pour relever un régime à jamais tombé. Isocrate dit avec vérité que de son temps les grandes familles d'Athènes n'existaient plus que dans leurs tombeaux.

Ainsi la cité ancienne s'était transformée par degrés. A l'origine, elle était l'association d'une centaine de chefs de famille. Plus tard le nombre des citoyens s'accrut, parce que les branches cadettes obtinrent l'égalité. Plus tard encore, les clients affranchis, la plèbe, toute cette foule qui pendant des siècles était restée en dehors de l'association religieuse et politique, quelquefois même en dehors de l'enceinte sacrée de la ville, renversa les barrières qu'on lui opposait et pénétra dans la cité, où aussitôt elle fut maîtresse.

2° Histoire de cette révolution à Athènes.

Les eupatrides, après le renversement de la royauté, gouvernèrent Athènes pendant quatre siècles. Sur cette longue domination l'histoire est muette; on n'en sait qu'une chose, c'est qu'elle fut odieuse aux classes inférieures et que le peuple fit effort pour sortir de ce régime.

L'an 598, le mécontentement que l'on voyait général, et les signes certains qui annonçaient une révolution prochaine, éveillèrent l'ambition d'un eupatride, Cylon, qui songea à renverser le gouvernement de sa caste et à se faire tyran populaire. L'énergie des archontes fit avorter l'entreprise; mais l'agitation continua après lui. En vain les eupatrides mirent en usage toutes les ressources de leur religion. En vain ils dirent que les dieux étaient irrités et que des spectres apparaissaient. En vain ils purifièrent la ville de tous les crimes du peuple et élevèrent deux autels à la Violence et à l'Insolence, pour apaiser ces deux, divinités dont l'influence maligne avait troublé les esprits. Tout cela ne servit de rien. Les sentiments de haine ne furent pas adoucis. On fit venir de Crète le pieux Épiménide, personnage mystérieux qu'on disait fils d'une déesse; on lui fit accomplir une série de cérémonies expiatoires; on espérait, en frappant ainsi l'imagination du peuple, raviver la religion et fortifier, par conséquent, l'aristocratie. Mais le peuple ne s'émut pas; la religion des eupatrides n'avait plus de prestige sur son âme; il persista à réclamer des réformes.

Pendant seize années encore, l'opposition farouche des pauvres de la montagne et l'opposition patiente des riches du rivage firent une rude guerre aux eupatrides. A la fin, tout ce qu'il y avait de sage dans les trois partis s'entendit pour confier à Solon le soin de terminer ces querelles et de prévenir des malheurs plus grands. Solon avait la rare fortune d'appartenir à la fois aux eupatrides par sa naissance et aux commerçants par les occupations de sa jeunesse. Ses poésies nous le montrent comme un homme tout à fait dégagé des préjugés de sa caste; par son esprit conciliant, par son goût pour la richesse et pour le luxe, par son amour du plaisir, il est fort éloigné des anciens eupatrides et il appartient à la nouvelle Athènes.

Nous avons dit plus haut que Solon commença par affranchir la terre de la vieille domination que la religion des familles eupatrides avait exercée sur elle. Il brisa les chaînes de la clientèle. Un tel changement dans l'état social en entraînait un autre dans l'ordre politique. Il fallait que les classes inférieures eussent désormais, suivant l'expression de Solon lui-même, un bouclier pour défendre leur liberté récente. Ce bouclier, c'étaient des droits politiques.

Il s'en faut beaucoup que la constitution de Solon nous soit clairement connue; il paraît du moins que tous les Athéniens firent désormais partie de l'assemblée du peuple et que le Sénat ne fut plus composé des seuls eupatrides; il paraît même que les archontes purent être élus en dehors de l'ancienne caste sacerdotale. Ces graves innovations renversaient toutes les anciennes règles de la cité. Suffrages, magistratures, sacerdoces, direction de la société, il fallait que l'eupatride partageât tout cela avec l'homme de la caste inférieure. Dans la constitution nouvelle il n'était tenu aucun compte des droits de la naissance; il y avait encore des classes, mais elles n'étaient plus distinguées que par la richesse. Dès lors la domination des eupatrides disparut. L'eupatride ne fut plus rien, à moins qu'il ne fût riche; il valut par sa richesse et non pas par sa naissance. Désormais le poëte put dire: « Dans la pauvreté l'homme noble n'est plus rien »; et le peuple applaudit au théâtre cette boutade du comique: « De quelle naissance est cet homme? — Riche, ce sont là aujourd'hui les nobles. »

Le régime qui s'était ainsi fondé, avait deux sortes d'ennemis: les eupatrides qui regrettaient leurs privilèges perdus, et les pauvres qui souffraient encore de l'inégalité.

A peine Solon avait-il achevé son oeuvre, que l'agitation recommença. « Les pauvres se montrèrent, dit Plutarque, les âpres ennemis des riches. » Le gouvernement nouveau leur déplaisait peut-être autant que celui des eupatrides. D'ailleurs, en voyant que les eupatrides pouvaient encore être archontes et sénateurs, beaucoup s'imaginaient que la révolution n'avait pas été complète. Solon avait maintenu les formes républicaines; or le peuple avait encore une haine irréfléchie contre ces formes de gouvernement sous lesquelles il n'avait vu pendant quatre siècles que le règne de l'aristocratie. Suivant l'exemple de beaucoup de cités grecques, il voulut un tyran.

Pisistrate, issu des eupatrides, mais poursuivant un but d'ambition personnelle, promit aux pauvres un partage des terres et se les attacha. Un jour il parut dans l'assemblée, et prétendant qu'on l'avait blessé, il demanda qu'on lui donnât une garde. Les hommes des premières classes allaient lui répondre et dévoiler le mensonge, mais « la populace était prête à en venir aux mains pour soutenir Pisistrate; ce que voyant, les riches s'enfuirent en désordre ». Ainsi l'un des premiers actes de l'assemblée populaire récemment instituée fut d'aider un homme à se rendre maître de la patrie.

Il ne paraît pas d'ailleurs que le règne de Pisistrate ait apporté aucune entrave au développement des destinées d'Athènes. Il eut, au contraire, pour principal effet d'assurer et de garantir contre une réaction la grande réforme sociale et politique qui venait de s'opérer. Les eupatrides ne s'en relevèrent jamais.

Le peuple ne se montra guère désireux de reprendre sa liberté; deux fois la coalition des grands et des riches renversa Pisistrate, deux fois il reprit le pouvoir, et ses fils gouvernèrent Athènes après lui. Il fallut l'intervention d'une armée Spartiate dans l'Attique pour faire cesser la domination de cette famille.

L'ancienne aristocratie eut un moment l'espoir de profiter de la chute des Pisistratides pour ressaisir ses privilèges. Non-seulement elle n'y réussit pas, mais elle reçut même le plus rude coup qui lui eût encore été porté. Clisthènes, qui était issu de cette classe, mais d'une famille que cette classe couvrait d'opprobre et semblait renier depuis trois générations, trouva le plus sûr moyen de lui ôter à jamais ce qu'il lui restait encore de force. Solon, en changeant la constitution politique, avait laissé subsister toute la vieille organisation religieuse de la société athénienne. La population restait partagée en deux ou trois cents *gentes*, en douze phratries, en quatre tribus. Dans chacun de ces groupes il y avait encore, comme dans l'époque précédente, un culte héréditaire, un prêtre qui était un eupatride, un chef qui était le même que le prêtre. Tout cela était le reste d'un passé qui avait peine à disparaître; par là, les traditions, les usages, les règles, les distinctions qu'il y avait eu dans l'ancien état social, se perpétuaient. Ces cadres avaient été établis par la religion, et ils maintenaient à leur tour la religion, c'est-à-dire la puissance des grandes familles. Il y avait dans chacun de ces cadres deux classes d'hommes, d'une part les eupatrides qui possédaient héréditairement le sacerdoce et l'autorité, de l'autre les hommes d'une condition inférieure, qui n'étaient plus serviteurs ni clients, mais qui étaient encore retenus sous l'autorité de l'eupatride par la religion. En vain la loi de Solon disait que tous les Athéniens étaient libres. La vieille religion saisissait l'homme au sortir de l'Assemblée où il avait librement voté, et lui disait: Tu es lié à un eupatride par le culte; tu lui dois respect, déférence, soumission; comme membre d'une cité, Solon t'a fait libre; mais comme membre d'une tribu, tu obéis à un eupatride; comme membre d'une phratrie, tu as encore un eupatride pour chef; dans la famille même, dans la *gens* où tes ancêtres sont nés et dont tu ne peux pas sortir, tu retrouves encore l'autorité d'un eupatride. A quoi servait- il que la loi politique eût fait de cet homme un citoyen, si la religion et les moeurs persistaient à en faire un client? Il est vrai que depuis plusieurs générations beaucoup d'hommes se trouvaient en dehors de ces cadres, soit qu'ils fussent venus de pays étrangers, soit qu'ils se fussent échappés de la *gens* et de la tribu pour être libres. Mais ces hommes souffraient d'une autre manière, ils se trouvaient dans un état d'infériorité morale vis-à-vis des autres hommes, et une sorte d'ignominie s'attachait à leur indépendance.

Il y avait donc, après la réforme politique de Solon, une autre réforme à opérer dans le domaine de la religion. Clisthènes l'accomplit en supprimant les quatre anciennes tribus religieuses, et en les remplaçant par dix tribus qui étaient partagées en un certain nombre de dèmes.

Ces tribus et ces dèmes ressemblèrent en apparence aux anciennes tribus et aux *gentes*. Dans chacune de ces circonscriptions il y eut un culte, un prêtre, un juge, des réunions pour les cérémonies religieuses, des assemblées pour délibérer sur les intérêts communs. Mais les groupes nouveaux différèrent des anciens en deux points essentiels. D'abord, tous les hommes libres d'Athènes, même ceux qui n'avaient pas fait partie des anciennes tribus et des *gentes*, furent répartis dans les cadres formés par Clisthènes: grande réforme qui donnait un culte à ceux qui en manquaient encore, et qui faisait entrer dans une association religieuse ceux qui auparavant étaient exclus de toute association. En second lieu, les hommes furent distribués dans les tribus et dans les dèmes, non plus d'après leur naissance, comme autrefois, mais d'après leur domicile. La naissance n'y compta pour rien: les hommes y furent égaux et l'on n'y connut plus de privilèges. Le culte, pour la célébration duquel la nouvelle tribu ou le dème se réunissait, n'était plus le culte héréditaire d'une ancienne famille; on ne s'assemblait plus autour du foyer d'un eupatride. Ce n'était plus un ancien eupatride que la tribu ou le dème vénérait comme ancêtre divin; les tribus eurent de nouveaux héros éponymes choisis parmi les personnages antiques dont le peuple avait conservé bon souvenir, et quant aux dèmes, ils adoptèrent uniformément pour dieux protecteurs *Zeus gardien de l'enceinte* et *Apollon paternel*. Dès lors il n'y avait plus de raison pour que le sacerdoce fût héréditaire dans le dème comme il l'avait été dans la *gens*; il n'y en avait non plus aucune pour que le prêtre fût toujours un eupatride. Dans les nouveaux groupes, la dignité de prêtre et de chef fut annuelle, et chaque membre put l'exercer à son tour. Cette réforme fut ce qui acheva de renverser l'aristocratie des eupatrides. A dater de ce moment, il n'y eut plus de caste religieuse; plus de privilèges de naissance, ni en religion ni en politique. La société athénienne était entièrement transformée.

Or la suppression des vieilles tribus, remplacées par des tribus nouvelles, où tous les hommes avaient accès et étaient égaux, n'est pas un fait particulier à l'histoire d'Athènes. Le même changement a été opéré à Cyrène, à Sicyone, à Élis, à Sparte, et probablement dans beaucoup d'autres cités grecques. De tous les moyens propres à affaiblir l'ancienne aristocratie, Aristote n'en voyait pas de plus efficace que celui-là. « Si l'on veut fonder la démocratie, dit-il, on fera ce que fit Clisthène chez les Athéniens: on établira de nouvelles tribus et de nouvelles phratries; aux sacrifices héréditaires des familles on substituera des sacrifices où tous les hommes seront admis; on confondra autant que possible les relations des hommes entre eux, en ayant soin de briser toutes les associations antérieures.»

Lorsque cette réforme est accomplie dans toutes les cités, on peut dire que l'ancien moule de la société est brisé et qu'il se forme un nouveau corps social. Ce changement dans les cadres que l'ancienne religion héréditaire avait établis et qu'elle déclarait immuables, marque la fin du régime religieux de la cité.

3° *Histoire de cette révolution à Rome.*

La plèbe eut de bonne heure à Rome une grande importance. La situation de la ville entre les Latins, les Sabins et les Étrusques la condamnait à une guerre perpétuelle, et la guerre exigeait qu'elle eût une population nombreuse. Aussi les rois avaient-ils accueilli et appelé tous les étrangers, sans avoir égard à leur origine. Les guerres se succédaient sans cesse, et comme on avait besoin d'hommes, le résultat le plus ordinaire de chaque victoire était qu'on enlevait à la ville vaincue sa population pour la transférer à Rome. Que devenaient ces hommes ainsi amenés avec le butin? S'il se trouvait parmi eux des familles sacerdotales et patriciennes, le patriciat s'empressait de se les adjoindre. Quant à la foule, une partie entrait dans la clientèle des grands ou du roi, une partie était reléguée dans la plèbe.

D'autres éléments encore entraient dans la composition de cette classe. Beaucoup d'étrangers affluaient à Rome, comme en un lieu que sa situation rendait propre au commerce. Les mécontents de la Sabine, de l'Étrurie, du Latium y trouvaient un refuge. Tout cela entrait dans la plèbe. Le client qui réussissait à s'échapper de la *gens*, devenait un plébéien. Le patricien qui se mésalliait ou qui commettait une de ces fautes qui entraînaient la déchéance, tombait dans la classe inférieure. Tout bâtard était repoussé par la religion des familles pures, et relégué dans la plèbe.

Pour toutes ces raisons, la plèbe augmentait en nombre. La lutte qui était engagée entre les patriciens et les rois, accrut son importance. La royauté et la plèbe sentirent de bonne heure qu'elles avaient les mêmes ennemis. L'ambition des rois était de se dégager des vieux principes de gouvernement qui entravaient l'exercice de leur pouvoir. L'ambition de la plèbe était de briser les vieilles barrières qui l'excluaient de l'association religieuse et politique. Une alliance tacite s'établit; les rois protégèrent la plèbe, et la plèbe soutint les rois.

Les traditions et les témoignages de l'antiquité placent sous le règne de Servius les grands progrès des plébéiens. La haine que les patriciens conservèrent pour ce roi, montre suffisamment quelle était sa politique. Sa première réforme fut de donner des terres à la plèbe, non pas, il est vrai, sur l'*ager romanus*, mais sur les territoires pris à l'ennemi; ce n'était pas moins une innovation grave que de conférer ainsi le droit de propriété sur le sol à des familles qui jusqu'alors n'avaient pu cultiver que le sol d'autrui.

Ce qui fut plus grave encore, c'est qu'il publia des lois pour la plèbe, qui n'en avait jamais eu auparavant. Ces lois étaient relatives pour la plupart aux obligations que le plébéien pouvait contracter avec le patricien. C'était un commencement de droit commun entre les deux ordres, et pour la plèbe, un commencement d'égalité.

Puis ce même roi établit une division nouvelle dans la cité. Sans détruire les trois anciennes tribus, où les familles patriciennes et les clients étaient répartis d'après la naissance, il forma quatre tribus nouvelles où la population tout entière était distribuée d'après le domicile. Nous avons vu cette réforme à Athènes et nous en avons dit les effets; ils furent les mêmes à Rome. La plèbe, qui n'entrait pas dans les anciennes tribus, fut admise dans les tribus nouvelles. Cette multitude jusque-là flottante, espèce de population nomade qui n'avait aucun lien avec la cité, eut désormais ses divisions fixes et son organisation régulière. La formation de ces tribus, où les deux ordres étaient mêlés, marque véritablement l'entrée de la plèbe dans la cité. Chaque tribu eut un foyer et des sacrifices; Servius établit des dieux Lares dans chaque carrefour de la ville, dans chaque circonscription de la campagne. Ils servirent de divinités à ceux qui n'en avaient pas de naissance. Le plébéien célébra les fêtes religieuses de son quartier et de son bourg (*compitalia, paganalia*), comme le patricien célébrait les sacrifices de sa *gens* et de sa curie. Le plébéien eut une religion.

En même temps un grand changement fut opéré dans la cérémonie sacrée de la lustration. Le peuple ne fut plus rangé par curies, à l'exclusion de ceux que les curies n'admettaient pas. Tous les habitants libres de Rome, tous ceux qui faisaient partie des tribus nouvelles, figurèrent dans l'acte sacré. Pour la première fois, tous les hommes, sans distinction de patriciens, de clients, de plébéiens, furent réunis. Le roi fit le tour de cette assemblée mêlée, en poussant devant lui les victimes et en chantant l'hymne solennel. La cérémonie achevée, tous se trouvèrent également citoyens.

Avant Servius, on ne distinguait à Rome que deux sortes d'hommes, la caste sacerdotale des patriciens avec leurs clients, et la classe plébéienne. On ne connaissait nulle autre distinction que celle que la religion héréditaire avait établie. Servius marqua une division nouvelle, celle qui avait pour principe la richesse. Il partagea les habitants de Rome en deux grandes catégories: dans l'une étaient ceux qui possédaient quelque chose, dans l'autre ceux qui n'avaient rien. La première se divisa elle-même en cinq classes, dans lesquelles les hommes furent répartis suivant le chiffre de leur fortune. Servius introduisait par là un principe tout nouveau dans la société romaine: la richesse marqua désormais des rangs, comme avait fait la religion.

Servius appliqua cette division de la population romaine au service militaire. Avant lui, si les plébéiens combattaient, ce n'était pas dans les rangs de la légion. Mais comme Servius avait fait d'eux des propriétaires et des citoyens, il pouvait aussi en faire des légionnaires. Dorénavant l'armée ne fut plus composée uniquement des hommes des curies; tous les hommes libres, tous ceux du moins qui possédaient quelque chose, en firent partie, et les prolétaires seuls continuèrent à en être exclus. Ce ne fut plus le rang de patricien ou de client qui détermina l'armure de chaque soldat et son poste de bataille; l'armée était divisée par classes, exactement comme la population, d'après la richesse. La première classe, qui avait l'armure complète, et les deux suivantes, qui avaient au moins le bouclier, le casque et l'épée, formèrent les trois premières lignes de la légion. La quatrième et la cinquième, légèrement armées, composèrent les corps de vélites et de frondeurs. Chaque classe se partageait en compagnies, que l'on appelait centuries. La première en comprenait, dit- on, quatre-vingts; les quatre autres vingt ou trente chacune. La cavalerie était à part, et en ce point encore Servius fit une grande innovation; tandis que jusque-là les jeunes patriciens composaient seuls les centuries de cavaliers, Servius admit un certain nombre de plébéiens, choisis parmi les plus riches, à combattre à cheval, et il en forma douze centuries nouvelles.

Or on ne pouvait guère toucher à l'armée sans toucher en même temps à la constitution politique. Les plébéiens sentirent que leur valeur dans l'Etat s'était accrue; ils avaient des armes, une discipline, des chefs; chaque centurie avait son centurion et une enseigne sacrée. Cette organisation militaire était permanente; la paix ne la dissolvait pas. Il est vrai qu'au retour d'une campagne les soldats quittaient leurs rangs, la loi leur défendant d'entrer dans la ville en corps de troupe. Mais ensuite, au premier signal, les citoyens se rendaient en armes au champ de Mars, où chacun retrouvait sa centurie, son centurion et son drapeau. Or il arriva, 25 ans après Servius Tullius, qu'on eut la pensée de convoquer l'armée, sans que ce fût pour une expédition militaire. L'armée s'étant réunie et ayant pris ses rangs, chaque centurie ayant son centurion à sa tête et son drapeau au milieu d'elle, le magistrat parla, consulta, fit voter. Les six centuries patriciennes et les douze de cavaliers plébéiens votèrent d'abord, après elles les centuries d'infanterie de première classe, et les autres à la suite. Ainsi se trouva établie au bout de peu de temps l'assemblée centuriate, où quiconque était soldat avait droit de suffrage, et où l'on ne distinguait presque plus le plébéien du patricien.

Toutes ces réformes changeaient singulièrement la face de la cité romaine. Le patriciat restait debout avec ses cultes héréditaires, ses curies, son sénat. Mais les plébéiens acquéraient l'habitude de l'indépendance, la richesse, les armes, la religion. La plèbe ne se confondait pas avec le patriciat, mais elle grandissait à côté de lui.

Il est vrai que le patriciat prit sa revanche. Il commença par égorger Servius; plus tard il chassa Tarquin. Avec la royauté la plèbe fut vaincue.

Les patriciens s'efforcèrent de lui reprendre toutes les conquêtes qu'elle avait faites sous les rois. Un de leurs premiers actes fut d'enlever aux plébéiens les terres que Servius leur avait données; et l'on peut remarquer que le seul motif allégué pour les dépouiller ainsi fut qu'ils étaient plébéiens. Le patriciat remettait donc en vigueur le vieux principe qui voulait que la religion héréditaire fondât seule le droit de propriété, et qui ne permettait pas que l'homme sans religion et sans ancêtres pût exercer aucun droit sur le sol.

Les lois que Servius avait faites pour la plèbe lui furent aussi retirées. Si le système des classes et l'assemblée centuriate ne furent pas abolis, c'est d'abord parce que l'état de guerre ne permettait pas de désorganiser l'armée, c'est ensuite parce que l'on sut entourer ces comices de formalités telles que le patriciat fût toujours le maître des élections. On n'osa pas enlever aux plébéiens le titre de citoyens; on les laissa figurer dans le cens. Mais il est clair que le patriciat, en permettant à la plèbe de faire partie de la cité, ne partagea avec elle ni les droits politiques, ni la religion, ni les lois. De nom, la plèbe resta dans la cité; de fait, elle en fut exclue.

N'accusons pas plus que de raison les patriciens, et ne supposons pas qu'ils aient froidement conçu le dessein d'opprimer et d'écraser la plèbe. Le patricien qui descendait d'une famille sacrée et se sentait l'héritier d'un culte, ne comprenait pas d'autre régime social que celui dont l'antique religion avait tracé les règles. A ses yeux, l'élément constitutif de toute société était la *gens*, avec son culte, son chef héréditaire, sa clientèle. Pour lui, la cité ne pouvait pas être autre chose que la réunion des chefs des *gentes*. Il n'entrait pas dans son esprit qu'il pût y avoir un autre système politique que celui qui reposait sur le culte, d'autres magistrats que ceux qui accomplissaient les sacrifices publics, d'autres lois que celles dont la religion avait dicté les saintes formules. Il ne fallait même pas lui objecter que les plébéiens avaient aussi, depuis peu, une religion, et qu'ils faisaient des sacrifices aux Lares des carrefours. Car il eût répondu que ce culte n'avait pas le caractère essentiel de la véritable religion, qu'il n'était pas héréditaire, que ces foyers n'étaient pas des feux antiques, et que ces dieux Lares n'étaient pas de vrais ancêtres. Il eût ajouté que les plébéiens, en se donnant un culte, avaient fait ce qu'ils n'avaient pas le droit de faire; que pour s'en donner un, ils avaient violé tous les principes, qu'ils n'avaient pris que les dehors du culte et en avaient retranché le principe essentiel qui était l'hérédité, qu'enfin leur simulacre de religion était absolument l'opposé de la religion.

Dès que le patricien s'obstinait à penser que la religion héréditaire devait seule gouverner les hommes, il en résultait qu'il ne voyait pas de gouvernement possible pour la plèbe. Il ne concevait pas que le pouvoir social pût s'exercer régulièrement sur cette classe d'hommes. La loi sainte ne pouvait pas leur être appliquée; la justice était un terrain sacré qui leur était interdit. Tant qu'il y avait eu des rois, ils avaient pris sur eux de régir la plèbe, et ils l'avaient fait d'après certaines règles qui n'avaient rien de commun avec l'ancienne religion, et que le besoin ou l'intérêt public avait fait trouver. Mais par la révolution, qui avait chassé les rois, la religion avait repris l'empire, et il était arrivé forcément que toute la classe plébéienne avait été rejetée en dehors des lois sociales.

Le patriciat s'était fait alors un gouvernement conforme à ses propres principes; mais il ne songeait pas à en établir un pour la plèbe. Il n'avait pas la hardiesse de la chasser de Rome, mais il ne trouvait pas non plus le moyen de la constituer en société régulière. On voyait ainsi au milieu de Rome des milliers de familles pour lesquelles il n'existait pas de lois fixes, pas d'ordre social, pas de magistratures. La cité, le *populus*, c'est-à-dire la société patricienne avec les clients qui lui étaient restés, s'élevait puissante, organisée, majestueuse. Autour d'elle vivait la multitude plébéienne qui n'était pas un peuple et ne formait pas un corps. Les consuls, chefs de la cité patricienne, maintenaient l'ordre matériel dans cette population confuse; les plébéiens obéissaient; faibles, généralement pauvres, ils pliaient sous la force du corps patricien.

Le problème dont la solution devait décider de l'avenir de Rome était celui-ci: comment la plèbe deviendrait-elle une société régulière?

Or le patriciat, dominé par les principes rigoureux de sa religion, ne voyait qu'un moyen de résoudre ce problème, et c'était de faire entrer la plèbe, par la clientèle, dans les cadres sacrés des *gentes*. Il paraît qu'une tentative fut faite en ce sens. La question des dettes, qui agita Rome à cette époque, ne peut s'expliquer que si l'on voit en elle la question plus grave de la clientèle et du servage. La plèbe romaine, dépouillée de ses terres, ne pouvait plus vivre. Les patriciens calculèrent que par le sacrifice de quelque argent ils la feraient tomber dans leurs liens. L'homme de la plèbe emprunta. En empruntant il se donnait au créancier, se vendait à lui. C'était si bien une vente que cela se faisait *per aes et libram*, c'est-à-dire avec la formalité solennelle que l'on employait d'ordinaire pour conférer à un homme le droit de propriété sur un objet. Il est vrai que le plébéien prenait ses sûretés contre la servitude; par une sorte de contrat fiduciaire, il stipulait qu'il garderait son rang d'homme libre jusqu'au jour de l'échéance et que ce jour-là il reprendrait pleine possession de lui-même en remboursant la dette. Mais ce jour venu, si la dette n'était pas éteinte, le plébéien perdait le bénéfice de son contrat. Il tombait à la discrétion du créancier qui l'emmenait dans sa maison et en faisait son client et son serviteur. En tout cela le patricien ne croyait pas faire acte d'inhumanité; l'idéal de la société étant à ses yeux le régime de la *gens*, il ne voyait rien de plus légitime et de plus beau que d'y ramener les hommes par quelque moyen que ce fût. Si son plan avait réussi, la plèbe eût en peu de temps disparu et la cité romaine n'eût été que l'association des *gentes* patriciennes se partageant la foule des clients.

Mais cette clientèle était une chaîne dont le plébéien avait horreur. Il se débattait contre le patricien qui, armé de sa créance, voulait l'y faire tomber. La clientèle était pour lui l'équivalent de l'esclavage; la maison du patricien était à ses yeux une prison (*ergastulum*). Maintes fois le plébéien, saisi par la main patricienne, implora l'appui de ses semblables et ameuta la plèbe, s'écriant qu'il était homme libre et montrant en témoignage les blessures qu'il avait reçues dans les combats pour la défense de Rome. Le calcul des patriciens ne servit qu'à irriter la plèbe. Elle vit le danger; elle aspira de toute son énergie à sortir de cet état précaire où la chute du gouvernement royal l'avait placée. Elle voulut avoir des lois et des droits.

Mais il ne paraît pas que ces hommes aient d'abord souhaité d'entrer en partage des lois et des droits des patriciens. Peut-être croyaient-ils, comme les patriciens eux-mêmes, qu'il ne pouvait y avoir rien de commun entre les deux ordres. Nul ne songeait à l'égalité civile et politique. Que la plèbe pût s'élever au niveau du patriciat, cela n'entrait pas plus dans l'esprit du plébéien des premiers siècles que du patricien. Loin donc de réclamer l'égalité des droits et des lois, ces hommes semblent avoir préféré d'abord une séparation complète. Dans Rome ils ne trouvaient pas de remède à leurs souffrances; ils ne virent qu'un moyen de sortir de leur infériorité, c'était de s'éloigner de Rome.

L'historien ancien rend bien leur pensée quand il leur attribue ce langage; « Puisque les patriciens veulent posséder seuls la cité, qu'ils en jouissent à leur aise. Pour nous Rome n'est rien. Nous n'avons là ni foyers, ni sacrifices, ni patrie. Nous ne quittons qu'une ville étrangère; aucune religion héréditaire ne nous attache à ce lieu. Toute terre nous est bonne; là où nous trouverons la liberté, là sera notre patrie. » Et ils allèrent s'établir sur le mont Sacré, en dehors des limites de l'*ager romanus*.

En présence d'un tel acte, le Sénat fut partagé de sentiments. Les plus ardents des patriciens laissèrent voir que le départ de la plèbe était loin de les affliger. Désormais les patriciens demeureraient seuls à Rome avec les clients qui leur étaient encore fidèles. Rome renoncerait à sa grandeur future, mais le patriciat y serait le maître. On n'aurait plus à s'occuper de cette plèbe, à laquelle les règles ordinaires du gouvernement ne pouvaient pas s'appliquer, et qui était un embarras dans la cité. On aurait dû peut-être la chasser en même temps que les rois; puisqu'elle prenait d'elle-même le parti de s'éloigner, on devait la laisser faire et se réjouir.

Mais d'autres, moins fidèles aux vieux principes ou plus soucieux de la grandeur romaine, s'affligeaient du départ de la plèbe, Rome perdait la moitié de ses soldats. Qu'allait-elle devenir au milieu des Latins, des Sabins, des Étrusques, tous ennemis? La plèbe avait du bon; que ne savait- on la faire servir aux intérêts de la cité? Ces sénateurs souhaitaient donc qu'au prix de quelques sacrifices, dont ils ne prévoyaient peut-être pas toutes les conséquences, on ramenât dans la ville ces milliers de bras qui faisaient la force des légions.

D'autre part, la plèbe s'aperçut, au bout de peu de mois, qu'elle ne pouvait pas vivre sur le mont Sacré. Elle se procurait bien ce qui était matériellement nécessaire à l'existence. Mais tout ce qui fait une société organisée lui manquait. Elle ne pouvait pas fonder là une ville, car elle n'avait pas de prêtre qui sût accomplir la cérémonie religieuse de la fondation. Elle ne pouvait pas se donner de magistrats, car elle n'avait pas de prytanée régulièrement allumé où un magistrat eût l'occasion de sacrifier. Elle ne pouvait pas trouver le fondement des lois sociales, puisque les seules lois dont l'homme eût alors l'idée dérivaient de la religion patricienne. En un mot, elle n'avait pas en elle les éléments d'une cité. La plèbe vit bien que, pour être plus indépendante, elle n'était pas plus heureuse, qu'elle ne formait pas une société plus régulière qu'à Rome, et qu'ainsi le problème dont la solution lui importait si fort n'était pas résolu. Il ne lui avait servi de rien de s'éloigner de Rome; ce n'était pas dans l'isolement du mont Sacré qu'elle pouvait trouver les lois et les droits auxquels elle aspirait.

Il se trouvait donc que la plèbe et le patriciat, n'ayant presque rien de commun, ne pouvaient pourtant pas vivre l'un sans l'autre. Ils se rapprochèrent et conclurent un traité d'alliance. Ce traité paraît avoir été fait dans les mêmes formes que ceux qui terminaient une guerre entre deux peuples différents; plèbe et patriciat n'étaient, en effet, ni un même peuple ni une même cité. Par ce traité, le patriciat n'accorda pas que la plèbe fît partie de la cité religieuse et politique, il ne semble même pas que la plèbe l'ait demandé. On convint seulement qu'à l'avenir la plèbe, constituée en une société à peu près régulière, aurait des chefs tirés de son sein. C'est ici l'origine du tribunat de la plèbe, institution toute nouvelle et qui ne ressemble à rien de ce que les cités avaient connu auparavant.

Le pouvoir des tribuns n'était pas de même nature que l'autorité du magistrat; il ne dérivait pas du culte de la cité. Le tribun n'accomplissait aucune cérémonie religieuse; il était élu sans auspices, et l'assentiment des dieux n'était pas nécessaire pour le créer. Il n'avait ni siège curule, ni robe de pourpre, ni couronne de feuillage, ni aucun de ces insignes qui dans toutes les cités anciennes désignaient à la vénération des hommes les magistrats-prêtres. Jamais on ne le compta parmi les magistrats romains.

Quelle était donc la nature et quel était le principe de son pouvoir? Il est nécessaire ici d'écarter de notre esprit toutes les idées et toutes les habitudes modernes, et de nous transporter, autant qu'il est possible, au milieu des croyances des anciens. Jusque-là les hommes n'avaient compris l'autorité que comme un appendice du sacerdoce. Lors donc qu'ils voulurent établir un pouvoir qui ne fût pas lié au culte, et des chefs qui ne fussent pas des prêtres, il leur fallut imaginer un singulier détour. Pour cela, le jour où l'on créa les premiers tribuns, on accomplit une cérémonie religieuse d'un caractère particulier. Les historiens n'en décrivent pas les rites; ils disent seulement qu'elle eut pour effet de rendre ces premiers tribuns *sacrosaints*. Or ce mot signifiait que le corps du tribun serait compté dorénavant parmi les objets auxquels la religion interdisait de toucher, et dont le seul contact faisait tomber l'homme en état de souillure. De là venait que, si quelque dévot de Rome, quelque patricien rencontrait un tribun sur la voie publique, il se faisait un devoir de se purifier en rentrant dans sa maison, « comme si son corps eût été souillé par cette seule rencontre. » Ce caractère, sacrosaint restait attaché au tribun pendant toute la durée de ses fonctions; puis en créant son successeur, il lui transmettait ce caractère, exactement comme le consul, en créant d'autres consuls, leur passait les auspices et le droit d'accomplir les rites sacrés. Plus tard, le tribunal ayant été interrompu pendant deux ans, il fallut, pour établir de nouveaux tribuns, renouveler la cérémonie religieuse qui avait été accomplie sur le mont Sacré.

On ne connaît pas assez complètement les idées des anciens pour dire si ce caractère sacrosaint rendait la personne du tribun honorable aux yeux des patriciens, ou la posait, au contraire, comme un objet de malédiction et d'horreur. Cette seconde conjecture est plus conforme à la vraisemblance. Ce qui est certain, c'est que, de toute manière, le tribun se trouvait tout à fait inviolable, la main du patricien ne pouvant le toucher sans une impiété grave.

Une loi confirma et garantit cette inviolabilité; elle prononça que « nul ne pourrait violenter un tribun, ni le frapper, ni le tuer ». Elle ajouta que « celui qui se permettrait un de ces actes vis-à-vis du tribun, serait impur, que ses biens seraient confisqués au profit du temple de Cérès et qu'on pourrait le tuer impunément ». Elle se terminait par cette formule, dont le vague aida puissamment aux progrès futurs du tribunal: « Ni magistrat ni particulier n'aura le droit de rien faire à rencontre d'un tribun. » Tous les citoyens prononcèrent un serment par lequel ils s'engageaient à observer toujours cette loi étrange, appelant sur eux la colère des dieux, s'ils la violaient, et ajoutant que quiconque se rendrait coupable d'attentat sur un tribun « serait entaché de la plus grande souillure».

Ce privilège d'inviolabilité s'étendait aussi loin, que le corps du tribun pouvait étendre son action directe. Un plébéien, était-il maltraité par un consul qui le condamnait à la prison, ou par un créancier qui mettait la main sur lui, le tribun se montrait, se plaçait entre eux (*intercessio*) et arrêtait la main patricienne. Qui eût osé « faire quelque chose à l'encontre d'un tribun », ou s'exposer à être touché par lui?

Mais le tribun n'exerçait cette singulière puissance que là où il était présent. Loin de lui, on pouvait maltraiter les plébéiens. Il n'avait aucune action sur ce qui se passait hors de la portée de sa main, de son regard, de sa parole.

Les patriciens n'avaient pas donné à la plèbe des droits; ils avaient seulement accordé que quelques-uns des plébéiens fussent inviolables. Toutefois c'était assez pour qu'il y eût quelque sécurité pour tous. Le tribun était une sorte d'autel vivant auquel s'attachait un droit d'asile.

Les tribuns devinrent naturellement les chefs de la plèbe; et s'emparèrent du droit de juger. A la vérité ils n'avaient pas le droit de citer devant eux, même un plébéien; mais ils pouvaient appréhender au corps. Une fois sous leur main, l'homme obéissait. Il suffisait même de se trouver dans le rayon où leur parole se faisait entendre; cette parole était irrésistible, et il fallait se soumettre, fût-on patricien ou consul.

Le tribun n'avait d'ailleurs aucune autorité politique. N'étant pas magistrat, il ne pouvait convoquer ni les curies ni les centuries. Il n'avait aucune proposition à faire dans le Sénat; on ne pensait même pas, à l'origine, qu'il y pût paraître. Il n'avait rien de commun avec la véritable cité, c'est-à-dire avec la cité patricienne, où on ne lui reconnaissait aucune autorité. Il n'était pas tribun du peuple, il était tribun de la plèbe.

Il y avait donc, comme par le passé, deux sociétés dans Rome, la cité et la plèbe: l'une fortement organisée, ayant des lois, des magistrats, un sénat; l'autre qui restait une multitude sans droit ni loi, mais qui dans ses tribuns inviolables trouvait des protecteurs et des juges.

Dans les années qui suivent, on peut voir comme les tribuns sont hardis, et quelles licences imprévues ils se permettent. Rien ne les autorisait à convoquer le peuple; ils le convoquent. Rien ne les appelait au Sénat; ils s'asseyent d'abord à la porte de la salle, plus tard dans l'intérieur. Rien ne leur donnait le droit de juger des patriciens; ils les jugent et les condamnent. C'était la suite de cette inviolabilité qui s'attachait à leur personne sacrosainte. Toute force tombait devant eux. Le patriciat s'était désarmé le jour où il avait prononcé avec les rites solennels que quiconque toucherait un tribun serait impur. La loi disait: On ne fera rien à l'encontre d'un tribun. Donc si ce tribun convoquait la plèbe, la plèbe se réunissait, et nul ne pouvait dissoudre cette assemblée, que la présence du tribun mettait hors de l'atteinte du patriciat et des lois. Si le tribun entrait au Sénat, nul ne pouvait l'en faire sortir. S'il saisissait un consul, nul ne pouvait le dégager de ses mains. Rien ne résistait aux hardiesses d'un tribun. Contre un tribun nul n'avait de force, si ce n'était un autre tribun.

Dès que la plèbe eut ainsi ses chefs, elle ne tarda guère à avoir ses assemblées délibérantes. Celles-ci ne ressemblèrent en aucune façon à celles de la cité patricienne. La plèbe, dans ses comices, était distribuée en tribus; c'était le domicile qui réglait la place de chacun, ce n'était ni la religion, ni la richesse. L'assemblée ne commençait pas par un sacrifice; la religion n'y paraissait pas. On n'y connaissait pas les présages, et la voix d'un augure ou d'un pontife ne pouvait pas forcer les hommes à se séparer. C'étaient vraiment les comices de la plèbe, et ils n'avaient rien des vieilles règles ni de la religion du patriciat.

Il est vrai que ces assemblées ne s'occupaient pas d'abord des intérêts généraux de la cité: elles ne nommaient pas de magistrats et ne portaient pas de lois. Elles ne délibéraient que sur les intérêts de la plèbe, ne nommaient que les chefs plébéiens et ne faisaient que des plébiscites. Il y eut longtemps à Rome une double série de décrets, sénatus-consultes pour les patriciens, plébiscites pour la plèbe. Ni la plèbe n'obéissait aux sénatus-consultes, ni les patriciens aux plébiscites. Il y avait deux peuples dans Rome.

Ces deux peuples, toujours en présence et habitant les mêmes murs, n'avaient pourtant presque rien de commun. Un plébéien ne pouvait pas être consul de la cité, ni un patricien tribun de la plèbe. Le plébéien n'entrait pas dans l'assemblée par curies, ni le patricien dans l'assemblée par tribus.

C'étaient deux peuples qui ne se comprenaient même pas, n'ayant pas pour ainsi dire d'idées communes. Si le patricien parlait au nom de la religion et des lois, le plébéien répondait qu'il ne connaissait pas cette religion héréditaire ni les lois qui en découlaient. Si le patricien alléguait la sainte coutume, le plébéien répondait au nom du droit de la nature. Ils se renvoyaient l'un à l'autre le reproche d'injustice; chacun d'eux était juste d'après ses propres principes, injuste d'après les principes et les croyances de l'autre. L'assemblée des curies et la réunion des *patres* semblaient au plébéien des privilèges odieux. Dans l'assemblée des tribus le patricien voyait un conciliabule réprouvé de la religion. Le consulat était pour le plébéien une autorité arbitraire et tyrannique; le tribunal était aux yeux du patricien quelque chose d'impie, d'anormal, de contraire à tous les principes; il ne pouvait comprendre cette sorte de chef qui n'était pas un prêtre et qui était élu sans auspices. Le tribunat dérangeait l'ordre sacré de la cité; il était ce qu'est une hérésie dans une religion; le culte public en était flétri. « Les dieux nous seront contraires, disait un patricien, tant que nous aurons chez nous cet ulcère qui nous ronge et qui étend la corruption à tout le corps social. » L'histoire de Rome, pendant un siècle, fut remplie de pareils malentendus entre ces deux peuples qui ne semblaient pas parler la même langue. Le patriciat persistait à retenir la plèbe en dehors du corps politique; la plèbe se donnait des institutions propres. La dualité de la population romaine devenait de jour en jour plus manifeste.

Il y avait pourtant quelque chose qui formait un lien entre ces deux peuples, c'était la guerre. Le patriciat n'avait eu garde de se priver de soldats. Il avait laissé aux plébéiens le titre de citoyens, ne fût-ce que pour pouvoir les incorporer dans les légions. On avait d'ailleurs veillé à ce que l'inviolabilité des tribuns ne s'étendît pas hors de Rome, et pour cela on avait décidé qu'un tribun ne sortirait jamais de la ville. A l'armée, la plèbe était donc sujette, et il n'y avait plus double pouvoir; en présence de l'ennemi, Rome redevenait une.

Puis, grâce à l'habitude prise après l'expulsion des rois de réunir l'armée pour la consulter sur les intérêts publics ou sur le choix des magistrats, il y avait des assemblées mixtes où la plèbe figurait à coté des patriciens. Or nous voyons clairement dans l'histoire que ces comices par centuries prirent de plus en plus d'importance et devinrent insensiblement ce qu'on appela les grands comices. En effet dans le conflit qui était engagé entre l'assemblée par curies et l'assemblée par tribus, il paraissait naturel que l'assemblée centuriate devînt une sorte de terrain neutre où les intérêts généraux fussent débattus de préférence.

Le plébéien n'était pas toujours un pauvre. Souvent il appartenait à une famille qui était originaire d'une autre ville, qui y avait été riche et considérée, et que le sort de la guerre avait transportée à Rome sans lui enlever la richesse ni ce sentiment de dignité qui d'ordinaire l'accompagne. Quelquefois aussi le plébéien avait pu s'enrichir par son travail, surtout au temps des rois. Lorsque Servius avait partagé la population en classes d'après la fortune, quelques plébéiens étaient entrés dans la première. Le patriciat n'avait pas osé ou n'avait pas pu abolir cette division en classes. Il ne manquait donc pas de plébéiens qui combattaient à côté des patriciens dans les premiers rangs de la légion et qui votaient avec eux dans les premières centuries.

Cette classe riche, fière, prudente aussi, qui ne pouvait pas se plaire aux troubles et devait les redouter, qui avait beaucoup à perdre si Rome tombait, et beaucoup à gagner si elle s'élevait, fut un intermédiaire naturel entre les deux ordres ennemis.

Il ne paraît pas que la plèbe ait éprouvé aucune répugnance à voir s'établir en elle les distinctions de la richesse. Trente-six ans après la création du tribunal, le nombre des tribuns fut porté à dix, afin qu'il y en eût deux de chacune des cinq classes. La plèbe acceptait donc et tenait à conserver la division que Servius avait établie. Et même la partie pauvre, qui n'était pas comprise dans les classes, ne faisait entendre aucune réclamation; elle laissait aux plus aisés leur privilège, et n'exigeait pas qu'on choisît aussi chez elle des tribuns.

Quant aux patriciens, ils s'effrayaient peu de cette importance que prenait la richesse. Car ils étaient riches aussi. Plus sages ou plus heureux que les eupatrides d'Athènes, qui tombèrent dans le néant le jour où la direction de la société appartint à la richesse, les patriciens ne négligèrent jamais ni l'agriculture, ni le commerce, ni même l'industrie. Augmenter leur fortune fut toujours leur grande préoccupation. Le travail, la frugalité, la bonne spéculation furent toujours leurs vertus. D'ailleurs chaque victoire sur l'ennemi, chaque conquête agrandissait leurs possessions. Aussi ne voyaient-ils pas un très-grand mal à ce que la puissance s'attachât à la richesse.

Les habitudes et le caractère des patriciens étaient tels qu'ils ne pouvaient pas avoir de mépris pour un riche, fût-il de la plèbe. Le riche plébéien approchait d'eux, vivait avec eux; maintes relations d'intérêt ou d'amitié s'établissaient. Ce perpétuel contact amenait un échange d'idées. Le plébéien faisait peu à peu comprendre au patricien les voeux et les droits de la plèbe. Le patricien finissait par se laisser convaincre; il arrivait insensiblement à avoir une opinion moins ferme et moins hautaine de sa supériorité; il n'était plus aussi sûr de son droit. Or quand une aristocratie en vient à douter que son empire soit légitime, ou elle n'a plus le courage de le défendre ou elle le défend mal. Dès que les prérogatives du patricien n'étaient plus un article de foi pour lui-même, on peut dire que le patriciat était à moitié vaincu.

La classe riche paraît avoir exercé une action d'un autre genre sur la plèbe, dont elle était issue et dont elle ne se séparait pas encore. Comme elle avait intérêt à la grandeur de Rome, elle souhaitait l'union des deux ordres. Elle était d'ailleurs ambitieuse; elle calculait que la séparation absolue des deux ordres bornait à jamais sa carrière, en l'enchaînant pour toujours à la classe inférieure, tandis que leur union lui ouvrait une voie dont on ne pouvait pas voir le terme. Elle s'efforça donc d'imprimer aux idées et aux voeux de la plèbe une autre direction. Au lieu de persister à former un ordre séparé, au lieu de se donner péniblement des lois particulières, que l'autre ordre ne reconnaîtrait jamais, au lieu de travailler lentement par ses plébiscites à faire des espèces de lois à son usage et à élaborer un code qui n'aurait jamais de valeur officielle, elle lui inspira l'ambition de pénétrer dans la cité patricienne et d'entrer en partage des lois, des institutions, des dignités du patricien. Les désirs de la plèbe tendirent alors à l'union des deux ordres, sous la condition de l'égalité.

La plèbe, une fois entrée dans cette voie, commença par réclamer un code. Il y avait des lois à Rome, comme dans toutes les villes, lois invariables et saintes, qui étaient écrites et dont le texte était gardé par les prêtres. Mais ces lois qui faisaient partie de la religion ne s'appliquaient qu'aux membres de la cité religieuse. Le plébéien n'avait pas le droit de les connaître, et l'on peut croire qu'il n'avait pas non plus le droit de les invoquer. Ces lois existaient pour les curies, pour les *gentes*, pour les patriciens et leurs clients, mais non pour d'autres. Elles ne reconnaissaient pas le droit de propriété à celui qui n'avait pas de *sacra*; elles n'accordaient pas l'action en justice à celui qui n'avait pas de patron. C'est ce caractère exclusivement religieux de la loi que la plèbe voulut faire disparaître. Elle demanda, non pas seulement que les lois fussent mises en écrit et rendues publiques, mais qu'il y eût des lois qui fussent également applicables aux patriciens et à elle.

Il paraît que les tribuns voulurent d'abord que ces lois fussent rédigées par des plébéiens. Les patriciens répondirent qu'apparemment les tribuns ignoraient ce que c'était qu'une loi, car autrement ils n'auraient pas exprimé cette prétention. « Il est de toute impossibilité, disaient-ils, que les plébéiens fassent des lois. Vous qui n'avez pas les auspices, vous qui n'accomplissez pas d'actes religieux, qu'avez-vous de commun avec toutes les choses sacrées, parmi lesquelles il faut compter la loi? » Cette pensée de la plèbe paraissait monstrueuse aux patriciens. Aussi les vieilles annales, que Tite-Live et Denys consultaient en cet endroit de leur histoire, mentionnaient-elles d'affreux prodiges, le ciel en feu, des spectres voltigeant dans l'air, des pluies de sang. Le vrai prodige était que des plébéiens eussent la pensée de faire des lois. Entre les deux ordres, dont chacun s'étonnait de l'insistance de l'autre, la république resta huit années en suspens. Puis les tribuns trouvèrent un compromis: « Puisque vous ne voulez pas que la loi soit écrite par les plébéiens, dirent-ils, choisissons les législateurs dans les deux ordres. » Par là ils croyaient concéder beaucoup; c'était peu à l'égard des principes si rigoureux de la religion patricienne. Le Sénat répliqua qu'il ne s'opposait nullement à la rédaction d'un code, mais que ce code ne pouvait être rédigé que par des patriciens. On finit par trouver un moyen de concilier les intérêts de la plèbe avec la nécessité religieuse que le patriciat invoquait: on décida que les législateurs seraient tous patriciens, mais que leur code, avant d'être promulgué et mis en vigueur, serait exposé aux yeux du public et soumis à l'approbation préalable de toutes les classes.

Ce n'est pas ici le moment d'analyser le code des décemvirs. Il importe seulement de remarquer dès à présent que l'oeuvre des législateurs, préalablement exposée au forum, discutée librement par tous les citoyens, fut ensuite acceptée par les comices centuriates, c'est-à-dire par l'assemblée où les deux ordres étaient confondus. Il y avait en cela une innovation grave. Adoptée par toutes les classes, la même loi s'appliqua désormais à toutes. On ne trouve pas, dans ce qui nous reste de ce code, un seul mot qui implique une inégalité entre le plébéien et le patricien soit pour le droit de propriété, soit pour les contrats et les obligations, soit pour la procédure. A partir de ce moment, le plébéien comparut devant le même tribunal que le patricien, agit comme lui, fut jugé d'après la même loi que lui. Or il ne pouvait pas se faire de révolution plus radicale, les habitudes de chaque jour, les moeurs, les sentiments de l'homme envers l'homme, l'idée de la dignité personnelle, le principe du droit, tout fut changé dans Rome.

Comme il restait quelques lois à faire, on nomma de nouveaux décemvirs, et parmi eux, il y eut trois plébéiens. Ainsi après qu'on eut proclamé avec tant d'énergie que le droit d'écrire les lois n'appartenait qu'à la classe patricienne, le progrès des idées était si rapide qu'au bout d'une année on admettait des plébéiens parmi les législateurs.

Les moeurs tendaient à l'égalité. On était sur une pente où l'on ne pouvait plus se retenir. Il était devenu nécessaire de faire une loi pour défendre le mariage entre les deux ordres: preuve certaine que la religion et les moeurs ne suffisaient plus à l'interdire. Mais à peine avait-on eu le temps de faire cette loi, qu'elle tomba devant une réprobation universelle. Quelques patriciens persistèrent bien à alléguer la religion: « Notre sang va être souillé, et le culte héréditaire de chaque famille en sera flétri; nul ne saura plus de quel sang il est né, à quels sacrifices il appartient; ce sera le renversement de toutes les institutions divines et humaines. » Les plébéiens n'entendaient rien à ces arguments, qui ne leur paraissaient que des subtilités sans valeur. Discuter des articles de foi devant des hommes qui n'ont pas la religion, c'est peine perdue. Les tribuns répliquaient d'ailleurs avec beaucoup de justesse: « S'il est vrai que votre religion parle si haut, qu'avez-vous besoin de cette loi? Elle ne vous sert de rien; retirez-la, vous resterez aussi libres qu'auparavant de ne pas vous allier aux familles plébéiennes. » La loi fut retirée. Aussitôt les mariages devinrent fréquents entre les deux ordres. Les riches plébéiens furent à tel point recherchés que, pour ne parler que des Licinius, on les vit s'allier à trois *gentes* patriciennes, aux Fabius, aux Cornélius, aux Manlius. On put reconnaître alors que la loi avait été un moment la seule barrière qui séparât les deux ordres. Désormais, le sang patricien et le sang plébéien se mêlèrent.

Dès que l'égalité était conquise dans la vie privée, le plus difficile était fait, et il semblait naturel que l'égalité existât de même en politique. La plèbe se demanda donc pourquoi le consulat lui était interdit, et elle ne vit pas de raison pour en être écartée toujours.

Il y avait pourtant une raison très-forte. Le consulat n'était pas seulement un commandement; c'était un sacerdoce. Pour être consul, il ne suffisait pas d'offrir des garanties d'intelligence, de courage, de probité; il fallait surtout être capable d'accomplir les cérémonies du culte public. Il était nécessaire que les rites fussent bien observés et que les dieux fussent contents. Or les patriciens seuls avaient en eux le caractère sacré qui permettait de prononcer les prières et d'appeler la protection divine sur la cité. Le plébéien n'avait rien de commun avec le culte; la religion s'opposait donc à ce qu'il fût consul, *nefas plebeium consulem fieri*.

On peut se figurer la surprise et l'indignation du patriciat, quand des plébéiens exprimèrent pour la première fois la prétention d'être consuls. Il sembla que la religion fût menacée. On se donna beaucoup de peine pour faire comprendre cela à la plèbe; on lui dit quelle importance la religion avait dans la cité, que c'était elle qui avait fondé la ville, elle qui présidait à tous les actes publics, elle qui dirigeait les assemblées délibérantes, elle qui donnait à la république ses magistrats. On ajouta que cette religion était, suivant la règle antique (*more majorum*), le patrimoine des patriciens, que ses rites ne pouvaient être connus et pratiqués que par eux, et qu'enfin les dieux n'acceptaient pas le sacrifice du plébéien. Proposer de créer des consuls plébéiens, c'était vouloir supprimer la religion de la cité; désormais le culte serait souillé et la cité ne serait plus en paix avec ses dieux.

Le patriciat usa de toute sa force et de toute son adresse pour écarter les plébéiens de ses magistratures. Il défendait à la fois sa religion et sa puissance. Dès qu'il vit que le consulat était en danger d'être obtenu par la plèbe, il en détacha la fonction religieuse qui avait entre toutes le plus d'importance celle qui consistait à faire la lustration des citoyens: ainsi furent établis les censeurs. Dans un moment où il lui semblait trop difficile de résister aux voeux des plébéiens, il remplaça le consulat par le tribunat militaire. La plèbe montra d'ailleurs une grande patience; elle attendit soixante-quinze ans que son désir fût réalisé. Il est visible qu'elle mettait moins d'ardeur à obtenir ces hautes magistratures qu'elle n'en avait mis à conquérir le tribunat et un code.

Mais si la plèbe était assez indifférente, il y avait une aristocratie plébéienne qui avait de l'ambition. Voici une légende de cette époque: « Fabius Ambustus, un des patriciens les plus distingués, avait marié ses deux filles, l'une à un patricien qui devint tribun militaire, l'autre à Licinius Stolon, homme fort en vue, mais plébéien. Celle-ci se trouvait un jour chez sa soeur, lorsque les licteurs, ramenant le tribun militaire à sa maison, frappèrent la porte de leurs faisceaux. Comme elle ignorait cet usage, elle eut peur. Les rires et les questions ironiques de sa soeur lui apprirent combien un mariage plébéien l'avait fait déchoir, en la plaçant dans une maison où les dignités et les honneurs ne devaient jamais entrer. Son père devina son chagrin, la consola et lui promit qu'elle verrait un jour chez elle ce qu'elle venait de voir dans la maison de sa soeur. Il s'entendit avec son gendre, et tous les deux travaillèrent au même dessein. » Cette légende nous apprend deux choses: l'une, que l'aristocratie plébéienne, à force de vivre avec les patriciens, prenait leur ambition et aspirait à leurs dignités; l'autre, qu'il se trouvait des patriciens pour encourager et exciter l'ambition de cette nouvelle aristocratie, qui s'était unie à eux par les liens les plus étroits.

Il paraît que Licinius et Sextius, qui s'était joint à lui, ne comptaient pas que la plèbe fît de grands efforts pour leur donner le droit d'être consuls. Car ils crurent devoir proposer trois lois en même temps. Celle qui avait pour objet d'établir qu'un des consuls serait forcément choisi dans la plèbe, était précédée de deux autres, dont l'une diminuait les dettes et l'autre accordait des terres au peuple. Il est évident que les deux premières devaient servir à échauffer le zèle de la plèbe en faveur de la troisième. Il y eut un moment où la plèbe fut trop clairvoyante: elle prit dans les propositions de Licinius ce qui était pour elle, c'est- à-dire la réduction des dettes et la distribution de terres, et laissa de côté le consulat. Mais Licinius répliqua que les trois lois étaient inséparables, et qu'il fallait les accepter ou les rejeter ensemble. La constitution romaine autorisait ce procédé. On pense bien que la plèbe aima, mieux tout accepter que tout perdre. Mais il ne suffisait pas que la plèbe voulût faire des lois; il fallait encore à cette époque que le Sénat convoquât les grands comices et qu'ensuite il confirmât le décret. Il s'y refusa pendant dix ans. A la fin se place un événement que Tite-Live laisse trop dans l'ombre; il paraît que la plèbe prit les armes et que la guerre civile ensanglanta les rues de Rome. Le patriciat vaincu donna un sénatus-consulte par lequel il approuvait et confirmait à l'avance tous les décrets que le peuple porterait cette année-là. Rien n'empêcha plus les tribuns de faire voter leurs trois lois. A partir de ce moment, la plèbe eut chaque année un consul sur deux, et elle ne tarda guère à parvenir aux autres magistratures. Le plébéien porta la robe de pourpre et fut précédé des faisceaux; il rendit la justice, il fut sénateur, il gouverna la cité et commanda les légions.

Restaient les sacerdoces, et il ne semblait pas qu'on pût les enlever aux patriciens. Car c'était dans la vieille religion un dogme inébranlable que le droit de réciter la prière et de toucher aux objets sacrés ne se transmettait qu'avec le sang. La science des rites, comme la possession des dieux, était héréditaire. De même qu'un culte domestique était un patrimoine auquel nul étranger ne pouvait avoir part, le culte de la cité appartenait aussi exclusivement aux familles qui avaient formé la cité primitive. Assurément dans les premiers siècles de Rome il ne serait venu à l'esprit de personne qu'un plébéien pût être pontife.

Mais les idées avaient changé. La plèbe, en retranchant de la religion la règle d'hérédité, s'était fait une religion à son usage. Elle s'était donné des lares domestiques, des autels de carrefour, des foyers de tribu. Le patricien n'avait eu d'abord que du mépris pour cette parodie de sa religion. Mais cela était devenu avec le temps une chose sérieuse, et le plébéien était arrivé à croire qu'il était, même au point de vue du culte et à l'égard des dieux, l'égal du patricien.

Il y avait deux principes en présence. Le patriciat persistait à soutenir que le caractère sacerdotal et le droit d'adorer la divinité étaient héréditaires. La plèbe affranchissait la religion et le sacerdoce de cette vieille règle de l'hérédité; elle prétendait que tout homme était apte à prononcer la prière, et que, pourvu qu'on fût citoyen, on avait le droit d'accomplir les cérémonies du culte de la cité; elle arrivait à cette conséquence qu'un plébéien pouvait être pontife.

Si les sacerdoces avaient été distincts des commandements et de la politique, il est possible que les plébéiens ne les eussent pas aussi ardemment convoités. Mais toutes ces choses étaient confondues: le prêtre était un magistrat; le pontife était un juge, l'augure pouvait dissoudre les assemblées publiques. La plèbe ne manqua pas de s'apercevoir que sans les sacerdoces elle n'avait réellement ni l'égalité civile ni l'égalité politique. Elle réclama donc le partage du pontificat entre les deux ordres, comme elle avait réclamé le partage du consulat.

Il devenait difficile de lui objecter son incapacité religieuse; car depuis soixante ans on voyait le plébéien, comme consul, accomplir les sacrifices; comme censeur, il faisait la lustration; vainqueur de l'ennemi, il remplissait les saintes formalités du triomphe. Par les magistratures, la plèbe s'était déjà emparée d'une partie des sacerdoces; il n'était pas facile de sauver le reste. La foi au principe de l'hérédité religieuse était ébranlée chez les patriciens eux-mêmes. Quelques-uns d'entre eux invoquèrent en vain les vieilles règles et dirent: « Le culte va être altéré, souillé par des mains indignes; vous vous attaquez aux dieux mêmes; prenez garde que leur colère ne se fasse sentir à notre ville. » Il ne semble pas que ces arguments aient eu beaucoup de force sur la plèbe, ni même que la majorité du patriciat s'en soit émue. Les moeurs nouvelles donnaient gain de cause au principe plébéien. Il fut donc décidé que la moitié des pontifes et des augures seraient désormais choisis parmi la plèbe.

Ce fut là la dernière conquête de l'ordre inférieur; il n'avait plus rien à désirer. Le patriciat perdait jusqu'à sa supériorité religieuse. Rien ne le distinguait plus de la plèbe; le patriciat n'était plus qu'un nom ou un souvenir. Les vieux principes sur lesquels la cité romaine, comme toutes les cités anciennes, était fondée, avaient disparu. De cette antique religion héréditaire, qui avait longtemps gouverné les hommes et établi des rangs entre eux, il ne restait plus que les formes extérieures. Le plébéien avait lutté contre elle pendant quatre siècles, sous la république et sous les rois, et il l'avait vaincue.

CHAPITRE VIII

CHANGEMENTS DANS LE DROIT PRIVÉ; LE CODE DES DOUZE TABLES; LE CODE DE SOLON.

Il n'est pas dans la nature du droit d'être absolu et immuable; il se modifie et se transforme, comme toute oeuvre humaine. Chaque société a son droit, qui se forme et se développe avec elle, qui change comme elle, et qui enfin suit toujours le mouvement de ses institutions, de ses moeurs et de ses croyances.

Les hommes des anciens âges avaient été assujettis à une religion d'autant plus puissante sur leur âme qu'elle était plus grossière; cette religion leur avait fait leur droit, comme elle leur avait donné leurs institutions politiques. Mais voici que la société s'est transformée. Le régime patriarcal que cette religion héréditaire avait engendré, s'est dissous à la longue dans le régime de la cité. Insensiblement la *gens* s'est démembrée, le cadet s'est détaché de l'aîné, le serviteur du chef; la classe inférieure a grandi; elle s'est armée; elle a fini par vaincre l'aristocratie et conquérir l'égalité. Ce changement dans l'état social devait en amener un autre dans le droit. Car autant les eupatrides et les patriciens étaient attachés à la vieille religion des familles et par conséquent au vieux droit, autant la classe inférieure avait de haine pour cette religion héréditaire qui avait fait longtemps son infériorité, et pour ce droit antique qui l'avait opprimée. Non-seulement elle le détestait, elle ne le comprenait même pas. Comme elle n'avait pas les croyances sur lesquelles il était fondé, ce droit lui paraissait n'avoir pas de fondement. Elle le trouvait injuste, et dès lors il devenait impossible qu'il restât debout.

Si l'on se place à l'époque où la plèbe a grandi et est entrée dans le corps politique, et que l'on compare le droit de cette époque au droit primitif, de graves changements apparaissent tout d'abord. Le premier et le plus saillant est que le droit a été rendu public et est connu de tous. Ce n'est plus ce chant sacré et mystérieux que l'on se disait d'âge en âge avec un pieux respect, que les prêtres seuls écrivaient et que les hommes des familles religieuses pouvaient seuls connaître. Le droit est sorti des rituels et des livres des prêtres;

il a perdu son religieux mystère; c'est une langue que chacun peut lire et peut parler.

Quelque chose de plus grave encore se manifeste dans ces codes. La nature de la loi et son principe ne sont plus les mêmes que dans la période précédente. Auparavant la loi était un arrêt de la religion; elle passait pour une révélation faite par les dieux aux ancêtres, au divin fondateur, aux rois sacrés, aux magistrats-prêtres. Dans les codes nouveaux, au contraire, ce n'est plus au nom des dieux que le législateur parle; les décemvirs de Rome ont reçu leur pouvoir du peuple; c'est aussi le peuple qui a investi Solon du droit de faire des lois. Le législateur ne représente donc plus la tradition religieuse, mais la volonté populaire. La loi a dorénavant pour principe l'intérêt des hommes, et pour fondement l'assentiment du plus grand nombre.

De là deux conséquences. D'abord, la loi ne se présente plus comme une formule immuable et indiscutable. En devenant oeuvre humaine, elle se reconnaît sujette au changement. Les Douze Tables le disent: « Ce que les suffrages du peuple ont ordonné en dernier lieu, c'est la loi. » De tous les textes qui nous restent de ce code, il n'en est pas un qui ait plus d'importance que celui-là, ni qui marque mieux le caractère de la révolution qui s'opéra alors dans le droit. La loi n'est plus une tradition sainte, *mos*; elle est un simple texte, *lex*, et comme c'est la volonté des hommes qui l'a faite, cette même volonté peut la changer.

L'autre conséquence est celle-ci. La loi, qui auparavant était une partie de la religion et était, par conséquent, le patrimoine des familles sacrées, fut dorénavant la propriété commune de tous les citoyens. Le plébéien put l'invoquer et agir en justice. Tout au plus le patricien de Rome, plus tenace ou plus rusé que l'eupatride d'Athènes, essaya-t-il de cacher à la foule les formes de la procédure; ces formes mêmes ne tardèrent pas à être divulguées.

Ainsi le droit changea de nature. Dès lors il ne pouvait plus contenir les mêmes prescriptions que dans l'époque précédente. Tant que la religion avait eu l'empire sur lui, il avait réglé les relations des hommes entre eux d'après les principes de cette religion. Mais la classe inférieure, qui apportait dans la cité d'autres principes, ne comprenait rien ni aux vieilles règles du droit de propriété, ni à l'ancien droit de succession, ni à l'autorité absolue du père, ni à la parenté d'agnation. Elle voulait que tout cela disparût.

A la vérité, cette transformation du droit ne put pas s'accomplir d'un seul coup. S'il est quelquefois possible à l'homme de changer brusquement ses institutions politiques, il ne peut changer ses lois et son droit privé qu'avec lenteur et par degrés. C'est ce que prouve l'histoire du droit romain comme celle du droit athénien.

Les Douze Tables, comme nous l'avons vu plus haut, ont été écrites au milieu d'une transformation sociale; ce sont des patriciens qui les ont faites, mais ils les ont faites sur la demande de la plèbe et pour son usage. Cette législation n'est donc plus le droit primitif de Rome; elle n'est pas encore le droit prétorien; elle est une transition entre les deux.

Voici d'abord les points sur lesquels elle ne s'éloigne pas encore du droit antique:

Elle maintient la puissance du père; elle le laisse juger son fils, le condamner à mort, le vendre. Du vivant du père, le fils n'est jamais majeur.

Pour ce qui est des successions, elle garde aussi les règles anciennes; l'héritage passe aux agnats, et à défaut d'agnats aux *gentiles*. Quant aux cognats, c'est-à-dire aux parents par les femmes, la loi ne les connaît pas encore; ils n'héritent pas entre eux; la mère ne succède pas au fils, ni le fils à la mère.

Elle conserve à l'émancipation et à l'adoption le caractère et les effets que ces deux actes avaient dans le droit antique. Le fils émancipé n'a plus part au culte de la famille, et il suit de là qu'il n'a plus droit à la succession.

Voici maintenant les points sur lesquels cette législation s'écarte du droit primitif:

Elle admet formellement que le patrimoine peut être partagé entre les frères, puisqu'elle accorde l'*actio familiae erciscundae*.

Elle prononce que le père ne pourra pas disposer plus de trois fois de la personne de son fils, et qu'après trois ventes le fils sera libre.

C'est ici la première atteinte que le droit romain ait portée à l'autorité paternelle.

Un autre changement plus grave fut celui qui donna à l'homme le pouvoir de tester. Auparavant, le fils était héritier *sien et nécessaire*; à défaut de fils, le plus proche agnat héritait; à défaut d'agnats, les biens retournaient à la *gens*, en souvenir du temps où la *gens* encore indivise était l'unique propriétaire du domaine qu'on avait partagé depuis. Les Douze Tables laissent de côté ces principes vieillis; elles considèrent la propriété comme appartenant non plus à la *gens*, mais à l'individu; elles reconnaissent donc à l'homme le droit de disposer de ses biens par testament.

Ce n'est pas que dans le droit primitif le testament fût tout à fait inconnu. L'homme pouvait déjà se choisir un légataire en dehors de la *gens*, mais à la condition de faire agréer son choix par l'assemblée des curies; en sorte qu'il n'y avait que la volonté de la cité entière qui pût faire déroger à l'ordre que la religion avait jadis établi. Le droit nouveau débarrasse le testament de cette règle gênante, et lui donne une forme plus facile, celle d'une vente simulée. L'homme feindra de vendre sa fortune à celui qu'il aura choisi pour légataire; en réalité il aura fait un testament, et il n'aura pas eu besoin de comparaître devant l'assemblée du peuple.

Cette forme de testament avait le grand avantage d'être permise au plébéien. Lui qui n'avait rien de commun avec les curies, il n'avait eu jusqu'alors aucun moyen de tester. Désormais il put user du procédé de la vente active et disposer de ses biens. Ce qu'il y a de plus remarquable dans cette période de l'histoire de la législation romaine, c'est que par l'introduction de certaines formes nouvelles le droit put étendre son action et ses bienfaits aux classes inférieures. Les anciennes règles et les anciennes formalités n'avaient pu et ne pouvaient encore convenablement s'appliquer qu'aux familles religieuses; mais on imaginait de nouvelles règles et de nouveaux procédés qui fussent applicables aux plébéiens.

C'est pour la même raison et en conséquence du même besoin que des innovations se sont introduites dans la partie du droit qui se rapportait au mariage. Il est clair que les familles plébéiennes ne pratiquaient pas le mariage sacré, et l'on peut croire que pour elles l'union conjugale reposait uniquement sur la convention mutuelle des parties (*mutuus consensus*) et sur l'affection qu'elles s'étaient promise (*affectio maritalis*). Nulle formalité civile ni religieuse n'était accomplie. Ce mariage plébéien finit par prévaloir, à la longue, dans les moeurs et dans le droit; mais à l'origine, les lois de la cité patricienne ne lui reconnaissaient aucune valeur. Or cela avait de graves conséquences; comme la puissance maritale et paternelle ne découlait, aux yeux du patricien, que de la cérémonie religieuse qui avait initié la femme au culte de l'époux, il résultait que le plébéien n'avait pas cette puissance. La loi ne lui reconnaissait pas de famille, et le droit privé n'existait pas pour lui. C'était une situation qui ne pouvait plus durer. On imagina donc une formalité qui fût à l'usage du plébéien et qui, pour les relations civiles, produisît les mêmes effets que le mariage sacré. On eut recours, comme pour le testament, à une vente fictive. La femme fut achetée par le mari (*coemptio*); dès lors elle fut reconnue en droit comme faisant partie de sa propriété (*familia*) elle fut *dans sa main*; et eut rang de fille à son égard, absolument comme si la formalité religieuse avait été accomplie.

Nous ne saurions affirmer que ce procédé ne fût pas plus ancien que les Douze Tables. Il est du moins certain, que la législation nouvelle le reconnut comme légitime. Elle donnait ainsi au plébéien un droit privé, qui était analogue pour les effets au droit du patricien, quoiqu'il en différât beaucoup pour les principes.

A la *coemptio* correspond l'*usus*; ce sont deux formes d'un même acte. Tout objet peut être acquis indifféremment de deux manières, par achat ou par *usage*; il en est de même de la propriété fictive de la femme. L'*usage* ici, c'est la cohabitation d'une année; elle établit entre les époux les mêmes liens de droit que l'achat et que la cérémonie religieuse. Il n'est sans doute pas besoin d'ajouter qu'il fallait que la cohabitation eût été précédée du mariage, au moins du mariage plébéien, qui s'effectuait par consentement et affection des parties. Ni la *coemptio* ni l'*usus* ne créaient l'union morale entre les époux; ils ne venaient qu'après le mariage et n'établissaient qu'un lien de droit. Ce n'étaient pas, comme on l'a trop souvent répété, des modes de mariage; c'étaient seulement des moyens d'acquérir la puissance maritale et paternelle.

Mais la puissance maritale des temps antiques avait des conséquences qui, à l'époque de l'histoire où nous sommes arrivés, commençaient à paraître excessives. Nous avons vu que la femme était soumise sans réserve au mari, et que le droit de celui-ci allait jusqu'à pouvoir l'aliéner et la vendre. A un autre point de vue, la puissance maritale produisait encore des effets que le bon sens du plébéien avait peine à comprendre; ainsi la femme placée *dans la main* de son mari était séparée d'une manière absolue de sa famille paternelle, n'en héritait pas, et ne conservait avec elle aucun lien ni aucune parenté aux yeux de la loi. Cela était bon dans le droit primitif, quand la religion défendait que la même personne fît partie de deux *gentes*, sacrifiât à deux foyers, et fût héritière dans deux maisons. Mais la puissance maritale n'était plus conçue avec cette rigueur et l'on pouvait avoir plusieurs motifs excellents pour vouloir échapper à ces dures conséquences. Aussi la loi des Douze Tables, tout en établissant que la cohabitation d'une année mettrait la femme en puissance, fut-elle forcée de laisser aux époux la liberté de ne pas contracter un lien si rigoureux. Que la femme interrompe chaque année la cohabitation, ne fût-ce que par une absence de trois nuits, c'est assez pour que la puissance maritale ne s'établisse pas. Dès lors la femme conserve avec sa propre famille un lien de droit, et elle peut en hériter.

Sans qu'il soit nécessaire d'entrer dans de plus longs détails, on voit que le code des Douze Tables s'écarte déjà beaucoup du droit primitif. La législation romaine se transforme comme le gouvernement et l'état social. Peu à peu et presque à chaque génération il se produira quelque changement nouveau. A mesure que les classes inférieures feront un progrès dans l'ordre politique, une modification nouvelle sera introduite dans les règles du droit. C'est d'abord le mariage qui va être permis entre patriciens et plébéiens. C'est ensuite la loi Papiria qui défendra au débiteur d'engager sa personne au créancier. C'est la procédure qui va se simplifier, au grand profit des plébéiens, par l'abolition des *actions de la loi*. Enfin le préteur, continuant à marcher dans la voie que les Douze Tables ont ouverte, tracera à côté du droit ancien un droit absolument nouveau, que la religion n'aura pas dicté et qui se rapprochera de plus en plus du droit de la nature.

Une révolution analogue apparaît dans le droit athénien. On sait que deux codes de lois ont été rédigés à Athènes, à la distance de trente années, le premier par Dracon, le second par Solon. Celui de Dracon a été écrit au plus fort de la lutte entre les deux classes, et lorsque les eupatrides n'étaient pas encore vaincus. Solon a rédigé le sien au moment même où la classe inférieure l'emportait. Aussi les différences sont-elles grandes entre les deux codes.

Dracon était un eupatride; il avait tous les sentiments de sa caste et « était instruit dans le droit religieux ». Il ne paraît pas avoir fait autre chose que de mettre en écrit les vieilles coutumes, sans y rien changer. Sa première loi est celle-ci: « On devra honorer les dieux et les héros du pays et leur offrir des sacrifices annuels, sans s'écarter des rites suivis par les ancêtres. » On a conservé le souvenir de ses lois sur le meurtre; elles prescrivent que le coupable soit écarté du temple, et lui défendent de toucher à l'eau lustrale et aux vases des cérémonies.

Ses lois parurent cruelles aux générations suivantes. Elles étaient, en effet, dictées par une religion implacable, qui voyait dans toute faute une offense à la divinité, et dans toute offense à la divinité un crime irrémissible. Le vol était puni de mort, parce que le vol était un attentat à la religion de la propriété.

Un curieux article qui nous a été conservé de cette législation montre dans quel esprit elle fut faite. Elle n'accordait le droit de poursuivre un crime en justice qu'aux parents du mort et aux membres de sa *gens*. Nous voyons là combien la *gens* était encore puissante à cette époque, puisqu'elle ne permettait pas à la cité d'intervenir d'office dans ses affaires, fût-ce pour la venger. L'homme appartenait encore à la famille plus qu'à la cité.

Dans tout ce qui nous est parvenu de cette législation, nous voyons quelle ne faisait que reproduire le droit ancien. Elle avait la dureté et la raideur de la vieille loi non écrite. On peut croire qu'elle établissait une démarcation bien profonde entre les classes; car la classe inférieure l'a toujours détestée, et au bout de trente ans elle réclamait une législation nouvelle.

Le code de Solon est tout différent; on voit qu'il correspond à une grande révolution sociale. La première chose qu'on y remarque, c'est que les lois sont les mêmes pour tous. Elles n'établissent pas de distinction entre l'eupatride, le simple homme libre, et le thète. Ces mots ne se trouvent même dans aucun des articles qui nous ont été conservés. Solon se vante dans ses vers d'avoir écrit les mêmes lois pour les grands et pour les petits.

Comme les Douze Tables, le code de Solon s'écarte en beaucoup de points du droit antique; sur d'autres points il lui reste fidèle. Ce n'est pas à dire que les décemvirs romains aient copié les lois d'Athènes; mais les deux législations, oeuvres de la même époque, conséquences de la même révolution sociale, n'ont pas pu ne pas se ressembler. Encore cette ressemblance n'est-elle guère que dans l'esprit des deux législations; la comparaison de leurs articles présente des différences nombreuses. Il y a des points sur lesquels le code de Solon reste plus près du droit primitif que les Douze Tables, comme il y en a sur lesquels il s'en éloigne davantage.

Le droit très-antique avait prescrit que le fils aîné fût seul héritier. La loi de Solon s'en écarte et dît en termes formels: « Les frères se partageront le patrimoine. » Mais le législateur ne s'éloigne pas encore du droit primitif jusqu'à donner à la soeur une part dans la succession: « Le partage, dit-il, se fera entre les fils. »

Il y a plus: si un père ne laisse qu'une fille, cette fille unique ne peut pas être héritière; c'est toujours le plus proche agnat qui a la succession. En cela Solon se conforme à l'ancien droit; du moins il réussit à donner à la fille la jouissance du patrimoine, en forçant l'héritier à l'épouser.

La parenté par les femmes était inconnue dans le vieux droit; Solon l'admet dans le droit nouveau, mais en la plaçant au-dessous de la parenté par les mâles. Voici sa loi: « Si un père ne laisse qu'une fille, le plus proche agnat hérite en épousant la fille. S'il ne laisse pas d'enfant, son frère hérite, non pas sa soeur; son frère germain ou consanguin, non pas son frère utérin. A défaut de frères ou de fils de frères, la succession passe à la soeur. S'il n'y a ni frères, ni soeurs, ni neveux, les cousins et petits-cousins de la branche paternelle héritent. Si l'on ne trouve pas de cousins dans la branche paternelle (c'est-à-dire parmi les agnats), la succession est déférée aux collatéraux de la branche maternelle (c'est-à-dire aux cognats). » Ainsi les femmes commencent à avoir des droits à la succession, mais inférieurs à ceux des hommes; la loi énonce formellement ce principe: « Les mâles et les descendants par les mâles excluent les femmes et les descendante des femmes. » Du moins cette sorte de parenté est reconnue et se fait sa place dans les lois, preuve certaine que le droit naturel commence à parler presque aussi haut que la vieille religion.

Solon introduisit encore dans la législation athénienne quelque chose de très-nouveau, le testament. Avant lui les biens passaient nécessairement au plus proche agnat, ou à défaut d'agnats aux *gennètes* (*gentiles*); cela venait de ce que les biens n'étaient pas considérés comme appartenant à l'individu, mais à la famille. Mais au temps de Solon on commençait à concevoir autrement le droit de propriété; la dissolution de l'ancien [Grec: genos] avait fait de chaque domaine le bien propre d'un individu. Le législateur permit donc à l'homme de disposer de sa fortune et de choisir son légataire. Toutefois en supprimant le droit que le [Grec: genos] avait eu sur les biens de chacun de ses membres, il ne supprima pas le droit de la famille naturelle; le fils resta héritier nécessaire; si le mourant ne laissait qu'une fille, il ne pouvait choisir son héritier qu'à la condition que cet héritier épouserait la fille; sans enfants, l'homme était libre de tester à sa fantaisie. Cette dernière règle était absolument nouvelle dans le droit athénien, et nous pouvons voir par elle combien on se faisait alors de nouvelles idées sur la famille.

La religion primitive avait donné au père une autorité souveraine dans la maison. Le droit antique d'Athènes allait jusqu'à lui permettre de vendre ou de mettre à mort son fils. Solon, se conformant aux moeurs nouvelles, posa des limites à cette puissance; on sait avec certitude qu'il défendit au père de vendre sa fille, et il est vraisemblable que la même défense protégeait le fils. L'autorité paternelle allait s'affaiblissant, à mesure que l'antique religion perdait son empire: ce qui avait lieu plus tôt à Athènes qu'à Rome. Aussi le droit athénien ne se contenta-t-il pas de dire comme les Douze Tables: « Après triple vente le fils sera libre. » Il permit au fils arrivé à un certain âge d'échapper au pouvoir paternel. Les moeurs, sinon les lois, arrivèrent insensiblement à établir la majorité du fils, du vivant même du père. Nous connaissons une loi d'Athènes qui enjoint au fils de nourrir son père devenu vieux ou infirme; une telle loi indique nécessairement que le fils peut posséder, et par conséquent qu'il est affranchi de la puissance paternelle. Cette loi n'existait pas à Rome, parce que le fils ne possédait jamais rien et restait toujours en puissance.

Pour la femme, la loi de Solon se conformait encore au droit antique, quand elle lui défendait de faire un testament, parce que la femme n'était jamais réellement propriétaire et ne pouvait avoir qu'un usufruit. Mais elle s'écartait de ce droit antique quand elle permettait à la femme de reprendre sa dot.

Il y avait encore d'autres nouveautés dans ce code. A l'opposé de Dracon, qui n'avait accordé le droit de poursuivre un crime en justice qu'à la famille de la victime, Solon l'accorda à tout citoyen. Encore une règle du vieux droit patriarcal qui disparaissait.

Ainsi à Athènes, comme à Rome, le droit commençait à se transformer. Pour un nouvel état social il naissait un droit nouveau. Les croyances, les moeurs, les institutions s'étant modifiées, les lois qui auparavant avaient paru justes et bonnes, cessaient de le paraître, et peu à peu elles étaient effacées.

CHAPITRE IX

NOUVEAU PRINCIPE DE GOUVERNEMENT; L'INTÉRÊT PUBLIC ET LE SUFFRAGE.

La révolution qui renversa la domination de la classe sacerdotale et éleva la classe inférieure au niveau des anciens chefs des *gentes*, marqua le commencement d'une période nouvelle dans l'histoire des cités. Une sorte de renouvellement social s'accomplit. Ce n'était pas seulement une classe d'hommes qui remplaçait une autre classe au pouvoir. C'étaient les vieux principes qui étaient mis de côté, et des règles nouvelles qui allaient gouverner les sociétés humaines.

Il est vrai que la cité conserva les formes extérieures qu'elle avait eues dans l'époque précédente. Le régime républicain subsista; les magistrats gardèrent presque partout leurs anciens noms; Athènes eut encore ses archontes et Rome ses consuls. Rien ne fut changé non plus aux cérémonies de la religion publique; les repas du prytanée, les sacrifices au commencement de l'assemblée, les auspices et les prières, tout cela fut conservé. Il est assez ordinaire à l'homme, lorsqu'il rejette de vieilles institutions, de vouloir en garder au moins les dehors.

Au fond, tout était changé. Ni les institutions, ni le droit, ni les croyances, ni les moeurs ne furent dans cette nouvelle période ce qu'ils avaient été dans la précédente. L'ancien régime disparut, entraînant avec lui les règles rigoureuses qu'il avait établies en toutes choses; un régime nouveau fut fondé, et la vie humaine changea de face.

La religion avait été pendant de longs siècles l'unique principe de gouvernement. Il fallait trouver un autre principe qui fût capable de la remplacer et qui pût, comme elle, régir les sociétés en les mettant autant que possible à l'abri des fluctuations et des conflits. Le principe sur lequel le gouvernement des cités se fonda désormais, fut l'intérêt public.

Il faut observer ce dogme nouveau qui fit alors son apparition dans l'esprit des hommes et dans l'histoire. Auparavant, la règle supérieure d'où dérivait l'ordre social, n'était pas l'intérêt, c'était la religion. Le devoir d'accomplir les rites du culte avait été le lien social. De cette nécessité religieuse avait découlé, pour les uns le droit de commander, pour les autres l'obligation d'obéir; de là étaient venues les règles de la justice et de la procédure, celles des délibérations publiques, celles de la guerre. Les cités ne s'étaient pas demandé si les institutions qu'elles se donnaient, étaient utiles; ces institutions s'étaient fondées, parce que la religion l'avait ainsi voulu. L'intérêt ni la convenance n'avaient contribué à les établir; et si la classe sacerdotale avait combattu pour les défendre, ce n'était pas au nom de l'intérêt public, mais au nom de la tradition religieuse.

Mais dans la période où nous entrons maintenant, la tradition n'a plus d'empire et la religion ne gouverne plus. Le principe régulateur duquel toutes les institutions doivent tirer désormais leur force, le seul qui soit au-dessus des volontés individuelles et qui puisse les obliger à se soumettre, c'est l'intérêt public. Ce que les Latins appellent *res publica*, les Grecs [Grec: to choinon], voilà ce qui remplace la vieille religion. C'est là ce qui décide désormais des institutions et des lois, et c'est à cela que se rapportent tous les actes importants des cités. Dans les délibérations des sénats ou des assemblées populaires, que l'on discute sur une loi ou sur une forme de gouvernement, sur un point de droit privé ou sur une institution politique, on ne se demande plus ce que la religion prescrit, mais ce que réclame l'intérêt général.

On attribue à Solon une parole qui caractérise assez bien le régime nouveau. Quelqu'un lui demandait s'il croyait avoir donné à sa patrie la constitution la meilleure: « Non pas, répondit-il; mais celle qui lui convient le mieux. » Or, c'était quelque chose de très-nouveau que de ne plus demander aux formes de gouvernement et aux lois qu'un mérite relatif. Les anciennes constitutions, fondées sur les règles du culte, s'étaient proclamées infaillibles et immuables; elles avaient eu la rigueur et l'inflexibilité de la religion. Solon indiquait par cette parole qu'à l'avenir les constitutions politiques devraient se conformer aux besoins, aux moeurs, aux intérêts des hommes de chaque époque. Il ne s'agissait plus de vérité absolue; les règles du gouvernement devaient être désormais flexibles et variables. On dit que Solon souhaitait, et tout au plus, que ses lois fussent observées pendant cent ans.

Les prescriptions de l'intérêt public ne sont pas aussi absolues, aussi claires, aussi manifestes que le sont celles d'une religion. On peut toujours les discuter; elles ne s'aperçoivent pas tout d'abord. Le mode qui parut le plus simple et le plus sûr pour savoir ce que l'intérêt public réclamait, ce fut d'assembler les hommes et de les consulter. Ce procédé fut jugé nécessaire et fut presque journellement employé. Dans l'époque précédente, les auspices avaient fait à peu près tous les frais des délibérations; l'opinion du prêtre, du roi, du magistrat sacré était toute-puissante; on votait peu, et plutôt pour accomplir une formalité que pour faire connaître l'opinion de chacun. Désormais on vota sur toutes choses; il fallut avoir l'avis de tous, pour être sûr de connaître l'intérêt de tous. Le suffrage devint le grand moyen de gouvernement. Il fut la source des institutions, la règle du droit; il décida de l'utile et même du juste. Il fut au-dessus des magistrats, au-dessus même des lois; il fut le souverain dans la cité.

Le gouvernement changea aussi de nature. Sa fonction essentielle ne fut plus l'accomplissement régulier des cérémonies religieuses; il fut surtout constitué pour maintenir l'ordre et la paix au dedans, la dignité et la puissance au dehors. Ce qui avait été autrefois au second plan, passa au premier. La politique prit le pas sur la religion, et le gouvernement des hommes devint chose humaine. En conséquence il arriva, ou bien que des magistratures nouvelles furent créées, ou tout au moins que les anciennes prirent un caractère nouveau. C'est ce qu'on peut voir par l'exemple d'Athènes et par celui de Rome.

A Athènes, pendant la domination de l'aristocratie, les archontes avaient été surtout des prêtres; le soin de juger, d'administrer, de faire la guerre, se réduisait à peu de chose, et pouvait sans inconvénient être joint au sacerdoce. Lorsque la cité athénienne repoussa les vieux procédés religieux du gouvernement, elle ne supprima pas l'archontat; car on avait une répugnance extrême à supprimer ce qui était antique. Mais à côté des archontes elle établit d'autres magistrats, qui par la nature de leurs fonctions répondaient mieux aux besoins de l'époque. Ce furent les *stratéges*. Le mot signifie chef de l'armée; mais leur autorité n'était pas purement militaire; ils avaient le soin des relations avec les autres cités, l'administration des finances, et tout ce qui concernait la police de la ville. On peut dire que les archontes avaient dans leurs mains la religion et tout ce qui s'y rapportait, et que les stratéges avaient le pouvoir politique. Les archontes conservaient l'autorité, telle que les vieux âges l'avaient conçue; les stratéges avaient celle que les nouveaux besoins avaient fait établir. Peu à peu on arriva à ce point que les archontes n'eurent plus que l'apparence du pouvoir et que les stratéges en eurent toute la réalité. Ces nouveaux magistrats n'étaient plus des prêtres; à peine faisaient-ils les cérémonies tout à fait indispensables en temps de guerre. Le gouvernement tendait de plus en plus à se séparer de la religion. Ces stratéges purent être choisis en dehors de la classe des eupatrides. Dans l'épreuve qu'on leur faisait subir avant de les nommer ([Grec: dochimasia]), on ne leur demanda pas, comme on demandait à l'archonte, s'ils avaient un culte domestique et s'ils étaient d'une famille pure; il suffit qu'ils eussent rempli toujours leurs devoirs de citoyens et qu'ils eussent une propriété dans l'Attique. Les archontes étaient désignés par le sort, c'est-à-dire par la voix des dieux; il en fut autrement des stratéges. Comme le gouvernement devenait plus difficile et plus compliqué, que la piété n'était plus la qualité principale, et qu'il fallait l'habileté, la prudence, le courage, l'art de commander, on ne croyait plus que la voix du sort fût suffisante pour faire un bon magistrat. La cité ne voulait plus être liée par la prétendue volonté des dieux, et elle tenait à avoir le libre choix de ses chefs. Que l'archonte, qui était un prêtre, fût désigné par les dieux, cela était naturel; mais le stratége, qui avait dans ses mains les intérêts matériels de la cité, devait être élu par les hommes.

Si l'on observe de près les institutions de Rome, on reconnaît que des changements du même genre s'y opérèrent. D'une part, les tribuns de la plèbe augmentèrent à tel point leur importance que la direction de la république, au moins en ce qui concernait les affaires intérieures, finit par leur appartenir. Or, ces tribuns, qui n'avaient pas le caractère sacerdotal, ressemblent assez aux stratéges. D'autre part, le consulat lui-même ne put subsister qu'en changeant de nature. Ce qu'il y avait de sacerdotal en lui s'effaça peu à peu. Il est bien vrai que le respect des Romains pour les traditions et les formes du passé exigea que le consul continuât à accomplir les cérémonies religieuses instituées par les ancêtres. Mais on comprend bien que le jour où les plébéiens furent consuls, ces cérémonies n'étaient plus que de vaines formalités. Le consulat fut de moins en moins un sacerdoce et de plus en plus un commandement. Cette transformation fut lente, insensible, inaperçue; elle n'en fut pas moins complète. Le consulat n'était certainement plus au temps des Scipion ce qu'il avait été au temps de Publicola. Le tribunat militaire, que le Sénat institua en 443, et sur lequel les anciens nous donnent trop peu de renseignements, fut peut-être la transition entre le consulat de la première époque et celui de la seconde.

On peut remarquer aussi qu'il se fit un changement dans la manière de nommer les consuls. En effet dans les premiers siècles, le vote des centuries dans l'élection du magistrat n'était, nous l'avons vu, qu'une pure formalité. Dans le vrai, le consul de chaque année était *créé* par le consul de l'année précédente, qui lui transmettait les auspices, après avoir pris l'assentiment des dieux. Les centuries ne votaient que sur les deux ou trois candidats que présentait le consul en charge; il n'y avait pas de débat. Le peuple pouvait détester un candidat; il n'en était pas moins forcé de voter pour lui. A l'époque où nous sommes maintenant, l'élection est tout autre, quoique les formes en soient encore les mêmes. Il y a bien encore, comme par le passé, une cérémonie religieuse et un vote; mais c'est la cérémonie religieuse qui est pour la forme, et c'est le vote qui est la réalité. Le candidat doit encore se faire présenter par le consul qui préside; mais le consul est contraint, sinon par la loi, du moins par l'usage, d'accepter tous les candidats et de déclarer que les auspices leur sont également favorables à tous. Ainsi les centuries nomment qui elles veulent. L'élection n'appartient plus aux dieux, elle est dans les mains du peuple. Les dieux et les auspices ne sont plus consultés qu'à la condition d'être impartiaux entre tous les candidats. Ce sont les hommes qui choisissent.

CHAPITRE X

UNE ARISTOCRATIE DE RICHESSE ESSAYE DE SE CONSTITUER; ÉTABLISSEMENT DE LA DÉMOCRATIE; QUATRIÈME RÉVOLUTION.

Le régime qui succéda à la domination de l'aristocratie religieuse ne fut pas tout d'abord la démocratie. Nous avons vu, par l'exemple d'Athènes et de Rome, que la révolution qui s'était accomplie, n'avait pas été l'oeuvre des plus basses classes. Il y eut, à la vérité, quelques villes où ces classes s'insurgèrent d'abord; mais elles ne purent fonder rien de durable; les longs désordres où tombèrent Syracuse, Milet, Samos, en sont la preuve. Le régime nouveau ne s'établit avec quelque solidité que là où il se trouva tout de suite une classe supérieure pour prendre en mains, pour quelque temps, le pouvoir et l'autorité morale qui échappaient aux eupatrides ou aux patriciens.

Quelle pouvait être cette aristocratie nouvelle? La religion héréditaire étant écartée, il n'y avait plus d'autre élément de distinction sociale que la richesse. On demanda donc à la richesse de fixer des rangs, les esprits n'admettant pas tout de suite que l'égalité dût être absolue.

Ainsi, Solon ne crut pouvoir faire oublier l'ancienne distinction fondée sur la religion héréditaire, qu'en établissant une division nouvelle qui fut fondée sur la richesse. Il partagea les hommes en quatre classes, et leur donna des droits inégaux; il fallut être riche pour parvenir aux hautes magistratures; il fallut être au moins d'une des deux classes moyennes pour avoir accès au Sénat et aux tribunaux.

Il en fut de même à Rome. Nous avons déjà vu que Servius ne détruisit la puissance du patriciat qu'en fondant une aristocratie rivale. Il créa douze centuries de chevaliers choisis parmi les plus riches plébéiens; ce fut l'origine de l'ordre équestre, qui fut dorénavant l'ordre riche de Rome. Les plébéiens qui n'avaient pas le cens fixé pour être chevalier, furent répartis en cinq classes, suivant le chiffre de leur fortune. Les prolétaires furent en dehors de toute classe. Ils n'avaient pas de droits politiques; s'ils figuraient dans les comices par centuries, il est sûr du moins qu'ils n'y votaient pas. La constitution républicaine conserva ces distinctions établies par un roi, et la plèbe ne se montra pas d'abord très-désireuse de mettre l'égalité entre ses membres.

Ce qui se voit si clairement à Athènes et à Rome, se retrouve dans presque toutes les autres cités. A Cumes, par exemple, les droits politiques ne furent donnés d'abord qu'à ceux qui, possédant des chevaux, formaient une sorte d'ordre équestre; plus tard, ceux qui venaient après eux par le chiffre de la fortune, obtinrent les mêmes droits, et cette dernière mesure n'éleva qu'à mille le nombre des citoyens. A Rhégium, le gouvernement fut longtemps aux mains des mille plus riches de la cité. A Thurii, il fallait un cens très-élève pour faire partie du corps politique. Nous voyons clairement dans les poésies de Théognis qu'à Mégare, après la chute des nobles, ce fut la richesse qui régna. A Thèbes, pour jouir des droits de citoyen, il ne fallait être ni artisan ni marchand.

Ainsi les droits politiques qui, dans l'époque précédente, étaient inhérents à la naissance, furent, pendant quelque temps, inhérents à la fortune. Cette aristocratie de richesse se forma dans toutes les cités, non pas par l'effet d'un calcul, mais par la nature même de l'esprit humain, qui, en sortant d'un régime de profonde inégalité, n'arrivait pas tout de suite à l'égalité complète.

Il est à remarquer que cette aristocratie ne fondait pas sa supériorité uniquement sur sa richesse. Partout elle eut à coeur d'être la classe militaire. Elle se chargea de défendre les cités en même temps que de les gouverner. Elle se réserva les meilleures armes et la plus forte part de périls dans les combats, voulant imiter en cela la classe noble qu'elle remplaçait. Dans toutes les cités, les plus riches formèrent la cavalerie, la classe aisée composa le corps des hoplites ou des légionnaires. Les pauvres furent exclus de l'armée; tout au plus les employa-t-on comme vélites et comme peltastes, ou parmi les rameurs de la flotte. L'organisation de l'armée répondait ainsi avec une exactitude parfaite à l'organisation politique de la cité. Les dangers étaient proportionnés aux privilèges, et la force matérielle se trouvait dans les mêmes mains que la richesse.

Il y eut ainsi dans presque toutes les cités dont l'histoire nous est connue, une période pendant laquelle la classe riche ou tout au moins la classe aisée fut en possession du gouvernement. Ce régime politique eut ses mérites, comme tout régime peut avoir les siens, quand il est conforme aux moeurs de l'époque et que les croyances ne lui sont pas contraires. La noblesse sacerdotale de l'époque précédente avait assurément rendu de grands services; car c'était elle qui, pour la première fois, avait établi des lois et fondé des gouvernements réguliers. Elle avait fait vivre avec calme et dignité, pendant plusieurs siècles, les sociétés humaines. L'aristocratie de richesse eut un autre mérite: elle imprima à la société et à l'intelligence une impulsion nouvelle. Issue du travail sous toutes ses formes, elle l'honora et le stimula. Ce nouveau régime donnait le plus de valeur politique à l'homme le plus laborieux, le plus actif ou le plus habile; il était donc favorable au développement de l'industrie et du commerce; il l'était aussi au progrès intellectuel; car l'acquisition de cette richesse, qui se gagnait ou se perdait, d'ordinaire, suivant le mérite de chacun, faisait de l'instruction le premier besoin et de l'intelligence le plus puissant ressort des affaires humaines. Il n'y a donc pas à être surpris que sous ce régime la Grèce et Rome aient élargi les limites de leur culture intellectuelle et poussé plus avant leur civilisation.

La classe riche ne garda pas l'empire aussi longtemps que l'ancienne noblesse héréditaire l'avait gardé. Ses titres à la domination n'étaient pas de même valeur. Elle n'avait pas ce caractère sacré dont l'ancien eupatride était revêtu; elle ne régnait pas en vertu des croyances et par la volonté des dieux. Elle n'avait rien en elle qui eût prise sur la conscience et qui forçât l'homme à se soumettre. L'homme ne s'incline guère que devant ce qu'il croit être le droit ou ce que ses opinions lui montrent comme fort au-dessus de lui. Il avait pu se courber longtemps devant la supériorité religieuse de l'eupatride qui disait la prière et possédait les dieux. Mais la richesse ne lui imposait pas. Devant la richesse, le sentiment le plus ordinaire n'est pas le respect, c'est l'envie. L'inégalité politique qui résultait de la différence des fortunes, parut bientôt une iniquité, et les hommes travaillèrent à la faire disparaître.

D'ailleurs, la série des révolutions, une fois commencée, ne devait pas s'arrêter. Les vieux principes étaient renversés, et l'on n'avait plus de traditions ni de règles fixes. Il y avait un sentiment général de l'instabilité des choses, qui faisait qu'aucune constitution n'était plus capable de durer bien longtemps. La nouvelle aristocratie fut donc attaquée comme l'avait été l'ancienne; les pauvres voulurent être citoyens et firent effort pour entrer à leur tour dans le corps politique.

Il est impossible d'entrer dans le détail de cette nouvelle lutte. L'histoire des cités, à mesure qu'elle s'éloigne de l'origine, se diversifie de plus en plus. Elles poursuivent la même série de révolutions; mais ces révolutions s'y présentent sous des formes très- variées. On peut du moins faire cette remarque que, dans les villes où le principal élément de la richesse était la possession du sol, la classe riche fut plus longtemps respectée et plus longtemps maîtresse; et qu'au contraire dans les cités, comme Athènes, où il y avait peu de fortunes territoriales et où l'on s'enrichissait surtout par l'industrie et le commerce, l'instabilité des fortunes éveilla plus tôt les convoitises ou les espérances des classes inférieures, et l'aristocratie fut plus tôt attaquée.

Les riches de Rome résistèrent beaucoup mieux que ceux de la Grèce; cela tient à des causes que nous dirons plus loin. Mais quand on lit l'histoire grecque, on remarque avec quelque surprise combien l'aristocratie nouvelle se défendit faiblement. Il est vrai qu'elle ne pouvait pas, comme les eupatrides, opposer à ses adversaires le grand et puissant argument de la tradition et de la piété. Elle ne pouvait pas appeler à son secours les ancêtres et les dieux. Elle n'avait pas de point d'appui dans ses propres croyances; elle n'avait pas foi dans la légitimité de ses privilèges.

Elle avait bien la force des armes; mais cette supériorité même finit par lui manquer. Les constitutions que les États se donnent, dureraient sans doute plus longtemps si chaque État pouvait demeurer dans l'isolement, ou si du moins il pouvait vivre toujours en paix. Mais la guerre dérange les rouages des constitutions et hâte les changements. Or, entre ces cités de la Grèce et de l'Italie l'état de guerre était presque perpétuel. C'était sur la classe riche que le service militaire pesait le plus lourdement, puisque c'était elle qui occupait le premier rang dans les batailles. Souvent, au retour d'une campagne, elle rentrait dans la ville, décimée et affaiblie, hors d'état par conséquent de tenir tête au parti populaire. A Tarente, par exemple, la haute classe ayant perdu la plus grande partie de ses membres dans une guerre contre les Japyges, la démocratie s'établit aussitôt dans la cité. Le même fait s'était produit à Argos, une trentaine d'années auparavant: à la suite d'une guerre malheureuse contre les Spartiates, le nombre des vrais citoyens était devenu si faible, qu'il avait fallu donner le droit de cité à une foule de *périèques*. C'est pour n'avoir pas à tomber dans cette extrémité que Sparte était si ménagère du sang des vrais Spartiates. Quant à Rome, ses guerres continuelles expliquent en grande partie ses révolutions. La guerre a détruit d'abord son patriciat; des trois cents familles que cette caste comptait sous les rois, il en restait à peine un tiers après la conquête du Samnium. La guerre a moissonné ensuite la plèbe primitive, cette plèbe riche et courageuse qui remplissait les cinq classes et qui formait les légions.

Un des effets de la guerre était que les cités étaient presque toujours réduites à donner des armes aux classes inférieures. C'est pour cela qu'à Athènes et dans toutes les villes maritimes, le besoin d'une marine et les combats sur mer ont donné à la classe pauvre l'importance que les constitutions lui refusaient. Les thètes, élevés au rang de rameurs, de matelots et même de soldats, et ayant en mains le salut de la patrie, se sont sentis nécessaires et sont devenus hardis. Telle fut l'origine de la démocratie athénienne. Sparte avait peur de la guerre. On peut voir dans Thucydide sa lenteur et sa répugnance à entrer en campagne. Elle s'est laissée entraîner malgré elle dans la guerre du Péloponèse; mais combien elle a fait d'efforts pour s'en retirer! C'est que Sparte était forcée d'armer ses [Grec: upomeiodes], ses néodamodes, ses mothaces, ses laconiens et même ses hilotes; elle savait bien que toute guerre, en donnant des armes à ces classes qu'elle opprimait, la mettait en danger de révolution et qu'il lui faudrait, au retour de l'armée, ou subir la loi de ses hilotes, ou trouver moyen de les faire massacrer sans bruit. Les plébéiens calomniaient le Sénat de Rome, quand ils lui reprochaient de chercher toujours de nouvelles guerres. Le Sénat était bien trop habile. Il savait ce que ces guerres lui coûtaient de concessions et d'échecs au forum. Mais il ne pouvait pas les éviter.

Il est donc hors de doute que la guerre a peu à peu comblé la distance que l'aristocratie de richesse avait mise entre elle et les classes inférieures. Par là il est arrivé bientôt que les constitutions se sont trouvées en désaccord avec l'état social et qu'il a fallu les modifier. D'ailleurs on doit reconnaître que tout privilège était nécessairement en contradiction avec le principe qui gouvernait alors les hommes. L'intérêt public n'était pas un principe qui fût de nature à autoriser et à maintenir longtemps l'inégalité. Il conduisait inévitablement les sociétés à la démocratie.

Cela est si vrai qu'il fallut partout, un peu plus tôt ou un peu plus tard, donner à tous les hommes libres des droits politiques. Dès que la plèbe romaine voulut avoir des comices qui lui fussent propres, elle dut y admettre les prolétaires, et ne put pas y faire passer la division en classes. La plupart des cités virent ainsi se former des assemblées vraiment populaires, et le suffrage universel fut établi.

Or le droit de suffrage avait alors une valeur incomparablement plus grande que celle qu'il peut avoir dans les États modernes. Par lui le dernier des citoyens mettait la main à toutes les affaires, nommait les magistrats, faisait les lois, rendait la justice, décidait de la guerre ou de la paix et rédigeait les traités d'alliance. Il suffisait donc de cette extension du droit de suffrage pour que le gouvernement fût vraiment démocratique.

Il faut faire une dernière remarque. On aurait peut-être évité l'avènement de la démocratie, si l'on avait pu fonder ce que Thucydide appelle [Grec: oligarchia isonomos], c'est-à-dire le gouvernement pour quelques-uns et la liberté pour tous. Mais les Grecs n'avaient pas une idée nette de la liberté; les droits individuels manquèrent toujours chez eux de garanties. Nous savons par Thucydide, qui n'est certes pas suspect de trop de zèle pour le gouvernement démocratique, que sous la domination de l'oligarchie le peuple était en butte à beaucoup de vexations, de condamnations arbitraires, d'exécutions violentes. Nous lisons dans cet historien « qu'il fallait le régime démocratique pour que les pauvres eussent un refuge et les riches un frein ». Les Grecs n'ont jamais su concilier l'égalité civile avec l'inégalité politique. Pour que le pauvre ne fût pas lésé dans ses intérêts personnels, il leur a paru nécessaire qu'il eût un droit de suffrage, qu'il fût juge dans les tribunaux, et qu'il pût être magistrat. Si nous nous rappelons d'ailleurs que, chez les Grecs, l'État était une puissance absolue, et qu'aucun droit individuel ne tenait contre lui, nous comprendrons quel immense intérêt il y avait pour chaque homme, même pour le plus humble, à avoir des droits politiques, c'est-à-dire à faire partie du gouvernement. Le souverain collectif étant si omnipotent, l'homme ne pouvait être quelque chose qu'en étant un membre de ce souverain. Sa sécurité et sa dignité tenaient à cela. On voulait posséder les droits politiques, non pour avoir la vraie liberté, mais pour avoir au moins ce qui pouvait en tenir lieu.

CHAPITRE XI

RÈGLES DU GOUVERNEMENT DÉMOCRATIQUE; EXEMPLE DE LA DÉMOCRATIE ATHÉNIENNE.

A mesure que les révolutions suivaient leur cours et que l'on s'éloignait de l'ancien régime, le gouvernement des hommes devenait plus difficile. Il y fallait des règles plus minutieuses, des rouages plus nombreux et plus délicats. C'est ce qu'on peut voir par l'exemple du gouvernement d'Athènes.

Athènes comptait un fort grand nombre de magistrats. En premier lieu, elle avait conservé tous ceux de l'époque précédente, l'archonte qui donnait son nom à l'année et veillait à la perpétuité des cultes domestiques, le roi qui accomplissait les sacrifices, le polémarque qui figurait comme chef de l'armée et qui jugeait les étrangers, les six thesmothètes qui paraissaient rendre la justice et qui en réalité ne faisaient que présider des jurys; elle avait encore les dix [Grec: ieropoioi] qui consultaient les oracles et faisaient quelques sacrifices, les [Grec: parasitoi] qui accompagnaient l'archonte et le roi dans les cérémonies, les dix athlothètes qui restaient quatre ans en exercice pour préparer la fête de Bacchus, enfin les prytanes, qui au nombre de cinquante, étaient réunis en permanence pour veiller à l'entretien du foyer public et à la continuation des repas sacrés. On voit, par cette liste, qu'Athènes restait fidèle aux traditions de l'ancien temps; tant de révolutions n'avaient pas encore achevé de détruire ce respect superstitieux. Nul n'osait rompre avec les vieilles formes de la religion nationale; la démocratie continuait le culte institué par les eupatrides.

Venaient ensuite les magistrats spécialement créés pour la démocratie, qui n'étaient pas des prêtres, et qui veillaient aux intérêts matériels de la cité. C'étaient d'abord les dix stratèges qui s'occupaient des affaires de la guerre et de celles de la politique; puis, les dix astynomes qui avaient le soin de la police; les dix agoranomes qui veillaient sur les marchés de la ville et du Pirée; les quinze sitophylaques qui avaient les yeux sur la vente du blé; les quinze métronomes qui contrôlaient les poids et les mesures; les dix gardes du trésor; les dix receveurs des comptés; les onze qui étaient chargés de l'exécution des sentences. Ajoutez que la plupart de ces magistratures étaient répétées dans chacune des tribus et dans chacun des dèmes. Le moindre groupe de population, dans l'Attique, avait son archonte, son prêtre, son secrétaire, son receveur, son chef militaire. On ne pouvait presque pas faire un pas dans la ville ou dans la campagne sans rencontrer un magistrat.

Ces fonctions étaient annuelles; il en résultait qu'il n'était presque pas un homme qui ne pût espérer d'en exercer quelqu'une à son tour. Les magistrats-prêtres étaient choisis par le sort. Les magistrats qui n'exerçaient que des fonctions d'ordre public, étaient élus par le peuple. Toutefois il y avait une précaution contre les caprices du sort ou ceux du suffrage universel: chaque nouvel élu subissait un examen, soit devant le Sénat, soit devant les magistrats sortant de charge, soit enfin devant l'Aréopage, non que l'on demandât des preuves de capacité ou de talent; mais on faisait une enquête sur la probité de l'homme et sur sa famille; on exigeait aussi que tout magistrat eût un patrimoine en fonds de terre.

Il semblerait que ces magistrats, élue par les suffrages de leurs égaux, nommés seulement pour une année, responsables et même révocables, dussent avoir peu de prestige et d'autorité. Il suffit pourtant de lire Thucydide et Xénophon pour s'assurer qu'ils étaient respectés et obéis. Il y a toujours eu dans le caractère des anciens, même des Athéniens, une grande facilité à se plier à une discipline. C'était peut-être la conséquence des habitudes d'obéissance que le gouvernement sacerdotal leur avait données. Ils étaient accoutumés à respecter l'État et tous ceux qui, à des degrés divers, le représentaient. Il ne leur venait pas à l'esprit de mépriser un magistrat parce qu'il était leur élu; le suffrage était réputé une des sources les plus saintes de l'autorité.

Au-dessus des magistrats qui n'avaient d'autre charge que celle de faire exécuter les lois, il y avait le Sénat. Ce n'était qu'un corps délibérant, une sorte de Conseil d'État; il n'agissait pas, ne faisait pas les lois, n'exerçait aucune souveraineté. On ne voyait aucun inconvénient à ce qu'il fût renouvelé chaque année; car il n'exigeait de ses membres ni une intelligence supérieure ni une grande expérience. Il était composé des cinquante prytanes de chaque tribu, qui exerçaient à tour de rôle les fonctions sacrées et délibéraient toute l'année sur les intérêts religieux ou politiques de la ville. C'est probablement parce que le Sénat n'était que la réunion des prytanes, c'est-à-dire des prêtres annuels du foyer, qu'il était nommé par la voie du sort. Il est juste de dire qu'après que le sort avait prononcé, chaque nom subissait une épreuve et était écarté s'il ne paraissait pas suffisamment honorable.

Au-dessus même du Sénat il y avait l'assemblée du peuple. C'était le vrai souverain. Mais de même que dans les monarchies bien constituées le monarque s'entoure de précautions contre ses propres caprices et ses erreurs, la démocratie avait aussi des règles invariables auxquelles elle se soumettait.

L'assemblée était convoquée par les prytanes ou les stratéges. Elle se tenait dans une enceinte consacrée par la religion; dès le matin, les prêtres avaient fait le tour du Pnyx en immolant des victimes et en appelant la protection des dieux. Le peuple était assis sur des bancs de pierre. Sur une sorte d'estrade élevée se tenaient les prytanes et, en avant, les proèdres qui présidaient l'assemblée. Un autel se trouvait près de la tribune, et la tribune elle-même était réputée une sorte d'autel. Quand tout le monde était assis, un prêtre ([Grec: chaerux]) élevait la voix: « Gardez le silence, disait-il, le silence religieux ([Grec: euphaemia]); priez les dieux et les déesses (et ici il nommait les principales divinités du pays) afin que tout se passe au mieux dans cette assemblée pour le plus grand avantage d'Athènes et la félicité des citoyens. » Puis le peuple, ou quelqu'un en son nom répondait: « Nous invoquons les dieux pour qu'ils protègent la cité. Puisse l'avis du plus sage prévaloir! Soit maudit celui qui nous donnerait de mauvais conseils, qui prétendrait changer les décrets et les lois, ou qui révélerait nos secrets à l'ennemi! »

Ensuite le héraut, sur l'ordre des présidents, disait de quel sujet l'assemblée devait s'occuper. Ce qui était présenté au peuple devait avoir été déjà discuté et étudié par le Sénat. Le peuple n'avait pas ce qu'on appelle en langage moderne l'initiative. Le Sénat lui apportait un projet de décret; il pouvait le rejeter ou l'admettre, mais il n'avait pas à délibérer sur autre chose.

Quand le héraut avait donné lecture du projet de décret, la discussion était ouverte. Le héraut disait: « Qui veut prendre la parole? » Les orateurs montaient à la tribune, par rang d'âge. Tout homme pouvait parler, sans distinction de fortune ni de profession, mais à la condition qu'il eût prouvé qu'il jouissait des droits politiques, qu'il n'était pas débiteur de l'État, que ses moeurs étaient pures, qu'il était marié en légitime mariage, qu'il possédait un fonds de terre dans l'Attique, qu'il avait rempli tous ses devoirs envers ses parents, qu'il avait fait toutes les expéditions militaires pour lesquelles il avait été commandé, et qu'il n'avait jeté son bouclier dans aucun combat.

Ces précautions une fois prises contre l'éloquence, le peuple s'abandonnait ensuite à elle tout entier. Les Athéniens, comme dit Thucydide, ne croyaient pas que la parole nuisît à l'action. Ils sentaient, au contraire, le besoin d'être éclairés. La politique n'était plus, comme dans le régime précédent, une affaire de tradition et de foi. Il fallait réfléchir et peser les raisons. La discussion était nécessaire; car toute question était plus ou moins obscure, et la parole seule pouvait mettre la vérité en lumière. Le peuple athénien voulait que chaque affaire lui fût présentée sous toutes ses faces différentes et qu'on lui montrât clairement le pour et le contre. Il tenait fort à ses orateurs; on dit qu'il les rétribuait en argent pour chaque discours prononcé à la tribune. Il faisait mieux encore: il les écoutait. Car il ne faut pas se figurer une foule turbulente et tapageuse. L'attitude du peuple était plutôt le contraire; le poète comique le représente écoutant bouche béante, immobile sur ses bancs de pierre. Les historiens et les orateurs nous décrivent fréquemment ces réunions populaires; nous ne voyons presque jamais qu'un orateur soit interrompu; que ce soit Périclès ou Cléon, Eschine ou Démosthènes, le peuple est attentif; qu'on le flatte ou qu'on le gourmande, il écoute. Il laisse exprimer les opinions les plus opposées, avec une patience qui est quelquefois admirable. Jamais de cris ni de huées. L'orateur, quoi qu'il dise, peut toujours arriver au bout de son discours.

A Sparte l'éloquence n'est guère connue. C'est que les principes du gouvernement ne sont pas les mêmes. L'aristocratie gouverne encore, et elle a des traditions fixes qui la dispensent de débattre longuement le pour et le contre de chaque sujet. A Athènes le peuple veut être instruit; il ne se décide qu'après un débat contradictoire; il n'agit qu'autant qu'il est convaincu ou qu'il croit l'être. Pour mettre en branle le suffrage universel, il faut la parole; l'éloquence est le ressort du gouvernement démocratique. Aussi les orateurs prennent-ils de bonne heure le titre de *démagogues*, c'est-à-dire de conducteurs de la cité; ce sont eux, en effet, qui la font agir et qui déterminent toutes ses résolutions.

On avait prévu le cas où un orateur ferait une proposition contraire aux lois existantes. Athènes avait des magistrats spéciaux, qu'elle appelait les gardiens des lois. Au nombre de sept ils surveillaient l'assemblée, assis sur des sièges élevés, et semblaient représenter la loi, qui est au- dessus du peuple même. S'ils voyaient qu'une loi était attaquée, ils arrêtaient l'orateur au milieu de son discours et ordonnaient la dissolution immédiate de l'assemblée. Le peuple se séparait, sans avoir le droit d'aller aux suffrage.

Il y avait une loi, peu applicable à la vérité, qui punissait tout orateur convaincu d'avoir donné un mauvais conseil au peuple. Il y en avait une autre qui interdisait l'accès de la tribune à tout orateur qui avait conseillé trois fois des résolutions contraires aux lois existantes.

Athènes savait très-bien que la démocratie ne peut se soutenir que par le respect des lois. Le soin de rechercher les changements qu'il pouvait être utile d'apporter dans la législation, appartenait spécialement aux thesmothètes. Leurs propositions étaient présentées au Sénat, qui avait le droit de les rejeter, mais non pas de les convertir en lois. En cas d'approbation, le Sénat convoquait l'assemblée et lui faisait part du projet des thesmothètes. Mais le peuple ne devait rien résoudre immédiatement; il renvoyait la discussion à un autre jour, et en attendant il désignait cinq orateurs qui devaient avoir pour mission spéciale de défendre l'ancienne loi et de faire ressortir les inconvénients de l'innovation proposée. Au jour fixé, le peuple se réunissait de nouveau, et écoutait d'abord les orateurs chargés de la défense des lois anciennes, puis ceux qui appuyaient les nouvelles. Les discours entendus, le peuple ne se prononçait pas encore. Il se contentait de nommer une commission, fort nombreuse, mais composée exclusivement d'hommes qui eussent exercé les fonctions de juge. Cette commission reprenait l'examen de l'affaire, entendait de nouveau les orateurs, discutait et délibérait. Si elle rejetait la loi proposée, son jugement était sans appel. Si elle l'approuvait, elle réunissait encore le peuple, qui, pour cette troisième fois, devait enfin voter, et dont les suffrages faisaient de la proposition une loi.

Malgré tant de prudence, il se pouvait encore qu'une proposition injuste ou funeste fût adoptée. Mais la loi nouvelle portait à jamais le nom de son auteur, qui pouvait plus tard être poursuivi en justice et puni. Le peuple, en vrai souverain, était réputé impeccable; mais chaque orateur restait toujours responsable du conseil qu'il avait donné.

Telles étaient les règles auxquelles la démocratie obéissait. Il ne faudrait pas conclure de là qu'elle ne commît jamais de fautes. Quelle que soit la forme de gouvernement, monarchie, aristocratie, démocratie, il y a des jours où c'est la raison qui gouverne, et d'autres où c'est la passion. Aucune constitution ne supprima jamais les faiblesses et les vices de la nature humaine. Plus les règles sont minutieuses, plus elles accusent que la direction de la société est difficile et pleine de périls. La démocratie ne pouvait durer qu'à force de prudence.

On est étonné aussi de tout le travail que cette démocratie exigeait des hommes. C'était un gouvernement fort laborieux. Voyez à quoi se passe la vie d'un Athénien. Un jour il est appelé à l'assemblée de son dème et il a à délibérer sur les intérêts religieux ou politiques de cette petite association. Un autre jour il est convoqué à l'assemblée de sa tribu; il s'agit de régler une fête religieuse, ou d'examiner des dépenses, ou de faire des décrets, ou de nommer des chefs et des juges. Trois fois par mois régulièrement il faut qu'il assiste à l'assemblée générale du peuple; il n'a pas le droit d'y manquer. Or, la séance est longue; il n'y va pas seulement pour voter; venu dès le matin, il faut qu'il reste jusqu'à une heure avancée du jour à écouter des orateurs. Il ne peut voter qu'autant qu'il a été présent dès l'ouverture de la séance et qu'il a entendu tous les discours. Ce vote est pour lui une affaire des plus sérieuses; tantôt il s'agit de nommer ses chefs politiques et militaires, c'est-à-dire ceux à qui son intérêt et sa vie vont être confiés pour un an; tantôt c'est un impôt à établir ou une loi à changer; tantôt c'est sur la guerre qu'il a à voter, sachant bien qu'il aura à donner son sang ou celui d'un fils. Les intérêts individuels sont unis inséparablement à l'intérêt de l'État. L'homme ne peut être ni indifférent ni léger. S'il se trompe, il sait qu'il en portera bientôt la peine, et que dans chaque vote il engage sa fortune et sa vie. Le jour où la malheureuse expédition de Sicile fut décidée, il n'était pas un citoyen qui ne sût qu'un des siens en ferait partie et qui ne dût appliquer toute l'attention de son esprit à mettre en balance ce qu'une telle guerre offrait d'avantages et ce qu'elle présentait de dangers. Il importait grandement de réfléchir et de s'éclairer. Car un échec de la patrie était pour chaque citoyen une diminution de sa dignité personnelle, de sa sécurité et de sa richesse.

Le devoir du citoyen ne se bornait pas à voter. Quand son tour venait, il devait être magistrat dans son dème ou dans sa tribu. Une année sur deux en moyenne, il était héliaste, et il passait toute cette année-là dans les tribunaux, occupé à écouter les plaideurs et à appliquer les lois. Il n'y avait guère de citoyen qui ne fût appelé deux fois dans sa vie à faire partie du Sénat; alors, pendant une année, il siégeait chaque jour du matin au soir, recevant les dépositions des magistrats, leur faisant rendre leurs comptes, répondant aux ambassadeurs étrangers, rédigeant les instructions des ambassadeurs athéniens, examinant toutes les affaires qui devaient être soumises au peuple et préparant tous les décrets. Enfin il pouvait être magistrat de la cité, archonte, stratège, astynome, si le sort ou le suffrage le désignait. On voit que c'était une lourde charge que d'être citoyen d'un État démocratique, qu'il y avait là de quoi occuper presque toute l'existence, et qu'il restait bien peu de temps pour les travaux personnels et la vie domestique. Aussi Aristote disait-il très-justement que l'homme qui avait besoin de travailler pour vivre, ne pouvait pas être citoyen. Telles étaient les exigences de la démocratie. Le citoyen, comme le fonctionnaire public de nos jours, se devait tout entier à l'État. Il lui donnait son sang dans la guerre, son temps pendant la paix. Il n'était pas libre de laisser de côté les affaires publiques pour s'occuper avec plus de soin des siennes. C'étaient plutôt les siennes qu'il devait négliger pour travailler au profit de la cité. Les hommes passaient leur vie à se gouverner. La démocratie ne pouvait durer que sous la condition du travail incessant de tous ses citoyens. Pour peu que le zèle se ralentît, elle devait périr ou se corrompre.

CHAPITRE XII

RICHES ET PAUVRES; LA DÉMOCRATIE PÉRIT; LES TYRANS POPULAIRES.

Lorsque la série des révolutions eut amené l'égalité entre les hommes et qu'il n'y eut plus lieu de se combattre pour des principes et des droits, les hommes se firent la guerre pour des intérêts. Cette période nouvelle de l'histoire des cités ne commença pas pour toutes en même temps. Dans les unes elle suivit de très près l'établissement de la démocratie; dans les autres elle ne parut qu'après plusieurs générations qui avaient su se gouverner avec calme. Mais toutes les cités, tôt ou tard, sont tombées dans ces déplorables luttes.

A mesure que l'on s'était éloigné de l'ancien régime, il s'était formé une classe pauvre. Auparavant, lorsque chaque homme faisait partie d'une *gens* et avait son maître, la misère était presque inconnue. L'homme était nourri par son chef; celui à qui il donnait son obéissance, lui devait en retour de subvenir à tous ses besoins. Mais les révolutions, qui avaient dissous le [Grec: genos], avaient aussi changé les conditions de la vie humaine. Le jour où l'homme s'était affranchi des liens de la clientèle, il avait vu se dresser devant lui les nécessités et les difficultés de l'existence. La vie était devenue plus indépendante, mais aussi plus laborieuse et sujette à plus d'accidents. Chacun avait eu désormais le soin de son bien-être, chacun sa jouissance et sa tâche. L'un s'était enrichi par son activité ou sa bonne fortune, l'autre était resté pauvre. L'inégalité de richesse est inévitable dans toute société qui ne veut pas rester dans l'état patriarcal ou dans l'état de tribu.

La démocratie ne supprima pas la misère: elle la rendit, au contraire, plus sensible. L'égalité des droits politiques fit ressortir encore davantage l'inégalité des conditions.

Comme il n'y avait aucune autorité qui s'élevât au-dessus des riches et des pauvres à la fois, et qui pût les contraindre à rester en paix, il eût été à souhaiter que les principes économiques et les conditions du travail fussent tels que les deux classes fussent forcées de vivre en bonne intelligence. Il eût fallu, par exemple, qu'elles eussent besoin l'une de l'autre, que le riche ne pût s'enrichir qu'en demandant au pauvre son travail, et que le pauvre trouvât les moyens de vivre en donnant son travail au riche. Alors l'inégalité des fortunes eût stimulé l'activité et l'intelligence de l'homme; elle n'eût pas enfanté la corruption et la guerre civile.

Mais beaucoup de cités manquaient absolument d'industrie et de commerce; elles n'avaient donc pas la ressource d'augmenter la somme de la richesse publique, afin d'en donner quelque part au pauvre sans dépouiller personne. Là où il y avait du commerce, presque tous les bénéfices en étaient pour les riches, par suite du prix exagéré de l'argent. S'il y avait de l'industrie, les travailleurs étaient des esclaves. On sait quel le riche d'Athènes ou de Rome avait dans sa maison des ateliers de tisserands, de ciseleurs, d'armuriers, tous esclaves. Même les professions libérales étaient à peu près fermées au citoyen. Le médecin était souvent un esclave qui guérissait les malades au profit de son maître. Les commis de banque, beaucoup d'architectes, les constructeurs de navires, les bas fonctionnaires de l'État, étaient des esclaves. L'esclavage était un fléau dont la société libre souffrait elle-même. Le citoyen trouvait peu d'emplois, peu de travail. Le manque d'occupation le rendait bientôt paresseux. Comme il ne voyait travailler que les esclaves, il méprisait le travail. Ainsi les habitudes économiques, les dispositions morales, les préjugés, tout se réunissait pour empêcher le pauvre de sortir de sa misère et de vivre honnêtement. La richesse et la pauvreté n'étaient pas constituées de manière à pouvoir vivre en paix.

Le pauvre avait l'égalité des droits. Mais assurément ses souffrances journalières lui faisaient penser que l'égalité des fortunes eût été bien préférable. Or il ne fut pas longtemps sans s'apercevoir que l'égalité qu'il avait, pouvait lui servir à acquérir celle qu'il n'avait pas, et que, maître des suffrages, il pouvait devenir maître de la richesse.

Il commença par vouloir vivre de son droit de suffrage. Il se fit payer pour assister à l'assemblée, ou pour juger dans les tribunaux. Si la cité n'était pas assez riche pour subvenir à de telles dépenses, le pauvre avait d'autres ressources. Il vendait son vote, et comme les occasions de voter étaient fréquentes, il pouvait vivre. A Rome, ce trafic se faisait régulièrement et au grand jour; à Athènes, on se cachait mieux. A Rome, où le pauvre n'entrait pas dans les tribunaux, il se vendait comme témoin; à Athènes, comme juge. Tout cela ne tirait pas le pauvre de sa misère et le jetait dans la dégradation.

Ces expédients ne suffisant pas, le pauvre usa de moyens plus énergiques. Il organisa une guerre en règle contre la richesse. Cette guerre fut d'abord déguisée sous des formes légales; on chargea les riches de toutes les dépenses publiques, on les accabla d'impôts, on leur fit construire des trirèmes, on voulut qu'ils donnassent des fêtes au peuple. Puis on multiplia les amendes dans les jugements; on prononça la confiscation des biens pour les fautes les plus légères. Peut-on dire combien d'hommes furent condamnés à l'exil par la seule raison qu'ils étaient riches? La fortune de l'exilé allait au trésor public, d'où elle s'écoulait ensuite, sous forme de triobole, pour être partagée entre les pauvres. Mais tout cela ne suffisait pas encore: car le nombre des pauvres augmentait toujours. Les pauvres en vinrent alors à user de leur droit de suffrage pour décréter soit une abolition de dettes, soit une confiscation en masse et un bouleversement général.

Dans les époques précédentes on avait respecté le droit de propriété, parce qu'il avait pour fondement une croyance religieuse. Tant que chaque patrimoine avait été attaché à un culte et avait été réputé inséparable des dieux domestiques d'une famille, nul n'avait pensé qu'on eût le droit de dépouiller un homme de son champ. Mais à l'époque où les révolutions nous ont conduits, ces vieilles croyances sont abandonnées et la religion de la propriété a disparu. La richesse n'est plus un terrain sacré et inviolable. Elle ne paraît plus un don des dieux, mais un don du hasard. On a le désir de s'en emparer, en dépouillant celui qui la possède; et ce désir, qui autrefois eût paru une impiété, commence à paraître légitime. On ne voit plus le principe supérieur qui consacre le droit de propriété; chacun ne sent que son propre besoin et mesure sur lui son droit.

Nous avons déjà dit que la cité, surtout chez les Grecs, avait un pouvoir sans limites, que la liberté était inconnue, et que le droit individuel n'était rien vis-à-vis de la volonté de l'État. Il résultait de là que la majorité des suffrages pouvait décréter la confiscation des biens des riches, et que les Grecs ne voyaient en cela ni illégalité ni injustice. Ce que l'État avait prononcé, était le droit. Cette absence de liberté individuelle a été une cause de malheurs et de désordres pour la Grèce. Rome, qui respectait un peu plus le droit de l'homme, a aussi moins souffert.

Plutarque raconte qu'à Mégare, après une insurrection, on décréta que les dettes seraient abolies, et que les créanciers, outre la perte du capital, seraient tenus de rembourser les intérêts déjà payés.

« A Mégare, comme dans d'autres villes, dit Aristote, le parti populaire, s'étant emparé du pouvoir, commença par prononcer la confiscation des biens contre quelques familles riches. Mais une fois dans cette voie, il ne lui fut pas possible de s'arrêter. Il fallut faire chaque jour quelque nouvelle victime; et à la fin le nombre de riches qu'on dépouilla et qu'on exila devint si grand, qu'ils formèrent une armée. »

En 412, « le peuple de Samos fit périr deux cents de ses adversaires, en exila quatre cents autres, et se partagea leurs terres et leurs maisons ».

A Syracuse, le peuple fut à peine délivré du tyran Denys que dès la première assemblée il décréta le partage des terres.

Dans cette période de l'histoire grecque, toutes les fois que nous voyons une guerre civile, les riches sont dans un parti et les pauvres dans l'autre. Les pauvres veulent s'emparer de la richesse, les riches veulent la conserver ou la reprendre. « Dans toute guerre civile, dit un historien grec, il s'agit de déplacer les fortunes. » Tout démagogue faisait comme ce Molpagoras de Cios, qui livrait à la multitude ceux qui possédaient de l'argent, massacrait les uns, exilait les autres, et distribuait leurs biens entre les pauvres. A Messène, dès que le parti populaire prit le dessus, il exila les riches et partagea leurs terres.

Les classes élevées n'ont jamais eu chez les anciens assez d'intelligence ni assez d'habileté pour tourner les pauvres vers le travail et les aider à sortir honorablement de la misère et de la corruption. Quelques hommes de coeur l'ont essayé; ils n'y ont pas réussi. Il résultait de là que les cités flottaient toujours entre deux révolutions, l'une qui dépouillait les riches, l'autre qui les remettait en possession de leur fortune. Cela dura depuis la guerre du Péloponèse jusqu'à la conquête de la Grèce par les Romains.

Dans chaque cité, le riche et le pauvre étaient deux ennemis qui vivaient à côté l'un de l'autre, l'un convoitant la richesse, l'autre voyant sa richesse convoitée. Entre eux nulle relation, nul service, nul travail qui les unît. Le pauvre ne pouvait acquérir la richesse qu'en dépouillant le riche. Le riche ne pouvait défendre son bien que par une extrême habileté ou par la force. Ils se regardaient d'un oeil haineux. C'était dans chaque ville une double conspiration: les pauvres conspiraient par cupidité, les riches par peur. Aristote dit que les riches prononçaient entre eux ce serment: « Je jure d'être toujours l'ennemi du peuple, et de lui faire tout le mal que je pourrai. »

Il n'est pas possible de dire lequel des deux partis commit le plus de cruautés et de crimes. Les haines effaçaient dans le coeur tout sentiment d'humanité. « Il y eut à Milet une guerre entre les riches et les pauvres. Ceux-ci eurent d'abord le dessus et forcèrent les riches à s'enfuir de la ville. Mais ensuite, regrettant de n'avoir pu les égorger, ils prirent leurs enfants, les rassemblèrent dans des granges et les firent broyer sous les pieds des boeufs. Les riches rentrèrent ensuite dans la ville et redevinrent les maîtres. Ils prirent, à leur tour, les enfants des pauvres, les enduisirent de poix et les brûlèrent tout vifs. »

Que devenait alors la démocratie? Elle n'était pas précisément responsable de ces excès et de ces crimes; mais elle en était atteinte la première. Il n'y avait plus de règles; or, la démocratie ne peut vivre qu'au milieu des règles les plus strictes et les mieux observées. On ne voyait plus de vrais gouvernements, mais des factions au pouvoir. Le magistrat n'exerçait plus l'autorité au profit de la paix et de la loi, mais au profit des intérêts et des convoitises d'un parti. Le commandement n'avait plus ni titres légitimes ni caractère sacré; l'obéissance n'avait plus rien de volontaire; toujours contrainte, elle se promettait toujours une revanche. La cité n'était plus, comme dit Platon, qu'un assemblage d'hommes dont une partie était maîtresse et l'autre esclave. On disait du gouvernement qu'il était aristocratique quand les riches étaient au pouvoir, démocratique quand c'étaient les pauvres. En réalité, la vraie démocratie n'existait plus.

À partir du jour où les besoins et les intérêts matériels avaient fait irruption en elle, elle s'était altérée et corrompue. La démocratie, avec les riches au pouvoir, était devenue une oligarchie violente; la démocratie des pauvres était devenue la tyrannie. Du cinquième au deuxième siècle avant notre ère, nous voyons dans toutes les cités de la Grèce et de l'Italie, Rome encore exceptée, que les formes républicaines sont mises en péril et qu'elles sont devenues odieuses à un parti. Or, on peut distinguer clairement qui sont ceux qui veulent les détruire, et qui sont ceux qui les voudraient conserver. Les riches, plus éclairés et plus fiers, restent fidèles au régime républicain, pendant que les pauvres, pour qui les droits politiques ont moins de prix, se donnent volontiers pour chef un tyran. Quand cette classe pauvre, après plusieurs guerres civiles, reconnut que ses victoires ne servaient de rien, que le parti contraire revenait toujours au pouvoir, et qu'après de longues alternatives de confiscations et de restitutions, la lutte était toujours à recommencer, elle imagina d'établir un régime monarchique qui fût conforme à ses intérêts, et qui, en comprimant à jamais le parti contraire, lui assurât pour l'avenir les bénéfices de sa victoire. Elle créa ainsi des tyrans. A partir de ce moment, les partis changèrent de nom: on ne fut plus aristocrate ou démocrate; on combattit pour la liberté, ou on combattit pour la tyrannie. Sous ces deux mots, c'étaient encore la richesse et la pauvreté qui se faisaient la guerre. Liberté signifiait le gouvernement où les riches avaient le dessus et défendaient leur fortune; tyrannie indiquait exactement le contraire.

C'est un fait général et presque sans exception dans l'histoire de la Grèce et de l'Italie, que les tyrans sortent du parti populaire et ont pour ennemi le parti aristocratique. « Le tyran, dit Aristote, n'a pour mission que de protéger le peuple contre les riches; il a toujours commencé par être un démagogue, et il est de l'essence de la tyrannie de combattre l'aristocratie. » — « Le moyen d'arriver à la tyrannie, dit-il encore, c'est de gagner la confiance de la foule; or, on gagne sa confiance en se déclarant l'ennemi des riches. Ainsi firent Pisistrate à Athènes, Théagène à Mégare, Denys à Syracuse. »

Le tyran fait toujours la guerre aux riches. A Mégare, Théagène surprend dans la campagne les troupeaux des riches et les égorge. A Cumes, Aristodème abolit les dettes, et enlève les terres aux riches pour les donner aux pauvres. Ainsi font Nicoclès à Sicyone, Aristomaque à Argos. Tous ces tyrans nous sont représentés par les écrivains comme très-cruels; il n'est pas probable qu'ils le fussent tous par nature; mais ils l'étaient par la nécessité pressante où ils se trouvaient de donner des terres ou de l'argent aux pauvres. Ils ne pouvaient se maintenir au pouvoir qu'autant qu'ils satisfaisaient les convoitises de la foule et qu'ils entretenaient ses passions.

Le tyran de ces cités grecques est un personnage dont rien aujourd'hui ne peut nous donner une idée. C'est un homme qui vit au milieu de ses sujets, sans intermédiaire et sans ministres, et qui les frappe directement. Il n'est pas dans cette position élevée et indépendante où est le souverain d'un grand État. Il a toutes les petites passions de l'homme privé: il n'est pas insensible aux profits d'une confiscation; il est accessible à la colère et au désir de la vengeance personnelle; il a peur; il sait qu'il a des ennemis tout près de lui et que l'opinion publique approuve l'assassinat, quand c'est un tyran qui est frappé. On devine ce que peut être le gouvernement d'un tel homme. Sauf deux ou trois honorables exceptions, les tyrans qui se sont élevés dans toutes les villes grecques au quatrième et au troisième siècle, n'ont régné qu'en flattant ce qu'il y avait de plus mauvais dans la foule et en abattant violemment tout ce qui était supérieur par la naissance, la richesse ou le mérite. Leur pouvoir était illimité; les Grecs purent reconnaître combien le gouvernement républicain, lorsqu'il ne professe pas un grand respect pour les droits individuels, se change facilement en despotisme. Les anciens avaient donné un tel pouvoir à l'État, que le jour où un tyran prenait en mains cette omnipotence, les hommes n'avaient plus aucune garantie contre lui, et qu'il était légalement le maître de leur vie et de leur fortune.

CHAPITRE XIII

RÉVOLUTIONS DE SPARTE.

Il ne faut pas croire que Sparte ait vécu dix siècles sans voir de révolutions. Thucydide nous dit, au contraire, « qu'elle fut travaillée par les dissensions plus qu'aucune autre cité grecque ». L'histoire de ces querelles intérieures nous est, à la vérité, peu connue; mais cela vient de ce que le gouvernement de Sparte avait pour règle et pour habitude de s'entourer du plus profond mystère. La plupart des luttes qui l'agitèrent, ont été cachées et mises en oubli; nous en savons du moins assez pour pouvoir dire que, si l'histoire de Sparte diffère sensiblement de celle des autres villes, elle n'en a pas moins traversé la même série de révolutions.

Les Doriens étaient déjà formés en corps, de peuple lorsqu'ils envahirent le Péloponèse. Quelle cause les avait fait sortir de leur pays? Était-ce l'invasion d'un peuple étranger, était-ce une révolution intérieure? on l'ignore. Ce qui paraît certain, c'est qu'à ce moment de l'existence du peuple dorien, l'ancien régime de la *gens* avait déjà disparu. On ne distingue plus chez lui cette antique organisation de la famille; on ne trouve plus de traces du régime patriarcal, plus de vestiges de noblesse religieuse ni de clientèle héréditaire; on ne voit que des guerriers égaux sous un roi. Il est donc probable qu'une première révolution sociale s'était déjà accomplie, soit dans la Doride, soit sur la route qui conduisit ce peuple jusqu'à Sparte. Si l'on compare la société dorienne du neuvième siècle avec la société ionienne de la même époque, on s'aperçoit que la première était beaucoup plus avancée que l'autre dans la série des changements. La race ionienne est entrée plus tard dans la route des révolutions; il est vrai qu'elle l'a parcourue plus vite.

Si les Doriens, à leur arrivée à Sparte, n'avaient plus le régime de la *gens*, ils n'avaient pas pu s'en détacher encore si complètement qu'ils n'en eussent gardé quelques institutions, par exemple le droit d'aînesse et l'inaliénabilité du patrimoine. Ces institutions ne tardèrent pas à rétablir dans la société Spartiate une aristocratie.

Toutes les traditions nous montrent qu'à l'époque où parut Lycurgue, il y avait deux classes parmi les Spartiates, et qu'elles étaient en lutte. La royauté avait une tendance naturelle à prendre parti pour la classe inférieure. Lycurgue, qui n'était pas roi, se fit le chef de l'aristocratie, et du même coup il affaiblit la royauté et mit le peuple sous le joug.

Les déclamations de quelques anciens et de beaucoup de modernes sur la sagesse des institutions de Sparte, sur le bonheur inaltérable dont on y jouissait, sur l'égalité, sur la vie en commun, ne doivent pas nous faire illusion. De toutes les villes qu'il y a eu sur la terre, Sparte est peut-être celle où l'aristocratie a régné le plus durement et où l'on a le moins connu l'égalité. Il ne faut pas parler du partage des terres; si ce partage a jamais eu lieu, du moins il est bien sûr qu'il n'a pas été maintenu. Car au temps d'Aristote, « les uns possédaient des domaines immenses, les autres n'avaient rien ou presque rien; on comptait à peine dans toute la Laconie un millier de propriétaires».

Laissons de côté les Hilotes et les Laconiens, et n'examinons que la société Spartiate: nous y trouvons une hiérarchie de classes superposées l'une à l'autre. Ce sont d'abord les Néodamodes, qui paraissent être d'anciens esclaves affranchis; puis les Épeunactes, qui avaient été admis à combler les vides faits par la guerre parmi les Spartiates; à un rang un peu supérieur figuraient les Mothaces, qui, assez semblables à des clients domestiques, vivaient avec le maître, lui faisaient cortège, partageaient ses occupations, ses travaux, ses fêtes, et combattaient à côté de lui. Venait ensuite la classe des bâtards, qui descendaient des vrais Spartiates, mais que la religion et la loi éloignaient d'eux; puis, encore une classe, qu'on appelait les inférieurs, [Grec: hypomeiones], et qui étaient probablement les cadets déshérités des familles. Enfin au-dessus de tout cela s'élevait la classe aristocratique, composée des hommes qu'on appelait les *Égaux*, [Grec: homoioi]. Ces hommes étaient, en effet, égaux entre eux, mais fort supérieurs à tout le reste. Le nombre des membres de cette classe ne nous est pas connu; nous savons seulement qu'il était très-restreint. Un jour, un de leurs ennemis les compta sur la place publique, et il n'en trouva qu'une soixantaine au milieu d'une foule de 4,000 individus. Ces égaux avaient seuls part au gouvernement de la cité. « Être hors de cette classe, dit

Xénophon, c'est être hors du corps politique. » Démosthènes dit que l'homme qui entre dans la classe des Égaux, devient par cela seul « un des maîtres du gouvernement ». « On les appelle *Égaux*, dit-il encore, parce que l'égalité doit régner entre les membres d'une oligarchie. »

Sur la composition de ce corps nous n'avons aucun renseignement précis. Il paraît qu'il se recrutait par voie d'élection; mais le droit d'élire appartenait au corps lui-même, et non pas au peuple. Y être admis était ce qu'on appelait dans la langue officielle de Sparte *le prix de la vertu*. Nous ne savons pas ce qu'il fallait de richesse, de naissance, de mérite, d'âge, pour composer cette *vertu*. On voit bien que la naissance ne suffisait pas, puisqu'il y avait une élection; on peut croire que c'était plutôt la richesse qui déterminait les choix, dans une ville « qui avait au plus haut degré l'amour de l'argent, et où tout était permis aux riches. »

Quoi qu'il en soit, ces Égaux avaient seuls les droits du citoyen; seuls ils composaient l'assemblée; ils formaient seuls ce qu'on appelait à Sparte *le peuple*. De cette classe sortaient par voie d'élection les sénateurs, à qui la constitution donnait une bien grande autorité, puisque Démosthènes dit que le jour où un homme entre au Sénat, il devient un despote pour la foule. Ce Sénat, dont les rois étaient de simples membres, gouvernait l'État suivant le procédé habituel des corps aristocratiques; des magistrats annuels dont l'élection lui appartenait indirectement exerçaient en son nom une autorité absolue. Sparte avait ainsi un régime républicain; elle avait même tous les dehors de la démocratie, des rois-prêtres, des magistrats annuels, un Sénat délibérant, une assemblée du peuple. Mais ce peuple n'était que la réunion de deux ou trois centaines d'hommes.

Tel fut depuis Lycurgue, et surtout depuis l'établissement des éphores, le gouvernement de Sparte. Une aristocratie, composée de quelques riches, faisait peser un joug de fer sur les Hilotes, sur les Laconiens, et même sur le plus grand nombre des Spartiates. Par son énergie, par son habileté, par son peu de scrupule et son peu de souci des lois morales, elle sut garder le pouvoir pendant cinq siècles. Mais elle suscita de cruelles haines et eut à réprimer, un grand nombre d'insurrections.

Nous n'avons pas à parler des complots des Hilotes. Tous ceux des Spartiates ne nous sont pas connus; le gouvernement était trop habile pour ne pas chercher à en étouffer jusqu'au souvenir. Il en est pourtant quelques-uns que l'histoire n'a pas pu oublier. On sait que les colons qui fondèrent Tarente étaient des Spartiates qui avaient voulu renverser le gouvernement. Une indiscrétion du poète Tyrtée fit connaître à la Grèce que pendant les guerres de Messénie un parti avait conspiré pour obtenir le partage des terres.

Ce qui sauvait Sparte, c'était la division extrême qu'elle savait mettre entre les classes inférieures. Les Hilotes ne s'accordaient pas avec les Laconiens; les Mothaces méprisaient les Néodamodes. Nulle coalition n'était possible, et l'aristocratie, grâce à son éducation militaire et à l'étroite union de ses membres, était toujours assez forte pour tenir tête à chacune des classes ennemies.

Les rois essayèrent ce qu'aucune classe ne pouvait réaliser. Tous ceux d'entre eux qui aspirèrent à sortir de l'état d'infériorité où l'aristocratie les tenait, cherchèrent un appui chez les hommes de condition inférieure. Pendant la guerre médique, Pausanias forma le projet de relever à la fois la royauté et les basses classes, en renversant l'oligarchie. Les Spartiates le firent périr, l'accusant d'avoir noué des relations avec le roi de Perse; son vrai crime était plutôt d'avoir eu la pensée d'affranchir les Hilotes. On peut compter dans l'histoire combien sont nombreux les rois qui furent exilés par les éphores; la cause de ces condamnations se devine bien, et Aristote la dit: « Les rois de Sparte, pour tenir tête aux éphores et au Sénat, se faisaient démagogues. »

En 397, une conspiration faillit renverser ce gouvernement oligarchique. Un certain Cinadon, qui n'appartenait pas à la classe des Égaux, était le chef des conjurés. Quand il voulait affilier un homme au complot, il le menait sur la place publique, et lui faisait compter les citoyens; en y comprenant les rois, les éphores, les sénateurs, on arrivait au chiffre d'environ soixante-dix. Cinadon lui disait alors: « Ces gens-là sont nos ennemis; tous les autres, au contraire, qui remplissent la place au nombre de plus de quatre mille, sont nos alliés. » Il ajoutait: « Quand tu rencontres dans la campagne un Spartiate, vois en lui un ennemi et un maître; tous les autres hommes sont des amis. » Hilotes, Laconiens, Néodamodes,

[Grec: hypomeiones], tous étaient associés, cette fois, et étaient les complices de Cinadon; « car tous, dit l'historien, avaient une telle haine pour leurs maîtres qu'il n'y en avait pas un seul parmi eux qui n'avouât qu'il lui serait agréable de les dévorer tout crus. » Mais le gouvernement de Sparte était admirablement servi: il n'y avait pas pour lui de secret. Les éphores prétendirent que les entrailles des victimes leur avaient révélé le complot. On ne laissa pas aux conjurés le temps d'agir: on mit la main sur eux, et on les fit périr secrètement. L'oligarchie fut encore une fois sauvée.

A la faveur de ce gouvernement, l'inégalité alla grandissant toujours. La guerre du Péloponèse et les expéditions en Asie avaient fait affluer l'argent à Sparte; mais il s'y était répandu d'une manière fort inégale, et n'avait enrichi que ceux qui étaient déjà riches. En même temps, la petite propriété disparut. Le nombre des propriétaires, qui était encore de mille au temps d'Aristote, était réduit à cent, un siècle après lui. Le sol était tout entier dans quelques mains, alors qu'il n'y avait ni industrie ni commerce pour donner au pauvre quelque travail, et que les riches faisaient cultiver leurs immenses domaines par des esclaves. D'une part étaient quelques hommes qui avaient tout, de l'autre le très-grand nombre qui n'avait absolument rien. Plutarque nous présente, dans la vie d'Agis et dans celle de Cléomène, un tableau de la société Spartiate; on y voit un amour effréné de la richesse, tout mis au-dessous d'elle; chez quelques-uns le luxe, la mollesse, le désir d'augmenter sans fin leur fortune; hors de là, rien qu'une tourbe misérable, indigente, sans droits politiques, sans aucune valeur dans la cité, envieuse, haineuse, et qu'un tel état social condamnait à désirer une révolution.

Quand l'oligarchie eut ainsi poussé les choses aux dernières limites du possible, il fallut bien que la révolution s'accomplît, et que la démocratie, arrêtée et contenue si longtemps, brisât à la fin ses digues. On devine bien aussi qu'après une si longue compression la démocratie ne devait pas s'arrêter à des réformes politiques, mais qu'elle devait arriver du premier coup aux réformes sociales.

Le petit nombre des Spartiates de naissance (ils n'étaient plus, en y comprenant toutes les classes diverses, que sept cents), et l'affaissement des caractères, suite d'une longue oppression, furent cause que le signal des changements ne vint pas des classes inférieures. Il vint d'un roi. Agis essaya d'accomplir cette inévitable révolution par des moyens légaux: ce qui augmenta pour lui les difficultés de l'entreprise. Il présenta au Sénat, c'est-à-dire aux riches eux-mêmes, deux projets de loi pour l'abolition des dettes et le partage des terres. Il n'y a pas lieu d'être trop surpris que le Sénat n'ait pas rejeté ces propositions; Agis avait peut-être pris ses mesures pour qu'elles fussent acceptées. Mais, les lois une fois votées, restait à les mettre à exécution; or ces réformes sont toujours tellement difficiles à accomplir que les plus hardis y échouent. Agis, arrêté court par la résistance des éphores, fut contraint de sortir de la légalité: il déposa ces magistrats et en nomma d'autres de sa propre autorité; puis il arma ses partisans et établit, durant une année, un régime de terreur. Pendant ce temps-là il put appliquer la loi sur les dettes et faire brûler tous les titres de créance sur la place publique. Mais il n'eut pas le temps de partager les terres. On ne sait si Agis hésita sur ce point et s'il fut effrayé de son oeuvre, ou si l'oligarchie répandit contre lui d'habiles accusations; toujours est-il que le peuple se détacha de lui et le laissa tomber. Les éphores l'égorgèrent, et le gouvernement aristocratique fut rétabli.

Cléomène reprit les projets d'Agis, mais avec plus d'adresse et moins de scrupules. Il commença par massacrer les éphores, supprima hardiment cette magistrature, qui était odieuse aux rois et au parti populaire, et proscrivit les riches. Après ce coup d'État, il opéra la révolution, décréta le partage des terres, et donna le droit de cité à quatre mille Laconiens. Il est digne de remarque que ni Agis ni Cléomène n'avouaient qu'ils faisaient une révolution, et que tous les deux, s'autorisant du nom du vieux législateur Lycurgue, prétendaient ramener Sparte aux antiques coutumes. Assurément la constitution de Cléomène en était fort éloignée. Le roi était véritablement un maître absolu; aucune autorité ne lui faisait contre-poids; il régnait à la façon des tyrans qu'il y avait alors dans la plupart des villes grecques, et le peuple de Sparte, satisfait d'avoir obtenu des terres, paraissait se soucier fort peu des libertés politiques. Cette situation ne dura pas longtemps. Cléomène voulut étendre le régime démocratique à tout le Péloponèse, où Aratus, précisément à cette époque, travaillait à établir un régime de liberté et de sage aristocratie. Dans toutes les villes, le parti populaire s'agita au nom de Cléomène, espérant obtenir, comme à Sparte, une abolition des dettes et un partage des terres. C'est cette insurrection imprévue des basses classes qui obligea Aratus à changer tous ses plans; il crut pouvoir compter sur la Macédoine, dont le roi Antigone Doson avait alors pour politique de combattre partout les tyrans et le parti populaire, et il l'introduisit dans le Péloponèse. Antigone et les Achéens vainquirent Cléomène à Sellasie. La démocratie spartiate fut encore une fois abattue, et les Macédoniens rétablirent l'ancien gouvernement (222 ans avant Jésus-Christ).

Mais l'oligarchie ne pouvait plus se soutenir. Il y eut de longs troubles; une année, trois éphores qui étaient favorables au parti populaire, massacrèrent leurs deux collègues: l'année suivante, les cinq éphores appartenaient au parti oligarchique; le peuple prit les armes et les égorgea tous. L'oligarchie ne voulait pas de rois; le peuple voulut en avoir; on en nomma un, et on le choisit en dehors de la famille royale, ce qui ne s'était jamais vu à Sparte. Ce roi nommé Lycurgue fut deux fois renversé du trône, une première fois par le peuple, parce qu'il refusait de partager les terres, une seconde fois par l'aristocratie, parce qu'on le soupçonnait de vouloir les partager. On ne sait pas comment il finit; mais après lui on voit à Sparte un tyran, Machanidas; preuve certaine que le parti populaire avait pris le dessus.

Philopémen qui, à la tête de la ligue achéenne, faisait partout la guerre aux tyrans démocrates, vainquit et tua Machanidas. La démocratie Spartiate adopta aussitôt un autre tyran, Nabis. Celui-ci donna le droit de cité à tous les hommes libres, élevant les Laconiens eux-mêmes au rang des Spartiates; il alla jusqu'à affranchir les Hilotes. Suivant la coutume des tyrans des villes grecques, il se fit le chef des pauvres contre les riches; « il proscrivit ou fit périr ceux que leur richesse élevait au-dessus des autres ».

Cette nouvelle Sparte démocratique ne manqua pas de grandeur; Nabis mit dans la Laconie un ordre qu'on n'y avait pas vu depuis longtemps; il assujettit à Sparte la Messénie, une partie de l'Arcadie, l'Élide. Il s'empara d'Argos. Il forma une marine, ce qui était bien éloigné des anciennes traditions de l'aristocratie spartiate; avec sa flotte il domina sur toutes les îles qui entourent le Péloponèse, et étendit son influence jusque sur la Crète. Partout il soulevait la démocratie; maître d'Argos, son premier soin fut de confisquer les biens des riches, d'abolir les dettes, et de partager les terres. On peut voir dans Polybe combien la ligue achéenne avait de haine pour ce tyran démocrate. Elle détermina Flamininus à lui faire la guerre au nom de Rome. Dix mille Laconiens, sans compter les mercenaires, prirent les armes pour défendre Nabis. Après un échec, il voulait faire la paix; le peuple s'y refusa; tant la cause du tyran était celle de la démocratie! Flamininus vainqueur lui enleva une partie de ses forces, mais le laissa régner en Laconie, soit que l'impossibilité de rétablir l'ancien gouvernement fût trop évidente, soit qu'il fût conforme à l'intérêt de Rome que quelques tyrans fissent contrepoids à la ligue achéenne. Nabis fut assassiné plus tard par un Éolien; mais sa mort ne rétablit pas l'oligarchie; les changements qu'il avait accomplis dans l'état social, furent maintenus après lui, et Rome elle-même se refusa à remettre Sparte dans son ancienne situation.

LIVRE V

LE RÉGIME MUNICIPAL DISPARAÎT.

CHAPITRE PREMIER

NOUVELLES CROYANCES; LA PHILOSOPHIE CHANGE LES RÈGLES DE LA POLITIQUE.

On a vu dans ce qui précède comment le régime municipal s'était constitué chez les anciens. Une religion très-antique avait fondé d'abord la famille, puis la cité; elle avait établi d'abord le droit domestique et le gouvernement de la *gens*, ensuite les lois civiles et le gouvernement municipal. L'État était étroitement lié à la religion; il venait d'elle et se confondait avec elle. C'est pour cela que, dans la cité primitive, toutes les institutions politiques avaient été des institutions religieuses, les fêtes des cérémonies du culte, les lois des formules sacrées, les rois et les magistrats des prêtres. C'est pour cela encore que la liberté individuelle avait été inconnue, et que l'homme n'avait pas pu soustraire sa conscience elle-même à l'omnipotence de la cité. C'est pour cela enfin que l'État était resté borné aux limites d'une ville, et n'avait jamais pu franchir l'enceinte que ses dieux nationaux lui avaient tracée à l'origine. Chaque cité avait non-seulement son indépendance politique, mais aussi son culte et son code. La religion, le droit, le gouvernement, tout était municipal. La cité était la seule force vive; rien au-dessus, rien au-dessous; ni unité nationale ni liberté individuelle.

Il nous reste à dire comment ce régime a disparu, c'est-à-dire comment, le principe de l'association humaine étant changé, le gouvernement, la religion, le droit ont dépouillé ce caractère municipal qu'ils avaient eu dans l'antiquité.

La ruine du régime politique que la Grèce et l'Italie avaient créé, peut se rapporter à deux causes principales. L'une appartient à l'ordre des faits moraux et intellectuels, l'autre à l'ordre des faits matériels; la première est la transformation des croyances, la seconde est la conquête romaine. Ces deux grands faits sont du même temps; ils se sont développés et accomplis ensemble pendant la série de six siècles qui précède notre ère.

La religion primitive, dont les symboles étaient la pierre immobile du foyer et le tombeau des ancêtres, religion qui avait constitué la famille antique et organisé ensuite la cité, s'altéra avec le temps et vieillit. L'esprit humain grandit en force et se fit de nouvelles croyances. On commença a avoir l'idée de la nature immatérielle; la notion de l'âme humaine se précisa, et presque en même temps celle d'une intelligence divine surgit dans les esprits.

Que dut-on penser alors des divinités du premier âge, de ces morts qui vivaient dans le tombeau, de ces dieux Lares qui avaient été des hommes, de ces ancêtres sacrés qu'il fallait continuer à nourrir d'aliments? Une telle foi devint impossible. De pareilles croyances n'étaient plus au niveau de l'esprit humain. Il est bien vrai que ces préjugés, si grossiers qu'ils fussent, ne furent pas aisément arrachés de l'esprit du vulgaire: ils y régnèrent longtemps encore; mais dès le cinquième siècle avant notre ère, les hommes qui réfléchissaient s'étaient affranchis de ces erreurs. Ils comprenaient autrement la mort. Les uns croyaient à l'anéantissement, les autres à une seconde existence toute spirituelle dans un monde des âmes; dans tous les cas ils n'admettaient plus que le mort vécût dans la tombe, se nourrissant d'offrandes. On commençait aussi à se faire une idée trop haute du divin pour qu'on pût persister à croire que les morts fussent des dieux. On se figurait, au contraire, l'âme humaine allant chercher dans les champs Élysées sa récompense ou allant payer la peine de ses fautes; et par un notable progrès, on ne divinisait plus parmi les hommes que ceux que la reconnaissance ou la flatterie faisait mettre au- dessus de l'humanité.

L'idée de la divinité se transformait peu à peu, par l'effet naturel de la puissance plus grande de l'esprit. Cette idée, que l'homme avait d'abord appliquée à la force invisible qu'il sentait en lui-même, il la transporta aux puissances incomparablement plus grandes qu'il voyait dans la nature, en attendant qu'il s'élevât jusqu'à la conception d'un être qui fût en dehors et au-dessus de la nature. Alors les dieux Lares et les Héros perdirent l'adoration de tout ce qui pensait.

Quant au foyer, qui ne paraît avoir eu de sens qu'autant qu'il se rattachait au culte des morts, il perdit aussi son prestige. On continua à avoir dans la maison un foyer domestique, à le saluer, à l'adorer, à lui offrir la libation; mais ce n'était plus qu'un culte d'habitude, qu'aucune foi ne vivifiait plus.

Le foyer des villes ou prytanée fut entraîné insensiblement dans le discrédit où tombait le foyer domestique. On ne savait plus ce qu'il signifiait; on avait oublié que le feu toujours vivant du prytanée représentait la vie invisible des ancêtres, des fondateurs, des Héros nationaux. On continuait à entretenir ce feu, à faire les repas publics, à chanter les vieux hymnes: vaines cérémonies, dont on n'osait pas se débarrasser, mais dont nul ne comprenait plus le sens.

Même les divinités de la nature, qu'on avait associées aux foyers, changèrent de caractère. Après avoir commencé par être des divinités domestiques, après être devenues des divinités de cité, elles se transformèrent encore. Les hommes finirent par s'apercevoir que les êtres différents qu'ils appelaient du nom de Jupiter, pouvaient bien n'être qu'un seul et même être; et ainsi des autres dieux. L'esprit fut embarrassé de la multitude des divinités, et il sentit le besoin d'en réduire le nombre. On comprit que les dieux n'appartenaient plus chacun à une famille ou à une ville, mais qu'ils appartenaient tous au genre humain et veillaient sur l'univers. Les poëtes allaient de ville en ville et enseignaient aux hommes, au lieu des vieux hymnes de la cité, des chants nouveaux où il n'était parlé ni des dieux Lares ni des divinités poliades, et où se disaient les légendes des grands dieux de la terre et du ciel; et le peuple grec oubliait ses vieux hymnes domestiques ou nationaux pour cette poésie nouvelle, qui n'était pas fille de la religion, mais de l'art et de l'imagination libre. En même temps, quelques grands sanctuaires, comme ceux de Delphes et de Délos, attiraient les hommes et leur faisaient oublier les cultes locaux. Les Mystères et la doctrine qu'ils contenaient, les habituaient à dédaigner la religion vide et insignifiante de la cité.

Ainsi une révolution intellectuelle s'opéra lentement et obscurément. Les prêtres mêmes ne lui opposaient pas de résistance; car dès que les sacrifices continuaient à être accomplis aux jours marqués, il leur semblait que l'ancienne religion était sauve; les idées pouvaient changer et la foi périr, pourvu que les rites ne reçussent aucune atteinte. Il arriva donc que, sans que les pratiques fussent modifiées, les croyances se transformèrent, et que la religion domestique et municipale perdit tout empire sur les âmes.

Puis la philosophie parut, et elle renversa toutes les règles de la vieille politique. Il était impossible de toucher aux opinions des hommes sans toucher aussi aux principes fondamentaux de leur gouvernement. Pythagore, ayant la conception vague de l'Être suprême, dédaigna les cultes locaux, et c'en fut assez pour qu'il rejetât les vieux modes de gouvernement et essayât de fonder une société nouvelle.

Anaxagore comprit le Dieu-Intelligence qui règne sur tous les hommes et sur tous les êtres. En s'écartant des croyances anciennes, il s'éloigna aussi de l'ancienne politique. Comme il ne croyait pas aux dieux du prytanée, il ne remplissait pas non plus tous ses devoirs de citoyen; il fuyait les assemblées et ne voulait pas être magistrat. Sa doctrine portait atteinte à la cité; les Athéniens le frappèrent d'une sentence de mort.

Les Sophiates vinrent ensuite et ils exercèrent plus d'action que ces deux grands esprits. C'étaient des hommes ardents à combattre les vieilles erreurs. Dans la lutte qu'ils engagèrent contre tout ce qui tenait au passé, ils ne ménagèrent pas plus les institutions de la cité que les préjugés de la religion. Ils examinèrent et discutèrent hardiment les lois qui régissaient encore l'État et la famille. Ils allaient de ville en ville, prêchant des principes nouveaux, enseignant non pas précisément l'indifférence au juste et à l'injuste, mais une nouvelle justice, moins étroite et moins exclusive que l'ancienne, plus humaine, plus rationnelle, et dégagée des formules des âges antérieurs. Ce fut une entreprise hardie, qui souleva une tempête de haines et de rancunes. On les accusa de n'avoir ni religion, ni morale, ni patriotisme. La vérité est que sur toutes ces choses ils n'avaient pas une doctrine bien arrêtée, et qu'ils croyaient avoir assez fait quand ils avaient combattu des préjugés. Ils remuaient, comme dit Platon, ce qui jusqu'alors avait été immobile. Ils plaçaient la règle du sentiment religieux et celle de la politique dans la conscience humaine, et non pas dans les coutumes des ancêtres, dans l'immuable tradition. Ils enseignaient aux Grecs que, pour gouverner un État, il ne suffisait plus d'invoquer les vieux usages et les lois sacrées, mais qu'il fallait persuader les hommes et agir sur des volontés libres. A la connaissance des antiques coutumes ils substituaient l'art de raisonner et de parler, la dialectique et la rhétorique. Leurs adversaires avaient pour eux la tradition; eux, ils eurent l'éloquence et l'esprit.

Une fois que la réflexion eut été ainsi éveillée, l'homme ne voulut plus croire sans se rendre compte de ses croyances, ni se laisser gouverner sans discuter ses institutions. Il douta de la justice de ses vieilles lois sociales, et d'autres principes lui apparurent. Platon met dans la bouche d'un sophiste ces belles paroles: « Vous tous qui êtes ici, je vous regarde comme parents entre vous. La nature, à défaut de la loi, vous a faits concitoyens. Mais la loi, ce tyran de l'homme, fait violence à la nature en bien des occasions. » Opposer ainsi la nature à la loi et à la coutume, c'était s'attaquer au fondement même de la politique ancienne. En vain les Athéniens chassèrent Protagonas et brûlèrent ses écrits; le coup était porté le résultat de l'enseignement des Sophistes avait été immense. L'autorité des institutions disparaissait avec l'autorité des dieux nationaux, et l'habitude du libre examen s'établissait dans les maisons et sur la place publique.

Socrate, tout an réprouvant l'abus que les Sophistes faisaient du droit de douter, était pourtant de leur école. Comme eux, il repoussait l'empire de la tradition, et croyait que les règles de la conduite étaient gravées dans la conscience humaine. Il ne différait d'eux qu'en ce qu'il étudiait cette conscience religieusement et avec le ferme désir d'y trouver l'obligation d'être juste et de faire le bien. Il mettait la vérité au- dessus de la coutume, la justice au dessus de la loi. Il dégageait la morale de la religion; avant lui, on ne concevait le devoir que comme un arrêt des anciens dieux; il montra que le principe du devoir est dans l'âme de l'homme. En tout cela, qu'il le voulût ou non, il faisait la guerre aux cultes de la cité. En vain prenait-il soin d'assister à toutes les fêtes et de prendre part aux sacrifices; ses croyances et ses paroles démentaient sa conduite. Il fondait une religion nouvelle, qui était le contraire de la religion de la cité. On l'accusa avec vérité « de ne pas adorer les dieux que l'État adorait ». On le fit périr pour avoir attaqué les coutumes et les croyances des ancêtres, ou, comme on disait, pour avoir corrompu la génération présente. L'impopularité de Socrate et les violentes colères de ses concitoyens s'expliquent, si l'on songe aux habitudes religieuses de cette société athénienne, où il y avait tant de prêtres, et où ils étaient si puissants. Mais la révolution que les Sophistes avaient commencée, et que Socrate avait reprise avec plus de mesure, ne fut pas arrêtée par la mort d'un vieillard. La société grecque s'affranchit de jour en jour davantage de l'empire des vieilles croyances et des vieilles institutions.

Après lui, les philosophes discutèrent en toute liberté les principes et les règles de l'association humaine. Platon, Criton, Antisthènes, Speusippe, Aristote, Théophraste et beaucoup d'autres, écrivirent des traités sur la politique. On chercha, on examina; les grands problèmes de l'organisation de l'État, de l'autorité et de l'obéissance, des obligations et des droits, se posèrent à tous les esprits.

Sans doute la pensée ne peut pas se dégager aisément des liens que lui a faits l'habitude. Platon subit encore, en certains points, l'empire des vieilles idées. L'État qu'il imagine, c'est encore la cité antique; il est étroit; il ne doit contenir que 5,000 membres. Le gouvernement y est encore réglé par les anciens principes; la liberté y est inconnue; le but que le législateur se propose est moins le perfectionnement de l'homme que la sûreté et la grandeur de l'association. La famille même est presque étouffée, pour qu'elle ne fasse pas concurrence à la cité; l'État seul est propriétaire; seul il est libre; seul il a une volonté; seul il a une religion et des croyances, et quiconque ne pense pas comme lui doit périr. Pourtant au milieu de tout cela, les idées nouvelles se font jour. Platon proclame, comme Socrate et comme les Sophistes, que la règle de la morale et de la politique est en nous-mêmes, que la tradition n'est rien, que c'est la raison qu'il faut consulter, et que les lois ne sont justes qu'autant qu'elles sont conformes à la nature humaine.

Ces idées sont encore plus précises chez Aristote. « La loi, dit-il, c'est la raison. » Il enseigne qu'il faut chercher, non pas ce qui est conforme à la coutume des pères, mais ce qui est bon en soi. Il ajoute qu'à mesure que le temps marche, il faut modifier les institutions. Il met de côté le respect des ancêtres: « Nos premiers pères, dit-il, qu'ils soient nés du sein de la terre ou qu'ils aient survécu à quelque déluge, ressemblaient, suivant toute apparence, à ce qu'il y a aujourd'hui de plus vulgaire et de plus ignorant parmi les hommes. Il y aurait une évidente absurdité à s'en tenir à l'opinion de ces gens-là. » Aristote, comme tous les philosophes, méconnaissait absolument l'origine religieuse de la société humaine; il ne parle pas des prytanées; il ignore que ces cultes locaux aient été le fondement de l'État. « L'État, dit-il, n'est pas autre chose qu'une association d'êtres égaux recherchant en commun une existence heureuse et facile. » Ainsi la philosophie rejette les vieux principes des sociétés, et cherche un fondement nouveau sur lequel elle puisse appuyer les lois sociales et l'idée de patrie.

L'école cynique va plus loin. Elle nie la patrie elle-même. Diogène se vantait de n'avoir droit de cité nulle part, et Cratès disait que sa patrie à lui c'était le mépris de l'opinion des autres. Les cyniques ajoutaient cette vérité alors bien nouvelle, que l'homme est citoyen de l'univers et que la patrie n'est pas l'étroite enceinte d'une ville. Ils considéraient le patriotisme municipal comme un préjugé, et supprimaient du nombre des sentiments l'amour de la cité.

Par dégoût ou par dédain, les philosophes s'éloignaient de plus en plus des affaires publiques. Socrate avait encore rempli les devoirs du citoyen; Platon avait essayé de travailler pour l'État en le réformant. Aristote, déjà plus indifférent, se borna au rôle d'observateur et fit de l'État un objet d'études scientifiques. Les épicuriens laissèrent de côté les affaires publiques. « N'y mettez pas la main, disait Épicure, à moins que quelque puissance supérieure ne vous y contraigne. » Les cyniques ne voulaient même pas être citoyens.

Les stoïciens revinrent à la politique. Zénon, Cléanthe, Chrysippe écrivirent de nombreux traités sur le gouvernement des États. Mais leurs principes étaient fort éloignés de la vieille politique municipale. Voici en quels termes un ancien nous renseigne sur les doctrines que contenaient leurs écrits. « Zénon, dans son traité sur le gouvernement, s'est proposé de nous montrer que nous ne sommes pas les habitants de tel dème ou de telle ville, séparés les uns des autres par un droit particulier et des lois exclusives, mais que nous devons voir dans tous les hommes des concitoyens, comme si nous appartenions tous au même dème et à la même cité. » On voit par là quel chemin les idées avaient parcouru de Socrate à Zénon. Socrate se croyait encore tenu d'adorer, autant qu'il pouvait, les dieux de l'État. Platon ne concevait pas encore d'autre gouvernement que celui d'une cité. Zénon passe par-dessus ces étroites limites de l'association humaine. Il dédaigne les divisions que la religion des vieux âges a établies. Comme il conçoit le Dieu de l'univers, il a aussi l'idée d'un État où entrerait le genre humain tout entier.

Mais voici un principe encore plus nouveau. Le stoïcisme, en élargissant l'association humaine, émancipe l'individu. Comme il repousse la religion de la cité, il repousse aussi la servitude du citoyen. Il ne veut plus que la personne humaine soit sacrifiée à l'État. Il distingue et sépare nettement ce qui doit rester libre dans l'homme, et il affranchit au moins la conscience. Il dit à l'homme qu'il doit se renfermer en lui-même, trouver en lui le devoir, la vertu, la récompense. Il ne lui défend pas de s'occuper des affaires publiques; il l'y invite même, mais en l'avertissant que son principal travail doit avoir pour objet son amélioration individuelle, et que, quel que soit le gouvernement, sa conscience doit rester indépendante. Grand principe, que la cité antique avait toujours méconnu, mais qui devait un jour devenir l'une des règles les plus saintes de la politique.

On commence alors à comprendre qu'il y a d'autres devoirs que les devoirs envers l'État, d'autres vertus que les vertus civiques. L'âme s'attache à d'autres objets qu'à la patrie. La cité ancienne avait été si puissante et si tyrannique, que l'homme en avait fait le but de tout son travail et de toutes ses vertus; elle avait été la règle du beau et du bien, et il n'y avait eu d'héroïsme que pour elle. Mais voici que Zénon enseigne à l'homme qu'il a une dignité, non de citoyen, mais d'homme; qu'outre ses devoirs envers la loi, il en a envers lui-même, et que le suprême mérite n'est pas de vivre ou de mourir pour l'État, mais d'être vertueux et de plaire à la divinité. Vertus un peu égoïstes et qui laissèrent tomber l'indépendance nationale et la liberté, mais par lesquelles l'individu grandit. Les vertus publiques allèrent dépérissant, mais les vertus personnelles se dégagèrent et apparurent dans le monde. Elles eurent d'abord à lutter, soit contre la corruption générale, soit contre le despotisme. Mais elles s'enracinèrent peu à peu dans l'humanité; à la longue elles devinrent une puissance avec laquelle tout gouvernement dut compter, et il fallut bien que les règles de la politique fussent modifiées pour qu'une place libre leur fût faite.

Ainsi se transformèrent peu à peu les croyances; la religion municipale, fondement de la cité, s'éteignit; le régime municipal, tel que les anciens l'avaient conçu, dut tomber avec elle. On se détachait insensiblement de ces règles rigoureuses et de ces formes étroites du gouvernement. Des idées plus hautes sollicitaient les hommes à former des sociétés plus grandes. On était entraîné vers l'unité; ce fut l'aspiration générale des deux siècles qui précédèrent notre ère. Il est vrai que les fruits que portent ces révolutions de l'intelligence, sont très-lents à mûrir. Mais nous allons voir, en étudiant la conquête romaine, que les événements marchaient dans le même sens que les idées, qu'ils tendaient comme elles à la ruine du vieux régime municipal, et qu'ils préparaient de nouveaux modes de gouvernement.

CHAPITRE II

LA CONQUÊTE ROMAINE.

Il paraît, au premier abord, bien surprenant que parmi les mille cités de la Grèce et de l'Italie il s'en soit trouvé une qui ait été capable d'assujettir toutes les autres. Ce grand événement est pourtant explicable par les causes ordinaires qui déterminent la marche des affaires humaines. La sagesse de Rome a consisté, comme toute sagesse, à profiter des circonstances favorables qu'elle rencontrait.

On peut distinguer dans l'oeuvre de la conquête romaine deux périodes. L'une concorde avec le temps où le vieil esprit municipal avait encore beaucoup de force; c'est alors que Rome eut à surmonter le plus d'obstacles. La seconde appartient au temps où l'esprit municipal était fort affaibli; la conquête devint alors facile et s'accomplit rapidement.

1° Quelques mots sur les origines et la population de Rome.

Les origines de Rome et la composition de son peuple sont dignes de remarque. Elles expliquent le caractère particulier de sa politique et le rôle exceptionnel qui lui fut dévolu, dès le commencement, au milieu des autres cités.

La race romaine était étrangement mêlée. Le fond principal était latin et originaire d'Albe; mais ces Albains eux-mêmes, suivant des traditions qu'aucune critique ne nous autorise à rejeter, se composaient de deux populations associées et non confondues: l'une était la race aborigène, véritables Latins; l'autre était d'origine étrangère, et on la disait venue de Troie, avec Énée, le prêtre-fondateur; elle était peu nombreuse, suivant toute apparence, mais elle était considérable par le culte et les institutions qu'elle avait apportés avec elle.

Ces Albains, mélange de deux races, fondèrent Rome en un endroit où s'élevait déjà une autre ville, Pallantium, fondée par des Grecs. Or, la population de Pallantium subsista dans la ville nouvelle, et les rites du culte grec s'y conservèrent. Il y avait aussi, à l'endroit où fut plus tard le Capitole, une ville qu'on disait avoir été fondée par Hercule, et dont les familles se perpétuèrent distinctes du reste de la population romaine, pendant toute la durée de la république.

Ainsi, à Rome toutes les races s'associent et se mêlent: il y a des Latins, des Troyens, des Grecs; il y aura bientôt des Sabins et des Étrusques. Voyez les diverses collines: le Palatin est la ville latine, après avoir été la ville d'Évandre; le Capitolin, après avoir été la demeure des compagnons d'Hercule, devient la demeure des Sabins de Tatius. Le Quirinal reçoit son nom des Quirites sabins ou du dieu sabin Quirinus. Le Coelius paraît avoir été habité dès l'origine par des Étrusques. Rome ne semblait pas une seule ville; elle semblait une confédération de plusieurs villes, dont chacune se rattachait par son origine à une autre confédération. Elle était le centre où Latins, Étrusques, Sabelliens et Grecs se rencontraient.

Son premier roi fut un Latin; le second un Sabin; le cinquième était, dit-on, fils d'un Grec; le sixième fut un Étrusque.

Sa langue était un composé des éléments les plus divers; le latin y dominait; mais les racines sabelliennes y étaient nombreuses, et on y trouvait plus de radicaux grecs que dans aucun autre des dialectes de l'Italie centrale. Quant à son nom même, on ne savait pas à quelle langue il appartenait. Suivant les uns, Rome était un mot troyen; suivant d'autres, un mot grec; il y a des raisons de le croire latin, mais quelques anciens le croyaient étrusque.

Les noms des familles romaines attestent aussi une grande diversité d'origine. Au temps d'Auguste, il y avait encore une cinquantaine de familles qui, en remontant la série de leurs ancêtres, arrivaient à des compagnons d'Énée. D'autres se disaient issues des Arcadiens d'Évandre, et depuis un temps immémorial, les hommes de ces familles portaient sur leur chaussure, comme signe distinctif, un petit croissant d'argent. Les familles Potitia et Pinaria descendaient de ceux qu'on appelait les compagnons d'Hercule, et leur descendance était prouvée par le culte héréditaire de ce dieu. Les Tullius, les Quinctius, les Servilius étaient venus d'Albe après la conquête de cette ville. Beaucoup de familles joignaient à leur nom un surnom qui rappelait leur origine étrangère; il y avait ainsi les Sulpicius Camerinus, les Cominius Auruncus, les Sicinius Sabinus, les Claudius Regillensis, les Aquillius Tuscus. La famille Nautia était troyenne; les Aurélius étaient Sabins; les Caecilius venaient de Préneste; les Octaviens étaient originaires de Vélitres.

L'effet de ce mélange des populations les plus diverses était que Rome avait des liens d'origine avec tous les peuples qu'elle connaissait. Elle pouvait se dire latine avec les Latins, sabine avec les Sabins, étrusque avec les Étrusques, et grecque avec les Grecs.

Son culte national était aussi un assemblage de plusieurs cultes, infiniment divers, dont chacun la rattachait à l'un de ces peuples. Elle avait les cultes grecs d'Évandre et d'Hercule, elle se vantait de posséder le palladium troyen. Ses pénates étaient dans la ville latine de Lavinium: elle adopta dès l'origine le culte sabin du dieu Consus. Un autre dieu sabin, Quirinus, s'implanta si fortement chez elle qu'elle l'associa à Romulus, son fondateur. Elle avait aussi les dieux des Étrusques, et leurs fêtes, et leur augurat, et jusqu'à leurs insignes sacerdotaux.

Dans un temps où nul n'avait le droit d'assister aux fêtes religieuses d'une nation, s'il n'appartenait à cette nation par la naissance, le Romain avait cet avantage incomparable de pouvoir prendre part aux féries latines, aux fêtes sabines, aux fêtes étrusques et aux jeux olympiques. Or, la religion était un lien puissant. Quand deux villes avaient un culte commun, elles se disaient parentes; elles devaient se regarder comme alliées, et s'entr'aider; on ne connaissait pas, dans cette antiquité, d'autre union que celle que la religion établissait. Aussi Rome conservait-elle avec grand soin tout ce qui pouvait servir de témoignage de cette précieuse parenté avec les autres nations. Aux Latins, elle présentait ses traditions sur Romulus; aux Sabins, sa légende de Tarpeia et de Tatius; elle alléguait aux Grecs les vieux hymnes qu'elle possédait en l'honneur de la mère d'Évandre, hymnes qu'elle ne comprenait plus, mais qu'elle persistait à chanter. Elle gardait aussi avec la plus grande attention le souvenir d'Énée; car, si par Évandre elle pouvait se dire parente des Péloponésiens, par Énée elle l'était de plus de trente villes répandues en Italie, en Sicile, en Grèce, en Thrace et en Asie Mineure, toutes ayant eu Énée pour fondateur ou étant colonies de villes fondées par lui, toutes ayant, par conséquent, un culte commun avec Rome. On peut voir dans les guerres qu'elle fit en

Sicile contre Carthage, et en Grèce contre Philippe, quel parti elle tira de cette antique parenté.

La population romaine était donc un mélange de plusieurs races, son culte un assemblage de plusieurs cultes, son foyer national une association de plusieurs foyers. Elle était presque la seule cité que sa religion municipale n'isolât pas de toutes les autres. Elle touchait à toute l'Italie, à toute la Grèce. Il n'y avait presque aucun peuple qu'elle ne pût admettre à son foyer.

2° Premiers agrandissements de Rome (753-350 avant Jésus-Christ).

Pendant les siècles où la religion municipale était partout en vigueur, Rome régla sa politique sur elle.

On dit que le premier acte de la nouvelle cité fut d'enlever quelques femmes sabines: légende qui paraît bien invraisemblable, si l'on songe à la sainteté du mariage chez les anciens. Mais nous avons vu plus haut que la religion municipale interdisait le mariage entre personnes de cités différentes, à moins que ces deux cités n'eussent un lien d'origine ou un culte commun. Ces premiers Romains avaient le droit de mariage avec Albe, d'où ils étaient originaires, mais ils ne l'avaient pas avec leurs autres voisins, les Sabins. Ce que Romulus voulut conquérir tout d'abord, ce n'étaient pas quelques femmes, c'était le droit de mariage, c'est-à-dire le droit de contracter des relations régulières avec la population sabine. Pour cela, il lui fallait établir entre elle et lui un lien religieux; il adopta donc le culte du dieu sabin Consus et en célébra la fête. La tradition ajoute que pendant cette fête il enleva les femmes; s'il avait fait ainsi, les mariages n'auraient pas pu être célébrés suivant les rites, puisque le premier acte et le plus nécessaire du mariage était la *traditio in manum*, c'est-à-dire le don de la fille par le père; Romulus aurait manqué son but. Mais la présence des Sabins et de leurs familles à la cérémonie religieuse et leur participation au sacrifice établissaient entre les deux peuples un lien tel que le *connubium* ne pouvait plus être refusé. Il n'était pas besoin d'enlèvement; la fête avait pour conséquence naturelle le droit de mariage. Aussi l'historien Denys, qui consultait les textes et les hymnes anciens, assure-t-il que les

Sabines furent mariées suivant les rites les plus solennels, ce que confirment Plutarque et Cicéron. Il est digne de remarquer que le premier effort des Romains ait eu pour résultat de faire tomber les barrières que la religion municipale mettait entre eux et un peuple voisin. Il ne nous est pas parvenu de légende analogue relativement à l'Étrurie; mais il paraît bien certain que Rome avait avec ce pays les mêmes relations qu'avec le Latium et la Sabine. Elle avait donc l'adresse de s'unir par le culte et par le sang à tout ce qui était autour d'elle. Elle tenait à avoir le *connubium* avec toutes les cités, et ce qui prouve qu'elle connaissait bien l'importance de ce lien, c'est qu'elle ne voulait pas que les autres cités, ses sujettes, l'eussent entre elles.

Rome entra ensuite dans la longue série de ses guerres. La première fut contre les Sabins de Tatius; elle se termina par une alliance religieuse et politique entre les deux petits peuples. Elle fit ensuite la guerre à Albe; les historiens disent que Rome osa attaquer cette ville, quoiqu'elle en fût une colonie. C'est précisément parce qu'elle en était une colonie, qu'elle jugea nécessaire de la détruire. Toute métropole, en effet, exerçait sur ses colonies une suprématie religieuse; or, la religion avait alors tant d'empire que, tant qu'Albe restait debout, Rome ne pouvait être qu'une cité dépendante, et que ses destinées étaient à jamais arrêtées.

Albe détruite, Rome ne se contenta pas de n'être plus une colonie; elle prétendit s'élever au rang de métropole, en héritant des droits et de la suprématie religieuse qu'Albe avait exercés jusque-là sur ses trente colonies du Latium. Rome soutint de longues guerres pour obtenir la présidence du sacrifice des féries latines. C'était le moyen d'acquérir le seul genre de supériorité et de domination que l'on conçût en ce temps-là.

Elle éleva chez elle un temple à Diana; elle obligea les Latins à venir y faire des sacrifices; elle y attira même les Sabins. Par là elle habitua les deux peuples à partager avec elle, sous sa présidence, les fêtes, les prières, les chairs sacrées des victimes. Elle les réunit sous sa suprématie religieuse.

Rome est la seule cité qui ait su par la guerre augmenter sa population. Elle eut une politique inconnue à tout le reste du monde gréco-italien; elle s'adjoignit tout ce qu'elle vainquit. Elle amena chez elle les habitants des villes prises, et des vaincus fit peu à peu des

Romains. En même temps elle envoyait des colons dans les pays conquis, et de cette manière elle semait Rome partout; car ses colons, tout en formant des cités distinctes au point de vue politique, conservaient avec la métropole la communauté religieuse; or, c'était assez pour qu'ils fussent contraints de subordonner leur politique à la sienne, de lui obéir, et de l'aider dans toutes ses guerres.

Un des traits remarquables de la politique de Rome, c'est qu'elle attirait à elle tous les cultes des cités voisines. Elle s'attachait autant à conquérir les dieux que les villes. Elle s'empara d'une Junon de Veii, d'un Jupiter de Préneste, d'une Minerve de Falisques, d'une Junon de Lanuvium, d'une Vénus des Samnites et de beaucoup d'autres que nous ne connaissons pas. « Car c'était l'usage à Rome, dit un ancien, de faire entrer chez elle les religions des villes vaincues; tantôt elle les répartissait parmi ses *gentes*, et tantôt elle leur donnait place dans sa religion nationale. »

Montesquieu loue les Romains, comme d'un raffinement d'habile politique, de n'avoir pas imposé leurs dieux aux peuples vaincus. Mais cela eût été absolument contraire à leurs idées et à celles de tous les anciens. Rome conquérait les dieux des vaincus, et ne leur donnait pas les siens. Elle gardait pour soi ses protecteurs, et travaillait même à en augmenter le nombre. Elle tenait à posséder plus de cultes et plus de dieux tutélaires qu'aucune autre cité.

Comme d'ailleurs ces cultes et ces dieux étaient, pour la plupart, pris aux vaincus, Rome était par eux en communion religieuse avec tous les peuples. Les liens d'origine, la conquête du *connubium*, celle de la présidence des féries latines, celle des dieux vaincus, le droit qu'elle prétendait avoir de sacrifier à Olympie et à Delphes, étaient autant de moyens par lesquels Rome préparait sa domination. Comme toutes les villes, elle avait sa religion municipale, source de son patriotisme; mais elle était la seule ville qui fît servir cette religion à son agrandissement. Tandis que, par la religion, les autres villes étaient isolées, Rome avait l'adresse ou la bonne fortune de l'employer à tout attirer à elle et à tout dominer.

3° Comment Rome a acquis l'empire (350-140 avant Jésus-Christ).

Pendant que Rome s'agrandissait ainsi lentement, par les moyens que la religion et les idées d'alors mettaient à sa disposition, une série de changements sociaux et politiques se déroulait dans toutes les cités et dans Rome même, transformant à la fois le gouvernement des hommes et leur manière de penser. Nous avons retracé plus haut cette révolution; ce qu'il importe de remarquer ici, c'est qu'elle coïncide avec le grand développement de la puissance romaine. Ces deux faits qui se sont produits en même temps, n'ont pas été sans avoir quelque action l'un sur l'autre. Les conquêtes de Rome n'auraient pas été si faciles, si le vieil esprit municipal ne s'était pas alors éteint partout; et l'on peut croire aussi que le régime municipal ne serait pas tombé si tôt, si la conquête romaine ne lui avait pas porté le dernier coup.

Au milieu des changements qui s'étaient produits, dans les institutions, dans les moeurs, dans les croyances, dans le droit, le patriotisme lui- même avait changé de nature, et c'est une des choses qui contribuèrent le plus aux grands progrès de Rome. Nous avons dit plus haut quel était ce sentiment dans le premier âge des cités. Il faisait partie de la religion; on aimait la patrie parce qu'on en aimait les dieux protecteurs, parce que chez elle on trouvait un prytanée, un feu divin, des fêtes, des prières, des hymnes, et parce que hors d'elle on n'avait plus de dieux ni de culte. Ce patriotisme était de la foi et de la piété. Mais quand la domination eut été retirée à la caste sacerdotale, cette sorte de patriotisme disparut avec toutes les vieilles croyances. L'amour de la cité ne périt pas encore, mais il prit une forme nouvelle.

On n'aima plus la patrie pour sa religion et ses dieux; on l'aima seulement pour ses lois, pour ses institutions, pour les droits et la sécurité qu'elle accordait à ses membres. Voyez dans l'oraison funèbre que Thucydide met dans la bouche de Périclès, quelles sont les raisons qui font aimer Athènes: c'est que cette ville « veut que tous soient égaux devant la loi »; c'est « qu'elle donne aux hommes la liberté et ouvre à tous la voie, des honneurs; c'est qu'elle maintient l'ordre public, assure aux magistrats l'autorité, protége les faibles, donne à tous des spectacles et des fêtes qui sont l'éducation de l'âme ». Et l'orateur termine en disant: « Voilà pourquoi nos guerriers sont morts héroïquement plutôt que de se laisser ravir cette patrie; voilà pourquoi ceux qui survivent sont tout prêts à souffrir et à se dévouer pour elle. » L'homme a donc encore des devoirs envers la cité; mais ces devoirs ne découlent plus du même principe qu'autrefois. Il donne encore son sang et sa vie, mais ce n'est plus pour défendre sa divinité nationale et le foyer de ses pères; c'est pour défendre les institutions dont il jouit et les avantages que la cité lui procure.

Or, ce patriotisme nouveau n'eut pas exactement les mêmes effets que celui des vieux âges. Comme le coeur ne s'attachait plus au prytanée, aux dieux protecteurs, au sol sacré, mais seulement aux institutions et aux lois, et que d'ailleurs celles-ci, dans l'état d'instabilité où toutes les cités se trouvèrent alors, changeaient fréquemment, le patriotisme devint un sentiment variable et inconsistant qui dépendit des circonstances et qui fut sujet aux mêmes fluctuations que le gouvernement lui-même. On n'aima sa patrie qu'autant qu'on aimait le régime politique qui y prévalait momentanément; celui qui en trouvait les lois mauvaises n'avait plus rien qui l'attachât à elle.

Le patriotisme municipal s'affaiblit ainsi et périt dans les âmes. L'opinion de chaque homme lui fut plus sacrée que sa patrie, et le triomphe de sa faction lui devint beaucoup plus cher que la grandeur ou la gloire de sa cité. Chacun en vint à préférer à sa ville natale, s'il n'y trouvait pas les institutions qu'il aimait, telle autre ville où il voyait ces institutions en vigueur. On commença alors à émigrer plus volontiers; on redouta moins l'exil. Qu'importait-il d'être exclu du prytanée et d'être privé de l'eau lustrale? On ne pensait plus guère aux dieux protecteurs, et l'on s'accoutumait facilement à se passer de la patrie.

De là à s'armer contre elle, il n'y avait pas très-loin. On s'allia à une ville ennemie pour faire triompher son parti dans la sienne. De deux Argiens, l'un souhaitait un gouvernement aristocratique, il aimait donc mieux Sparte qu'Argos; l'autre préférait la démocratie, et il aimait Athènes. Ni l'un ni l'autre ne tenait très-fort à l'indépendance de sa cité, et ne répugnait beaucoup à se dire le sujet d'une autre ville, pourvu que cette ville soutînt sa faction dans Argos. On voit clairement dans Thucydide et dans Xénophon que c'est cette disposition des esprits qui engendra et fit durer la guerre du Péloponèse. A Platée, les riches étaient du parti de Thèbes et de Lacédémone, les démocrates étaient du parti d'Athènes. A Corcyre, la faction populaire était pour Athènes, l'aristocratie pour Sparte. Athènes avait des alliés dans toutes les villes du Péloponèse, et Sparte en avait dans toutes les villes ioniennes. Thucydide et Xénophon s'accordent à dire qu'il n'y avait pas une seule cité où le peuple ne fût favorable aux Athéniens et l'aristocratie aux Spartiates. Cette guerre représente un effort général que font les Grecs pour établir partout une même constitution, avec l'hégémonie d'une ville; mais les uns veulent l'aristocratie sous la protection de Sparte, les autres la démocratie avec l'appui d'Athènes. Il en fut de même au temps de Philippe: le parti aristocratique, dans toutes les villes, appela de ses voeux la domination de la Macédoine. Au temps de Philopémen, les rôles étaient intervertis, mais les sentiments restaient les mêmes: le parti populaire acceptait l'empire de la Macédoine, et tout ce qui était pour l'aristocratie s'attachait à la ligue achéenne. Ainsi les voeux et les affections des hommes n'avaient plus pour objet la cité. Il y avait peu de Grecs qui ne fussent prêts à sacrifier l'indépendance municipale, pour avoir la constitution qu'ils préféraient.

Quant aux hommes honnêtes et scrupuleux, les dissensions perpétuelles dont ils étaient témoins, leur donnaient le dégoût du régime municipal. Ils ne pouvaient pas aimer une forme de société où il fallait se combattre tous les jours, où le pauvre et le riche étaient toujours en guerre, où ils voyaient alterner sans fin les violences populaires et les vengeances aristocratiques. Ils voulaient échapper à un régime qui, après avoir produit une véritable grandeur, n'enfantait plus que des souffrances et des haines. On commençait à sentir la nécessité de sortir du système municipal et d'arriver à une autre forme de gouvernement que la cité. Beaucoup d'hommes songeaient au moins à établir au-dessus des cités une sorte de pouvoir souverain qui veillât au maintien de l'ordre et qui forçât ces petites sociétés turbulentes à vivre en paix. C'est ainsi que Phocion, un bon citoyen, conseillait à ses compatriotes d'accepter l'autorité de Philippe, et leur promettait à ce prix la concorde et la sécurité.

En Italie, les choses ne se passaient pas autrement qu'en Grèce. Les villes du Latium, de la Sabine, de l'Étrurie étaient troublées par les mêmes révolutions et les mêmes luttes, et l'amour de la cité disparaissait. Comme en Grèce, chacun s'attachait volontiers à une ville étrangère, pour faire prévaloir ses opinions ou ses intérêts dans la sienne.

Ces dispositions des esprits firent la fortune de Rome. Elle appuya partout l'aristocratie, et partout aussi l'aristocratie fut son alliée. Citons quelques exemples. La *gens* Claudia quitta la Sabine parce que les institutions romaines lui plaisaient mieux que celles de son pays. A la même époque, beaucoup de familles latines émigrèrent à Rome, parce qu'elles n'aimaient pas le régime démocratique du Latium et que Rome venait de rétablir le règne du patriciat. A Ardée, l'aristocratie et la plèbe étant en lutte, la plèbe appela les Volsques à son aide, et l'aristocratie livra la ville aux Romains. L'Étrurie était pleine de dissensions; Veii avait renversé son gouvernement aristocratique; les Romains l'attaquèrent, et les autres villes étrusques, où dominait encore l'aristocratie sacerdotale, refusèrent de secourir les Véiens. La légende ajoute que dans cette guerre les Romains enlevèrent un aruspice véien et se firent livrer des oracles qui leur assuraient la victoire; cette légende ne signifie-t-elle pas que les prêtres étrusques ouvrirent la ville aux Romains?

Plus tard, lorsque Capoue se révolta contre Rome, on remarqua que les chevaliers, c'est-à-dire le corps aristocratique, ne prirent pas part à cette insurrection. En 313, les villes d'Ausona, de Sora, de Minturne, de Vescia furent livrées aux Romains par le parti aristocratique. Lorsqu'on vit les Étrusques se coaliser contre Rome, c'est que le gouvernement populaire s'était établi chez eux; une seule ville, celle d'Arrétium, refusa d'entrer dans cette coalition; c'est que l'aristocratie prévalait encore dans Arrétium. Quand Annibal était en Italie, toutes les villes étaient agitées; mais il ne s'agissait pas de l'indépendance; dans chaque ville l'aristocratie était pour Rome, et la plèbe pour les Carthaginois.

La manière dont Rome était gouvernée peut rendre compte de cette préférence constante que l'aristocratie avait pour elle. La série des révolutions s'y déroulait comme dans toutes les villes, mais plus lentement. En 509, quand les cités latines avaient déjà des tyrans, une réaction patricienne avait réussi dans Rome. La démocratie s'éleva ensuite, mais à la longue, avec beaucoup de mesure et de tempérament. Le gouvernement romain fut donc plus longtemps aristocratique qu'aucun autre, et put être longtemps l'espoir du parti aristocratique.

Il est vrai que la démocratie finit par l'emporter dans Rome, mais, alors même, les procédés et ce qu'on pourrait appeler les artifices du gouvernement restèrent aristocratiques. Dans les comices par centuries les voix étaient réparties d'après la richesse. Il n'en était pas tout à fait autrement des comices par tribus; en droit, nulle distinction de richesse n'y était admise; en fait, la classe pauvre, étant enfermée dans les quatre tribus urbaines, n'avait que quatre suffrages à opposer aux trente et un de la classe des propriétaires. D'ailleurs, rien n'était plus calme, à l'ordinaire, que ces réunions; nul n'y parlait que le président ou celui à qui il donnait la parole; on n'y écoutait guère d'orateurs; on y discutait peu; tout se réduisait, le plus souvent, à voter par oui ou par non, et à compter les votes; cette dernière opération, étant fort compliquée, demandait beaucoup de temps et beaucoup de calme. Il faut ajouter à cela que le Sénat n'était pas renouvelé tous les ans, comme dans les cités démocratiques de la Grèce; il était à vie, et se recrutait à peu près lui-même; il était véritablement un corps oligarchique.

Les moeurs étaient encore plus aristocratiques que les institutions. Les sénateurs avaient des places réservées au théâtre. Les riches seuls servaient dans la cavalerie. Les grades de l'armée étaient en grande partie réservés aux jeunes gens des grandes familles; Scipion n'avait pas seize ans qu'il commandait déjà un escadron.

La domination de la classe riche se soutint à Rome plus longtemps que dans aucune autre ville. Cela tient à deux causes. L'une est que l'on fit de grandes conquêtes, et que les profits en furent pour la classe qui était déjà riche; toutes les terres enlevées aux vaincus furent possédées par elle; elle s'empara du commerce des pays conquis, et y joignit les énormes bénéfices de la perception des impôts et de l'administration des provinces. Ces familles, s'enrichissant ainsi à chaque génération, devinrent démesurément opulentes, et chacune d'elles fut une puissance vis-à-vis du peuple. L'autre cause était que le Romain, même le plus pauvre, avait un respect inné pour la richesse. Alors que la vraie clientèle avait depuis longtemps disparu, elle fut comme ressuscitée sous la forme d'un hommage rendu aux grandes fortunes; et l'usage s'établit que les prolétaires allassent chaque matin saluer les riches.

Ce n'est pas que la lutte des riches et des pauvres ne se soit vue à Rome comme dans toutes les cités. Mais elle ne commença qu'au temps des Gracques, c'est-à-dire après que la conquête était presque achevée. D'ailleurs, cette lutte n'eut jamais à Rome le caractère de violence qu'elle avait partout ailleurs. Le bas peuple de Rome ne convoita pas très ardemment la richesse; il aida mollement les Gracques; il se refusa à croire que ces réformateurs travaillassent pour lui, et il les abandonna au moment décisif. Les lois agraires, si souvent présentées aux riches comme une menace, laissèrent toujours le peuple assez indifférent et ne l'agitèrent qu'à la surface. On voit bien qu'il ne souhaitait pas très- vivement de posséder des terres; d'ailleurs, si on lui offrait le partage des terres publiques, c'est-à-dire du domaine de l'État, du moins il n'avait pas la pensée de dépouiller les riches de leurs propriétés. Moitié par un respect invétéré, et moitié par habitude de ne rien faire, il aimait à vivre à côté et comme à l'ombre des riches.

Cette classe eut la sagesse d'admettre en elle les familles les plus considérables des villes sujettes ou des alliés. Tout ce qui était riche en Italie, arriva peu à peu à former la classe riche de Rome. Ce corps grandit toujours en importance et fut maître de l'État. Il exerça seul les magistratures, parce qu'elles coûtaient beaucoup à acheter; et il composa seul le Sénat, parce qu'il fallait un cens très-élevé pour être sénateur. Ainsi l'on vit se produire ce fait étrange, qu'en dépit des lois qui étaient démocratiques, il se forma une noblesse, et que le peuple, qui était tout-puissant, souffrit qu'elle s'élevât au-dessus de lui et ne lui fit jamais une véritable opposition.

Rome était donc, au troisième et au second siècle avant notre ère, la ville la plus aristocratiquement gouvernée qu'il y eût en Italie et en Grèce. Remarquons enfin que, si dans les affaires intérieures le Sénat était obligé de ménager la foule, pour ce qui concernait la politique extérieure il était maître absolu. C'était lui qui recevait les ambassadeurs, qui concluait les alliances, qui distribuait les provinces et les légions, qui ratifiait les actes des généraux, qui déterminait les conditions faites aux vaincus: toutes choses qui, partout ailleurs, étaient dans les attributions de l'assemblée populaire. Les étrangers, dans leurs relations avec Rome, n'avaient donc jamais affaire an peuple; ils n'entendaient parler que du Sénat, et on les entretenait dans cette idée que le peuple n'avait aucun pouvoir. C'est là l'opinion qu'un Grec exprimait à Flamininus: « Dans votre pays, disait-il, la richesse gouverne, et tout le reste lui est soumis. »

Il résulta de là que, dans toutes les cités, l'aristocratie tourna les yeux vers Rome, compta sur elle, l'adopta pour protectrice, et s'enchaîna à sa fortune. Cela semblait d'autant plus permis que Rome n'était pour personne une ville étrangère: Sabins, Latins, Étrusques voyaient en elle une ville sabine, une ville latine ou une ville étrusque, et les Grecs reconnaissaient en elle des Grecs.

Dès que Rome se montra à la Grèce (199 avant Jésus-Christ), l'aristocratie se livra à elle. Presque personne alors ne pensait qu'il y eût à choisir entre l'indépendance et la sujétion; pour la plupart des hommes, la question n'était qu'entre l'aristocratie et le parti populaire. Dans toutes les villes, celui-ci était pour Philippe, pour Antiochus ou pour Persée, celle-là pour Rome. On peut voir dans Polybe et dans Tite-Live que si, en 198, Argos ouvre ses portes aux Macédoniens, c'est que le peuple y domine; que, l'année suivante, c'est le parti des riches qui livre Opunte aux Romains; que, chez les Acarnaniens, l'aristocratie fait un traité d'alliance avec Rome, mais que, l'année d'après, ce traité est rompu, parce que, dans l'intervalle, le peuple a repris l'avantage; que Thèbes est dans l'alliance de Philippe tant que le parti populaire y est le plus fort, et se rapproche de Rome aussitôt que l'aristocratie y devient maîtresse; qu'à Athènes, à Démétriade, à Phocée, la populace est hostile aux Romains; que Nabis, le tyran démocrate, leur fait la guerre; que la ligue achéenne, tant qu'elle est gouvernée par l'aristocratie, leur est favorable; que les hommes comme Philopémen et Polybe souhaitent l'indépendance nationale, mais aiment encore mieux la domination romaine que la démocratie; que dans la ligue achéenne elle-même il vient un moment où le parti populaire surgit à son tour; qu'à partir de ce moment la ligue est l'ennemie de Rome; que Diaeos et Critolaos sont à la fois les chefs de la faction populaire et les généraux de la ligue contre les Romains; et qu'ils combattent bravement à Scarphée et à Leucopetra, moins peut-être pour l'indépendance de la Grèce que pour le triomphe de la démocratie.

De tels faits disent assez comment Rome, sans faire de très-grands efforts, obtint l'empire. L'esprit municipal disparaissait peu à peu. L'amour de l'indépendance devenait un sentiment très-rare, et les coeurs étaient tout entiers aux intérêts et aux passions des partis. Insensiblement on oubliait la cité. Les barrières qui avaient autrefois séparé les villes et en avaient fait autant de petits mondes distincts, dont l'horizon bornait les voeux et les pensées de chacun, tombaient l'une après l'autre. On ne distinguait plus, pour toute l'Italie et pour toute la Grèce, que deux groupes d'hommmes: d'une part, une classe aristocratique; de l'autre, un parti populaire; l'une appelait la domination de Rome, l'autre la repoussait. Ce fut l'aristocratie qui l'emporta, et Rome acquit l'empire.

4° Rome détruit partout le régime municipal.

Les institutions de la cité antique avaient été affaiblies et comme épuisées par une série de révolutions. La domination romaine eut pour premier résultat d'achever de les détruire, et d'effacer ce qui en subsistait encore. C'est ce qu'on peut voir en observant dans quelle condition les peuples tombèrent à mesure qu'ils furent soumis par Rome.

Il faut d'abord écarter de notre esprit toutes les habitudes de la politique moderne, et ne pas nous représenter les peuples entrant l'un après l'autre dans l'État romain, comme, de nos jours, des provinces conquises sont annexées à un royaume qui, en accueillant ces nouveaux membres, recule ses limites. L'État romain, *civitas romana*, ne s'agrandissait pas par la conquête; il ne comprenait toujours que les familles qui figuraient dans la cérémonie religieuse du cens. Le territoire romain, *ager romanus*, ne s'étendait pas davantage; il restait enfermé dans les limites immuables que les rois lui avaient tracées et que la cérémonie des Ambarvales sanctifiait chaque année. Une seule chose s'agrandissait à chaque conquête: c'était la domination de Rome, *imperium romanum*.

Tant que dura la république, il ne vint à l'esprit de personne que les Romains et les autres peuples pussent former une même nation. Rome pouvait bien accueillir chez elle individuellement quelques vaincus, leur faire habiter ses murs, et les transformer à la longue en Romains; mais elle ne pouvait pas assimiler toute une population étrangère à sa population, tout un territoire à son territoire. Cela ne tenait pas à la politique particulière de Rome, mais à un principe qui était constant dans l'antiquité, principe dont Rome se serait plus volontiers écartée qu'aucune autre ville, mais dont elle ne pouvait pas s'affranchir entièrement. Lors donc qu'un peuple était assujetti, il n'entrait pas dans l'État romain, mais seulement dans la domination romaine. Il ne s'unissait pas à Rome, comme aujourd'hui des provinces sont unies à une capitale; entre les peuples et elle, Rome ne connaissait que deux sortes de lien, la sujétion ou l'alliance.

Il semblerait d'après cela que les institutions municipales dussent subsister chez les vaincus, et que le monde dût être un vaste ensemble de cités distinctes entre elles, et ayant à leur tête une cité maîtresse. Il n'en était rien. La conquête romaine avait pour effet d'opérer dans l'intérieur de chaque ville une véritable transformation.

D'une part étaient les sujets, *dedititii*; c'étaient ceux qui, ayant prononcé la formule de *deditio*, avaient livré au peuple romain « leurs personnes, leurs murailles, leurs terres, leurs eaux, leurs maisons, leurs temples, leurs dieux ». Ils avaient donc renoncé, non-seulement à leur gouvernement municipal, mais encore à tout ce qui y tenait chez les anciens, c'est-à-dire à leur religion et à leur droit privé. A partir de ce moment, ces hommes ne formaient plus entre eux un corps politique; ils n'avaient plus rien d'une société régulière. Leur ville pouvait rester debout, mais leur cité avait péri. S'ils continuaient à vivre ensemble, c'était sans avoir ni institutions, ni lois, ni magistrats. L'autorité arbitraire d'un praefectus envoyé par Rome maintenait parmi eux l'ordre matériel.

D'autre part étaient les alliés, *faederati* ou *socii*. Ils étaient moins mal traités. Le jour où ils étaient entrés dans la domination romaine, il avait été stipulé qu'ils conserveraient leur régime municipal et resteraient organisés en cités. Ils continuaient donc à avoir, dans chaque ville, une constitution propre, des magistratures, un sénat, un prytanée, des lois, des juges. La ville était réputée indépendante et semblait n'avoir d'autres relations avec Rome que celles d'une alliée avec son alliée. Toutefois, dans les termes du traité qui avait été rédigé au moment de la conquête, Rome avait inséré cette formule: *majestatem populi romani comiter conservato.* Ces mots établissaient la dépendance de la cité alliée à l'égard de la cité maîtresse, et comme ils étaient très- vagues, il en résultait que la mesure de cette dépendance était toujours au gré du plus fort. Ces villes qu'on appelait libres, recevaient des ordres de Rome, obéissaient aux proconsuls, et payaient des impôts aux publicains; leurs magistrats rendaient leurs comptes au gouverneur de la province, qui recevait aussi les appels de leurs juges. Or, telle était la nature du régime municipal chez les anciens qu'il lui fallait une indépendance complète ou qu'il cessait d'être. Entre le maintien des institutions de la cité et la subordination à un pouvoir étranger, il y avait une contradiction, qui n'apparaît peut-être pas clairement aux yeux des modernes, mais qui devait frapper tous les hommes de cette époque. La liberté municipale et l'empire de Rome étaient inconciliables; la première ne pouvait être qu'une apparence, qu'un mensonge, qu'un amusement bon à occuper les hommes. Chacune de ces villes envoyait, presque chaque année, une députation à Rome, et ses affaires les plus intimes et les plus minutieuses étaient réglées dans le Sénat. Elles avaient encore leurs magistrats municipaux, archontes et stratéges, librement élus par elles; mais l'archonte n'avait plus d'autre attribution que d'inscrire son nom sur les registres publics pour marquer l'année, et le stratége, autrefois chef de l'armée et de l'État, n'avait plus que le soin de la voirie et l'inspection des marchés.

Les institutions municipales périssaient donc aussi bien chez les peuples qu'on appelait alliés que chez ceux qu'on appelait sujets; il y avait seulement cette différence que les premiers en gardaient encore les formes extérieures. A vrai dire, la cité, telle que l'antiquité l'avait conçue, ne se voyait plus nulle part, si ce n'était dans les murs de Rome.

D'ailleurs Rome, en détruisant partout le régime de la cité, ne mettait rien à la place. Aux peuples à qui elle enlevait leurs institutions, elle ne donnait pas les siennes en échange. Elle ne songeait même pas à créer des institutions nouvelles qui fussent à leur usage. Elle ne fit jamais une constitution pour les peuples de son empire, et ne sut pas établir des règles fixes pour les gouverner. L'autorité même qu'elle exerçait sur eux n'avait rien de régulier. Comme ils ne faisaient pas partie de son État, de sa cité, elle n'avait sur eux aucune action légale. Ses sujets étaient pour elle des étrangers; aussi avait-elle vis-à-vis d'eux ce pouvoir irrégulier et illimité que l'ancien droit municipal laissait au citoyen à l'égard de l'étranger ou de l'ennemi. C'est sur ce principe que se régla longtemps l'administration romaine, et voici comment elle procédait.

Rome envoyait un de ses citoyens dans un pays; elle faisait de ce pays la *province* de cet homme, c'est-à-dire sa charge, son soin propre, son affaire personnelle; c'était le sens du mot *provincia*. En même temps, elle conférait à ce citoyen l'*imperium*; cela signifiait qu'elle se dessaisissait en sa faveur, pour un temps déterminé, de la souveraineté qu'elle possédait sur le pays. Dès lors, ce citoyen représentait en sa personne tous les droits de la république, et, à ce titre, il était un maître absolu. Il fixait le chiffre de l'impôt; il exerçait le pouvoir militaire; il rendait la justice. Ses rapports avec les sujets ou les alliés n'étaient réglés par aucune constitution. Quand il siégeait sur son tribunal, il jugeait suivant sa seule volonté; aucune loi ne pouvait s'imposer à lui, ni la loi des provinciaux, puisqu'il était Romain, ni la loi romaine, puisqu'il jugeait des provinciaux. Pour qu'il y eût des lois entre lui et ses administrés, il fallait qu'il les eût faites lui-même; car lui seul pouvait se lier. Aussi l'*imperium*dont il était revêtu, comprenait-il la puissance législative. De là vient que les gouverneurs eurent le droit et contractèrent l'habitude de publier, à leur entrée dans la province, un code de lois qu'ils appelaient leur Édit, et auquel ils s'engageaient moralement à se conformer. Mais comme les gouverneurs changeaient tous les ans, ces codes changèrent aussi chaque année, par la raison que la loi n'avait sa source que dans la volonté de l'homme momentanément revêtu de l'imperium. Ce principe était si rigoureusement appliqué que, lorsqu'un jugement avait été prononcé par le gouverneur, mais n'avait pas été entièrement exécuté au moment de son départ de la province, l'arrivée du successeur annulait de plein droit ce jugement, et la procédure était à recommencer.

Telle était l'omnipotence du gouverneur. Il était la loi vivante. Quant à invoquer la justice romaine contre ses violences ou ses crimes, les provinciaux ne le pouvaient que s'ils trouvaient un citoyen romain qui voulût leur servir de patron. Car d'eux-mêmes ils n'avaient pas le droit d'alléguer la loi de la cité ni de s'adresser à ses tribunaux. Ils étaient des étrangers; la langue juridique et officielle les appelait *peregrini*; tout ce que la loi disait du *hostis* continuait à s'appliquer à eux.

La situation légale des habitants de l'empire apparaît clairement dans les écrits des jurisconsultes romains. On y voit que les peuples sont considérés comme n'ayant plus leurs lois propres et n'ayant pas encore les lois romaines. Pour eux le droit n'existe donc en aucune façon. Aux yeux du jurisconsulte romain, le provincial n'est ni mari, ni père, c'est-à- dire que la loi ne lui reconnaît ni la puissance maritale ni l'autorité paternelle. La propriété n'existe pas pour lui; il y a même une double impossibilité à ce qu'il soit propriétaire: impossibilité à cause de sa condition personnelle, parce qu'il n'est pas citoyen romain; impossibilité à cause de la condition de sa terre, parce qu'elle n'est pas terre romaine, et que la loi n'admet le droit de propriété complète que dans les limites de l'*ager romanus*. Aussi les jurisconsultes enseignent-ils que le sol provincial n'est jamais propriété privée, et que les hommes ne peuvent en avoir que la possession et l'usufruit. Or ce qu'ils disent, au second siècle de notre ère, du sol provincial, avait été également vrai du sol italien avant le jour où l'Italie avait obtenu le droit de cité romaine, comme nous le verrons tout à l'heure.

Il est donc avéré que les peuples, à mesure qu'ils entraient dans l'empire romain, perdaient leur religion municipale, leur gouvernement, leur droit privé. On peut bien croire que Rome adoucissait dans la pratique ce que la sujétion avait de destructif. Aussi voit-on bien que, si la loi romaine ne reconnaissait pas au sujet l'autorité paternelle, encore laissait-on cette autorité subsister dans les moeurs. Si on ne permettait pas à un tel homme de se dire propriétaire du sol, encore lui en laissait-on la possession; il cultivait sa terre, la vendait, la léguait. On ne disait jamais que cette terre fût sienne, mais on disait qu'elle était comme sienne, *pro suo*. Elle n'était pas sa propriété, *dominium*, mais elle était dans ses biens, *in bonis*. Rome imaginait ainsi au profit du sujet une foule de détours et d'artifices de langage. Assurément le génie romain, si ses traditions municipales l'empêchaient de faire des lois pour les vaincus, ne pouvait pourtant pas souffrir que la société tombât en dissolution. En principe on les mettait en dehors du droit; en fait ils vivaient comme s'ils en avaient un. Mais à cela près, et sauf la tolérance du vainqueur, on laissait toutes les institutions des vaincus s'effacer et toutes leurs lois disparaître. L'empire romain présenta, pendant plusieurs générations, ce singulier spectacle: une seule cité restait debout et conservait des institutions et un droit; tout le reste, c'est-à-dire plus de cent millions d'âmes, ou n'avait plus aucune espèce de lois ou du moins n'en avait pas qui fussent reconnues par la cité maîtresse. Le monde alors n'était pas précisément un chaos; mais la force, l'arbitraire, la convention, à défaut de lois et de principes, soutenaient seuls la société.

Tel fut l'effet de la conquête romaine sur les peuples qui en devinrent successivement la proie. De la cité, tout tomba: la religion d'abord, puis le gouvernement, et enfin le droit privé; toutes les institutions municipales, déjà ébranlées depuis longtemps, furent enfin déracinées et anéanties. Mais aucune société régulière, aucun système de gouvernement ne remplaça tout de suite ce qui disparaissait. Il y eut un temps d'arrêt entre le moment où les hommes virent le régime municipal se dissoudre, et celui où ils virent naître un autre mode de société. La nation ne succéda pas d'abord à la cité, car l'empire romain ne ressemblait en aucune manière à une nation. C'était une multitude confuse, où il n'y avait d'ordre vrai qu'en un point central, et où tout le reste n'avait qu'un ordre factice et transitoire, et ne l'avait même qu'au prix de l'obéissance. Les peuples soumis ne parvinrent à se constituer en un corps organisé qu'en conquérant, à leur tour, les droits et les institutions que Rome voulait garder pour elle; il leur fallut pour cela entrer dans la cité romaine, s'y faire une place, s'y presser, la transformer elle aussi, afin de faire d'eux et de Rome un même corps. Ce fut une oeuvre longue et difficile.

5° *Les peuples soumis entrent successivement dans la cité romaine.*

On vient de voir combien la condition de sujet de Rome était déplorable, et combien le sort du citoyen devait être envié. La vanité n'avait pas seule à souffrir; il y allait des intérêts les plus réels et les plus chers. Qui n'était pas citoyen romain n'était réputé ni mari ni père; il ne pouvait être légalement ni propriétaire ni héritier. Telle était la valeur du titre de citoyen romain que sans lui on était en dehors du droit, et que par lui on entrait dans la société régulière. Il arriva donc que ce titre devint l'objet des plus vifs désirs des hommes. Le Latin, l'Italien, le Grec, plus tard l'Espagnol et le Gaulois aspirèrent à être citoyens romains, seul moyen d'avoir des droits et de compter pour quelque chose. Tous, l'un après l'autre, à peu près dans l'ordre où ils étaient entrés dans l'empire de Rome, travaillèrent à entrer dans la cite romaine, et, après de longs efforts, y réussirent.

Cette lente introduction des peuples dans l'État romain est le dernier acte de la longue histoire de la transformation sociale des anciens. Pour observer ce grand événement dans toutes ses phases successives, il faut le voir commencer au quatrième siècle avant notre ère.

Le Latium avait été soumis; des quarante petits peuples qui l'habitaient, Rome en avait exterminé la moitié, en avait dépouillé quelques-uns de leurs terres, et avait laissé aux autres le titre d'alliés. En 340, ceux- ci s'aperçurent que l'alliance était toute à leur détriment, qu'il leur fallait obéir en tout, et qu'ils étaient condamnés à prodiguer, chaque année, leur sang et leur argent pour le seul profit de Rome. Ils se coalisèrent; leur chef Annius formula ainsi leurs réclamations dans le Sénat de Rome: « Qu'on nous donne l'égalité; ayons mêmes lois; ne formons avec vous qu'un seul État, *una civitas*; n'ayons qu'un seul nom, et qu'on nous appelle tous également Romains. » Annius énonçait ainsi dès l'année 340 le voeu que tous les peuples de l'empire conçurent l'un après l'autre, et qui ne devait être complètement réalisé qu'après cinq siècles et demi. Alors une telle pensée était bien nouvelle, bien inattendue; les Romains la déclarèrent monstrueuse et criminelle; elle était, en effet, contraire à la vieille religion et au vieux droit des cités. Le consul Manlius répondit que, s'il arrivait qu'une telle proposition fût acceptée, lui, consul, tuerait de sa main le premier Latin qui viendrait siéger dans le Sénat; puis, se tournant vers l'autel, il prit le dieu à témoin, disant: « Tu as entendu, ô Jupiter, les paroles impies qui sont sorties de la bouche de cet homme! Pourras-tu tolérer, ô dieu, qu'un étranger vienne s'asseoir dans ton temple sacré, comme sénateur, comme consul? » Manlius exprimait ainsi le vieux sentiment de répulsion qui séparait le citoyen de l'étranger. Il était l'organe de l'antique loi religieuse, qui prescrivait que l'étranger fût détesté des hommes, parce qu'il était maudit des dieux de la cité. Il lui paraissait impossible qu'un Latin fût sénateur, parce que le lieu de réunion du Sénat était un temple et que les dieux romains ne pouvaient pas souffrir dans leur sanctuaire la présence d'un étranger.

La guerre s'ensuivit; les Latins vaincus firent *dédition*, c'est-à-dire livrèrent aux Romains leurs villes, leurs cultes, leurs lois, leurs terres. Leur position était cruelle. Un consul dit dans le Sénat que, si l'on ne voulait pas que Rome fût entourée d'un vaste désert, il fallait régler le sort des Latins avec quelque clémence. Tite-Live n'explique pas clairement ce qui fut fait; s'il faut l'en croire, on donna aux Latins le droit de cité romaine, mais sans y comprendre, dans l'ordre politique le droit de suffrage, ni dans l'ordre civil le droit de mariage; on peut noter en outre que ces nouveaux citoyens n'étaient pas comptés dans le cens. On voit bien que le Sénat trompait les Latins, en leur appliquant le nom de citoyens romains; ce titre déguisait une véritable sujétion, puisque les hommes qui le portaient avaient les obligations du citoyen sans en avoir les droits. Cela est si vrai que plusieurs villes latines se révoltèrent pour qu'on leur retirât ce prétendu droit de cité.

Une centaine d'années se passent, et, sans que Tite-Live nous en avertisse, on reconnaît bien que Rome a changé de politique. La condition de Latins ayant droit de cité sans suffrage et sans *connubium*, n'existe plus. Rome leur a repris ce titre de citoyen, ou plutôt elle a fait disparaître ce mensonge, et elle s'est décidée à rendre aux différentes villes leur gouvernement municipal, leurs lois, leurs magistratures.

Mais, par un trait de grande habileté, Rome ouvrait une porté qui, si étroite qu'elle fût, permettait aux sujets d'entrer dans la cité romaine.

Elle accordait que tout Latin qui aurait exercé une magistrature dans sa ville natale, fût citoyen romain à l'expiration de sa charge. Cette fois, le don du droit de cité était complet et sans réserve: suffrages, magistratures, cens, mariage, droit privé, tout s'y trouvait. Rome se résignait à partager avec l'étranger sa religion, son gouvernement, ses lois; seulement, ses faveurs étaient individuelles et s'adressaient, non à des villes entières, mais à quelques hommes dans chacune d'elles. Rome n'admettait dans son sein que ce qu'il y avait de meilleur, de plus riche, de plus considéré dans le Latium.

Ce droit de cité devint alors précieux, d'abord parce qu'il était complet, ensuite parce qu'il était un privilège. Par lui, on figurait dans les comices de la ville la plus puissante de l'Italie; on pouvait être consul et commander des légions. Il avait aussi de quoi satisfaire les ambitions plus modestes; grâce à lui on pouvait s'allier par mariage à une famille romaine; on pouvait s'établir à Rome et y être propriétaire; on pouvait faire le négoce dans Rome, qui devenait déjà l'une des premières places de commerce du monde. On pouvait entrer dans les compagnies de publicains, c'est-à-dire prendre part aux énormes bénéfices que procurait la perception des impôts ou la spéculation sur les terres de l'*ager publicus*. En quelque lieu qu'on habitât, on était protégé très- efficacement; on échappait à l'autorité des magistrats municipaux, et on était à l'abri des caprices des magistrats romains eux-mêmes. A être citoyen de Rome on gagnait honneurs, richesse, sécurité.

Les Latins se montrèrent donc empressés à rechercher ce titre et usèrent de toutes sortes de moyens pour l'acquérir. Un jour que Rome voulut se montrer un peu sévère, elle découvrit que 12,000 d'entre eux l'avaient obtenu par fraude.

Ordinairement Rome fermait les yeux, songeant que par là sa population s'augmentait et que les pertes de la guerre étaient réparées. Mais les villes latines souffraient; leurs plus riches habitants devenaient citoyens romains, et le Latium s'appauvrissait. L'impôt, dont les plus riches étaient exempts à titre de citoyens romains, devenait de plus en plus lourd, et le contingent de soldats qu'il fallait fournir à Rome était chaque, année plus difficile à compléter. Plus était grand le nombre de ceux qui obtenaient le droit de cité, plus était dure la condition de ceux qui ne l'avaient pas. Il vint un temps où les villes latines demandèrent que ce droit de cité cessât d'être un privilège. Les villes italiennes qui, soumises depuis deux siècles, étaient à peu près dans la même condition que les villes latines, et voyaient aussi leurs plus riches habitants les abandonner pour devenir Romains, réclamèrent pour elles ce droit de cité. Le sort des sujets ou des alliés était devenu d'autant moins supportable à cette époque, que la démocratie romaine agitait alors la grande question des lois agraires. Or, le principe de toutes ces lois était que ni le sujet ni l'allié ne pouvait être propriétaire du sol, sauf un acte formel de la cité, et que la plus grande partie des terres italiennes appartenait à la république; un parti demandait donc que ces terres, qui étaient occupées presque toutes par des Italiens, fussent reprises par l'État et partagées entre les pauvres de Rome. Les Italiens étaient donc menacés d'une ruine générale; ils sentaient vivement le besoin d'avoir des droits civils, et ils ne pouvaient en avoir qu'en devenant citoyens romains.

La guerre qui s'ensuivit fut appelée la guerre *sociale*; c'étaient les alliés de Rome qui prenaient les armes pour ne plus être alliés et devenir Romains. Rome victorieuse fut pourtant contrainte d'accorder ce qu'on lui demandait, et les Italiens reçurent le droit de cité. Assimilés dès lors aux Romains, ils purent voter au forum; dans la vie privée, ils furent régis par les lois romaines; leur droit sur le sol fut reconnu, et la terre italienne, à l'égal de la terre romaine, put être possédée en propre. Alors s'établit le *jus italicum*, qui était le droit, non de la personne italienne, puisque l'Italien était devenu Romain, mais du sol italique, qui fut susceptible de propriété, comme s'il était *ager romanus*.

À partir de ce temps-là, l'Italie entière forma un seul État. Il restait encore à faire entrer dans l'unité romaine les provinces.

Il faut faire une distinction entre les provinces d'Occident et la Grèce. A l'Occident étaient la Gaule et l'Espagne qui, avant la conquête, n'avaient pas connu le véritable régime municipal. Rome s'attacha à créer ce régime chez ces peuples, soit qu'elle ne crût pas possible de les gouverner autrement, soit que, pour les assimiler peu à peu aux populations italiennes, il fallût les faire passer par la même route que ces populations avaient suivie. De là vient que les empereurs, qui supprimaient toute vie politique à Rome, entretenaient avec soin les formes de la liberté municipale dans les provinces. Il se forma ainsi des cités en Gaule; chacune d'elles eut son Sénat, son corps aristocratique, ses magistratures électives; chacune eut même son culte local, son *Genius*, sa divinité poliade, à l'image de ce qu'il y avait dans l'ancienne Grèce et l'ancienne Italie. Or ce régime municipal qu'on établissait ainsi, n'empêchait pas les hommes d'arriver à la cité romaine; il les y préparait au contraire. Une hiérarchie habilement combinée entre ces villes marquait les degrés par lesquels elles devaient s'approcher insensiblement de Rome pour s'assimiler enfin à elle. On distinguait: 1° les alliés, qui avaient un gouvernement et des lois propres, et nul lien de droit avec les citoyens romains; 2° les colonies, qui jouissaient du droit civil des Romains, sans en avoir les droits politiques; 3° les villes de droit italique, c'est-à-dire celles à qui la faveur de Rome avait accordé le droit de propriété complète sur leurs terres, comme si ces terres eussent été en Italie; 4° les villes de droit latin, c'est-à-dire celles dont les habitants pouvaient, suivant l'usage autrefois établi dans le Latium, devenir citoyens romains, après avoir exercé une magistrature municipale. Ces distinctions étaient si profondes qu'entre personnes de deux catégories différentes il n'y avait ni mariage possible ni aucune relation légale. Mais les empereurs eurent soin que les villes pussent s'élever, à la longue et d'échelon en échelon, de la condition de sujet ou d'allié au droit italique, du droit italique au droit latin. Quand une ville en était arrivée là, ses principales familles devenaient romaines l'une après l'autre.

La Grèce entra aussi peu à peu dans l'État romain. Chaque ville conserva d'abord les formes et les rouages du régime municipal. Au moment de la conquête, la Grèce s'était montrée désireuse de garder son autonomie; on la lui laissa, et plus longtemps peut-être qu'elle ne l'eût voulu. Au bout de peu de générations, elle aspira à se faire romaine; la vanité, l'ambition, l'intérêt y travaillèrent.

Les Grecs n'avaient pas pour Rome cette haine que l'on porte ordinairement à un maître étranger; ils l'admiraient, ils avaient pour elle de la vénération; d'eux-mêmes ils lui vouaient un culte et lui élevaient des temples comme à un dieu. Chaque ville oubliait sa divinité poliade et adorait à sa place la déesse Rome et le dieu César; les plus belles fêtes étaient pour eux, et les premiers magistrats n'avaient pas de fonction plus haute que celle de célébrer en grande pompe les jeux Augustaux. Les hommes s'habituaient ainsi à lever les yeux au-dessus de leurs cités; ils voyaient dans Rome la cité par excellence, la vraie patrie, le prytanée de tous les peuples. La ville où l'on était né paraissait petite; ses intérêts n'occupaient plus la pensée; les honneurs qu'elle donnait ne satisfaisaient plus l'ambition. On ne s'estimait rien, si l'on n'était pas citoyen romain. Il est vrai que, sous les empereurs, ce titre ne conférait plus de droits politiques; mais il offrait de plus solides avantages, puisque l'homme qui en était revêtu acquérait en même temps le plein droit de propriété, le droit d'héritage, le droit de mariage, l'autorité paternelle et tout le droit privé de Rome. Les lois que chacun trouvait dans sa ville, étaient des lois variables et sans fondement, qui n'avaient qu'une valeur de tolérance; le Romain les méprisait et le Grec lui-même les estimait peu. Pour avoir des lois fixes, reconnues de tous et vraiment saintes, il fallait avoir les lois romaines.

On ne voit pas que ni la Grèce entière ni même une ville grecque ait formellement demandé ce droit de cité si désiré; mais les hommes travaillèrent individuellement à l'acquérir, et Rome s'y prêta d'assez bonne grâce. Les uns l'obtinrent de la faveur de l'empereur; d'autres l'achetèrent; on l'accorda à ceux qui donnaient trois enfants à la société, ou qui servaient dans certains corps de l'armée; quelquefois il suffit pour l'obtenir d'avoir construit un navire de commerce d'un tonnage déterminé, ou d'avoir porté du blé à Rome. Un moyen facile et prompt de l'acquérir était de se vendre comme esclave à un citoyen romain; car l'affranchissement dans les formes légales conduisait au droit de cité.

L'homme qui possédait le titre de citoyen romain ne faisait plus partie civilement ni politiquement de sa ville natale. Il pouvait continuer à l'habiter, mais il y était réputé étranger; il n'était plus soumis aux lois de la ville, n'obéissait plus à ses magistrats, n'en supportait plus les charges pécuniaires. C'était la conséquence du vieux principe qui ne permettait pas qu'un même homme appartînt à deux cités à la fois. Il arriva naturellement qu'après quelques générations il y eut dans chaque ville grecque un assez grand nombre d'hommes, et c'étaient ordinairement les plus riches, qui ne reconnaissaient ni le gouvernement ni le droit de cette ville. Le régime municipal périt ainsi lentement et comme de mort naturelle.

Il vint un jour où la cité fut un cadre qui ne renferma plus rien, où les lois locales ne s'appliquèrent presque plus à personne, où les juges municipaux n'eurent plus de justiciables.

Enfin, quand huit ou dix générations eurent soupiré après le droit de cité romaine, et que tout ce qui avait quelque valeur l'eut obtenu, alors parut un décret impérial qui l'accorda à tous les hommes libres sans distinction.

Ce qui est étrange ici, c'est qu'on ne peut dire avec certitude ni la date de ce décret ni le nom du prince qui l'a porté. On en fait honneur avec quelque vraisemblance à Caracalla, c'est-à-dire à un prince qui n'eut jamais de vues bien élevées; aussi ne le lui attribue-t-on que comme une simple mesure fiscale. On ne rencontre guère dans l'histoire de décrets plus importants que celui-là: il supprimait la distinction qui existait depuis la conquête romaine entre le peuple dominateur et les peuples sujets; il faisait même disparaître la distinction beaucoup plus vieille que la religion et le droit avaient marquée entre les cités. Cependant les historiens de ce temps-là n'en ont pas pris note, et nous ne le connaissons que par deux textes vagues des jurisconsultes et une courte indication de Dion Cassius. Si ce décret n'a pas frappé les contemporains et n'a pas été remarqué de ceux qui écrivaient alors l'histoire, c'est que le changement dont il était l'expression légale était achevé depuis longtemps. L'inégalité entre les citoyens et les sujets s'était affaiblie à chaque génération et s'était peu à peu effacée. Le décret put passer inaperçu, sous le voile d'une mesure fiscale; il proclamait et faisait passer dans le domaine du droit ce qui était déjà un fait accompli.

Le titre de citoyen commença alors à tomber en désuétude, ou, s'il fut encore employé, ce fut pour désigner la condition d'homme libre opposée à celle d'esclave. A partir de ce temps-là, tout ce qui faisait partie de l'empire romain, depuis l'Espagne jusqu'à l'Euphrate, forma véritablement un seul peuple et un seul État. La distinction des cités avait disparu; celle des nations n'apparaissait encore que faiblement. Tous les habitants de cet immense empire étaient également Romains. Le Gaulois abandonna son nom de Gaulois et prit avec empressement celui de Romain; ainsi fit l'Espagnol; ainsi fit l'habitant de la Thrace ou de la Syrie. Il n'y eut plus qu'un seul nom, qu'une seule patrie, qu'un seul gouvernement, qu'un seul droit.

On voit combien la cité romaine s'était développée d'âge en âge. A l'origine elle n'avait contenu que des patriciens et des clients; ensuite la classe plébéienne y avait pénétré, puis les Latins, puis les Italiens; enfin vinrent les provinciaux. La conquête n'avait pas suffi à opérer ce grand changement. Il avait fallu la lente transformation des idées, les concessions prudentes mais non interrompues des empereurs, et l'empressement des intérêts individuels. Alors toutes les cités disparurent peu à peu; et la cité romaine, la dernière debout, se transforma elle-même si bien qu'elle devint la réunion d'une douzaine de grands peuples sous un maître unique. Ainsi tomba le régime municipal.

Il n'entre pas dans notre sujet de dire par quel système de gouvernement ce régime fut remplacé, ni de chercher si ce changement fut d'abord plus avantageux que funeste aux populations. Nous devons nous arrêter au moment où les vieilles formes sociales que l'antiquité avait établies furent effacées pour jamais.

CHAPITRE III

LE CHRISTIANISME CHANGE LES CONDITIONS DU GOUVERNEMENT.

La victoire du christianisme marque la fin de la société antique. Avec la religion nouvelle s'achève cette transformation sociale que nous avons vue commencer six ou sept siècles avant elle.

Pour savoir combien les principes et les règles essentielles de la politique furent alors changés, il suffit de se rappeler que l'ancienne société avait été constituée par une vieille religion dont le principal dogme était que chaque dieu protégeait exclusivement une famille ou une cité, et n'existait que pour elle. C'était le temps des dieux domestiques et des divinités poliades. Cette religion avait enfanté le droit; les relations entre les hommes, la propriété, l'héritage, la procédure, tout s'était trouvé réglé, non par les principes de l'équité naturelle, mais par les dogmes de cette religion et en vue des besoins de son culte. C'était elle aussi qui avait établi un gouvernement parmi les hommes: celui du père dans la famille, celui du roi ou du magistrat dans la cité. Tout était venu de la religion, c'est-à-dire de l'opinion que l'homme s'était faite de la divinité. Religion, droit, gouvernement s'étaient confondus et n'avaient été qu'une même chose sous trois aspects divers.

Nous avons cherché à mettre en lumière ce régime social des anciens, où la religion était maîtresse absolue dans la vie privée et dans la vie publique; où l'État était une communauté religieuse, le roi un pontife, le magistrat un prêtre, la loi une formule sainte; où le patriotisme était de la piété, l'exil une excommunication; où la liberté individuelle était inconnue, où l'homme était asservi à l'État par son âme, par son corps, par ses biens; où la haine était obligatoire contre l'étranger, où la notion du droit et du devoir, de la justice et de l'affection s'arrêtait aux limites de la cité; où l'association humaine était nécessairement bornée dans une certaine circonférence, autour d'un prytanée, et où l'on ne voyait pas la possibilité de fonder des sociétés plus grandes. Tels furent les traits caractéristiques des cités grecques et italiennes pendant la première période de leur histoire.

Mais peu à peu, nous l'avons vu, la société se modifia. Des changements s'accomplirent dans le gouvernement et dans le droit, en même temps que dans les croyances. Déjà, dans les cinq siècles qui précèdent le christianisme, l'alliance n'était plus aussi intime entre la religion d'une part, le droit et la politique de l'autre. Les efforts des classes opprimées, le renversement de la caste sacerdotale, le travail des philosophes, le progrès de la pensée, avaient ébranlé les vieux principes de l'association humaine. On avait fait d'incessants efforts pour s'affranchir de l'empire de cette vieille religion, à laquelle l'homme ne pouvait plus croire; le droit et la politique, comme la morale, s'étaient peu à peu dégagés de ses liens.

Seulement, cette espèce de divorce venait de l'effacement de l'ancienne religion; si le droit et la politique commençaient à être quelque peu indépendants, c'est que les hommes cessaient d'avoir des croyances; si la société n'était plus gouvernée par la religion, cela tenait surtout à ce que la religion n'avait plus de force. Or, il vint un jour où le sentiment religieux reprit vie et vigueur, et où, sous la forme chrétienne, la croyance ressaisit l'empire de l'âme. N'allait-on pas voir alors reparaître l'antique confusion du gouvernement et du sacerdoce, de la foi et de la loi?

Avec le christianisme, non-seulement le sentiment religieux fut ravivé, il prit encore une expression plus haute et moins matérielle. Tandis qu'autrefois on s'était fait des dieux de l'âme humaine ou des grandes forces physiques, on commença à concevoir Dieu comme véritablement étranger, par son essence, à la nature humaine d'une part, au monde de l'autre. Le Divin fut décidément placé en dehors de la nature visible et au-dessus d'elle. Tandis qu'autrefois chaque homme s'était fait son dieu, et qu'il y en avait eu autant que de familles et de cités, Dieu apparut alors comme un être unique, immense, universel, seul animant les mondes, et seul devant remplir le besoin d'adoration qui est en l'homme. Au lieu qu'autrefois la religion, chez les peuples de la Grèce et de l'Italie, n'était guère autre chose qu'un ensemble de pratiques, une série de rites que l'on répétait sans y voir aucun sens, une suite de formules que souvent on ne comprenait plus, parce que la langue en avait vieilli, une tradition qui se transmettait d'âge en âge et ne tenait son caractère sacré que de son antiquité, au lieu de cela, la religion fut un ensemble de dogmes et un grand objet proposé à la foi. Elle ne fut plus extérieure; elle siégea surtout dans la pensée de l'homme. Elle ne fut plus matière; elle devint esprit. Le christianisme changea la nature et la forme de l'adoration: l'homme ne donna plus à Dieu l'aliment et le breuvage; la prière ne fut plus une formule d'incantation; elle fut un acte de foi et une humble demande. L'âme fut dans une autre relation avec la divinité: la crainte des dieux fut remplacée par l'amour de Dieu.

Le christianisme apportait encore d'autres nouveautés. Il n'était la religion domestique d'aucune famille, la religion nationale d'aucune cité ni d'aucune race. Il n'appartenait ni à une caste ni à une corporation. Dès son début, il appelait à lui l'humanité entière. Jésus-Christ disait à ses disciples: « Allez et instruisez *tous les peuples*. »

Ce principe était si extraordinaire et si inattendu que les premiers disciples eurent un moment d'hésitation; on peut voir dans les Actes des apôtres que plusieurs se refusèrent d'abord à propager la nouvelle doctrine en dehors du peuple chez qui elle avait pris naissance. Ces disciples pensaient, comme les anciens Juifs, que le Dieu des Juifs ne voulait pas être adoré par des étrangers; comme les Romains et les Grecs des temps anciens, ils croyaient que chaque race avait son dieu, que propager le nom et le culte de ce dieu c'était se dessaisir d'un bien propre et d'un protecteur spécial, et qu'une telle propagande était à la fois contraire au devoir et à l'intérêt. Mais Pierre répliqua à ces disciples: « Dieu ne fait pas de différence entre les gentils et nous. » Saint Paul se plut à répéter ce grand principe en toute occasion et sous toute espèce de forme: « Dieu, dit-il, ouvre aux gentils les portes de la foi. Dieu n'est-il Dieu que des Juifs? non, certes, il l'est aussi des gentils… Les gentils sont appelés au même héritage que les Juifs. »

Il y avait en tout cela quelque chose de très-nouveau. Car partout, dans le premier âge de l'humanité, on avait conçu la divinité comme s'attachant spécialement à une race. Les Juifs avaient cru au Dieu des Juifs, les Athéniens à la Pallas athénienne, les Romains au Jupiter capitolin. Le droit de pratiquer un culte avait été un privilège. L'étranger avait été repoussé des temples; le non-Juif n'avait pas pu entrer dans le temple des Juifs; le Lacédémonien n'avait pas eu le droit d'invoquer Pallas athénienne. Il est juste de dire que, dans les cinq siècles qui précédèrent le christianisme, tout ce qui pensait s'insurgeait déjà contre ces règles étroites. La philosophie avait enseigné maintes fois, depuis Anaxagore, que le Dieu de l'univers recevait indistinctement les hommages de tous les hommes. La religion d'Éleusis avait admis des initiés de toutes les villes. Les cultes de Cybèle, de Sérapis et quelques autres avaient accepté indifféremment des adorateurs de toutes nations. Les Juifs avaient commencé à admettre l'étranger dans leur religion, les Grecs et les Romains l'avaient admis dans leurs cités. Le christianisme, venant après tous ces progrès de la pensée et des institutions, présenta à l'adoration de tous les hommes un Dieu unique, un Dieu universel, un Dieu qui était à tous, qui n'avait pas de peuple choisi, et qui ne distinguait ni les races, ni les familles, ni les États.

Pour ce Dieu il n'y avait plus d'étrangers. L'étranger ne profanait plus le temple, ne souillait plus le sacrifice par sa seule présence. Le temple fut ouvert à quiconque crut en Dieu. Le sacerdoce cessa d'être héréditaire, parce que la religion n'était plus un patrimoine. Le culte ne fut plus tenu secret; les rites, les prières, les dogmes ne furent plus cachés; au contraire, il y eut désormais un enseignement religieux, qui ne se donna pas seulement, mais qui s'offrit, qui se porta au-devant des plus éloignés, qui alla chercher les plus indifférents. L'esprit de propagande remplaça la loi d'exclusion.

Cela eut de grandes conséquences, tant pour les relations entre les peuples que pour le gouvernement des États.

Entre les peuples, la religion ne commanda plus la haine; elle ne fit plus un devoir au citoyen de détester l'étranger; il fut de son essence, au contraire, de lui enseigner qu'il avait envers l'étranger, envers l'ennemi, des devoirs de justice et même de bienveillance. Les barrières entre les peuples et les races furent ainsi abaissées; le *pomoerium* disparut; « Jésus-Christ, dit l'apôtre, a rompu la muraille de séparation et d'inimitié. » — « Il y a plusieurs membres, dit-il encore; mais tous ne font qu'un seul corps. Il n'y a ni gentil, ni Juif; ni circoncis, ni incirconcis; ni barbare, ni Scythe. Tout le genre humain est ordonné dans l'unité. » On enseigna même aux peuples qu'ils descendaient tous d'un même père commun. Avec l'unité de Dieu, l'unité de la face humaine apparut aux esprits; et ce fut dès lors une nécessité de la religion de défendre à l'homme de haïr les autres hommes.

Pour ce qui est du gouvernement de l'État, on peut dire que le christianisme l'a transformé dans son essence, précisément parce qu'il ne s'en est pas occupé. Dans les vieux âges, la religion et l'État ne faisaient qu'un; chaque peuple adorait son dieu, et chaque dieu gouvernait son peuple; le même code réglait les relations entre les hommes et les devoirs envers les dieux de la cité. La religion commandait alors à l'État, et lui désignait ses chefs par la voix du sort ou par celle des auspices; l'État, à son tour, intervenait dans le domaine de la conscience et punissait toute infraction aux rites et au culte de la cité. Au lieu de cela, Jésus-Christ enseigne que son empire n'est pas de ce monde. Il sépare la religion du gouvernement. La religion, n'étant plus terrestre, ne se mêle plus que le moins qu'elle peut aux choses de la terre. Jésus- Christ ajoute: « Rendez à César ce qui est à César, et à Dieu ce qui est à Dieu. » C'est la première fois que l'on distingue si nettement Dieu de l'État. Car César, à cette époque, était encore le grand pontife, le chef et le principal organe de la religion romaine; il était le gardien et l'interprète des croyances; il tenait dans ses mains le culte et le dogme. Sa personne même était sacrée et divine; car c'était précisément un des traits de la politique des empereurs, que, voulant reprendre les attributs de la royauté antique, ils n'avaient garde d'oublier ce caractère divin que l'antiquité avait attaché aux rois-pontifes et aux prêtres-fondateurs. Mais voici que Jésus-Christ brise cette alliance que le paganisme et l'empire voulaient renouer; il proclame que la religion n'est plus l'État, et qu'obéir à César n'est plus la même chose qu'obéir à Dieu.

Le christianisme achève de renverser les cultes locaux; il éteint les prytanées, brise définitivement les divinités poliades. Il fait plus: il ne prend pas pour lui l'empire que ces cultes avaient exercé sur la société civile. Il professe qu'entre l'État et la religion il n'y a rien de commun; il sépare ce que toute l'antiquité avait confondu. On peut d'ailleurs remarquer que, pendant trois siècles, la religion nouvelle vécut tout à fait en dehors de l'action de l'État; elle sut se passer de sa protection et lutter même contre lui. Ces trois siècles établirent un abîme entre le domaine du gouvernement et le domaine de la religion. Et comme le souvenir de cette glorieuse époque n'a pas pu s'effacer, il s'en est suivi que cette distinction est devenue une vérité vulgaire et incontestable que les efforts mêmes d'une partie du clergé n'ont pas pu déraciner.

Ce principe fut fécond en grands résultats. D'une part, la politique fut définitivement affranchie des règles strictes que l'ancienne religion lui avait tracées. On put gouverner les hommes sans avoir à se plier à des usages sacrés, sans prendre avis des auspices ou des oracles, sans conformer tous les actes aux croyances et aux besoins du culte. La politique fut plus libre dans ses allures; aucune autre autorité que celle de la loi morale ne la gêna plus. D'autre part, si l'État fut plus maître en certaines choses, son action fut aussi plus limitée. Toute une moitié de l'homme lui échappa. Le christianisme enseignait que l'homme n'appartenait plus à la société que par une partie de lui-même, qu'il était engagé à elle par son corps et par ses intérêts matériels, que, sujet d'un tyran, il devait se soumettre, que, citoyen d'une république, il devait donner sa vie pour elle, mais que, pour son âme, il était libre et n'était engagé qu'à Dieu.

Le stoïcisme avait marqué déjà cette séparation; il avait rendu l'homme à lui-même, et avait fondé la liberté intérieure. Mais de ce qui n'était que l'effort d'énergie d'une secte courageuse, le christianisme fit la règle universelle et inébranlable des générations suivantes; de ce qui n'était que la consolation de quelques-uns, il fit le bien commun de l'humanité.

Si maintenant on se rappelle ce qui a été dit plus haut sur l'omnipotence de l'État chez les anciens, si l'on songe à quel point la cité, au nom de son caractère sacré et de la religion qui était inhérente à elle, exerçait un empire absolu, on verra que ce principe nouveau a été la source d'où a pu venir la liberté de l'individu. Une fois que l'âme s'est trouvée affranchie, le plus difficile était fait, et la liberté est devenue possible dans l'ordre social.

Les sentiments et les moeurs se sont alors transformés aussi bien que la politique. L'idée qu'on se faisait des devoirs du citoyen s'est affaiblie. Le devoir par excellence n'a plus consisté à donner son temps, ses forces et sa vie à l'État. La politique et la guerre n'ont plus été le tout de l'homme; toutes les vertus n'ont plus été comprises dans le patriotisme; car l'âme n'avait plus de patrie. L'homme a senti qu'il avait d'autres obligations que celle de vivre et de mourir pour la cité. Le christianisme a distingué les vertus privées des vertus publiques. En abaissant celles-ci, il a relevé celles-là; il a mis Dieu, la famille, la personne humaine au-dessus de la patrie, le prochain au-dessus du concitoyen.

Le droit a aussi changé de nature. Chez toutes les nations anciennes, le droit avait été assujetti à la religion et avait reçu d'elle toutes ses règles. Chez les Perses et les Hindous, chez les Juifs, chez les Grecs, les Italiens et les Gaulois, la loi avait été contenue dans les livres sacrés ou dans la tradition religieuse. Aussi chaque religion avait-elle fait le droit à son image. Le christianisme est la première religion qui n'ait pas prétendu que le droit dépendît d'elle. Il s'occupa des devoirs des hommes, non de leurs relations d'intérêts. On ne le vit régler ni le droit de propriété, ni l'ordre des successions, ni les obligations, ni la procédure. Il se plaça en dehors du droit, comme en dehors de toute chose purement terrestre. Le droit fut donc indépendant; il put prendre ses règles dans la nature, dans la conscience humaine, dans la puissante idée du juste qui est en nous. Il put se développer en toute liberté, se réformer et s'améliorer sans nul obstacle, suivre les progrès de la morale, se plier aux intérêts et aux besoins sociaux de chaque génération.

L'heureuse influence de l'idée nouvelle se reconnaît bien dans l'histoire du droit romain. Durant les quelques siècles qui précédèrent le triomphe du christianisme, le droit romain travaillait déjà à se dégager de la religion et à se rapprocher de l'équité et de la nature; mais il ne procédait que par des détours et par des subtilités, qui l'énervaient et affaiblissaient son autorité morale. L'oeuvre de régénération du droit, annoncée par la philosophie stoïcienne, poursuivie par les nobles efforts des jurisconsultes romains, ébauchée par les artifices et les ruses du préteur, ne put réussir complètement qu'à la faveur de l'indépendance que la nouvelle religion laissait au droit. On put voir, à mesure que le christianisme conquérait la société, les codes romains admettre les règles nouvelles, non plus par des subterfuges, mais ouvertement et sans hésitation. Les pénates domestiques ayant été renversés et les foyers éteints, l'antique constitution de la famille disparut pour toujours, et avec elle les règles qui en avaient découlé. Le père perdit l'autorité absolue que son sacerdoce lui avait autrefois donnée, et ne conserva que celle que la nature même lui confère pour les besoins de l'enfant. La femme, que le vieux culte plaçait dans une position inférieure au mari, devint moralement son égale. Le droit de propriété fut transformé dans son essence; les bornes sacrées des champs disparurent; la propriété ne découla plus de la religion, mais du travail; l'acquisition en fut rendue plus facile, et les formalités du vieux droit furent définitivement écartées.

Ainsi par cela seul que la famille n'avait plus sa religion domestique, sa constitution et son droit furent transformés; de même que, par cela seul que l'État n'avait plus sa religion officielle, les règles du gouvernement des hommes furent changées pour toujours.

Notre étude doit s'arrêter à cette limite qui sépare la politique ancienne de la politique moderne. Nous avons fait l'histoire d'une croyance. Elle s'établit: la société humaine se constitue. Elle se modifie: la société traverse une série de révolutions. Elle disparaît: la société change de face. Telle a été la loi des temps antiques.